Karin Aschauer / Manuel Böhm / Johann Gaisberger / Werner Hagmüller / Hansjörg Hofmann
Leopold Reindl / Christian Stöbich / Johannes Trautendorfer

Landwirtschaft bio(logisch)!

Karin Aschauer • Manuel Böhm • Johann Gaisberger
Werner Hagmüller • Hansjörg Hofmann • Leopold Reindl
Christian Stöbich • Johannes Trautendorfer

# Landwirtschaft bio(logisch)!

Leopold Stocker Verlag
Graz – Stuttgart

Umschlaggestaltung: Werbeagentur Rypka GmbH, A-8143-Dobl-Zwaring, www.rypka.at
Bildnachweis: Alle Abbildungen im Buch stammen, so nicht anders angegeben, von den Autoren.

Bibliografische Information der Deutschen Nationalbibliothek
Die Deutsche Nationalbibliothek verzeichnet diese Publikation in der Deutschen Nationalbibliografie; detaillierte bibliografische Daten sind im Internet über http://dnb.d-nb.de abrufbar.



Hinweis: Dieses Buch wurde auf chlorfrei gebleichtem Papier gedruckt. Die zum Schutz vor Verschmutzung verwendete Einschweißfolie ist aus Polyethylen chlor- und schwefelfrei hergestellt. Diese umweltfreundliche Folie verhält sich grundwasserneutral, ist voll recyclingfähig und verbrennt in Müllverbrennungsanlagen völlig ungiftig.

Auf Wunsch senden wir Ihnen gerne kostenlos unser Verlagsverzeichnis zu:
Leopold Stocker Verlag GmbH
Hofgasse 5/Postfach 438
A-8011 Graz
Tel.: +43 (0)316/82 16 36
Fax: +43 (0)316/83 56 12
E-Mail: stocker-verlag@stocker-verlag.com
www.stocker-verlag.com

ISBN 978-3-7020-1881-8
ISBN 978-3-7020-1974-7 (Buch mit E-Book Plus)

| |
|---|
| Buch-Nr. 46-200376<br>E-Book-Plus-Nr. 46-200425 |
| Aschauer/Böhm/Gaisberger/Hagmüller/Hofmann/Reindl/<br>Stöbich/Trautendorfer<br>**Landwirtschaft bio(logisch)!**<br>© Copyright by Leopold Stocker Verlag, Graz 2021 |
| ISBN 978-3-7020-1881-8<br>ISBN 978-3-7020-1974-7 (Buch mit E-Book Plus) |



Layout: Werbeagentur Rypka GmbH, A-8143-Dobl-Zwaring, www.rypka.at

# INHALT

# BIO-LANDBAU – PLATZ FÜR PERSÖNLICHES WACHSEN!

**Warum braucht es ein eigenes Lehrbuch für „Bio"?**

Johann Gaisberger, Schulleiter

Wo neue Wege gegangen werden, muss Altes „entlernt" und Neues gelernt werden. Schulen sind Orte des Lernens! Wo, wenn nicht dort, müssen sich neue Erkenntnisse entwickeln und weitergegeben werden. Dabei ist die persönliche Weiterentwicklung aller nötig. Der Mensch als Ganzes ist gefordert! Von Lehrerinnen und Lehrern, den Schülerinnen und Schülern, über den Schulleiter bzw. die Schulleiterin bis zum Personal sind alle betroffen.

Das Obere Mühlviertel gilt als eine der Wiegen des Bio-Landbaus. Kein Wunder also, dass es hier auch die erste Landwirtschaftsschule für Bio-Landbau gibt. Die bäuerlichen Bio-Pioniere wurden am Weg zur „Bioschule Schlägl" von Beginn an in unseren Schulentwicklungsprozess miteinbezogen.

Seit dem Start der Bioschule Schlägl 2002 wurde immer wieder die Frage nach „Unterrichtsbeispielen für den Bio-Landbau" an unsere Schule herangetragen. So entstand die Idee, unsere Arbeitsergebnisse mit anderen in Form eines Schulbuches zu teilen. Wir gehen damit der Frage nach, wie „Bio" im Unterrichtsgeschehen realisiert werden kann. Natürlich helfen uns beim „Teilen" die modernen Medien. Bio-Landbau muss – falls er den Jungen attraktiv erscheinen soll – modern und ansprechend gestaltet sein.

Vom Anfang an war unser Anspruch, möglichst viele Praktikerinnen und Praktiker mit einzubeziehen. Gemeinsam mit den Lehrerinnen und Lehrern, dem Biokomptenzzentrum Schlägl, Bio-Beratern und Beraterinnen, der Bundesversuchsanstalt Raumberg Gumpenstein und dem Forschungsinstitut für Bio-Landbau entstand aus dem Interreg-Projekt ‚Entwicklung und Etablierung grenzüberschreitender Bildungsangebote im Ökoloandbau" (Projektpartner: Lehr-, Versuchs- und Fachzentrum & Ökoakademie Kringell, Bayern) dieses Schulbuch.

Wie können wir angehende Bio-Bauern und Bio-Bäuerinnen am besten beim Lernen fürs Leben vorbereiten? Sicher sind es die fachlichen Fähigkeiten und Kompetenzen, welche nötig sind, um einen Bio-Betrieb zu führen. Aber viel wichtiger erscheint mir, dass junge Menschen vieles ausprobieren, sich ausprobieren, Neues kennenlernen können, Fehler machen und suchen dürfen nach dem, womit sie Freude haben!

Wir wollen unseren Schülerinnen und Schülern sowie Leserinnen und Lesern Mut machen, sich auf ihren eigenen Weg zu machen. Freudvoll und zuversichtlich. Diese Begeisterung ist letztendlich der „Dünger" für's Gehirn, um lernen zu können. Lebendige Entwicklung statt sinnentleertem Größenwachstum. Das verstehen wir unter „persönliches Wachstum".

Besonderer Dank gilt der Projektleiterin Karin Aschauer, die in akribischer Arbeit die Autorinnen und Autoren immer wieder motiviert hat, ihre Beiträge zu schreiben. Sie war es auch, welche die wesentliche Arbeit zum Gelingen des Buches geleistet hat.

Interreg Österreich–Bayern 2014–2020
Europäische Union – Europäischer Fonds für Regionale Entwicklung
BLWS BIOSCHULE SCHLÄGL

## Kompetenz-Check

| | Kompetenz | Hier kannst du die Kompetenz erlernen/üben | ☺ | 😐 | ☹ |
|---|---|---|---|---|---|
| 1 Einführung: Was ist biologische Landwirtschaft? | Ich kann die Bedeutung der biologischen Landwirtschaft regional und global einordnen. | Kapitel 1.3 | | | |
| | Ich kann die Ziele und Grundsätze der biologischen Landwirtschaft unterscheiden und bewerten. | Kapitel 1.1, Kapitel 1.2 | | | |
| | Ich kann biologische und konventionelle Produktionsverfahren vergleichen. | Kapitel 1.1, Kapitel 1.2 | | | |
| | Ich kann die Grundprinzipien der biologischen Landwirtschaft anwenden und danach produzieren. | Kapitel 1.1, Kapitel 1.2, Kapitel 1,4, Kapitel 1.5, Kapitel 1.6 | | | |
| | Ich kann einen landwirtschaftlichen Betrieb unter Berücksichtigung der Bio-Richtlinien führen. | Kapitel 1.5, Kapitel 1.6 | | | |
| | Ich kann die Funktion und den Ablauf der Bio-Kontrolle erklären. | Kapitel 1.6 Aufgabe 1, Aufgabe 2, Aufgabe 3 | | | |
| 2 Pflanzenbau | Ich kenne, respektiere und handle entsprechend den Zusammenhängen von gesundem Boden, gesunder Pflanze, gesundem Tier und gesundem Menschen nach dem Prinzip der Kreislaufwirtschaft. | Kapitel 2.1, Kapitel 2.2, Aufgabe 5, Aufgabe 6 | | | |
| | Ich kann unterschiedliche Bodenbestandteile beschreiben. | Kapitel 2.1, Aufgabe 5 | | | |
| | Ich kann einfache Bodenproben ziehen, untersuchen und auswerten. | Kapitel 2.1, Aufgabe 4, Aufgabe 5 | | | |
| | Ich kann die Bodenfruchtbarkeit und den Bodenaufbau bewerten. | Kapitel 2.1, Aufgabe 4 | | | |
| | Ich kann biologische von konventionellen Produktionsverfahren unterscheiden und diese bewerten. | Kapitel 2.1, Kapitel 2.3, Kapitel 2.5 | | | |
| | Ich kann die Grundprinzipien der biologischen Landwirtschaft anwenden und danach produzieren. | Kapitel 2.1, Kapitel 2.2, Kapitel 2.3, Kapitel 2.5, Kapitel 2.6 | | | |
| | Ich kann bedeutsame Feldfrüchte der Region bestimmen, diese beschreiben und wichtige praxisrelevante Kennzahlen angeben. | Kapitel 2.5 | | | |
| | Ich kann eine nachhaltige Fruchtfolge planen. | Kapitel 2.5 | | | |
| | Ich kann die biologische Fruchtfolgegestaltung und Bodenbewirtschaftung als Grundlage des erfolgreichen biologischen Pflanzenbaues planen und entwickeln. | Kapitel 2.5 | | | |
| | Ich kann Grünlandbestände beurteilen und Maßnahmen zur Optimierung setzen. | Kapitel 2.6 | | | |

Mit Hilfe der Tabelle kannst du selbst einschätzen, welche Kompetenzen du im aktuellen Kapitel bereits erlernt hast, bevor es zum nächsten Kapitel weitergeht!

| | Kompetenz | Hier kannst du die Kompetenz erlernen/üben | ☺ | 😐 | ☹ |
|---|---|---|---|---|---|
| 3 Biologische Tierhaltung | Ich kenne, respektiere und handle entsprechend den Zusammenhängen von gesundem Boden, gesunder Pflanze, gesundem Tier und gesundem Menschen nach dem Prinzip der Kreislaufwirtschaft. | Kapitel 3.1 | | | |
| | Ich kann die Qualität der Lebensbedingungen in Bezug auf die Grundbedürfnisse der Nutztiere beurteilen. | Kapitel 3.1, Aufgabe 7, Aufgabe 8, Aufgabe 9, Aufgabe 12, Aufgabe 13 | | | |
| | Ich kann biologische von konventionellen Produktionsverfahren unterscheiden und diese bewerten. | Kapitel 3.2, Kapitel 3.3, Kapitel 3.4, Kapitel 3.5, Kapitel 3.6, Kapitel 3.7, Aufgabe 10, Aufgabe 13 | | | |
| | Ich kann Tiere artgerecht, kostengünstig und arbeitswirtschaftlich optimiert halten und pflegen. | Kapitel 3.2, Kapitel 3.3, Kapitel 3.4, Kapitel 3.5, Kapitel 3.6 | | | |
| | Ich kann mein wirtschaftliches Handeln nicht nur am persönlichen Vorteil, sondern auch am ethischen Bewusstsein der Verantwortung im umfassenden Horizont meines Weltbildes einer wesensgerechten und standortangepassten Land- und Forstwirtschaft orientieren. | Kapitel 3.1, Kapitel 3.2, Kapitel 3.3, Kapitel 3.4, Kapitel 3.5, Kapitel 3.6, Infobox „Kritisch nachgedacht", Aufgabe 7, Aufgabe 8 | | | |
| | Ich kann Weidesysteme definieren, auswählen und umsetzen. | Kapitel 3.2 | | | |
| | Ich kann Nutztiere aufgrund ihrer Bedürfnisse einteilen und dementsprechend geeignete Haltungsformen auswählen. | Kapitel 3.2, Kapitel 3.3, Kapitel 3.4, Kapitel 3.5, Aufgabe 12 | | | |
| | Ich kann Signale der Nutztiere beobachten und daraus Handlungen ableiten. | Kapitel 3.2, Aufgabe 9, Aufgabe 12 | | | |
| | Ich kann selbständig gesundheitsverbessernde, leistungssteigernde, ökonomische und besonders ökologische Maßnahmen in der Tierhaltung durchführen. | Kapitel 3.2, Kapitel 3.3, Kapitel 3.4, Kapitel 3.5, Kapitel 3.7, Aufgabe 8 | | | |
| | Ich kann Tiergesundheit als Basis für wirtschaftlichen Erfolg erkennen. | Kapitel 3.7 | | | |
| | Ich kann Auslöser und Symptome von Krankheiten beschreiben sowie alternative Behandlungsverfahren erläutern und einsetzen. | Kapitel 3.7 | | | |
| 4 Agrarwirtschaft: Vermarktung von Bio-Produkten | Ich kann die Kennzeichnung von Bio-Produkten interpretieren. | Kapitel 4.3 | | | |
| | Ich kann selbst hergestellte Produkte vorschriftsmäßig kennzeichnen. | Kapitel 4.3 | | | |
| | Ich kann die wichtigsten Lebensmittelkennzeichen erklären. | Kapitel 4.3 | | | |
| | Ich kann relevante Marktdaten erheben und auswerten. | Aufgabe 14 | | | |

| | Kompetenz | Hier kannst du die Kompetenz erlernen/üben | ☺ | 😐 | ☹ |
|---|---|---|---|---|---|
| 5 Wertschöpfung am Bio-Betrieb: Diversifizierung in der Land- und Forstwirtschaft | Ich kann die Bedeutung des Agrartourismus als eine Möglichkeit für einen bäuerlichen Nebenerwerb und unter dem Aspekt bäuerlicher Ressourcennutzung erkennen. | Kapitel 5.2 | | | |
| | Ich kann Maßnahmen, die den Erfolg Urlaub am Bauernhof garantieren, nennen und praktisch durchführen. | Kapitel 5.2, Aufgabe 15 | | | |
| | Ich kann das Fachgebiet Green Care in der Land- und Forstwirtschaft erläutern | Kapitel 5.3 | | | |
| | Ich kann Zielgruppen für Green Care beschreiben. | Kapitel 5.3 | | | |
| 6 Betriebswirtschaft | Ich kann die volkswirtschaftliche Bedeutung der Landwirtschaft erläutern. | Kapitel 6.1, Aufgabe 16, Aufgabe 18 | | | |
| | Ich kann Zahlen, Daten und Fakten zur Landwirtschaft interpretieren und daraus Rückschlüsse ziehen. | Kapitel 6.1, Aufgabe 16 | | | |
| | Ich kann die Bedeutung verschiedener Kosten und deren Einfluss auf das Betriebsergebnis begründen. | Kapitel 6.2, Kapitel 6.3, Aufgabe 19 | | | |
| | Ich kann mit gegebenen Daten Teil- und Vollkostenrechnungen durchführen. | Kapitel 6.3 Aufgabe 19 | | | |
| | Ich kann statistisches Material suchen und damit arbeiten. | Kapitel 6.1, Aufgabe 18 | | | |
| 7 Konventionell zu Bio: So funktioniert eine gelungene Umstellung | Ich kann die Umstellung eines land- und forstwirtschaftlichen Betriebes auf biologische Wirtschaftsweise planen und durchführen. | Kapitel 7.1, Kapitel 7.2, Kapitel 7.3, Kapitel 2.5, Kapitel 6.3, Aufgabe 20 | | | |
| | Ich kann einen landwirtschaftlichen Betrieb unter Berücksichtigung der Bio-Richtlinien führen. | Kapitel 7.2, Kapitel 7.3, Aufgabe 20 | | | |
| 8 Betriebsentwicklung | Ich kann Resilienz und Lebenssinn entwickeln und analysieren. | Kapitel 8.1, Kapitel 8.2, Kapitel 8.3, Kapitel 8.4, Aufgabe 21, Aufgabe 22 | | | |
| | Ich kann mein wirtschaftliches Handeln nicht nur am persönlichen Vorteil, sondern auch am ethischen Bewusstsein der Verantwortung im umfassenden Horizont meines Weltbildes einer wesensgerechten und standortangepassten Land- und Forstwirtschaft orientieren. | Kapitel 8.1, Kapitel 8.2 | | | |

# 1. EINFÜHRUNG: WAS IST BIOLOGISCHE LANDWIRTSCHAFT?

Dieses Kapitel hilft dir dabei, folgende Kompetenzen zu erlernen:
Ich kenne, respektiere und handle entsprechend den Zusammenhängen von gesundem Boden, gesunder Pflanze, gesundem Tier und gesundem Menschen nach dem Prinzip der Kreislaufwirtschaft.

**Ziele:** Ich kann

- ✔ die Bedeutung der biologischen Landwirtschaft regional und global einordnen.
- ✔ die Ziele und Grundsätze der biologischen Landwirtschaft unterscheiden und bewerten.
- ✔ biologische und konventionelle Produktionsverfahren vergleichen
- ✔ die Grundprinzipien der biologischen Landwirtschaft anwenden und danach produzieren.
- ✔ einen landwirtschaftlichen Betrieb unter Berücksichtigung der Bio-Richtlinien führen.
- ✔ die Funktion und den Ablauf der Bio-Kontrolle erklären.

Landwirtinnen und Landwirte greifen mit ihrer Tätigkeit in die Natur ein. Je nach Bewirtschaftungssystem geschieht dies auf unterschiedliche Art und Weise, unterschiedlich stark und mit unterschiedlichen Folgen. Unter allen Landbewirtschaftungsformen gilt die biologische Landwirtschaft als die umweltschonendste.

Der Begriff „biologische Landwirtschaft" ist seit beinahe einem Jahrhundert in der Umgangs-, aber auch in der Fachsprache etabliert. Synonym werden auch die Bezeichnungen „ökologische Landwirtschaft", „biologischer bzw. ökologischer Landbau" und „organischer Landbau" verwendet. Alle vier Begriffe gelten als gleichwertig und stehen für eine naturnahe Landwirtschaft. Diese Begriffe sind gesetzlich verankert und werden von der Verordnung (EU) 2018/848 unionsweit geschützt. Damit können sie, unabhängig von der verwendeten Sprache, nicht zur Kennzeichnung nichtbiologischer Erzeugnisse verwendet werden. Dieser Schutz gilt auch für alle gebräuchlichen abgeleiteten Bezeichnungen, z. B. „Bio-", „Öko-", „biologisch", „ökologisch", „biologisch-dynamisch", „organisch-biologisch" etc. Wer seine Produkte als „Bio-Produkte" oder „aus ökologischem Anbau" vermarkten möchte, muss daher als Bio-Betrieb zertifiziert sein.

**INFO!** Biologie

Der Begriff Biologie stammt aus dem Griechischen und bedeutet:

- Bios = Leben
- Logos = Wort, Verstehen

Die Pioniere des Bio-Landbaus verstehen unter biologischer Landwirtschaft daher eine „lebensgemäße" Landwirtschaft.

Die Begriffe „ökologisch" und „biologisch" sind synonym, d. h. gleichwertig. Während in Österreich von „biologischer Landwirtschaft" und „biologischen Produkten" gesprochen wird, werden in Deutschland die Begriffe „Ökologischer Landbau" und „Produkte aus ökologischem Anbau" verwendet.

## 1.1 ZIELE UND GRUNDSÄTZE IM BIO-LANDBAU

Auch in der biologischen Landwirtschaft greifen Landwirtinnen und Landwirte in die Naturkreisläufe ein. In ihren Zielen und Grundsätzen unterscheidet sich die biologische Landwirtschaft aber von der konventionellen und der integrierten Landwirtschaft. Das **Ziel** in der biologischen Landwirtschaft ist ein **möglichst geschlossener Betriebskreislauf**, der den langfristigen Erhalt der Bodenfruchtbarkeit ermöglicht und einen Beitrag zu einer standortangepassten, flächengebundenen Tierhaltung leistet. Die natürlichen Ressourcen Boden und Wasser sollen geschont und künftigen Generationen weitergegeben werden. Biologische Landwirtschaft ist daher ein **ganzheitlicher Ansatz**, der folgende Prinzipien berücksichtigt:

### Möglichst geschlossener Betriebskreislauf

Ein möglichst geschlossener Betriebskreislauf ist das Leitbild der biologischen Landwirtschaft. Das bedeutet: Was am Hof anfällt (z. B. Erntereste, Wirtschaftsdünger), wird wiederverwendet, während Betriebsmittelzukäufe so gering wie möglich gehalten werden. Ein möglichst geschlossener Betriebskreislauf hat zur Folge, dass **Ackerbau und Viehhaltung aneinander gekoppelt** sind. Auf den Ackerflächen werden neben Kulturen für den Verkauf auch Futterpflanzen für die Tierhaltung erzeugt. Die pflanzlichen Abfälle und der tierische Dünger werden entweder frisch oder kompostiert auf die Ackerflächen zurückgeführt, von denen sie ursprünglich stammen. Das Ziel ist es, möglichst wenige Nährstoffe von außen zuführen zu müssen und dennoch keine Mangelzustände in den Böden entstehen zu lassen. Gleichzeitig sollen Nährstoffüberschüsse, die zur Belastung von Umwelt und Grundwasser führen, sowie umweltschädliche Verluste an Nährstoffen wie etwa durch Nitratauswaschung oder Ammoniakabgasung verhindert werden.

Um Umweltbelastungen durch tierische Ausscheidungen zu vermeiden, ist die **Anzahl der gehaltenen Tiere** daher mit **maximal zwei Großvieheinheiten pro Hektar** begrenzt und damit an die zur Verfügung stehende Fläche gekoppelt. Auf Betrieben ohne Nutztierhaltung muss die fehlende Tierhaltung durch eine entsprechende Fruchtfolge mit einem gewissen Anteil an Leguminosen „ersetzt“ werden.

Eine Großvieheinheit (GVE) ist ein Umrechnungsschlüssel für die verschiedenen Nutzvieharten auf der Basis des Lebendgewichtes (LG) der einzelnen Tierarten. Eine GVE entspricht dabei ca. 500 kg LG und ist auf den ganzjährig im Betrieb gehaltenen Durchschnittsbestand bezogen.

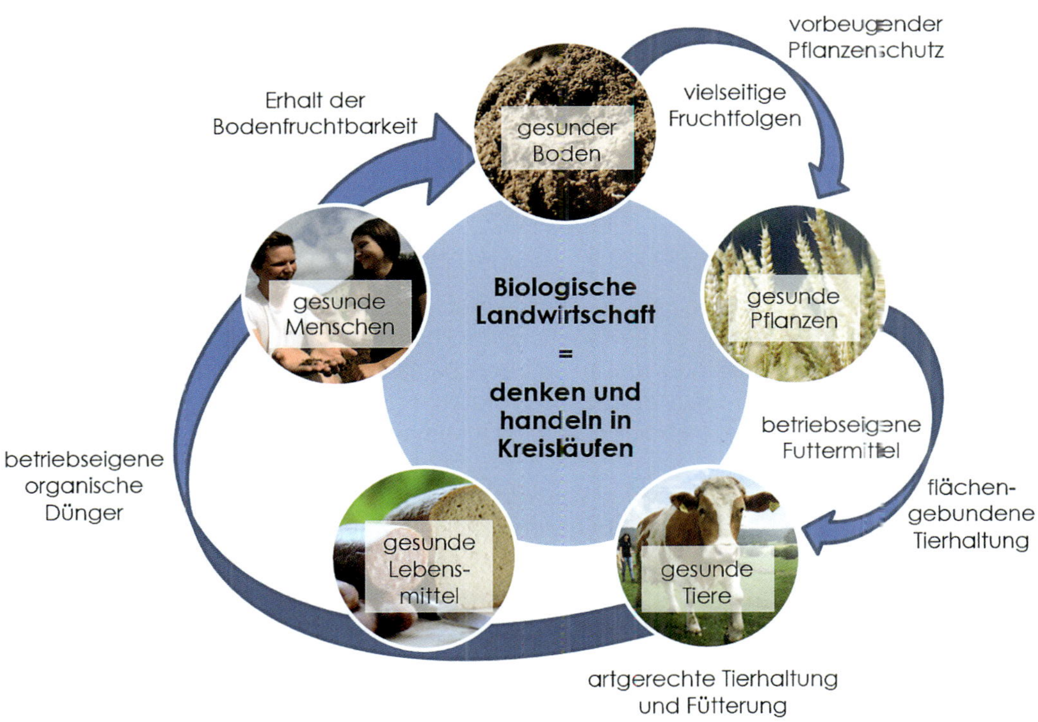


Betriebskreislauf als Grundsatz der biologischen Landwirtschaft

### Nützen von natürlichen Selbstregulierungsmechanismen

Anstatt chemisch-synthetische Pflanzenschutzmittel einzusetzen, wird in der biologischen Landwirtschaft auf vorbeugenden Pflanzenschutz gesetzt. Das bedeutet, dass das gesamte System mit seinen vielfältigen Wechselwirkungen von Standort, Klima und pflanzenbaulichen Maßnahmen betrachtet wird. Wenn alle Kulturmaßnahmen wie Standort-, Sortenwahl, Bodenbearbeitung, Fruchtwechsel und Düngung optimal gewählt werden, fördert das die Pflanzengesundheit und macht die Pflanzen widerstandsfähiger gegen Schaderreger. **Vorbeugender Pflanzenschutz** beinhaltet daher die Stärkung der pflanzeneigenen Abwehrkräfte und die Unterstützung der natürlichen Regulationsprozesse durch eine vielfältige Fruchtfolge, die Förderung von Nützlingen, eine zeitgerechte Bodenbearbeitung, ausgewogene Düngung sowie die Wahl von für den Standort geeigneten Arten und Sorten.

Auch bei der **Beikrautregulierung** hat Vorbeugung oberste Priorität. Starke Verunkrautungen durch einzelne Unkrautarten werden oft durch falsche Bewirtschaftung verursacht. Es gilt daher, die Ursachen der Verunkrautung zu beheben, anstatt die Symptome zu bekämpfen. Auch hier wird bei der Vorbeugung auf eine durchdachte Fruchtfolge in Verbindung mit einer sorgfältig gewählten Bodenbearbeitung gesetzt, um dem massenhaften Auftreten von Unkräutern entgegenzuwirken.

Ziel in der biologischen Landwirtschaft ist allerdings nicht die „unkrautfreie Zone", in der nur noch die angebaute Kultur wächst. Beikräuter sollen auf ein akzeptables Maß gebracht werden, damit keine übermäßige Beeinträchtigung der Kulturpflanzen, der Ernte- und Pflegemaßnahmen von ihnen ausgeht. Man spricht deshalb auch von Unkraut- oder Beikrautregulierung anstatt von Unkrautvernichtung. Neben den vorbeugenden Maßnahmen erfolgt die Unkrautregulierung in der biologischen Landwirtschaft in der Regel mechanisch mit Striegel- oder Hackgeräten.

### Erst den Boden, dann die Pflanze ernähren

In der konventionellen Landwirtschaft orientiert sich die Düngepraxis hauptsächlich an der gerade angebauten Kultur und zielt darauf ab, die jeweilige Pflanzenart optimal zu versorgen. Im Gegensatz dazu liegt der Fokus in der biologischen Landwirtschaft auf der **Erhaltung und Steigerung der Bodenfruchtbarkeit**. Die biologische Landwirtschaft zielt daher nicht auf die Düngung einer einzelnen Kultur ab, sondern orientiert sich an der gesamten Fruchtfolge. Es gilt daher, den Boden zu düngen und darüber die Pflanzen zu ernähren. Dafür ist jeder Nährstoff in der Menge auszubringen, die für den Boden erforderlich ist, nicht für die Pflanze. Dabei unterstützt ein aktives Bodenleben, das die Abfallprodukte pflanzlicher und tierischer Erzeugung abbaut und so die darin enthaltenen Nährstoffe für die Pflanze verfügbar macht. Der für das Pflanzenwachstum notwendige Stickstoff wird über den Anbau von Leguminosen in den Boden gebracht, die mit Hilfe von Bakterien Luftstickstoff binden können. Aus diesem Grund ist ein gewisser Anteil an Leguminosen in der Fruchtfolge unbedingt notwendig, da mineralische Stickstoffdünger nicht am Bio-Betrieb eingesetzt werden dürfen.

Der Fokus in der biologischen Landwirtschaft liegt immer auf der Erhaltung und Steigerung der Bodenfruchtbarkeit

### Artgerechte Tierhaltung

Die Nutztierhaltung ist in der biologischen Landwirtschaft ein wichtiges Bindeglied im Betriebskreislauf Boden – Tier – Pflanze, da die **Kopplung von Pflanzenbau und Tierhaltung** dazu beiträgt, die Bodenfruchtbarkeit zu erhalten und zu erhöhen. Das Ziel in der biologischen Landwirtschaft ist eine **artgerechte Tierhaltung**. Das bedeutet, dass die Tiere gesund bleiben, sich wohl fühlen und ihre arteigenen Verhaltensweisen möglichst uneingeschränkt ausleben können sollen.

Zur Vermeidung einer Überdüngung von landwirtschaftlichen Flächen und um sicherzustellen, dass die Tiere weitestgehend mit dem betriebseigenen Futter versorgt werden können, ist Tierhaltung an die zur Verfügung stehende Fläche gekoppelt. Auch im Hinblick auf die Tiergesundheit wird in der biologischen Landwirtschaft vor allem auf Vorbeugung gesetzt, z. B. durch die Auswahl geeigneter, robuster Rassen sowie artgemäße Haltung und Fütterung der Tiere. Eingriffe wie Kupieren von Schwänzen bei Rindern, Schafen und Schweinen, Stutzen von Schnäbeln oder Flügeln von Hühnern etc. dürfen in der biologischen Landwirtschaft nicht systematisch durchgeführt werden, sondern nur in begründeten Einzelfällen mit Genehmigung der Kontrollstelle.

Auch prophylaktische Antibiotikagaben sind in der biologischen Landwirtschaft nicht erlaubt. Wenn ein Tier erkrankt oder sich verletzt, ist es aber auch am Bio-Betrieb unverzüglich zu behandeln, um unnötiges Leiden zu vermeiden. Dabei wird versucht, natürlichen Heilverfahren, wie z. B. der Homöopathie oder der Pflanzenheilkunde, den Vorzug zu geben, nach Diagnose des Tierarztes sind jedoch auch herkömmliche Medikamente erlaubt. Über alle Behandlungen der Tiere muss am Bio-Betrieb ein Stallbuch geführt werden. Zusätzlich sind die gesetzlichen Wartezeiten einzuhalten, innerhalb der keine Vermarktung als Lebensmittel (z. B. Milch oder Fleisch) erfolgen darf. Die für das Medikament festgelegte gesetzliche Wartezeit ist bei Bio-Vermarktung doppelt so lang wie in der konventionellen.

### Grundsätze des Bio-Landbaus

| Die biologische Landwirtschaft fördert und nutzt: | Die biologische Landwirtschaft verzichtet auf: |
|---|---|
| Erhaltung und Förderung des Bodenlebens sowie der natürlichen Fruchtbarkeit | Mineralische Stickstoffdünger |
| Möglichst geschlossene Nährstoffkreisläufe | Leicht lösliche P-, K- und Spurenelementdünger |
| Schonenden Umgang mit Ressourcen | Chemisch-synthetische Pflanzenschutzmittel |
| Erhaltung der Pflanzengesundheit durch Vorbeugungsmaßnahmen wie die Auswahl von angemessenen Arten bzw. Einsatz einer geeigneten Fruchtfolge | Intensiven Einsatz von externen Produktionsmitteln (Hilfsstoffen) und nicht erneuerbaren Ressourcen |
| Verwendung von Saatgut und Tieren mit hoher genetischer Vielfalt, Widerstandsfähigkeit gegen Krankheiten und Langlebigkeit | Gentechnisch veränderte Mikroorganismen, Pflanzen und Tiere |
| Achtung natürlicher Kreuzungsbarrieren | Routinemäßige Anwendung von Tierarzneimitteln |
| Betreiben einer an den Standort angepassten flächengebundenen Tierhaltung | Mineralische Stickstoffdünger |
| Möglichst artgerechte Tierhaltung | Leicht lösliche P-, K- und Spurenelementdünger |

**INFO!** Modernes ganzheitliches Konzept

**Die biologische Landwirtschaft geht von einer ganzheitlichen Betrachtungsweise aus. Das bedeutet, dass der Betrieb als Einheit gesehen wird. Oberstes Prinzip ist daher die Förderung der natürlichen Lebensprozesse, damit der Betrieb zu einem harmonischen Organismus wird und von den vielfältigen, sich gegenseitig fördernden Wechselwirkungen profitieren kann.**

## 1.2 NACHHALTIGKEIT UND BIO-LANDBAU

Die Weltbevölkerung wird nach Berechnungen der Vereinten Nationen bis 2050 auf über neun Milliarden Menschen anwachsen. Um diese zu ernähren, müssen laut der Food and Agriculture Organization of the United Nations (FAO) zukünftig 60 % Nahrungsmittel zusätzlich bereitgestellt werden. Die Aufgabe der Landwirtschaft ist daher die Deckung des zunehmenden Bedarfs an nachwachsenden Ressourcen. Diese Anforderung kann aber nicht durch den Ausbau der landwirtschaftlichen Nutzflächen erfüllt werden, zumindest nicht ohne dabei massiv in Naturlandschaften wie Regenwälder, Grünland oder Feuchtgebiete einzugreifen. Gleichzeitig steigt durch das Bevölkerungswachstum aber nicht nur der Bedarf an Nahrungsmitteln, sondern auch an Arbeitsplätzen, Wohnräumen etc. Der damit einhergehende Siedlungsdruck und Infrastrukturausbau erhöhen den globalen Flächenbedarf zusätzlich. All diese Faktoren haben Auswirkungen auf die begrenzten natürlichen Ressourcen, von denen die Landwirtschaft abhängig ist, allen voran Wasser für Bewässerung und Tierhaltung, Böden für Ackerbau und Weide sowie begrenzte Nährstoffe wie etwa Phosphat.

Um die Ernährung der Weltbevölkerung zu sichern, ohne die eigenen Produktionsgrundlagen zu zerstören, braucht es daher eine **produktive und gleichzeitig ressourcenschonende nachhaltige Landwirtschaft.** Entscheidendes Kennzeichen der nachhaltigen Landwirtschaft ist die gleichwertige Berücksichtigung der Bereiche Ökologie, Ökonomie und Soziales.

Bio-Betriebe sind aufgrund der Bio-Richtlinien, nach denen sie wirtschaften, den ökologischen Zielen stärker verpflichtet. Daher ist es umso wichtiger, auch wirtschaftliche und soziale Ziele zu berücksichtigen: Ein Betrieb, der einseitig die Schonung der Ressourcen in den Mittelpunkt seiner Tätigkeiten stellt, läuft Gefahr, nicht genug finanzielle Mittel für sein Weiterbestehen zu erwirtschaften. Als Folge davon werden auch die Ziele im sozialen Bereich verfehlt. Wird ein

**Eine nachhaltige Landwirtschaft**

- stellt sicher, dass die grundlegenden Bedürfnisse an Nahrung und landwirtschaftlichen Rohstoffen von heutigen und zukünftigen Generationen qualitativ und quantitativ befriedigt werden.
- stellt Methoden und Verfahren in den Mittelpunkt, die die Produktivität der Böden verbessern und gleichzeitig die schädlichen Auswirkungen auf Klima, Boden, Wasser, Luft und Artenvielfalt sowie die Gesundheit der Menschen minimieren.
- zielt darauf ab, so wenig wie möglich nicht erneuerbare und auf Erdölbasis hergestellte Betriebsmittel einzusetzen und sie durch erneuerbare zu ersetzen.
- reduziert die Anfälligkeit des Landwirtschaftssektors gegenüber ungünstigen natürlichen (z. B. klimatischen) und sozio-ökonomischen (z. B. hohe Preisschwankungen) Bedingungen sowie anderen Risiken.
- sorgt für eine langfristige Beschäftigung, zufriedenstellendes Einkommen sowie würdige und gleichberechtigte Lebens- und Arbeitsbedingungen für alle in landwirtschaftlichen Wertschöpfungsketten tätigen Menschen.

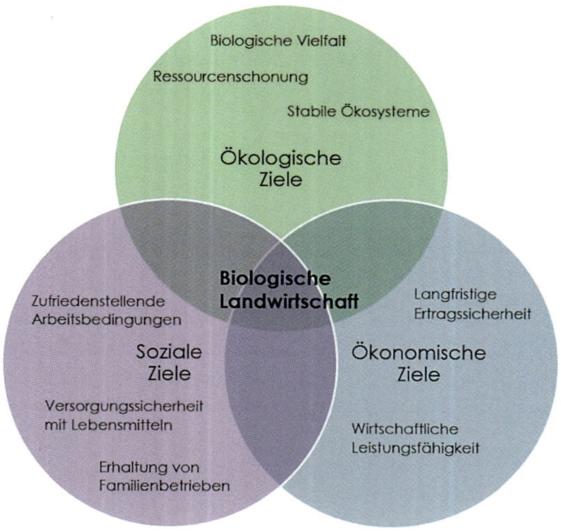


Nachhaltige Landwirtschaft verfolgt ökologische, ökonomische und soziale Ziele.

Betrieb hingegen einseitig auf wirtschaftliche Ziele ausgerichtet, werden zwangsläufig Bereiche im ökologischen und sozialen Teil vernachlässigt. Die Folgen sind Schäden an der Umwelt, im Familiengefüge oder beim Betriebsleiter bzw. der Betriebsleiterin. Nachhaltige biologische Landwirtschaft bedeutet also, umweltschonend zu wirtschaften, gleichzeitig aber auch die ökonomischen und sozialen Anforderungen zu erfüllen.

## 1.3 WURZELN DER BIOLOGISCHEN LANDWIRTSCHAFT

### 1.3.1 Geschichte der biologischen Landwirtschaft

Die Wurzeln der biologischen Landwirtschaft reichen knapp 100 Jahre bis an den Beginn des 20. Jahrhunderts zurück. An der **Wende des 19. zum 20. Jahrhunderts** herrschte ein hohes Bevölkerungswachstum durch die Industrialisierung, wodurch der Bedarf an Nahrungsmitteln drastisch stieg. Da das Wissen um die Prozesse im Boden sowie über Nährstoffkreisläufe zur damaligen Zeit gering war, wurde vor allem mit Hilfe von Technik und Wissenschaft versucht, Lösungen zur Steigerung der landwirtschaftlichen Produktivität zu finden. Im Jahr **1916** konnte mittels Haber-Bosch-Verfahren **Stickstoff erstmals chemisch hergestellt** werden. Das hatte weitreichende Konsequenzen: Der Kreislauf, in dem Nutztiere die Acker- und Grünlandflächen düngen und so für die Nährstoffversorgung der Pflanzen sorgen, wurde durchbrochen. Mist als Dünger war nun aufgrund leicht löslicher synthetischer Mineraldünger nicht mehr unbedingt erforderlich. Zusätzlich führte die Entwicklung von Herbiziden und Insektiziden zu einer Arbeitserleichterung und Produktivitätssteigerung.

Bereits in den **20er-Jahren** des letzten Jahrhunderts standen einige Personen diesen Entwicklungen kritisch gegenüber: Der österreichische Publizist, Esoteriker und Vortragsredner **Rudolf Steiner** läutete mit einer achttägigen Vortragsreihe zu Pfingsten 1924 in Koberwitz (Schlesien, Polen) die biologisch-dynamische Wirtschaftsweise ein, die auf seiner anthroposophischen Weltanschauung fußt. Steiner zufolge gilt es, die Naturkräfte des Kosmos für den Organismus des Bauernhofes einzufangen und zur Wirkung zu bringen. Dies geschieht auf biologisch-dynamischen Betrieben durch die Zubereitung von pflanzlichen, tierischen und mineralischen Präparaten, die in Kompostmieten eingebracht bzw. auf die Kulturflächen ausgebracht werden (siehe Kapitel 1.4). Aufbauend auf Steiners Lehre der biologisch-dynamischen Landwirtschaft entstand in den 50er-Jahren der Verband „Demeter".

**Pioniere in der Geschichte der biologischen Landwirtschaft**

(Quelle: Wikimedia Commons)

**Dr. Rudolf Steiner,**
* 1861, † 1925

- Gründer des biologischen-dynamischen Landbaus
- Gründer der Anthroposophie

Vielen Landwirten und Landwirtinnen ging es aber vor allem um weniger Abhängigkeit sowie einen Ausweg aus Verschuldung und dem ökonomischen Zwang zur Produktivitätssteigerung. Um nachhaltig ausreichende Erträge zu erzielen, ist die Förderung der Bodenfruchtbarkeit entscheidend. Deshalb waren dem schweizerischen Biologen Hans Müller und seiner Frau Maria Müller die Mikroorganismen im Boden sowie der Kreislauf von Boden-Pflanze-Tier-Mensch besonders wichtig. Ab **1949** prägte das **Ehepaar Müller** den Begriff **„organisch-biologischer Landbau"** im deutschsprachigen Raum.

Gemeinsam mit dem deutschen Arzt, Mikrobiologen und Humusforscher **Hans Peter Rusch** betrieben die beiden über Jahrzehnte Boden,- Humus- und Düngeforschung. Zu diesem Zweck entwickelte Rusch einen mikrobiologischen Bodentest, den so genannten „Rusch-Test", aus dem er Aussagen über potenzielle und zukünftige Bodenfruchtbarkeit ableitete. Mit einer wachsenden Gruppe von schweizerischen, später auch österreichischen und deutschen Landwirten erprobten und verfeinerten das Ehepaar Müller und Hans Peter Rusch die organisch-biologische Landwirtschaft und gewannen Erkenntnisse über ideale Bodenbearbeitung, organische Düngung, notwendige Qualität organischer Dünger und Pflege der Bodenflora und -fauna. Das Ehepaar Müller eröffnete die Bildungsstätte Möschberg (Kanton Bern, Schweiz), wo sie Kurse abhielten und so Interessierten die organisch-biologische Landwirtschaft näherbrachten.

Ab den **50er-Jahren** entwickelten sich auch in England (Eve Balfour, Albert Howard) und Frankreich (Methode Lemaire Boucher) biologische Landbau-Richtungen, die ebenfalls die Bedeutung des Bodens für die Landwirtschaft wissenschaftlich belegten.

Da **nach dem Zweiten Weltkrieg** die Landwirtschaft vor allem auf hohe Erträge ausgerichtet war, spielte die biologische Landwirtschaft zunächst eine sehr untergeordnete Rolle. Auch eine Definition davon, was man unter biologischer Landwirtschaft versteht, war damals noch nicht vorhanden. In Österreich waren es zunächst einige wenige Landwirte und Landwirtinnen, die Kurse bei Hans und Maria Müller in der Schweiz oder Vorträge von Hans Peter Rusch besuchten. Sie stellten ihre Betriebe auf biologische Wirtschaftsweise um und wurden so zu Vorreitern der biologischen Landwirtschaft in Österreich.

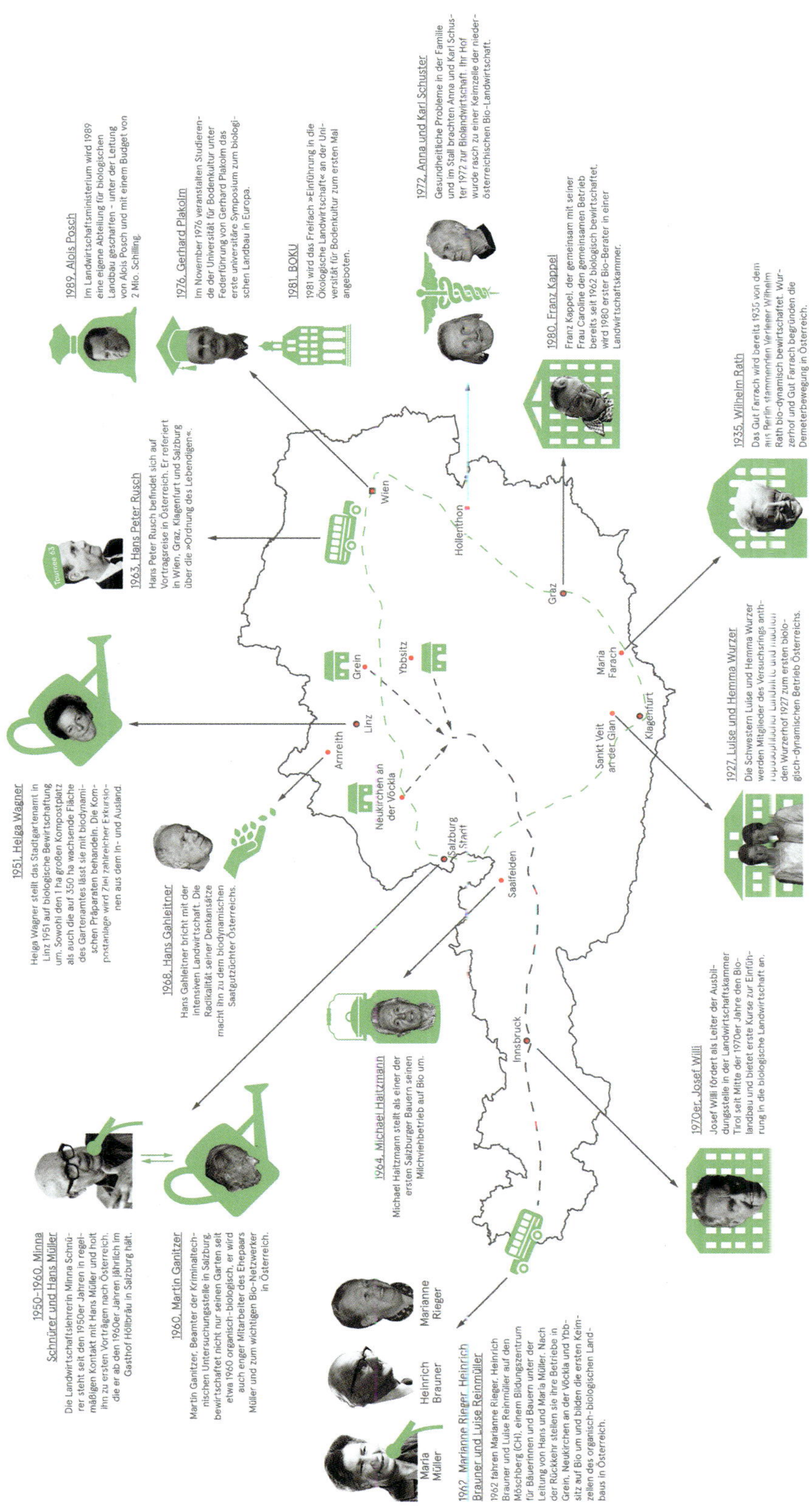


Pioniere biologischer Landwirtschaft in Österreich (Quelle: BIO-WISSEN.org)

**Pioniere in der Geschichte der biologischen Landwirtschaft**

(Quelle: Möschberg Archiv, Schweiz)

**Dr. Hans Müller**, * 1891, † 1988;
**Maria Müller**, * 1899, † 1969

- Gründerpaar des organisch-biologischen Landbaus als eigene Richtung *(zusammen mit Hans Peter Rusch)*
- Eröffnung Haus-mutterschule und Bildungsstätte „Möschberg" *(Kanton Bern, Schweiz)*

(Quelle: Möschberg Archiv, Schweiz)

**Dr. Hans Peter Rusch**, * 1906, † 1977

- Boden-, Humus- und Düngeforschung gemeinsam mit dem Ehepaar Müller
- Entwicklung eines mikrobiologischen Bodentests („Rusch-Test"), um Aussagen zur potenziellen und zukünftigen Bodenfruchtbarkeit abzuleiten

E-Book+

### 1.3.2 Entwicklung der biologischen Landwirtschaft in Österreich

Die biologische Landwirtschaft kann in Österreich auf eine lange Geschichte zurückblicken: Bereits **1927** wurden die Schwestern **Luise und Hemma Wurzer** Mitglieder des Versuchsrings anthroposophischer Landwirte und machten ihren Betrieb in Kärnten zum ersten biologisch-dynamischen Betrieb Österreichs. Bis in die 70er-Jahre des letzten Jahrhunderts waren es aber nur einige wenige Landwirte und Landwirtinnen, die ihre Betriebe biologisch bewirtschafteten und so zu Vorreitern der biologischen Landwirtschaft in Österreich wurden. Mitte der 70er-Jahre wirtschafteten etwa 200 Bäuerinnen und Bauern in Österreich nach verbandsgebundenen Richtlinien, wenn auch nach unterschiedlichen Ansätzen (biologisch-dynamisch, organisch-biologisch).

Ab dem Jahr **1978** kamen in der bäuerlichen Direktvermarktung, im Reformwarenhandel und in Verbraucher-Erzeuger-Gemeinschaften vermehrt Lebensmittel auf den Markt, die mit bis dahin kaum wahrgenommenen Bezeichnungen wie biologisch-dynamisch, organisch-biologisch oder biologisch beworben wurden. Da zu dieser Zeit die Themen Pflanzenschutzmittel-, Hormon- und Antibiotikarückstände in Lebensmitteln im medialen Fokus standen, reagierten die Konsumenten mit einer **verstärkten Nachfrage nach Bio-Produkten**. Nachvollziehbare und objektive Kriterien für die Produktbeurteilung fehlten jedoch noch. Um diesen Missstand zu beheben, wurden **1983** in Österreich als einem der ersten Länder der Welt **staatliche Richtlinien für die biologische Erzeugung von Lebensmitteln** festgelegt.

Einen **rasanten Aufschwung** erlebte die biologische Landwirtschaft in Österreich **ab 1990**. Im Jahr 1991 wurden staatliche Förderprogramme für die Umstellung auf biologische Wirtschaftsweise eingeführt, die Anreize für die Umstellung zu einem Bio-Betrieb boten. Zwischen 1990 und 1994 erhöhte sich die Zahl der Bio-Betriebe um mehr als das Achtfache. Einen weiteren Impuls gab der Einstieg einer der großen Handelsketten in die Bio-Vermarktung im Jahre 1994. Dadurch konnten zum ersten Mal weite Bevölkerungskreise erreicht und der Markt für biologische Lebensmittel ausgebaut werden. Allein im Jahr des EU-Beitritts 1995 stiegen mehr als 5.000 Landwirtinnen und Landwirte auf die biologische Landwirtschaft um.

Zu Beginn vollzog sich die rasante Entwicklung vor allem im Westen Österreichs, also in den von Grünland dominierten Gebieten. **Ab dem Jahr 2000** stellten auch in den Ackerbaugebieten Österreichs immer mehr Betriebe auf biologische Landwirtschaft um. Zwischen 2000 und 2005 hat sich die Bio-Ackerfläche in Österreich von rund 70.000 ha auf mehr als 140.000 ha verdoppelt.

Im Jahr 2017 wurde jeder fünfte landwirtschaftliche Betrieb in Österreich biologisch bewirtschaftet. Knapp ein Viertel (24 %) der gesamten landwirtschaftlichen Nutzfläche werden biologisch bewirtschaftet. Österreich hat damit den höchsten Anteil an biologisch bewirtschafteten Flächen in der Europäischen Union.

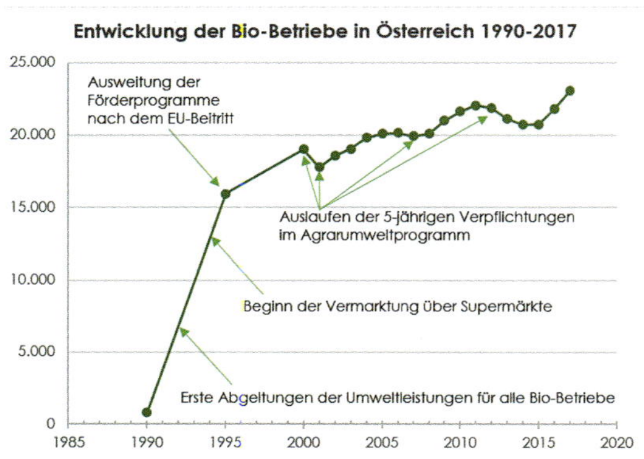


Entwicklung der Bio-Betriebe in Österreich von 1990 bis 2017 (Quelle: Eigene Darstellung nach Daten des BMNT und BMFG)

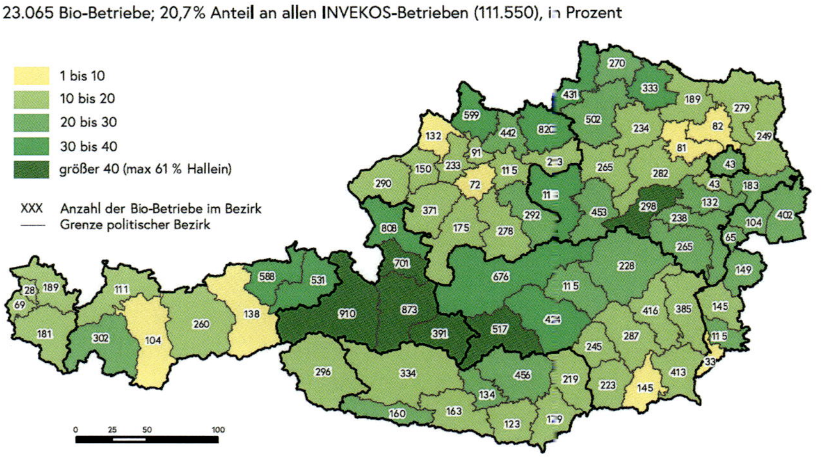


Anteil und Anzahl der Bio-Betriebe an allen INVEKOS-Betrieben im Jahr 2017 (Quelle: BMNT (2018) nach Daten INVEKOS 2017)

### 1.3.3 Biologische Landwirtschaft weltweit

Biologische Landwirtschaft ist besonders in Europa, aber zunehmend auch auf anderen Kontinenten von Bedeutung. Im Jahr 2016 wurde in 178 Staaten der Welt biologische Landwirtschaft betrieben. Knapp 3 Millionen Landwirtinnen und Landwirte bewirtschaften beinahe 58 Millionen ha landwirtschaftliche Flächen in biologischer Wirtschaftsweise. Das entspricht **1,2 % der globalen Agrarflächen**. Mehr als die Hälfte der biologisch bewirtschafteten Flächen weltweit liegen in Australien, Argentinien und China. Auch die Nachfrage der Konsumentinnen und Konsumenten nach Bio-Produkten steigt: In den letzten beiden Jahrzehnten ist der globale Verkauf von Bio-Lebensmitteln und Getränken von weniger als 13 Milliarden US Dollar auf mehr als 80 Milliarden US Dollar angewachsen. Die Länder mit dem größten Bio-Markt sind die USA, Deutschland und Frankreich.

Unter INVEKOS (Integriertes Verwaltung- und Kontrollsystem) versteht man ein durch die Europäische Union eingeführtes System zur Durchsetzung einer einheitlichen Gemeinsamen Agrarpolitik (GAP) in den EU-Mitgliedstaaten.

## 1.4 METHODEN DES BIO-LANDBAUS IN ÖSTERREICH

### 1.4.1 Organisch-biologische Methode

Die organisch-biologische Landwirtschaft hat sich in den 1950er Jahren als eigenständige Richtung innerhalb der weltweiten Bio-Landbaubewegung etabliert. Im deutschsprachigen Raum geht diese Methode der biologischen Landwirtschaft im Wesentlichen auf die Arbeit der Pioniere Hans und Maria Müller sowie Hans Peter Rusch zurück.

#### Geschichte des organisch-biologischen Landbaus

Die Wurzeln des organisch-biologischen Landbaus führen in die Schweiz, genauer gesagt nach Möschberg in der Nähe von Bern. Dort leitete die Gärtnerin **Maria Müller** eine Hausmutterschule, die Mädchen auf einen landwirtschaftlichen Beruf vorbereitete, und die Bildungswerkstätte Möschberg. Maria Müllers großer Verdienst ist, dass sie die gesamte einschlägige wissenschaftliche Literatur ihrer Zeit auf ihre Brauchbarkeit für die organisch-biologische Landwirtschaft überprüft und so der Praxis zugänglich gemacht hat. Als der Arzt, Bakteriologe und Bodenkundler **Dr. Hans Peter Rusch** als Mitarbeiter für das Ehepaar Müller gewonnen werden konnte, flossen auch aktuelle bodenkundliche und mikrobiologische Errungenschaften der damaligen Zeit in den organisch-biologischen Landbau ein. Die Aufgabe von Dr. Hans Müller war es schließlich, die von seiner Frau geprüften wissenschaftlichen Neuerungen und die von Rusch gefundenen bakteriologischen Entdeckungen in die landwirtschaftliche Praxis umzusetzen. Das daraus entwickelte System wurde interessierten Landwirtinnen und Landwirten in Kursen weitervermittelt und verbreitete sich so über die Grenzen der Schweiz hinaus.

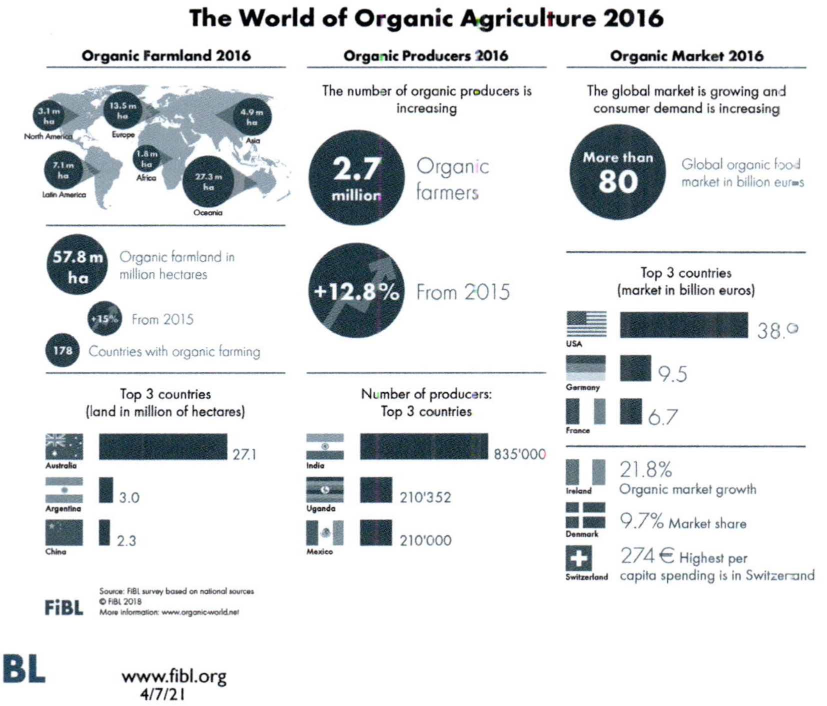


Die Bio-Welt 2016 (Quelle: FiBL & IFOAM – Organics International, 2018)

### 1.4.2 Grundsätze des organisch-biologischen Landbaus

Als Basis einer erfolgreichen Landwirtschaft wird im organisch-biologischen Landbau das Vorhandensein einer **tiefgründigen Krümelstruktur im Boden** gesehen. Um sie zu erreichen und zu erhalten, genügt es laut Hans Müller nicht, leicht lösliche Mineraldünger und chemische Pflanzenschutzmittel wegzulassen, sondern das Bodenleben muss gut und oft „gefüttert" werden: „Dann muss immer wieder, wenn auch in mäßigen Gaben am besten über den Stall und die Düngestätte, Urgesteinsmehl eingebracht werden – vor allem auf tonarmen Böden – damit der Humus sich verkleben kann. Drittens muss der Boden ständig bedeckt sein, damit das Bodenleben nicht durch Sonne, Frost, Wind usw. zurückgeworfen wird. [...] Wenn wir die Krümelstruktur erreicht haben, können wir durch entsprechende Fruchtfolge und Leguminosen-Zwischenfrüchte auch die Stickstoff-Frage lösen" (Brauner, 2010).

Die wichtigsten **Kernpunkte der organisch-biologischen Landwirtschaft** lauten daher:

- Orientierung des wirtschaftlichen Handelns nicht nur am persönlichen Vorteil, sondern auch am ethischen Bewusstsein der Verantwortung für eine wesensgerechte und standortangepasste Land- und Forstwirtschaft
- Düngung mit Urgesteinsmehl (durch Bestreuung der Kotplatte bzw. des Stallmistes), um den Aufbau einer Krümelstruktur im Boden zu unterstützen
- Aufbereitung von Wirtschaftsdüngern durch Belüftung, Jauche bzw. Gülle und Flächenkompostierung von Stallmist
- Aufbau eines aktiven Bodenlebens mit Hilfe des Einsatzes von Urgesteinsmehl und der Wirtschaftsdüngeraufbereitung sowie Gründüngung und Fruchtfolge
- Schonende Bodenbearbeitung (keine schweren Geräte, kein Tiefpflügen), um die natürliche Bodenschichtung zu erhalten und das Bodenleben nicht zu beeinträchtigen
- Empfehlung zur genossenschaftlichen Vermarktung der erzeugten Produkte, damit der Bio-Betrieb wirtschaftlich erfolgreich bleibt

**Exkurs: ORBI als erster Bio-Verband Österreichs ...**

Die Förderungsgemeinschaft ORBI (**or**ganisch-**bi**ologisch) wurde 1959 ins Leben gerufen. Die Gründungsmitglieder Dr. Marianne Rieger, Dipl.-Ing. Heinrich Brauner sowie Luise und Hans Reinmüller besuchten Kurse bei Dr. Hans Müller, seiner Gattin Maria Müller und Dr. Hans-Peter Rusch und setzten den organisch-biologischen Landbau auf ihren Betrieben um. In weiterer Folge gründeten sich im Umfeld der Förderungsgemeinschaft ORBI weitere Bauerngruppen, die ihre Betriebe umstellten und von Dr. Müller jährlich besucht wurden. Damit kann die Fördergemeinschaft ORBI als erster Bio-Verband Österreichs bezeichnet werden. Im Jahr 1982 wurden der ORBI Bioladen in Linz gegründet. Aktuell umfasst ORBI ca. 1.000 Mitglieder.

Die treibende Kraft hinter ORBI in den letzten Jahrzehnten war und ist Ing. Helga Wagner. Sie war von 1982 bis 2019 zuständig für den „Bäuerlichen Pionier" (= Mitgliedszeitung von ORBI) und war auch maßgeblich an der Gründung der Schlägler Biogespräche beteiligt.

**... Bio-Austria als größter Bio-Verband Österreichs**

Bio-Austria wurde mit dem Ziel gegründet, ein klarer Ansprechpartner für Politik, zivile Gesellschaft, Wirtschaft und Medien zu sein, der die Bio-Landwirtschaft in Österreich vertritt. Bio-Austria möchte Bewusstsein für die Vorteile der Bio-Landwirtschaft sowie deren Produkte in der Gesellschaft schaffen. Darüber hinaus vertritt Bio-Austria die Bio-Bäuerinnen und Bio-Bauern in zahlreichen Gremien (z. B. Begleitausschuss Ländliche Entwicklung, LKÖ-Ausschüsse für Milchwirtschaft, Pflanzenproduktion, Tierproduktion, Weinwirtschaft und Biologische Landwirtschaft, Bio-Beirat Agrarmarkt Austria etc.). Aktuell hat Bio-Austria rund 12.500 Mitglieder.

### 1.4.3 Biologisch-dynamische Methode

**Rudolf Steiner** hielt 1924 acht Vorträge, die mit dem Buch „Geisteswissenschaftliche Grundlagen zum Gedeihen der Landwirtschaft – Landwirtschaftlicher Kurs" veröffentlicht wurden. Das war der Startschuss für den bio(logisch)-dynamischen Landbau.

Neben Mineralien, Humusbildung, Flora und Fauna wurde in den Vorträgen auch der Einfluss von Sternkonstellationen als wesentlicher Faktor hervorgehoben. Steiner sah in der Wirkung kosmischer Kräfte die Basis für die landwirtschaftliche Praxis und schrieb eine organische Bodennutzung ohne Einsatz von Chemie vor. Neben der Berücksichtigung der Mondstellung bei der Wahl der Aussaattage sollen auch Fruchtfolge und Kompostierung zur Erhaltung der Bodenfruchtbarkeit am biologisch-dynamischen Betrieb eingesetzt werden.

Eine Besonderheit in der biologisch-dynamischen Landwirtschaft ist der Einsatz von Präparaten zur Boden- und Pflanzenbehandlung, die der Kommunikation mit den Kräften der Natur dienen sollen.

**INFO!** Demeter in Zahlen

Demeter in Österreich 30. April 2021
- 260 Demeter-Betriebe (ca. 8.400 ha), 226 davon sind voll zertifiziert, der Rest in Umstellung.
- Davon ca. 20 Demeter-Imker und 80 Winzer, sie bearbeiten ca. 908 ha.
- 43 Demeter-Verarbeitungsbetriebe, 1 Handelspartner LEH Verarbeitungsbetriebe

Demeter in Deutschland:
1740 Betriebe (knapp 99.000 ha)

BFDI – Demeter International
- Die internationale Organisation Biodynamic Federation Demeter International BFDI:
- Laut Homepage derzeit 45 Mitgliederorganisationen in 36 Ländern.
- 19 davon zertifizieren selbst, der Rest wird zertifiziert durch BFDI.
- Weltweit derzeit ca. 6.400 Betriebe in 62 Ländern mit ca. 210.000 ha.

Die Initiative Sekem (in Ägypten) bewirtschaftet ca. 3000 ha biologisch-dynamisch und erhielt 2003 den „Right Livelihood Award“, auch als Alternativer Nobelpreis bekannt.

**INFO!** Biologisch-dynamische Landwirtschaft in vier Sätzen

- Betriebsleiter, die nach biologisch-dynamischen Grundsätzen arbeiten, sind Bio-Landwirte und Bio-Landwirtinnen, die mit speziellen (oft selbsterzeugten) Präparaten (für Felder, Wiesen und den Kompost bzw. Mist) arbeiten.
- Auf dem biologisch-dynamischen Betrieb werden Raufutterfresser (z. B. Wiederkäuer, Pferde) gehalten, diese sind niemals enthornt.
- Der biologisch-dynamische Betrieb hat viele Biodiversitätsflächen (z. B. Streuobstwiesen, Blühstreifen, Hecken, Teiche, Trockenmauern etc.).
- Jeder landwirtschaftliche Betrieb wird als eigener Organismus gesehen und sollte möglichst geschlossen sein.

### 1.4.3.1 Geschichte der biologisch-dynamischen Landwirtschaft

Die Familie Keyserlingk und andere (z. B. Erhard Bartsch, Immanuel Vögele oder Ernst Stegemann) baten Rudolf Steiner, auch die Landwirtschaft zu bereichern, damit neue Wege eröffnet werden:

„Ich sehe gar nicht ein, wenn unser Doktor den anderen Fachleuten solch wunderbare Hilfe gibt, warum ich ihn da nicht auch für unsere Landwirtschaft darum bitten sollte!“ (Carl von Keyserlingk, In: Koberwitz 1924 – Adalbert Graf von Keyserlingk)

„Es war uns allen klar, dass die Zukunftsaussichten für den Ackerboden, die Nutzpflanzen und damit auch für Mensch und Tier durch die chemische Düngung immer düsterer werden mussten, auch wenn zu Anfang hohe Erträge über das wahre Ergebnis hinwegtäuschten. Durch die Vermehrung von Nematoden konnte man schon immer weniger Zuckerrüben anbauen – und da gab es keine Mittel dagegen. […] Wir wussten nicht, dass es ein ganzer Kursus werden würde, geschweige denn, welche weiten Perspektiven Rudolf Steiner damit verband. Wir dachten, er würde einige Richtlinien geben gegen die Zerstörung der Bodengare und die Qualitätsminderung gewisser Früchte.“ (Alexander von Keyserlingk, In: Koberwitz 1924 – Adalbert Graf von Keyserlingk)

Der Grund für dieses Drängen nach neuen Impulsen lag also unter anderem an der Umweltverschmutzung und der Nahrungsmittelvergiftung, welche sich Anfang des 20. Jahrhunderts stärker ausbreitete, und an der Mineraldüngerindustrie, die gigantisch wuchs.

Steiner selbst schrieb: „Und die wenigsten Menschen wissen ja, dass im Laufe der letzten Jahrzehnte sich innerhalb der Landwirtschaft das ergeben hat, dass alle Produkte, von denen der Mensch eigentlich lebt, degenerieren, und zwar in einem außerordentlich raschen Maßstab degenerieren." (Landwirtschaftlicher Kurs, 1924)

**„Landwirtschaftlicher Kurs" Pfingsten 1924:**
**Startschuss der biologisch-dynamischen Landwirtschaft**

Das Schloss Koberwitz befindet sich in Schlesien (Polen), in der Nähe der Stadt Breslau. 1924 wurden das Gut Koberwitz sowie 17 andere landwirtschaftliche Güter von Carl von Keyserlingk verwaltet. In diesen Gütern arbeiteten über 1.000 Menschen auf ca. 7500 ha bester Schwarzerde, sie erzeugten vor allem Zuckerrüben.

Zu Pfingsten 1924 folgte Rudolf Steiner der Einladung von Carl von Keyserlingk und seiner Frau Johanna Gräfin von Keyserlingk und hielt vom 7. bis zum 16. Juni vor ca. 130 Teilnehmern seine acht Vorträge.

Das Buch „Der Landwirtschaftliche Kurs" wurde im Anschluss nur an die Mitglieder des „Versuchsrings", der am Ende des Kurses gegründet worden war, nummeriert ausgegeben.

1927 kreierten Erhard Bartsch und Ernst Stegemann den Begriff „biologisch-dynamisch" und gründeten die „Verwertungsgenossenschaft für Produkte der Biologisch-dynamischen Wirtschaftsmethoden, Demeter", mit der sie ihre Produkte vermarkteten. 1932 wurde die Marke „Demeter" patentiert. 1954 wurde der Demeter Bund gegründet.

Der älteste Demeter-Betrieb Österreichs ist der Wurzerhof in Kärnten, der seit 1927 bis heute bio-dynamisch bewirtschaftet wird.

Der Österreichische Demeter-Bund (heute: Demeter Österreich) wurde 1969 gegründet.

(Quelle: gemeinfrei)

**INFO!** Demeter, die griechische Göttin der Fruchtbarkeit

**Sie gilt in der griechischen Mythologie als Mutter und Erde, Korngöttin, Göttin des Ackerbaus, Weise der Erde, Getreidespenderin, Gerstenmutter. Ihr römisches Pendant: Ceres**

Statue der Demeter (= Ceres) im Vatikanischen Museum, Rom

### 1.4.3.2 Die Präparate

In der biologisch-dynamischen Landwirtschaft wird der **Betrieb als lebendiger und individueller Organismus** gesehen, der auch von nicht-materiellen (= dynamischen) Einflüssen mitbestimmt wird. Daher werden in der biologisch-dynamischen Landwirtschaft spezielle Präparate eingesetzt, die als Heilmittel für die Erde angesehen werden. Man unterscheidet zwischen Kompost- und Spritzpräparaten, deren Herstellung durch eine definierte Zubereitung von bestimmten Heilkräutern, Quarz oder Hornmist erfolgt. Die Präparate werden anschließend dem Kompost zugesetzt oder auf den Boden bzw. die Pflanzenblätter versprüht.

**Die Spritzpräparate**

Im vierten Vortrag des „Landwirtschaftlichen Kurses" wurden die so genannten Spritzpräparate vorgestellt. Diese sind Hornmist und Hornkiesel.

**Hornmist (P 500)**

Der Hornmist wird auch als 500 bezeichnet, da Ehrenfried Pfeiffer 500 Millionen aerobe Bakterien pro $cm^3$ Präparat festgestellt hat.

**Herstellung von Hornmist im Überblick**

Kuhhörner werden im Herbst (Ende September) mit frischem und gut geformtem Kot einer Kuh gefüllt und anschließend an einer humosen Stelle am Betrieb nicht zu tief (toter Boden) und nicht zu seicht eingegraben.

„Das ganze Lebendige wird konserviert in diesem Mist, und man bekommt dadurch eine außerordentlich konzentrierte, belebende Düngungskraft in dem Inhalte des Kuhhorns.“ (R. Steiner: Landwirtschaftlicher Kurs)

Nach Ostern werden die Hörner ausgegraben und das fertige Präparat aus den Hörnern geklopft. Das Präparat Hornmist wird nun im Keller in Glas- oder Tonbehältern umgeben von Torfschichten gelagert.

**Anwendung**

Das Hornmistpräparat wird mit Regenwasser verdünnt (ca. 300 bis 500 g auf 100 l Wasser), eine Stunde gerührt und anschließend großtropfig auf den Boden gespritzt – ca. 30 bis 50 l/ha.

„Man muss jetzt anfangen zu rühren, und zwar so zu rühren, dass man schnell rührt am Rande des Eimers, an der Peripherie herumrührt, so dass sich im Innern fast bis zum Boden herunter ein Krater bildet, so dass das Ganze in der Tat rundherum durch Drehung in Rotierung ist. Dann dreht man schnell um, so dass das Ganze nun nach der entgegengesetzten Seite brodelt. Wenn man das eine Stunde fortsetzt, so bekommt man eine gründliche Durchdringung.“ (LW Kurs)

Bei leichtem Regen (oder bewölktem Wetter) wird das Hornmistpräparat am späten Nachmittag ausgebracht.

Diese sollte im Frühling vorm Einsetzen des Wachstums begonnen werden, weiters bei jeder Bodenbearbeitung und nach jedem Grünlandschnitt. Auch die Stämme der Bäume werden besprüht.

Laut Richtlinien sollten alle Flächen mindestens einmal pro Jahr mit Hornmist besprüht werden.

**Wirkung**

Das Präparat soll den Boden beleben und die Entwicklung der ersten Wurzeln fördern. Der im Kuhhorn gelagerte Mist sorgt laut Steiner für eine „belebende Düngungskraft“.

**Hornkiesel (501)**

**Herstellung von Hornkiesel im Überblick**

Man füllt Kuhhörner mit einem Brei aus Quarzmehl. Das Quarzmehl ist meist ein zerriebener Bergkristall, man kann aber auch anderen Quarz und eventuell Orthoklas oder Feldspat nehmen.

Dieses Kuhhorn wird nach Ostern ein- und im Herbst wieder ausgegraben. Gelagert wird es meist in einem Glas im Licht stehend.

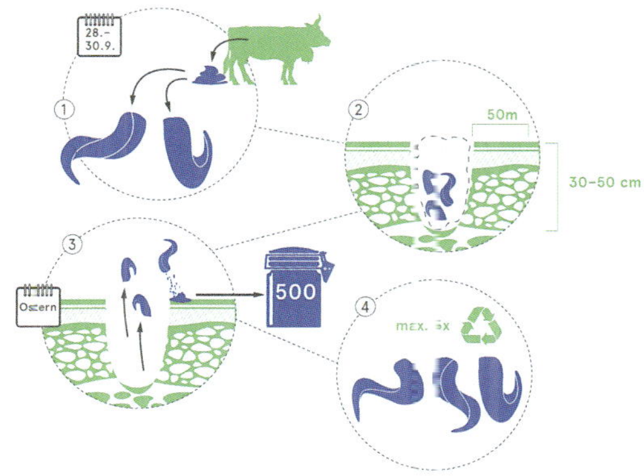

(Quelle: BIO-WISSEN.org)

Hörner mit Hornmist nach dem Ausgraben. (Quelle: Reindl, L.)

Bei jedem Kalb bekommt das Horn einen neuen Wulst. (Quelle: Reindl, L.)

Hornmistpräparat nach dem Herausklopfen aus dem Horn. (Quelle: Reindl, L.)

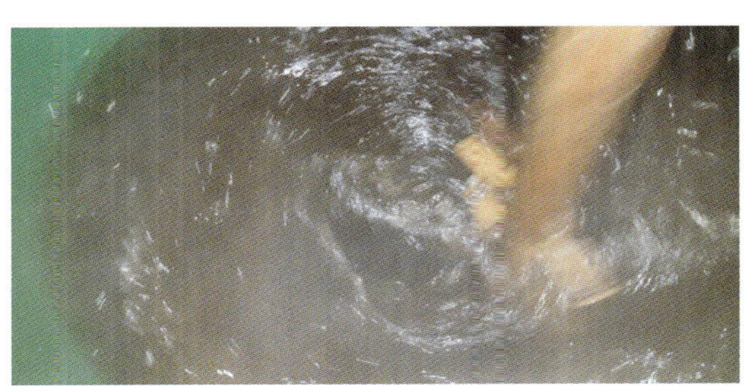
Rühren des Hornmists: Vor dem Wenden wird ein möglichst tiefer Wirbel erzeugt. (Quelle: Reindl, L.)

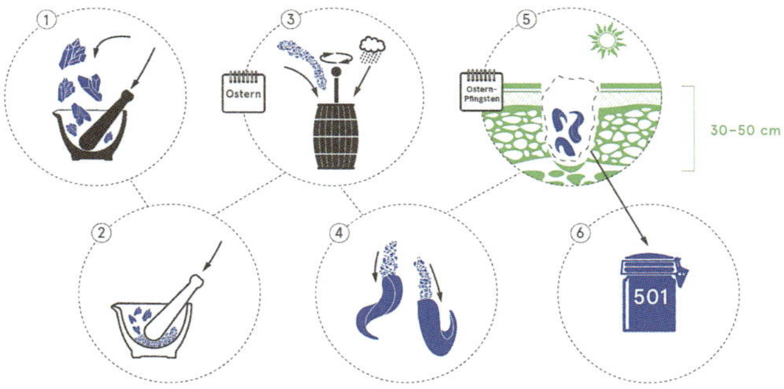


(Quelle: BIO-WISSEN.org)

Herstellung von Hornkiesel. (Quelle: Reindl, L.)

**Anwendung**
Man braucht bloß 10 g für 100 l Wasser. Das Rühren folgt dann wie bei Hornmist beschrieben.

Das Hornkieselpräparat wird zur Unterstützung des Wachstums bei Sonnenschein in den frühen Morgenstunden fein auf die Blätter versprüht. Will man den Reifeprozess unterstützen, so vernebelt man am Nachmittag.

**Wirkung**
Es fördert das Wachstum der Pflanzen durch seine Lichtkräfte. Es unterstützt die Widerstandskraft gegen Insekten und Pilze. Es verbessert die Reife und die Lagerfähigkeit; „dann würden Sie sehen, wie der Kuhhornmist von untern heraufstößt, das andere [Hornkiesel] von oben zieht" (LW Kurs).

Meist wird Bergkristall verwendet, um Quarzmehl zu gewinnen. (Quelle: Reindl, L.)

Der Bergkristall wird in einer Achat-Schale zerrieben. (Quelle: Reindl, L.)

**Die Kompostpräparate**
Am 13. Juni 1924 spricht Rudolf Steiner in seinem fünften Vortrag in Koberwitz zum ersten Mal über die Kompostpräparate.

| Name des Kompostpräparats | Herstellung | Wirkung |
|---|---|---|
| Schafgarbe (502) | Eine Hirschblase wird im Frühling mit den Blüten der Schafgarbe gefüllt, diese wird im Sommer an einen sonnigen Platz gehängt und im Herbst zur Überwinterung (wie das Hornmistpräparat) eingegraben. Im Frühling ist das Präparat fertig und wird wieder in einem Ton- oder Glasgefäß, umgeben von Torf, im Keller gelagert.<br>(Quelle: BIO-WISSEN.org)<br>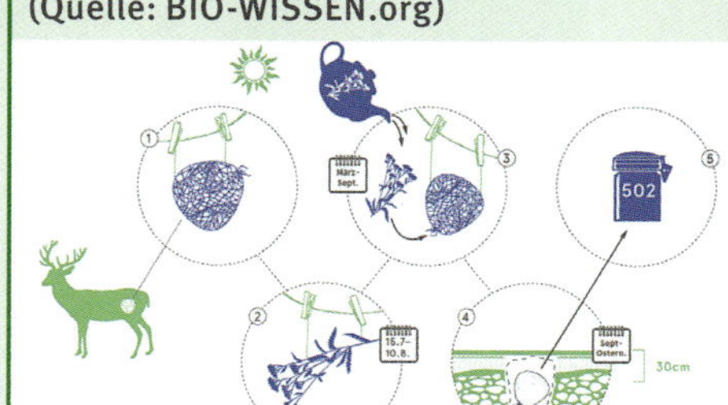 | Das Schafgarbepräparat soll den Raubbau ausbessern und die Schwefelprozesse regulieren. Die Erde wird belebt und empfindsam gemacht, so dass sie die kosmischen Stoffe (Kieselsäure, Blei, Arsen, Quecksilber) aufnehmen kann.<br>„Sie ist schon außerordentlich wohltätig, wenn sie in einer Gegend wild wächst ..." (LW Kurs)<br>(Quelle: Reindl, L.)<br> |

| Name des Kompostpräparats | Herstellung | Wirkung |
|---|---|---|
| **Kamille (503)** | Die Blüten der Echten Kamille werden in den Darm einer Kuh gefüllt. Diese „Wurst“ übersommert wieder im Licht hängend und überwintert in der Erde.<br>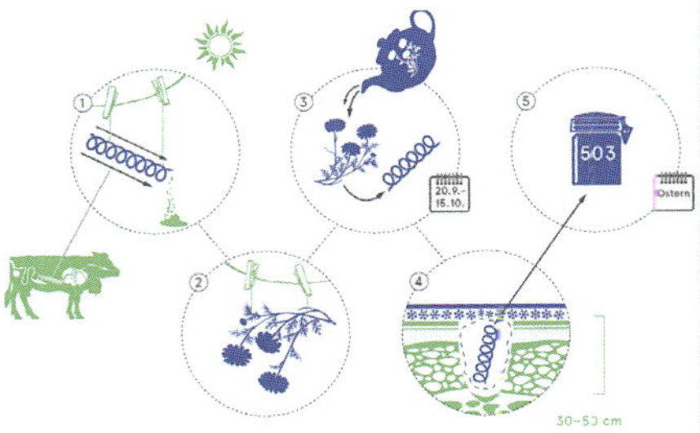<br><br>(Quelle: BIO-WISSEN.org) | Man bekommt gesündere Pflanzen.<br>„Man wird sehen, dass man damit einen Dünger bekommt, der erstens wiederum stickstoffbeständiger ist als andere Dünger, der aber außerdem die Eigentümlichkeit hat, die Erde so zu beleben, dass sie in außerordentlich anregender Weise auf das Pflanzenwachstum wirken kann.“ (LW Kurs)<br><br>Kamillenblüten werden in den Darm gefüllt. (Quelle: Reindl, L.)<br><br>Kamillepräparat im Darm nach dem Ausgraben. (Quelle: Reindl, L.) |
| **Brennnessel (504)** | Die blühenden Brennnesseln werden in angewelktem Zustand in einen Sack (oder besser in ein Tonrohr) gestopft, wie bei den vorigen Präparaten in der Erde eingegraben und von einer Schicht Torf umgeben. Dieses Präparat bleibt nun ein ganzes Jahr im Boden.<br>(Quelle: BIO-WISSEN.org)<br><br> | Das Brennnesselpräparat ermöglicht es dem Kompost, der Kulturpflanze Stoffe und Kräfte aus Luft und Boden zur Verfügung zu stellen. Dadurch sollen Fehlabläufe in den Prozessen, z. B. unerwünschte Zersetzungen, Stickstoffverluste etc. verhindert werden.<br>„Die ist tatsächlich die größte Wohltäterin des Pflanzenwachstums, und sie kann man kaum durch irgendeine andere Pflanze ersetzen.“ (LW Kurs)<br>„Man wird gerade durch diesen Zusatz den Dünger einfach vernünftig machen und namentlich ihn befähigen, auch die Erde, in die er nun hineingearbeitet wird, vernünftig zu machen, so dass sie sich individualisiert auf diejenigen Pflanzen hin, die man gerade ziehen will in dieser Weise.“ (LW Kurs) |

| Name des Kompostpräparats | Herstellung | Wirkung |
|---|---|---|
| Eichenrinde (505) | Die Rinde (Borke) der Stieleiche wird gemahlen oder gerieben und in die Hirnhöhle eines Haustierschädels gefüllt. Dieser wird wieder im Herbst vergraben, aber diesmal an einer schlammigen Stelle die vom Regen- und Schmelzwasser überschwemmt wird.<br>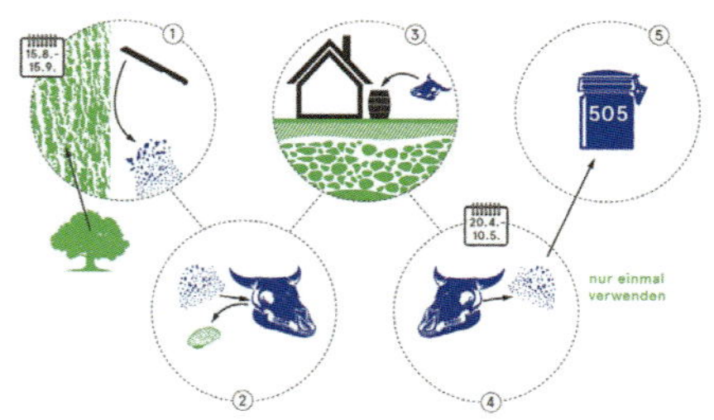<br><br>(Quelle: BIO-WISSEN.org) | Laut Steiner kann das Eichenrindenpräparat dort, wo „wuchernde Lebenskräfte" überhand nehmen, eingreifen und die „Formkräfte" an Orte lenken, wo sich sonst Pflanzenkrankheiten entwickeln könnten. Kalziumpozesse werden gefördert (Eichenrinde hat ca. 77 % Kalzium), zu starke Erhitzung im Kompost gedämpft.<br><br>Eichenrindepräparat im Schweineschädel. (Quelle: Reindl, L.) |
| Löwenzahn (506) | Die Blüten des Löwenzahns werden vom Gekröse (Mesenterium) einer Kuh umschlossen. So wird ein Päckchen gebildet, welches wieder den Sommer über aufgehängt und von Herbst bis nach Ostern an einer humosen Stelle eingegraben wird.<br>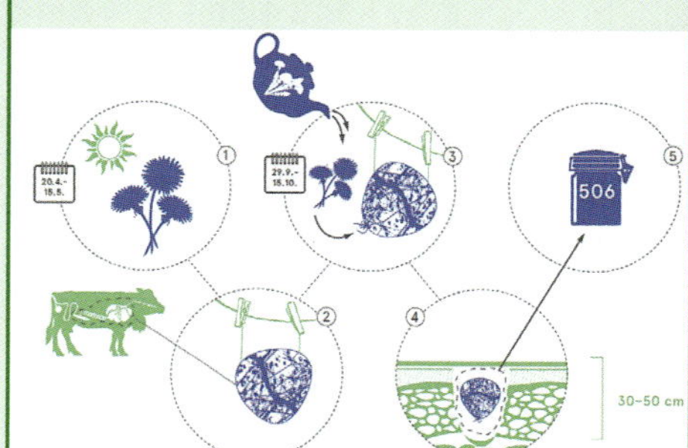<br><br>(Quelle: BIO-WISSEN.org) | Steiner zufolge benötigen Pflanzen Kieselsäure, um kosmische Kräfte aufzunehmen. Das Löwenzahnpräparat soll dem Dünger und der Erde dazu verhelfen, so viel Kieselsäure aufzunehmen, wie die Pflanze braucht.<br>„Der Pflanze kann zugute kommen nicht nur das, was auf dem Acker ist, sondern auch dasjenige, was im Boden der nächsten Wiese ist, wenn sie es braucht." (LW Kurs)<br><br>Das Gekröse wird um die Löwenzahnblüten gewickelt. (Quelle: Reindl, L.)<br><br>Löwenzahnpräparat im Gekröse nach dem Ausgraben. (Quelle: Reindl, L.) |

| Name des Kompost-präparats | Herstellung | Wirkung |
|---|---|---|
| Baldrian (507) | Aus den Blüten des Baldrians wird ein Saft gepresst, in eine Flasche gefüllt und dann kühl gelagert.<br>(Quelle: BIO-WISSEN.org)<br>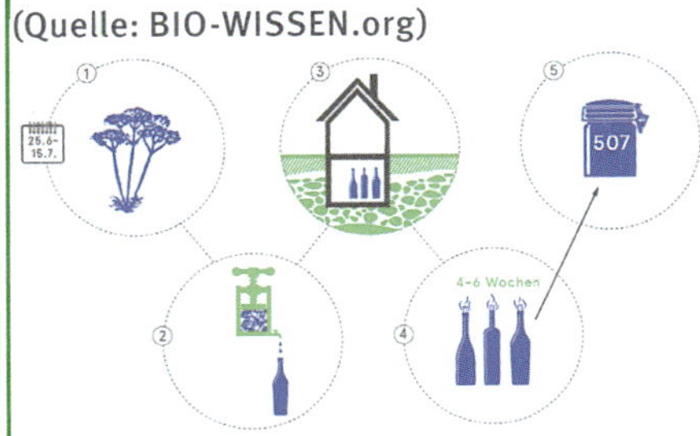<br> | Das Präparat fördert die Phosphorprozesse und reguliert die Wärmeprozesse im Boden. |

**Lagerung der Präparate**

Bis auf den Baldrian werden alle Kompostpräparate (wie das Hornmistpräparat) im Keller zwischen Torfschichten gelagert.

**Anwendung der Kompostpräparate**

Man gibt **eine Prise** des jeweiligen Präparates (alle Kompostpräparate außer Baldrian) **in die Mistmiete**. Die Präparate sollten gleichmäßig verteilt und in der Mitte (Höhe) der Miete platziert werden. Der Abstand zwischen den Präparaten sollte mindestens 0,5 und maximal 2 m betragen.

Am besten verteilt man die fünf Präparate in der Mistmiete, wie die fünf Punkte eines Würfels angeordnet sind. In die Mitte kommt immer das Brennnesselpräparat. Dazu macht man mit einem Stock ein Loch in die Miete, gibt die Prise Präparat in etwas Kompost und formt daraus ein Kügelchen, das man nun in das Loch fallen lässt.

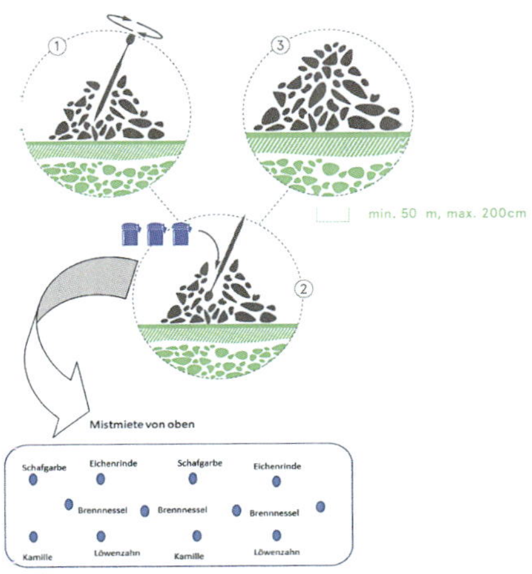


(Quelle: Veränderte Darstellung nach BIO-WISSEN.org)

Im Anschluss bespritzt man die Miete mit Baldrian. Dazu gibt man einen Teelöffel Baldrianpräparat in einen Eimer mit warmem Regenwasser und rührt eine Viertelstunde, wie beim Hornmist beschrieben wurde.

Formen eines Präparat-Kompostkügelchens: Schafgarbenpräparat wird in die Mitte des Komposts gegeben und eine Kugel geformt (Quelle: Reindl, L.).

**Exkurs: Wissenschaftliche Untersuchungen – Kann die Wirkung von biologisch-dynamischen Präparaten nachgewiesen werden?**

- Untersuchung der Präparate-Wirkung im Weinbau (BioDynamie Services, Vincent and Pierre Masson): Der Boden wurde dunkler und krümeliger, die Erde klebte weniger an den Fingern, das Wasser wurde besser gehalten und die Biomasse wurde um 1,5 % gesteigert. Daraus wurde berechnet, dass diese Biomassesteigerung 380 t gespeichertes $CO_2$ pro Hektar ergibt.
- Forschungsarbeiten des Schweizer Forschungsinstituts für biologischen Landbau (FIBL) über mehr als 20 Jahre dokumentieren, dass bei Anwendung biologisch-dynamischer ebenso wie organisch-biologischer Landwirtschaft die Fruchtbarkeit des Bodens signifikant höher war als in der Vergleichsgruppe mit konventioneller Landwirtschaft. Diese Langzeitstudie ist als DOK-Versuch (dynamisch, organisch, konventionell) bekannt. Bei Kennzahlen wie Biomasse der Regenwürmer, Anzahl der Beikräuterarten oder Anzahl der Laufkäferarten lagen die biologisch-dynamisch bewirtschafteten Versuchsflächen meist vor den organisch-biologisch und konventionell bewirtschafteten. Die biologisch-dynamischen und die organisch-biologischen Varianten des DOK-Versuchs unterschieden sich aber nicht nur in der Anwendung von biodynamischen Präparaten nach Steiner, sondern auch in weiteren Parametern. Daher können sie nur eingeschränkt als Test der spezifischen Wirkungen der biologisch-dynamischen Präparate herangezogen werden.
- Dr. Jürgen Fritz kommt in seinem Artikel (Lebendige Erde, 2018) zum Schluss, dass die Präparate die Erde und den Mist verlebendigen und die Resilienz und die Gesundheit der Pflanze sowie die Nahrungsmittelqualität verbessern. Für den Vergleich der verschiedenen Anbaumethoden (konventionell, organisch-bio, bio-dynamisch) stützt er sich auf bildschaffende Methoden, bei denen ihm zufolge eine Zuordnung zu den drei Anbaumethoden mit über 90%iger Sicherheit möglich ist.

Befürworter und Befürworterinnen der biologisch-dynamischen Landwirtschaft verweisen vor allem auf den Einsatz von bildschaffenden Methoden (z. B. Kupferchloridkristallisation, die Rundfilter-Chromatografie und die so genannte Steigbild-Methode), um den Unterschied zwischen biologisch-dynamischen und anders hergestellten Produkten nachweisen zu können. Da diese Methoden meist nur von speziell geschulten Personen qualitativ anhand von Kriterien wie Gestaltwahrnehmung angewandt werden können, sind keine standardisierten Replikationen möglich. Daher ist der Großteil der bildschaffenden Methoden im Moment wissenschaftlich nicht anerkannt. In den vergangenen Jahrzehnten wurden jedoch verstärkt Forschungen durchgeführt, deren Ziel es ist, bildschaffende Verfahren zu standardisieren und für eine praktische Anwendbarkeit, etwa im Rahmen der ISO-Normen zu validieren. Dazu arbeiten das Louis Bolk Institute (LBI) in den Niederlanden, die Universität Kassel (Standort Witzenhausen) und die Biodynamic Research Association Denmark (BRAD), zum Teil mit weiteren Partnern, in einem langjährigen Forschungsverbund zusammen. Ziel der Arbeit ist es unter anderem, eine Erkennung mittels automatisierter Bilderfassung zu ermöglichen.

## 1.5 GESETZLICHE ANFORDERUNGEN AN DIE BIOLOGISCHE LANDWIRTSCHAFT

Auf einem landwirtschaftlichen Betrieb müssen, unabhängig davon ob biologisch oder konventionell bewirtschaftet wird, **Gesetze und Richtlinien** eingehalten werden, welche die landwirtschaftliche Bewirtschaftung regeln. Dazu zählen europäische Gesetze, wie z. B. die Cross Compliance-Regelungen, genauso wie nationale Gesetze aus den Bereichen Tierschutz, Bodenschutz, Pflanzenschutz und Lebensmittelsicherheit.

Landwirtinnen und Landwirte, die ihren Betrieb biologisch bewirtschaften, müssen zusätzlich noch die **EU-Bio-Verordnungen**, die Regelungen aus der Richtlinie des Beirates für biologische Produktion gemäß **EU-Qua-DG** einhalten (ersetzt das Kapitel A8 des Österreichischen Lebensmittelbuches (Codex Alimentarius Austriacus)). Nimmt der Betrieb an Maßnahmen im ÖPUL teil, ist er Mitglied in einem **Verband** (z. B. Bio Austria, Demeter) oder hat er **privatwirtschaftliche Verträge mit Marken** des Lebensmitteleinzelhandels abgeschlossen (z. B. Ja! Natürlich, Zurück zum Ursprung), müssen zusätzlich die entsprechenden Richtlinien eingehalten werden.

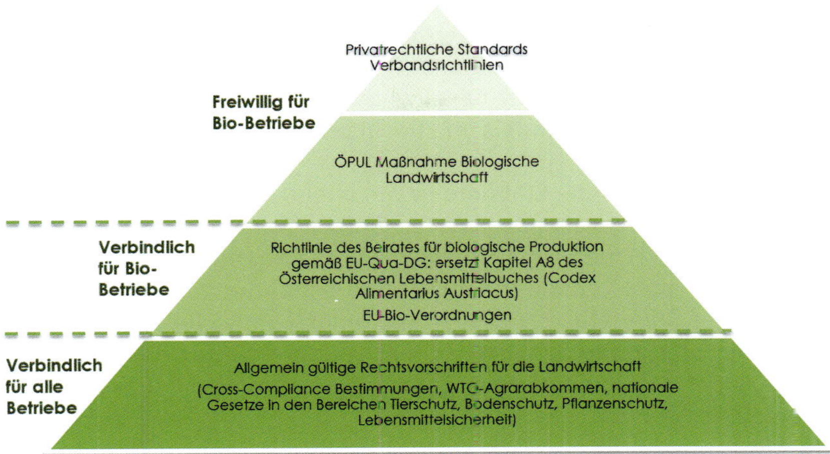


Gesetzespyramide Landwirtschaft

### 1.5.1 EU-Verordnungen über die biologische Landwirtschaft

Seit dem Beitritt Österreichs zur Europäischen Union im Jahr 1995 ist die **EU-Verordnung über biologische Landwirtschaft und ihre Erzeugnisse** gültiges Recht. Die Basisverordnung regelt die grundlegenden Anforderungen an die biologische Produktion. Sie wurde erstmals 1991 erlassen und regelt die Produktion, die Verarbeitung, die Kennzeichnung sowie die Kontrolle von Bio-Produkten. Zusätzlich legt sie die Bestimmungen für den Import fest. Die Details zur praktischen Umsetzung der Basisverordnung werden in der **Durchführungsverordnung** geregelt. Um die Gesamtheit der Anforderungen an die biologische Produktion zu verstehen, müssen daher die Basisverordnung und die jeweiligen Durchführungsvorschriften gemeinsam gelesen werden. Mit **Beginn 2021** tritt die neue **EU-Bio-Basisverordnung 848/18** in Kraft. Sie soll unter anderem die Harmonisierung der Regeln zwischen den EU-Staaten vorantreiben und die Regeln für Importe verschärfen, damit biologische Produkte, die in der EU verkauft werden, den gleichen Standards entsprechen.

### 1.5.2 Staatliche Regelungen

Österreich hat als eines der ersten Länder der Welt staatliche Richtlinien für die biologische Erzeugung von Lebensmitteln festgelegt. Bereits 1983 ergingen die ersten Erlässe des Bundesministeriums für Gesundheit und Umweltschutz. Im Jahr 1989 wurden diese in das Österreichische Lebensmittelbuch (Codex Alimentarius Austriacus) als Kapitel A 8 aufgenommen. Zwei Jahre später – 1991 – hat Österreich als erstes Land Bestimmungen für die biologische Produktion von tierischen Erzeugnissen erlassen. Mit Inkrafttreten des EU-Qualitätsregelungen-Durchführungsgesetzes (EU-QuaDG) wurde in Österreich ein Beirat für die biologische Produktion (Bio-Beirat) eingerichtet, der die Bio-Richtlinie herausgibt. Die Bio-Richtlinie ersetzt Codexkapitel A8 und regelt Bereiche der biologischen Landwirtschaft, die noch nicht in der EU-Bio-Verordnung definiert sind. Dazu zählen z. B. Regelungen zur Haltung von Bio-Kaninchen, Bio-Gatterwild oder zur Bio-Gemeinschaftsverpflegung.

Rund 90 % aller Bio-Bäuerinnen und Bio-Bauern in Österreich nehmen freiwillig an der Maßnahme „Biologische Wirtschaftsweise“ im ÖPUL teil. Sie verpflichten sich damit zur Einhaltung zusätzlicher Richtlinien und erhalten dafür eine Prämie.

### 1.5.3 Private Bio-Richtlinien und Labels

Landwirtinnen und Landwirte, die ihren Betrieb biologisch bewirtschaften, können freiwillig einem der Bio-Verbände (z.B. Bio Austria, Demeter etc.) beitreten. Zusätzlich zu den allgemeinen Gesetzen und Richtlinien, welche die landwirtschaftliche Bewirtschaftung regeln, den EU-Bio-Verordnungen und der Richtlinie des Beirates für biologische Produktion müssen diese Betriebe dann noch die jeweiligen Verbandsrichtlinien berücksichtigen.

Auch der Lebensmitteleinzelhandel hat zusätzliche Standards und privatwirtschaftliche Richtlinien für seine Bio-Handelsmarken, die von den landwirtschaftlichen Vertragsbetrieben eingehalten werden müssen.

ÖPUL ist die Abkürzung für „Österreichisches Programm zur Förderung einer umweltgerechten, extensiven und den natürlichen Lebensraum schützenden Landwirtschaft“. Das ÖPUL ist eine breit angelegte agrarpolitische Fördermaßnahme der Umweltpolitik und Landschaftsplanung in Österreich und wird zu ca. 50 % aus EU-Mitteln und zu ca. 50 % aus nationalen Mitteln finanziert. Von 2015 bis 2020 waren durchschnittlich pro Jahr etwas mehr als 438 Millionen Euro für das ÖPUL vorgesehen, davon jährlich 112 Millionen Euro allein für die Maßnahme „Biologische Wirtschaftsweise“.

Rund zwei Drittel der österreichischen Bio-Betriebe sind Mitglied bei einem der Bio-Verbände. Bio-Verbände spielen eine wichtige Rolle bei der Beratung und Vermarktung aber auch bei der Information von Konsumentinnen und Konsumenten.

### 1.5.4 Blick über den Tellerrand: weltweite Richtlinien

**IFOAM** (International Federation of Organic Agriculture Movements) ist der einzige **Weltdachverband des Bio-Landbaus.** Bereits 1972 gegründet, vereint IFOAM Stakeholder der biologischen Landwirtschaft wie etwa Kontroll-, Forschungs- und Beratungsinstitutionen des Bio-Landbaus, aber auch Unternehmen des Bio-Handels und Privatpersonen.

**Ziel** der IFOAM ist es, weltweit die **Etablierung von** ökologisch, sozial und ökonomisch nachhaltigen Systemen entlang der gesamten Wertschöpfungskette voranzutreiben. Als ein Schritt in diese Richtung wurde 2011 die IFOAM-Familie der Standards eingeführt, welche die Harmonisierung und Vergleichbarkeit von Bio-Standards und Bio-Verordnungen gewährleisten sollen. Die IFOAM-Familie der Standards ermöglicht es, unterschiedliche Bio-Richtlinien aufgrund einer einzigen Bewertungsgrundlage, dem COROS (Common Objectives and Requirements of Organic Standards), auf ihre Qualität und Übereinstimmung mit den Prinzipien der biologischen Landwirtschaft zu überprüfen.

Der Codex Alimentarius der FAO und WHO ist nicht zu verwechseln mit dem Österreichischen Lebensmittelbuch (Codex Alimentarius Austriacus). Das Österreichische Lebensmittelbuch wurde bereits im Jahre 1891 gegründet und kann somit als Vorreiter des weltweiten Lebensmittelkodex betrachtet werden.

Auch der **Codex Alimentarius**, eine gemeinsame Einrichtung der FAO und der Weltgesundheitsorganisation (WHO), hat das Ziel, die Gesundheit der Verbraucher zu schützen und faire Handelspraktiken im internationalen Handel mit Lebensmitteln sicherzustellen. Dazu werden international anerkannte Standards für Lebensmittel in einheitlicher Form herausgegeben. Seit 1999 enthält der Codex Alimentarius auch Richtlinien für Bio-Produkte, die sich inhaltlich an den EU-Bio-Verordnungen und IFOAM-Richtlinien orientieren. Ihre besondere Bedeutung haben die vom Codex Alimentarius geschaffenen Normen erlangt, weil sie bei Handelsübereinkommen im Rahmen der Welthandelsorganisation (WTO) als Referenz für die Verkehrsfähigkeit von Lebensmitteln im internationalen Handel gelten und damit bei Handelskonflikten eine entscheidende Rolle spielen.

## 1.6 BIO-KONTROLLE

Die Bio-Kontrolle ist eine zentrale Säule der biologischen Landwirtschaft, da sie wesentlich zum Konsumentenvertrauen und der Glaubwürdigkeit von Bio-Produkten beiträgt.

Wer seine Produkte als „Bio-Produkte“ oder „aus biologischem Anbau“ vermarkten möchte, muss als Bio-Betrieb zertifiziert sein. Die Einhaltung der gesetzlichen Bestimmungen wird dabei mindestens einmal jährlich bei einer Vor-Ort-Kontrolle von unabhängigen Kontrollstellen überprüft.

### 1.6.1 Organisation der Kontrolle: Bio-Kontrollstellen

In Österreich werden die Bio-Kontrollen von privaten Kontrollstellen durchgeführt, die von der Lebensmittelbehörde zugelassen und überprüft werden. Basis für die Kontrolle und anschließende Zertifizierung eines Betriebes ist der **Abschluss eines Kontrollvertrages** mit einer anerkannten und akkreditierten Kontrollstelle. Nach Abschluss des Kontrollvertrages wird von der Kontrollstelle eine **jährliche angekündigte, umfassende Vor-Ort-Kontrolle** durchgeführt. Darüber hinaus kann die Kontrollstelle noch unangekündigte **Stichprobenkontrollen** veranlassen. Die **Zertifizierung** des Betriebs erfolgt im Anschluss an die Kontrolle. Hält der kontrollierte Betrieb die Bio-Richtlinien ein, stellt die Bio-Kontrollstelle das Bio-Zertifikat aus. Dieses Zertifikat ist der offizielle Nachweis, dass der kontrollierte Betrieb gemäß den Bio-Richtlinien bewirtschaftet wird, und listet, welche betrieblichen Produkte als Bio-Produkte vermarktet werden dürfen.

Um Fairness und Vergleichbarkeit zu gewährleisten, ist es wichtig, dass alle Betriebe nach denselben Vorgaben beurteilt werden, unabhängig davon, mit welcher Kontrollstelle sie einen Kontrollvertrag abgeschlossen haben. Daher arbeiten alle Kontrollstellen in einer Interessensgemeinschaft gemeinsam mit den zuständigen Gremien und dem zuständigen Ministerium ständig an einer einheitlichen Interpretation der Richtlinien.

Um die Unabhängigkeit der Kontrollstellen und richtige Durchführung der Kontrollen sicherzustellen, durchlaufen die privaten Kontrollstellen ebenfalls jährlich eine umfassende Kontrolle durch die Behörden und die Akkreditierungsstelle.

Aktuelle Zertifikate von Bio-Betrieben können unter folgendem Link abgerufen werden:

**INFO!** Bio-Kontrolle

Die Bio-Kontrolle ist eine Aufnahme des Ist-Zustandes auf dem Betrieb. Dabei hält ein Mitarbeiter bzw. eine Mitarbeiterin der Kontrollstelle die vor Ort vorgefundenen Bewirtschaftungsverhältnisse im Kontrollbericht fest und macht eine Empfehlung auf Anerkennung, Anerkennung mit Auflagen oder Nichtanerkennung des Betriebes.

**INFO!** Bio-Zertifizierung

Die Bio-Zertifizierung ist der Vergleich zwischen dem Ist-Zustand gemäß Kontrollbericht und dem Soll-Zustand, wie er durch die gesetzlichen Bestimmungen vorgegeben ist. Mit Hilfe dieses Abgleichs wird entschieden, ob der Betrieb als Bio-Betrieb anerkannt wird oder nicht. Die Bio-Zertifizierung bestätigt, dass die als „bio" deklarierten Produkte gemäß den vorgegebenen Bedingungen produziert wurden.

### 1.6.2 Das Audit der Bio-Kontrollstelle: So läuft die Kontrolle ab

Bei der jährlichen Vor-Ort-Kontrolle verschafft sich der Mitarbeiter bzw. die Mitarbeiterin der Kontrollstelle zunächst bei einem Rundgang mit **Inspektion aller für die biologische Produktion relevanten Bereiche** (z. B. Stallungen, Lager- und Verarbeitungsräume, landwirtschaftliche Flächen) einen Überblick über den Betrieb. Wurden bei der letzten Kontrolle Abweichungen festgestellt, wird bereits beim Betriebsrundgang darauf geachtet, ob diese wie vereinbart behoben wurden. Um nachzuweisen, dass keine in der biologischen Produktion unerlaubten Betriebsmittel eingesetzt wurden, kann der Mitarbeiter bzw. die Mitarbeiterin der Kontrollstelle zusätzlich auch Proben (z. B. von Futtermitteln, Erntegütern) ziehen. Schließlich erfolgt die **Kontrolle der betrieblichen Aufzeichnungen und Dokumentationen**. Da nur so alle Schritte der Produktion sowie Mengenflüsse seit der letzten Kontrolle nachvollzogen werden können, ist diese Überprüfung ein zentraler Bestandteil der Bio-Kontrolle.

Der am Betrieb erhobene Kontrollbericht wird anschließend an die Kontrollstelle weitergeleitet. Dort wird der Bericht im Sinne des Vier-Augen-Prinzips von einem zweiten Mitarbeiter oder einer zweiten Mitarbeiterin gegengeprüft. Erst danach wird die Zertifizierungsentscheidung getroffen.

Die Bio-Kontrolle erstreckt sich auf den gesamten Produktions- und Verarbeitungsprozess. Das bedeutet, dass nicht nur Landwirtinnen und Landwirte, die ihren Betrieb biologisch bewirtschaften, kontrolliert werden, sondern auch Bio-Verarbeitungsbetriebe (z. B. Schlachthöfe, Mühlen, Molkereien, Verpackungsbetriebe) und Bio-Vermarktungsbetriebe (Betriebe, die unverpackte Bio-Produkte vermarkten). Beim Import von Bio-Produkten muss mit Hilfe einer anerkannten Kontrolle bewiesen werden, dass die importierten Bio-Produkte gleichwertig mit den innerhalb der EU gehandelten Bio-Produkten sind.

**INFO!** Kontrolle des gesamten Produktions- und Verarbeitungsprozesses: Was bedeutet das?

Im Falle eines Fruchtjoghurts wird beispielsweise nicht nur der Bio-Betrieb, der die Milch liefert, kontrolliert, sondern auch die Molkerei, die das Joghurt herstellt. Die Molkerei muss beispielsweise auch nachweisen, dass die Fruchtzubereitung im Joghurt von einem zertifizierten Bio-Betrieb stammt. Wird das Joghurt anschließend von einer weiteren Firma abgefüllt, muss auch diese von einer anerkannten Kontrollstelle zertifiziert werden, damit das Fruchtjoghurt als Bio-Produkt vermarktet werden darf.

### 1.6.3 Sanktionen

Werden Abweichungen festgestellt, spricht die Kontrollstelle Sanktionen aus. Diese reichen je nach Art und Schwere des Vergehens von einer Nachreichung fehlender Dokumente/Unterlagen oder einer kostenpflichtigen Nachkontrolle über einen zeitweiligen Ausschluss von der Bio-Vermarktung durch Meldung an die zuständige Lebensmittelbehörde bis hin zum Ausschluss des Betriebes aus dem gültigen Kontrollverhältnis. Wiederholte Beanstandungen haben meist auch eine Verschärfung der Maßnahmen zur Folge.

**Probleme aus der Praxis und daraus resultierende Sanktionen**

- Vorhandensein und Anwendung von verbotenen Dünge- und Pflanzenschutzmitteln sowie von gebeiztem Saatgut. Dies ist einer der schwerwiegendsten und nachvollziehbarsten Verstöße gegen die gesetzlichen Bestimmungen zur biologischen Landwirtschaft. Als Sanktion drohen in jedem Fall die Aberkennung der betreffenden Kulturen bis hin zur Rückstufung des gesamten Betriebes in die Umstellung.
- Lagerung bzw. Verwendung von verbotenen oder nicht vorab genehmigten Betriebsmitteln. Dazu zählen Futtermittel, Saatgut, Jungpflanzen und Vermehrungsmaterial in der Produktion genauso wie Zutaten, Hilfs- und Zusatzstoffe in der Be- und Verarbeitung. Je nach Schwere des Vergehens werden auch hier Kulturen, Tiere oder Produkte aberkannt und von der Bio-Vermarktung ausgeschlossen.
- Zukauf von nicht konformen konventionellen Tieren. Die EU-Bio-Verordnungen regeln klar, dass auf einem Bio-Betrieb nur Bio-Tiere eingestellt werden dürfen. Bei Bestandserneuerungen oder -ergänzungen gibt es zu diesem Grundsatz jedoch Ausnahmen und es dürfen auch konventionelle Tiere zugekauft werden (z. B. männliche Zuchttiere). Werden darüber hinaus Tiere aus konventionell wirtschaftenden Betrieben zugekauft, werden diese Tiere von der Bio-Vermarktung ausgeschlossen. Sollte das Tier oder Produkte daraus dennoch als „bio" vermarktet worden sein, handelt es sich um eine Falschdeklaration.
- Falschdeklaration und Verbraucherirreführung. Wenn ein konventionelles Produkt auf dem Etikett als Bio-Produkt ausgewiesen wird oder der Konsument bzw. die Konsumentin aufgrund der Werbung und Darbietung des Produkts glauben könnte, dass ein konventionelles Produkt biologisch produziert wurde, handelt es sich um Falschdeklaration. Diese zieht immer eine Meldung an die Behörde nach sich. Je nach der Schwere des Vergehens droht eine zeitweilige Bio-Vermarktungssperre.
- Verletzung von Tierhaltungsvorschriften. Grobe Verstöße gegen die Tierhaltungsvorschriften können eine Aberkennung der betreffenden Tierart nach sich ziehen.
- Mangelnde Nachvollziehbarkeit und Transparenz. Die Bio-Kontrolle ist vor allem eine Systemkontrolle, das bedeutet, dass bei der jährlichen Vor-Ort-Kontrolle ersichtlich sein muss, dass der Betrieb das ganze Jahr über richtlinienkonform bewirtschaftet wurde. Unter Nachvollziehbarkeit und Transparenz fallen daher diverse Aufzeichnungen, die am Betrieb geführt werden müssen, z. B.
  - ein Nachweis der Zukäufe mit entsprechenden Nachweisen (Lieferscheine, Bio-Zertifikat des Verkäufers bei Tierzukäufen, Rechnungen etc.),
  - das Vorhandensein der entsprechenden Betriebsaufzeichnungen (Flächen- und Tierlisten, Pläne, Pacht- und Nutzungsverträge etc.),
  - Aufzeichnungen über die laufende Bewirtschaftung (pflanzenbauliche Maßnahmen, Erntemengen, Rezepte, Tierbehandlungen, Weideaufzeichnungen etc.),
  - Vermarktungsaufzeichnungen (Rechnungen, Lieferscheine, Etiketten, Mengenangaben etc.) sowie
  - notwendige Meldungen an die Kontrollstelle (Flächenzugänge, Namensänderungen, Sortimentsänderungen, diverse Ansuchen etc.).

Bei groben Mängeln in den notwendigen betrieblichen Aufzeichnungen kann der Bio-Status des betreffenden Produktes gefährdet sein. In jedem Fall führen Aufzeichnungsmängel zu einer Abmahnung und verstärkten Aufzeichnungspflicht.

### 1.6.4 Weitere Kontrollen

Landwirtinnen und Landwirte, die ihren Betrieb biologisch bewirtschaften, können freiwillig an der Maßnahme „Biologische Wirtschaftsweise" im ÖPUL teilnehmen. Unabhängig von der Bio-Kontrolle, die von privaten Kontrollstellen durchgeführt wird, überprüft in diesem Fall die Agrarmarkt Austria (AMA) die Einhaltung der für diese ÖPUL-Maßnahme festgelegten Bedingungen. Dazu wählt die AMA rund 5 % aller Antragsteller und Antragstellerinnen jedes Jahr für eine Vor-Ort-Kontrolle aus. Die Auswahl der Betriebe erfolgt dabei aufgrund von Risikoanalysen. Werden Unregelmäßigkeiten festgestellt, werden von der AMA Sanktionen ausgesprochen, die je nach Art und Schwere des Vergehens von Abmahnungen über Förderungskürzungen bis hin zu Förderungsrückzahlungen reichen.

**INFO!** AMA

Die Agrarmarkt Austria (AMA) wurde mit dem AMA-Gesetz 1992 als juristische Person des öffentlichen Rechts gegründet. Seit dem Beitritt Österreichs zur Europäischen Union ist die AMA die Marktordnungs- und Interventionsstelle zur Vollziehung der EU-Marktordnung. Die wichtigsten Aufgaben der AMA sind:

- Vollziehung der Marktordnungen (z. B. Erteilung von Ein-/Ausfuhrlizenzen, Marktinterventionen)
- Zentrale Markt- und Preisberichterstattung
- Förderung des Agrarmarketings
- Abwicklung von Förderungsmaßnahmen (z. B. Abwicklung der Direktzahlungen, des ÖPUL, der Ausgleichszulage etc.)
- Rinderkennzeichnung

Beinahe zwei Drittel aller Bio-Betriebe sind Mitglied in **Bio-Verbänden**. Als solches müssen Bio-Bäuerinnen und Bio-Bauern die Verbandsrichtlinien einhalten, die weitere Richtlinien zusätzlich zur EU-Bio-Verordnung und der nationalen Bio-Richtlinie vorgeben. Damit ist der Betrieb berechtigt, auf seinen Produkten mit der Verbandsmarke zu werben. Auch der Lebensmitteleinzelhandel gibt für seine Bio-Handelsmarken zusätzliche Standards vor, die von den landwirtschaftlichen Vertragsbetrieben eingehalten werden müssen. Die Kontrolle der Einhaltung dieser zusätzlichen Richtlinien, die vom Bio-Verband bzw. der Bio-Handelsmarke vorgegeben werden, wird durch die akkreditierten Bio-Kontrollstellen durchgeführt. Bei Verstößen werden der Bio-Verband bzw. der Betreiber der Bio-Marke informiert, die dann vorgeben, welche Maßnahmen zu setzen sind bzw. welche Sanktionen ausgesprochen werden.

## 1.7 WISSEN ANGEWANDT – BIO-KONTROLLE UND RECHTLICHE GRUNDLAGEN

Eine kompetenzorientierte Unterrichtsvorbereitung zum Thema „Bio-Kontrolle: Alle Jahre wieder!“ steht im E-Book als Zusatzmaterial bereit.

**Aufgabe 1:** Nach deiner landwirtschaftlichen Schulausbildung findest du einen Job bei einer akkreditierten österreichischen Kontrollstelle und sollst bereits morgen auf dem Bio-Betrieb Müller den Vor-Ort-Besuch im Rahmen der jährlichen Bio-Kontrolle durchführen. Erstelle dir als Vorbereitung auf die Kontrolle eine Checkliste darüber, was du alles auf dem Betrieb von Familie Müller kontrollieren musst.

**Aufgabe 2:** Du hast vor wenigen Wochen den elterlichen Bio-Betrieb übernommen. Nun hat sich eine Mitarbeiterin deiner Kontrollstelle zum Vor-Ort-Besuch im Rahmen der jährlichen Bio-Kontrolle angekündigt. Erstelle eine Checkliste darüber, welche Aufzeichnungen du der Mitarbeiterin der Kontrollstelle vorlegen können musst. Was passiert, wenn der Mitarbeiterin beim Vor-Ort-Besuch ein Verstoß gegen die Bio-Richtlinien auffällt?

**Aufgabe 3:** Bilde ein Team mit deinem Sitznachbarn bzw. deiner Sitznachbarin. Person A ist der Landwirt bzw. die Landwirtin und Person B der Mitarbeiter bzw. die Mitarbeiterin der Kontrollstelle. Nehmt die zuvor erstellten Checklisten zu Hilfe und spielt einen Vor-Ort-Besuch durch: Bittet Person B die Person A um eine bestimmte Aufzeichnung (z. B. Weidejournal) und diese Aufzeichnung stand nicht auf der Checkliste von Person A, wird dies von Person B als Mangel in den Aufzeichnungen gewertet. Erstellt einen kurzen „Kontrollbericht“ und diskutiert eure Ergebnisse anschließend im Plenum.

# 2. PFLANZENBAU

Dieses Kapitel hilft dir dabei, folgende Kompetenzen zu erlernen:
Ich kenne, respektiere und handle entsprechend den Zusammenhängen von gesundem Boden, gesunder Pflanze, gesundem Tier und gesundem Menschen nach dem Prinzip der Kreislaufwirtschaft.

**Ziele:** Ich kann

- ✔ unterschiedliche Bodenbestandteile beschreiben.
- ✔ einfache Bodenproben ziehen, untersuchen und auswerten.
- ✔ die Bodenfruchtbarkeit und den Bodenaufbau bewerten.
- ✔ biologische von konventionellen Produktionsverfahren unterscheiden und diese bewerten.
- ✔ die Grundprinzipien der biologischen Landwirtschaft anwenden und danach produzieren.
- ✔ Risikofaktoren für Stress bei Pflanzen benennen.
- ✔ stresserzeugende Faktoren erkennen und davon Handlungsmöglichkeiten ableiten.
- ✔ stressminderende Maßnahmen bewerten und die Sinnhaftigkeit/Wirtschaftlichkeit abwägen.
- ✔ die Grundsätze des vorbeugenden biologischen Pflanzenschutzes anwenden.
- ✔ den Bestand von regionalen Kulturen im Hinblick auf Entwicklung, Ertragsbildung, Schäden, Dichte und Ernährungszustand beurteilen und daraus notwendige Handlungen ableiten.
- ✔ Kulturpflegemaßnahmen bei Sonderkulturen durchführen.
- ✔ mechanische Pflanzenschutzgeräte einsetzen.
- ✔ biologisch erlaubte Pflanzenschutzmaßnahmen durchführen.
- ✔ bedeutsame Feldfrüchte der Region bestimmen, diese beschreiben und wichtige praxisrelevante Kennzahlen angeben.
- ✔ eine nachhaltige Fruchtfolge planen.
- ✔ die biologische Fruchtfolgegestaltung und Bodenbewirtschaftung als Grundlage des erfolgreichen biologischen Pflanzenbaues planen und entwickeln.
- ✔ Grünlandbestände beurteilen und Maßnahmen zur Optimierung setzen.

## 2.1 GESUNDER BODEN ALS GRUNDLAGE FÜR GESUNDE PFLANZEN

### 2.1.1 Boden – Funktionen, Entstehung, Bestandteile, Bodentypen und Bodenarten

Boden ist die oberste, von Pflanzen und Tieren besiedelte Schicht der festen Erdkruste und besteht aus einem Gemisch von Luft, Wasser, mineralischer und organischer Substanz. Als Lebensraum von Pflanzen und Bodenorganismen bildet der Boden die Basis für vielfältige Nahrungsketten und ist somit die Grundlage allen Lebens.

Boden = oberste, belebte Schicht der festen Erdkruste

#### 2.1.1.1 Boden als Träger wichtiger Funktionen

Der Boden ist für Mensch und Tier von entscheidender Bedeutung, da er wichtige **Funktionen** erfüllt, ohne die ein Leben auf der Erde nicht vorstellbar wäre:

- Flächen für die Nahrungs-, Futtermittel- und Energieproduktion in der Land- und Forstwirtschaft
- Speicher- und Pufferfunktion: Wasserkreislauf, Grundwasserqualität, Hochwasserschutz, Pflanzennährstoffe, Speicherung von Kohlendioxid in Form von Humus, Bindung schädlicher Substanzen, wie z.B. Schwermetalle und Gifte
- Lebensraum für Bodenleben
- Ab-, Um- und Aufbau organischer Substanzen über das Bodenleben
- Abbau von Krankheitserregern, Giften und anderen schädlichen Substanzen
- Bereitstellung von Rohstoffen, wie z. B. Sande oder Kiese
- Flächen für Gebäude und Straßen
- Freizeit- und Erholungsfunktion
- Wichtiger Genpool

Eine kompetenzorientierte Unterrichtsvorbereitung zum Thema „Boden – Grundlage allen Lebens“ steht im E-Book als Zusatzmaterial bereit.

#### 2.1.1.2 Bodenbildung

Bei der Bodenbildung entwickelt sich unbelebtes Gestein zu belebtem Boden. Dieser Prozess nimmt lange Zeitperioden in Anspruch: Unsere heutigen Böden in Mitteleuropa haben sich nach der letzten Eiszeit in den vergangenen 10.000 Jahren entwickelt. In unserem Klima geht man davon aus, dass es 100 bis 200 Jahre dauert, bis sich unter ungestörten Verhältnissen eine Humusschicht von etwa 1 cm Dicke bildet.

Da die Bodenbildung lange Zeiträume in Anspruch nimmt, kann versiegelter Boden nicht einfach „ersetzt“ werden. Boden ist daher ein wichtiges Schutzgut

Am Anfang der Bodenbildung stehen **Verwitterungsprozesse**, die durch physikalische, chemische und biologische Vorgänge hervorgerufen werden:

- Temperaturschwankungen
- Frost- und Salzsprengungen
- Chemische Prozesse
- Tätigkeiten von Tieren und Pflanzen (z. B. Sprengwirkung von Wurzeln, Ausscheidung organischer Säuren)

Die Verwitterungsprozesse lockern das Gestein, was Spalten und Klüfte entstehen lässt. Gleichzeitig lösen sich durch die Verwitterung Nährstoffe aus der Gesteinsoberfläche, und bilden die erste Nahrungsgrundlage für Flechten, Algen und Moose. Diese Erstbesiedler beschleunigen durch Wurzelausscheidungen den Verwitterungsprozess und stellen nach ihrem Absterben organische Masse als Nahrung für weitere Bodenorganismen zur Verfügung, die ihrerseits wiederum beginnen, aus der toten organischen Substanz Humus aufzubauen. So entsteht allmählich eine dünne Humusschicht, auf der auch einige Gräser- und Kräuterarten (Pionierpflanzen) wachsen können.

Im Laufe der Zeit entstehen durch **Bodenbildungsprozesse** Mineralneubildungen (z. B. Tonminerale, Oxide, Hydroxide), welche den Boden langsam lehmiger und braun werden lassen. Sind die Nährstoff- und die Wasserversorgung ausreichend groß, können sich schließlich auch Sträucher und Bäume ansiedeln. Mit ihrer Vegetationsdecke schützen sie den Boden vor Erosionen durch Wind bzw. Regen und liefern sowohl mit ihren Wurzelausscheidungen als auch mit abgestorbenen Pflanzenteilen organisches Material, das von den Bodenorganismen zu Humus umgebildet wird.

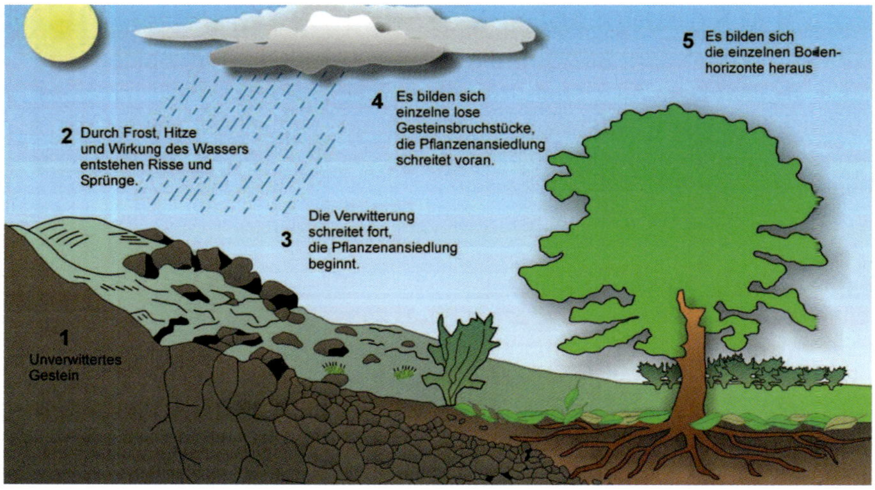


Vom unverwitterten Gestein zum belebten Boden (Quelle: StMUGV, 2006)

Wie schnell die Bodenbildung vonstattengeht, aber auch welche Eigenschaften der entstandene Boden hat, wird von **bodenbildenden Faktoren** beeinflusst. Dazu zählen Ausgangsgestein, Relief (Hanglage, Tallage), Klima (Temperatur, Verteilung der Niederschläge), Wasser, Zeit, Fauna und Flora (Pflanzen, Tiere, Bodenleben), aber auch die Wirtschaftsweise des Menschen.

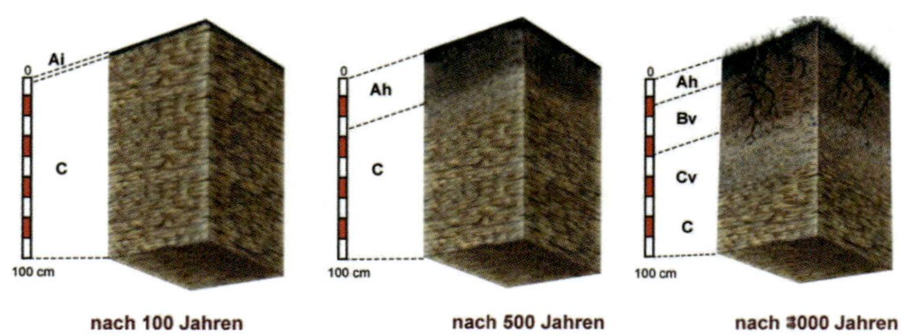


**INFO!** Bodenbildung

So kann man als Landwirt bzw. Landwirtin die Bodenbildung positiv beeinflussen:
- Förderung des Bodenlebens
- Förderung einer Krümelstruktur und von Lebendverbauung im Boden
- Förderung des Humusaufbaus
- Lockerung von Bodenverdichtungen
- Verhinderung von Bodenerosion
- Einsatz von Steinmehl zur Anregung der Bodenbildung

### 2.1.1.3 Natürliche Bodenschichtung: Bodenhorizonte und Bodentypen

Durch bodenbildende Prozesse entstehen **waagrecht verlaufende Schichten** (Bodenhorizonte) im Boden, die je nach den vorherrschenden Standortbedingungen unterschiedlich mächtig sein können. Jeder dieser Bodenhorizonte weist charakteristische Merkmale auf und unterscheidet sich von den anderen Bodenhorizonten hinsichtlich Farbe, Humusgehalt, Bodenart, Bodenstruktur und den darin vorkommenden Bodenorganismen. Die Bodenhorizonte werden mit Großbuchstaben (z. B. A, B, C) bezeichnet. Nachgestellte Kleinbuchstaben geben einen Hinweis auf besondere Merkmale und Eigenschaften eines Horizontes, z. B. Ap für einen Oberboden mit Pflugsohle oder Bv für einen verbraunten Unterboden.

Bodenhorizont = waagrechte Schicht im Boden, die sich von anderen Bodenschichten durch Farbe, Humusgehalt, Bodenart, Bodenstruktur und die darin lebenden Bodenorganismen unterscheidet.

Je nachdem, wie deutlich die Übergänge zwischen den einzelnen Bodenschichten ausfallen, können Rückschlüsse auf die biologische Aktivität im Boden gezogen werden. Bodenorganismen sorgen bei günstigen Wärme-, Wasser-, Luft- und Nährstoffverhältnissen für eine intensive Durchmischung (Bioturbation) des Bodens. Ein undeutlicher Übergang ist daher ein Anzeichen für hohe Aktivität von Bodenorganismen, während ein abrupter, scharfer Übergang zwischen zwei Horizonten ein Hinweis für mangelnde Bioturbation ist. Auch der Mensch greift in die natürliche Bodenschichtung ein: Beim Einsatz des Pfluges im Ackerbau werden die Bodenhorizonte durchmischt und neue Horizonte geschaffen (z. B. Pflugsohle, Bearbeitungshorizont).

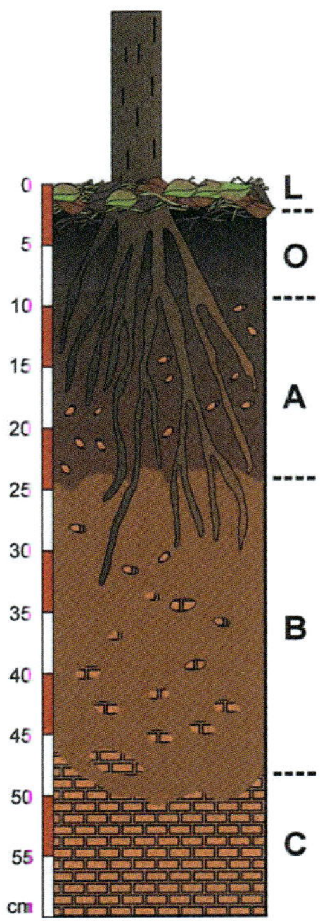


**Merkmale des Bodenaufbaus im Überblick** (Quelle: StMUGV, 2006)

L **Streuschicht**, weitgehend unzersetztes organisches Ausgangsmaterial (auf Waldböden v. a. Blattwerk und Nadeln)

O **Organischer Horizont**, dem Mineralboden aufliegend; in die Tiefe zunehmende Zerstörung der Struktur der organischen Substanz (Humusbildung)

A Oberer mineralischer, mit organischer Substanz vermischter Horizont (= **Oberboden**). Aus dem O-Horizont wird Humus über das Sickerwasser und die Bodenorganismen eingetragen. Aus dem A-Horizont werden Stoffe durch verschiedene Prozesse in den tieferen B-Horizont abgeführt (z. B. Ton- und Eisenverlagerung).

B Mineralischer Horizont, durch Ver-/Umlagerungen mit Ton, freiem Eisen (Fe), Aluminium (Al) und/oder organischer Substanz angereichert (= **Unterboden**). Eintrag von Substanzen aus dem A-Horizont. Je nach den verlagernden Prozessen entstehen unterschiedlich geprägte B-Horizonte und damit unterschiedliche Bodentypen (z. B. Toneinlagerung, Verlehmung ➜ Parabraunerde; Eisen und Humusstoffe ➜ Podsol).

C **Ausgangsgestein**, chemisch und physikalisch teilweise bereits verwittert, Gesteinsstruktur vollständig erhalten.

Durch das Zusammenwirken aller bodenbildenden Faktoren (Ausgangsgestein, Relief, Klima, Fauna, Flora, Mensch, Zeit) entwickeln sich je nach Standort unterschiedliche Abfolgen und Ausmaße der Bodenhorizonte. Eine **charakteristische Art, Anzahl und Anordnung der Bodenhorizonte** kennzeichnet dabei die Zugehörigkeit eines Bodens zu einem bestimmten **Bodentyp**.

Bodentyp = charakteristische Anordnung, Anzahl und Art von Bodenhorizonten (z. B. Braunerde, Tschernosem)

Für die Bestimmung eines Bodentyps müssen eine **Profilgrube** (ca. 80 cm breit und je nach Boden bis zu 1,5 m tief) ausgehoben und alle wesentlichen Bodenhorizonte sichtbar gemacht werden. Um den Boden zu einem Bodentyp zuzuordnen, werden anschließend Horizontmächtigkeit und -abfolge, Bodenfarbe, Ausgangsgestein, Humusgehalt, Bodenart, Bodenstruktur, Bodenwasserhaushalt, Karbonatgehalt und Durchwurzelbarkeit beurteilt.

Die Bodentypen der landwirtschaftlichen Nutzflächen in Österreich sowie weitere Bodeninformationen, z. B. Wasserverhältnisse können in der digitalisierten „Österreichischen Bodenkarte" (eBOD) abgefragt werden (siehe Kapitel 2.1.4).

Mit voranschreitender Bodenbildung entwickelt sich ein bestimmter Bodentyp im Laufe der Zeit meist zu einem anderen Bodentypen weiter. Durch Veränderungen in den bodenbildenden Faktoren (z. B. Absenken des pH-Werts durch sauren Regen oder die Veränderung der Vegetation) kann sich die Richtung der Bodenbildung allerdings auch ändern. Bodentypen geben daher vor allem einen Hinweis auf den Entwicklungszustand eines Bodens. Um Rückschlüsse auf den Bodenwasserhaushalt, die natürliche Fruchtbarkeit und die ackerbauliche Eignung zu ziehen, müssen auch andere Bodeneigenschaften, Umwelt- und Geländefaktoren einbezogen werden.

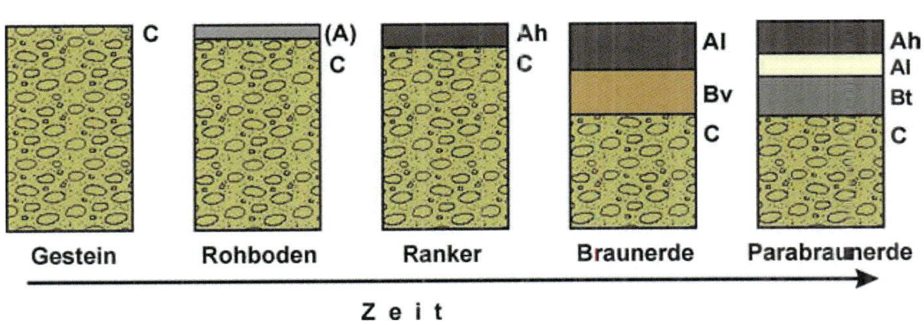


Mögliche Abfolge von Bodentypen vom unverwitterten Gestein zur Parabraunerde (Quelle: StMUGV, 2006)

### 2.1.1.4 Bodenbestandteile

Die Bestandteile des Bodens lassen sich grob in folgende Bestandteile unterteilen:

- Mineralische Substanz
- Organische Substanz
- Luft
- Wasser

Während Minerale und Humus als feste Bodenbestandteile gemeinsam den Bodenkörper bilden, befinden sich zwischen diesen festen Bodenpartikeln Hohlräume in unterschiedlicher Größe und Form (= Bodenporen), die zum Teil mit Wasser und zum Teil mit Luft gefüllt sind. Bodenporen bieten zusätzlich Lebensraum sowohl für Pflanzenwurzeln, welche die Hohlräume nutzen, um den Boden zu durchwurzeln, als auch für Bodenlebewesen, die sich meist in unmittelbarer Nähe zu den Pflanzenwurzeln aufhalten.

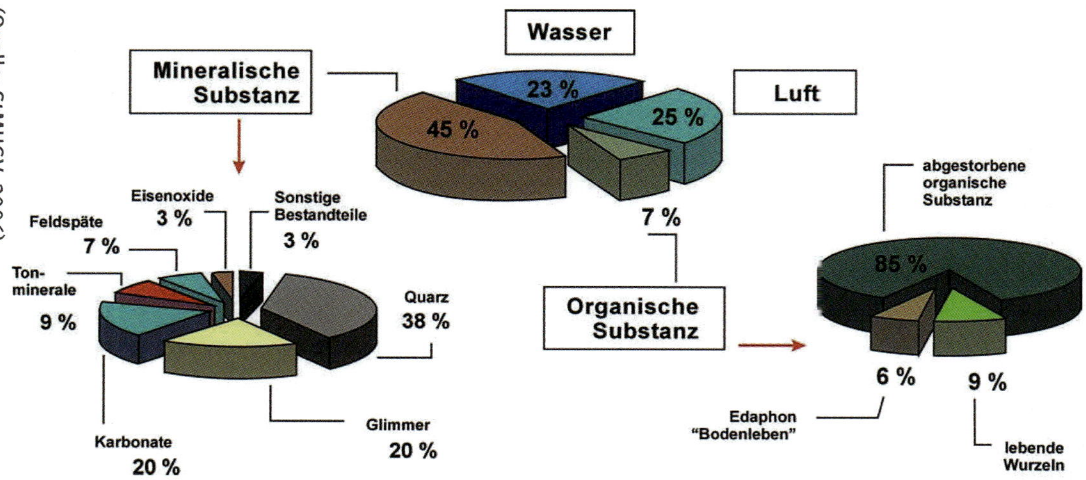

(Quelle: StMUGV, 2006)

**INFO!** Der ideale Boden für die Landwirtschaft

**Ideale Böden für die landwirtschaftliche Nutzung bestehen etwa zur Hälfte aus festen Bestandteilen und zur Hälfte aus Hohlräumen (Bodenporen), die ihrerseits wiederum etwa zu 50 % mit Wasser bzw. Luft gefüllt sind. Entstehen durch die landwirtschaftliche Nutzung Verdichtungen im Boden, verringert sich der Anteil an Hohlräumen. Dadurch nimmt die Bodenfruchtbarkeit ab, weil sich die Lebensbedingungen für die Bodenlebewesen und Pflanzenwurzeln verschlechtern. Stark verdichtete Böden können deshalb vor allem im biologischen Ackerbau zu schweren Ertragseinbußen führen.**

#### Mineralische Substanz

Gesteine, das Ausgangsmaterial, aus dem Boden entsteht, sind Gemenge von Mineralen. Durch chemische, physikalische und biologische Verwitterungsprozesse zerfallen sie wieder in ihre einzelnen Mineralkomponenten, wie z. B. Quarz, Feldspäte, Glimmer. Gleichzeitig werden bei der Bodenbildung aber auch andere Minerale, wie z. B. Tonminerale (siehe Infobox Exkurs: Tonminerale – Die Brücken von Mineral zum Leben), Eisenoxide oder Hydroxide, neu gebildet. Die Tonmineralbildung macht den Boden lehmig, die Eisenoxidbildung gibt ihm seine braune Farbe. Gemeinsam bilden die gesteinsbürtigen (= lithogenen) Minerale und neu gebildeten (= pedogenen) Minerale die mineralische Substanz eines Bodens.

Für die Landwirtschaft hat die mineralische Zusammensetzung des Ausgangsgesteins und dessen Verwitterungsgrad eine große Bedeutung, da diese beiden Faktoren bestimmen, welche Nährstoffe im Ackerboden nachgeliefert werden. So sind Böden, die aus quarzreichem Gestein (z. B. Sandstein, Quarzit) entstanden sind, von Natur aus nährstoffarm, während Böden aus glimmer- und feldspatreichem Gestein ein hohes natürliches Kalium-Nachlieferungsvermögen aufweisen. Je nach der Größe, in der die mineralische Substanz hauptsächlich in einem Boden vorkommt, können die verschiedenen Bodenarten unterschieden werden (siehe Kapitel 2.1.1.5 Bodenarten).

**Exkurs: Tonminerale – die Brücken von Mineral zum Leben**
Tonminerale sind kleiner als Tonkörner und haben einen Durchmesser von weniger als 0,002 mm. Sie bestehen aus Siliziumoxid ($SiO_4^{4-}$) und Aluminiumhydroxid ($Al(OH)_3$), die durch Sauerstoffbrücken und positiv geladene Ionen (= Kationen) wie Kalium ($K^+$), Eisen ($Fe^{2+}$) und Magnesium ($Mg^{3+}$) schichtförmig zusammengehalten werden.

Aufgrund ihres Aufbaus haben Tonminerale eine enorme innere Oberfläche, an die sich Wasser und Nährstoffe anlagern können. Tonminerale üben daher eine wichtige Speicherfunktion im Boden aus und erhöhen die Verfügbarkeit von Wasser und Nährstoffen für die Pflanzen und das Bodenleben.

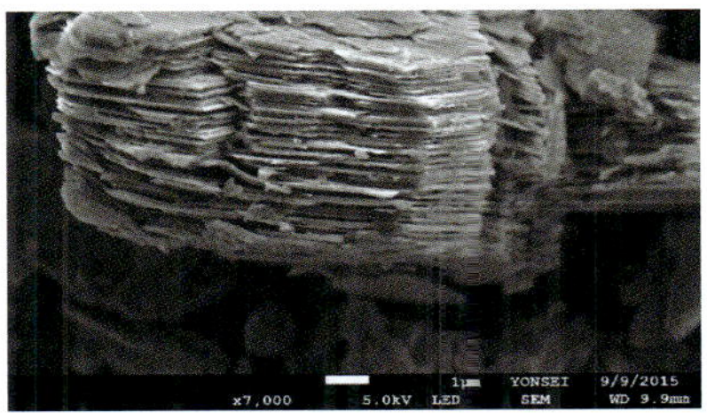

(Quelle: Yongjae Lee, Yonsei University)

Eine weitere Eigenschaft von Tonmineralen ist, dass sie sich mit Huminstoffen zu so genannten Ton-Humus-Komplexen verbinden können. Ton-Humus-Komplexe bilden die Grundlage für einen krümeligen garen Boden, da sie die Stabilität des Bodengefüges verbessern. Vor allem Regenwürmer leisten einen wichtigen Beitrag zur Entstehung von Ton-Humus-Kompexen, da sie Pflanzenreste verzehren und dabei gleichzeitig mineralische Bodenteilchen aufnehmen. Diese organischen und anorganischen Stoffe werden im Verdauungstrakt der Regenwürmer vermischt und bilden so den Ausgangspunkt für Ton-Humus-Komplexe.

Tonminerale haben einen großen Einfluss auf die Bodenfruchtbarkeit, da sie wichtige Speicher für Wasser und Nährstoffe darstellen und in Verbindung mit Humusbestandteilen (Ton-Humus-Komplex) zu einer stabilen Bodenstruktur beitragen.

**Bodenwasser**
Bodenlebewesen können nur aktiv werden, wenn ausreichend Wasser im Boden vorhanden ist. **Bodenwasser** stellt den Lebensraum für viele Bodenmikroorganismen dar und ist die **Voraussetzung für Pflanzen- und Wurzelwachstum**. Viele pflanzenverfügbare Nährstoffe sind im Bodenwasser gelöst und werden von dort von den Pflanzen aufgenommen. Wasser ist also ein unverzichtbarer Bestandteil des Bodens, der auch für den Humusaufbau und zahlreiche Verwitterungsprozesse im Boden benötigt wird.

Niederschläge, Grundwasser und Taubildung versorgen den Boden das Jahr hindurch mit Wasser. Ähnlich wie ein Schwamm besitzt der Boden ein Hohlraumsystem, das aus unzähligen Poren mit unterschiedlicher Größe besteht. Die **Größe der Bodenporen** ist dabei eng an die Bodenart (siehe Kapitel 2.1.1.5) geknüpft. Durch die Verbindung der Poren miteinander kann Wasser in den Boden hinein- und durch ihn hindurchwandern, wobei die Größe der Poren bestimmt, wie schnell sich das Wasser bewegt und wie viel sich entgegen der Schwerkraft im Boden hält bzw. dort für die Pflanzenwurzeln gespeichert wird. Je enger eine Pore ist, desto stärker wird das Wasser in ihr festgehalten und umso schwieriger kann es von Pflanzen aufgenommen werden. Mit zunehmendem Feinstporenanteil im Boden (z. B. in Tonböden) nimmt die Pflanzenverfügbarkeit des Bodenwassers daher ab. Besonders in Trockenperioden hängt deshalb die Bodenfruchtbarkeit davon ab, wie viel pflanzenverfügbares Wasser im Boden gespeichert werden kann (siehe Infobox Exkurs: Wasserverfügbarkeit auf landwirtschaftlichen Nutzflächen). Aus diesem Grund sind Böden mit einem **hohen Anteil an mittelgroßen Poren** (z. B. Schluff- oder Lehmböden) **ideal**, da in diesen Poren das Wasser in einer für Pflanzen verfügbaren Form haften bleibt.

### Exkurs: Wasserverfügbarkeit auf landwirtschaftlichen Nutzflächen

Die Transpiration der Pflanzen und die Verdunstung über die Bodenoberfläche verursachen Wasserverbrauch auf landwirtschaftlichen Nutzflächen. Im Hochsommer werden in Mitteleuropa so 4 bis 6 mm Wasser pro Tag, das entspricht 4 bis 6 l Wasser pro Tag und Quadratmeter, verbraucht. Sandböden weisen im Durchschnitt eine Nutzwasserkapazität von 60 mm auf, d. h., sie können 60 l pro Quadratmeter in pflanzenverfügbarer Form speichern. Ein durchschnittlicher Wasserverbrauch von 5 mm pro Tag bedeutet also, dass Pflanzen auf Sandböden nach etwa zwölf Tagen ohne Niederschlag kein Wasser mehr aus dem Boden bekommen und damit irreversibel geschädigt werden. Im Vergleich reicht das Wasser bei Lehmböden unter sonst gleichen Voraussetzungen aufgrund der höheren Nutzwasserkapazität (240 mm) für bis zu 48 Tage.

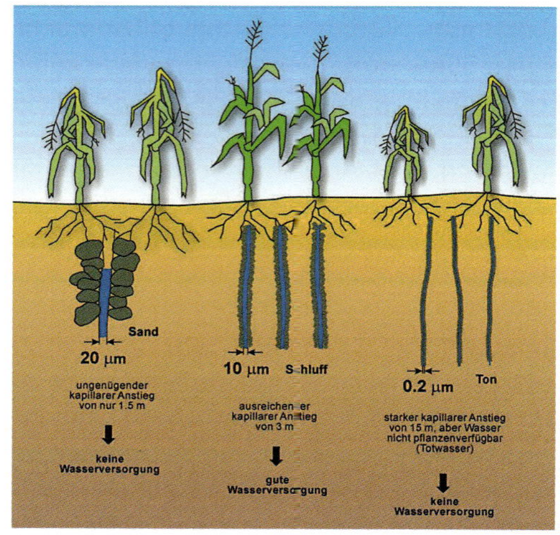

(Quelle: StMUGV, 2006)

**INFO!** Wasserspeicherfähigkeit verbessern

So kann man als Landwirt bzw. Landwirtin die Wasserspeicherfähigkeit von Böden verbessern:
- Gezielter Humusaufbau
- Verringerung der Wasserverluste aufgrund von Verdunstung durch konservierender Bodenbearbeitung und Bodenbedeckung mit Mulch (Pflanzenreste)
- Flache Stoppelbearbeitung

### Bodenluft

Bodenluft ist nicht nur eine Voraussetzung für die im Boden lebenden Organismen, sondern auch für die Atmung der Pflanzenwurzeln. Gleich wie die atmosphärische Luft besteht die Bodenluft aus Stickstoff (N), Sauerstoff ($O_2$) und Kohlendioxid ($CO_2$). Im Gegensatz zur atmosphärischen Luft wird die Bodenluft aber von biologischen Vorgängen im Boden beeinflusst. So ist aufgrund der Atmung von Mikroorganismen und Pflanzenwurzeln der $CO_2$-Gehalt im Boden um ein Vielfaches höher als in der Atmosphäre.

**Hauptkomponenten der Atmosphäre und der Bodenluft im Vergleich**

| | Atmosphäre [Vol.-%] | Bodenluft [Vol.-%] | |
|---|---|---|---|
| | | Gut durchlüftet | Schlecht durchlüftet |
| $N_2$ | 79 | 79–83 | |
| $O_2$ | 20,95 | 18–21 | 0–5 |
| $CO_2$ | 0,035 | 1–2 | 5–12 |

Zwischen Bodenluft und Atmosphäre findet ständig ein Gasaustausch statt, den man auch als Bodenatmung bezeichnet. Da in der Bodenluft der Sauerstoffgehalt niedriger und der Kohlendioxidgehalt höher ist als in der Atmosphäre, wandert (diffundiert) Kohlendioxid aus dem Boden in die Atmosphäre und Sauerstoff aus der Atmosphäre in den Boden. Die **Bodenatmung** erfüllt **zwei wichtige Funktionen:**

- Einerseits gelangt so der lebenswichtige Sauerstoff zu den Bodenorganismen und Pflanzenwurzeln.
- Andererseits ist das aus dem Boden entweichende Kohlendioxid eine wichtige Kohlendioxid-Quelle für die Photosynthese der Pflanzen.

Alle Bodenporen, die nicht mit Wasser gefüllt sind, enthalten Bodenluft. Je höher daher der Wassergehalt (z. B. bei stauender Nässe im Frühjahr), desto weniger Bodenluft ist vorhanden und umgekehrt. Verdichtungen des Bodens verringern den Anteil an Bodenluft ebenfalls. Sinkt der Sauerstoffgehalt im Boden unter 10 %, verlangsamt sich das Pflanzenwachstum. Bei extremem Luftmangel reagieren Pflanzen mit Wachstumsstopp und Vergilben, was zu Mindererträgen führt.

**INFO!** Bodendurchlüftung verbessern

Als Landwirt bzw. Landwirtin kann man die Durchlüftung des Bodens durch Maßnahmen verbessern, die eine lockere und stabile Bodenstruktur fördern, z. B. durch
- Humusaufbau,
- Förderung der Krümelbildung,
- Förderung des Regenwurms,
- Aufbrechen der Oberflächenkrusten,
- eine konservierende Bodenbearbeitung,
- eine möglichst ganzjährige Pflanzendecke,
- Kalkung.

### Organische Substanz

Zu den organischen Bestandteilen des Bodens gehören in erster Linie die abgestorbenen und umgewandelten Reste von Pflanzen und Tieren (= Humus). Das Bodenleben (= Edaphon) und die lebenden Pflanzenwurzeln sind ebenfalls wesentliche Bestandteile der organischen Substanz.

Alle toten organischen Substanzen im Boden (z. B. abgestorbene Pflanzenwurzeln und Bodenlebewesen, Ernterückstände, Tierexkremente) werden als Humus bezeichnet. Dabei wird zwischen Nähr- und Dauerhumus unterschieden: Während alle leicht abbaubaren organischen Substanzen **Nährhumus** darstellen, werden die schwer abbaubaren, stabilen Anteile des Humus als **Dauerhumus** bezeichnet.

Mikroorganismen zersetzen den Nährhumus im Boden, wodurch die darin gebundenen Nährstoffe frei werden und von Pflanzen aufgenommen werden können (siehe Kapitel 2.1.2 Aufbau und Pflege der Bodenfruchtbarkeit). Dauerhumus entsteht, wenn Mikroorganismen Nährhumus zu äußerst stabilen Huminstoffen umwandeln. Huminstoffe geben dem Boden seine dunkle Farbe und können aufgrund ihrer schweren Abbaubarkeit Jahrhunderte im Boden überdauern. Dauerhumus ist ein wichtiger Speicher für Kohlenstoff und Nährstoffe. 95 % des Stickstoffs, 90 % des Schwefels und 50 % des Phosphors in Ackerböden liegen organisch gebunden im Humus vor. Da jährlich rund 2 bis 3 % dieser im Dauerhumus gespeicherten Nährstoffe durch Mikroorganismen freigesetzt und somit pflanzenverfügbar werden, stellt Dauerhumus eine wichtige langfristige, langsam fließende Nährstoffquelle für Pflanzen und Bodenleben dar.

Nährhumus ist die Nahrungsquelle für das Bodenleben, Dauerhumus ist für die nachhaltige Bodenfruchtbarkeit entscheidend.

Lebende Pflanzenwurzeln nehmen etwa 9 % der organischen Masse und damit nicht einmal 1 % des gesamten Bodens ein. Dennoch erfüllen sie eine Reihe wichtiger Funktionen im Boden: Wurzelausscheidungen stellen Nahrung für das Bodenleben dar und mobilisieren gleichzeitig Nährstoffe im Boden. Tiefwurzler befördern in tiefere Bodenschichten verlagerte Nährstoffe wieder nach oben. Zusätzlich kann durch Symbiose mit Knöllchenbakterien die Stickstoff-Versorgung des Bodens verbessert werden.

Neben Humus und lebenden Pflanzenwurzeln zählt auch das **Bodenleben** (= Edaphon) zur organischen Substanz des Bodens. Das Edaphon kann in
- pflanzliches (Bodenflora) und
- tierisches (Bodenfauna) Bodenleben

unterschieden werden.

Die **Bodenflora**, zu der Bakterien, Strahlenpilze (Aktinomyceten), Pilze, Algen und Flechten gehören, ist maßgeblich an Zersetzungs- und Mineralisierungsprozessen beteiligt und macht die Hauptmasse des Bodenlebens aus. Die **Bodenfauna** setzt sich aus tierischen Einzellern sowie vielzelligen Organismen zusammen, wie etwa Geißeltiere, Amöben, Fadenwürmer (Nematoden), Milben, Spinnen, aber auch größere Lebewesen wie Regenwürmer.

Bodenorganismen beeinflussen nicht nur die Bodenbildung und Bodenentwicklung, sie bauen auch die abgestorbene organische Substanz ab, wodurch Nährstoffe für die Pflanzenernährung freigesetzt werden. Gleichzeitig bauen sie stabile Humusverbindungen auf, die den Boden dunkel färben und die Bodenfruchtbarkeit entscheidend erhöhen. Außerdem ist das Bodenleben daran beteiligt, Krümelstrukturen im Boden aufzubauen. Dadurch werden sowohl die Struktureigenschaften des Bodens als auch der Wasser- und Lufthaushalt des Bodens verbessert. Darüber hinaus ist das Bodenleben Teil vielfältiger Nahrungsnetze im Boden.

### Bedeutung der Bodenlebewesen im System „Boden-Pflanze“

| Prozess im Boden | Bedeutung des Bodenlebens |
|---|---|
| Biologische Verwitterung | Lösungsprozesse am Ausgangsgestein durch Stoffwechselprodukt, z. B. Atmung der Bodenlebewesen erhöht $CO_2$-Gehalt in der Bodenluft → Karbonatauflösung |
| Gefüge-/Krümelbildung | Durchmischung und Verkittung organischer Substanzen mit mineralischen Bodenpartikeln zu stabilen Ton-Humus-Komplexen |
| Lebendverbauung | Verfestigung der Bodenpartikel und Erhöhung der Krümelstabilität durch Schleimabsonderung der Bodenorganismen und bei Darmpassage durch den Regenwurm |
| Humusabbau, Mineralisation | Zersetzung und Abbau organischer Substanzen, dabei werden Nährsalze für Pflanzen wieder verfügbar |
| Humusaufbau, Humifikation | Umwandlung abgestorbener organischer Substanzen in stabile Humuskomplexe, welche die Struktur und Fruchtbarkeit des Bodens verbessern |
| Ammonifikation/Nitrifikation/ Denitrifikation | Stickstoffkreislauf wird aufrechterhalten, Bindung und Umwandlung von Stickstoff im Boden |

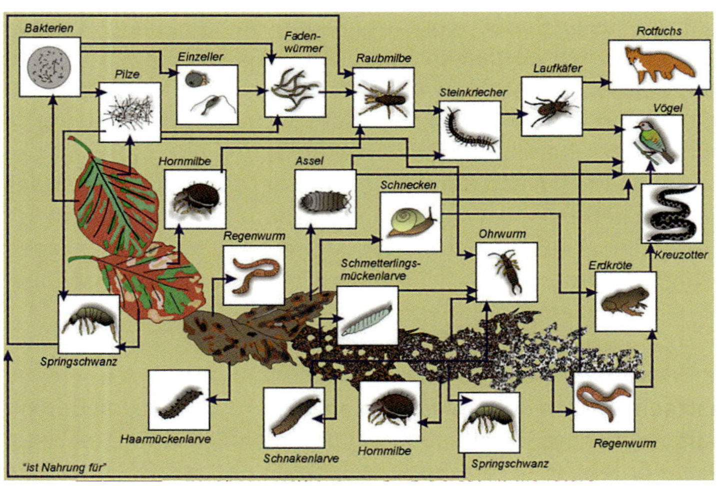


(Quelle: StMUGV, 2006)

#### 2.1.1.5 Bodenarten

Die mineralische Substanz kommt im Boden in unterschiedlichen Größen vor. Anhand dieser unterschiedlichen Partikelgrößen (= Korngrößen) können die Böden in verschiedenen Bodenarten eingeteilt werden. Man unterscheidet folgende **drei Korngrößen bzw. Hauptbodenarten:**

- Ton: Korndurchmesser < 0,002 mm
- Schluff: Korndurchmesser 0,002 bis 0,063 mm
- Sand: Korndurchmesser 0,063 bis 2 mm

Bodenart = Einteilung des Bodens nach der Größe der Bodenpartikel (= Korngrößen), z. B. Sand, Schluff, Ton

Bei der Bestimmung der Bodenart (= Textur) eines Bodens wird nur die Zusammensetzung des Feinbodens, also der Bodenteilchen kleiner als 2 mm, betrachtet. Bodenbestandteile, die größer als 2 mm sind (z. B. Grus, Kies, Steine), werden als Grobboden, das so genannte Bodenskelett, bezeichnet.

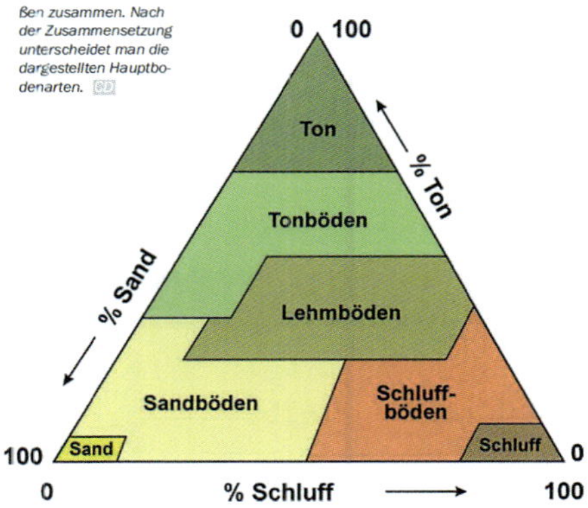


Aus dem Texturdreieck (Quelle: StMUGV, 2006) kann die Einteilung der unterschiedlichen Bodenarten auf Basis der Korngröße abgelesen werden.

Je nach hauptsächlich vorkommender Korngröße werden den Böden in Sand- (S), Schluff- (U) und Tonböden (T) eingeteilt. Lehm (L) ist eine Mischung aus etwa gleichen Teilen Sand, Schluff und Ton und weist im Allgemeinen die besten Bodeneigenschaften auf. Weitere Bodenarten sind durch die Zusätze tonig (t), schluffig (u), sandig (s) und lehmig (l) festgelegt, z. B. lehmiger Ton (lT).

Die Unterteilung in die einzelnen Bodenarten kann aus dem Texturdreieck abgelesen werden.

## INFO! Einfluss der Bodenart

**Die Bodenart und damit die jeweiligen Anteile an kleineren und größeren Teilchen im Boden haben einen wesentlichen Einfluss auf die physikalischen Eigenschaften des Bodens. Beispielsweise können feinste Bodenteilchen (Tone) Wasserstau bewirken, während grobkörnige Böden (Sande) Wasser rasch versickern lassen und dazu beitragen, dass sich der Boden schnell erwärmt. Die Bodenart bestimmt also den Wärme-, Wasser-, Luft- und Nährstoffhaushalt des Bodens mit. Sie beeinflusst unter anderem die Durchwurzel- und Bearbeitbarkeit sowie Anfälligkeit für Erosion und Verdichtungen und hat damit wesentlichen Einfluss auf die natürliche Bodenfruchtbarkeit.**

**Sandreiche Böden** gelten als warme (schnelle Erwärmung des Bodens), leichte (leichtere Bearbeitbarkeit) und arme (geringes Nährstoffspeichervermögen) Böden. Da sie gut durchlüftet sind und sich schnell und stark erwärmen, wird Nährhumus rasch abgebaut und so Nährstoffe für die Pflanzenernährung freigesetzt. Aufgrund des hohen Anteils an Grobporen und geringen Anteils an Tonmineralen können Nährstoffe und Wasser allerdings nur schlecht gespeichert werden. Da leichte Böden ein hohes Umsatzvermögen aufweisen, Nährstoffe aber gleichzeitig leicht ausgewaschen werden, ist eine Gründüngung besonders anzuraten. Um Wasser zu sparen und den Humusabbau in Grenzen zu halten sollte die Bodenbearbeitung hingegen so weit wie möglich reduziert werden.

Hohe Sandanteile bedeuten
- geringes Wasser-/Nährstoffspeichervermögen,
- gute Durchlüftung,
- bessere Erwärmbarkeit,
- gute Durchwurzelbarkeit,
- leichte Bearbeitbarkeit.

**Tonreiche Böden** gelten als „kalte, schwere und geizige" Böden. Aufgrund des hohen Anteils an Tonmineralen besitzen sie eine enorme innere Oberfläche, die es ihnen ermöglicht, Wasser und Nährstoffe zu speichern. Wirtschaftsdünger mit hohen Anteilen an leicht löslichen Nährstoffen (z. B. Jauche oder Gülle) sollten daher wenn möglich eher auf schweren Böden ausgebracht werden. Ihr hohes Wasserspeichervermögen führt jedoch auch dazu, dass sich Tonböden langsamer und weniger stark erwärmen als vergleichbare sandige Böden. Aufgrund der geringen Korngröße von Ton im Vergleich zu Schluff oder Sand sind die Bodenporen in Tonböden enger als bei Sand- oder Schluffböden, weshalb sie schlecht durchlüftet sind. Tonreiche Ackerböden weisen in der Regel ein hohes Nachlieferungspotenzial für Nährstoffe auf, fixieren jedoch auch Kalium und Ammonium („geizige" Böden). Zusätzlich ist die Wasserversickerung infolge geringer Wasserleitfähigkeit gehemmt, weswegen sie in kühleren, niederschlagsreicheren Regionen zu Staunässe neigen. In feuchtem Zustand sind Tonböden plastisch und klebrig und daher schlecht zu befahren bzw. zu bearbeiten. Weil sich Tonböden nur während einer kurzen Zeitspanne – beim richtigen Feuchtigkeitszustand – bearbeiten lassen, werden sie auch als „Stunden- oder Minutenböden" bezeichnet. Trocknen Tonböden aus, bilden sich zunehmend Schrumpfrisse und bei der Bodenbearbeitung entstehen sehr leicht verfestigte Klumpen. Gleichzeitig erhöht sich der mechanische Eindringwiderstand für die Pflanzenwurzeln. Unterschiedliche Wassergehalte im Boden führen daher bei tonreichen Böden zu Quell- und Schrumpfprozessen. Bilden sich im Frühjahr oder nach starken Regenfällen oberflächliche Krusten, sollten diese aufgebrochen werden, um die Wasserversickerung, den Gasaustausch und die Bodenerwärmung zu verbessern. Eine Erhöhung der Durchlüftung, Mineralisierung und Bodenerwärmung kann auch durch eine Kalkung unterstützt werden.

Hohe Tonanteile bewirken
- hohes Wasser-/Nährstoffspeichervermögen,
- hohe Nährstoffgehalte,
- geringe Auswaschungsgefahr,
- schlechtere Durchlüftung,
- langsame Abtrocknung und Erwärmung,
- erschwerte Bearbeitung,
- Rissbildung aufgrund von Quellung bei Wasseraufnahme und Schrumpfung bei Wasserabgabe.

Hohe Schluffanteile bewirken
- höchste Speicherfähigkeit für pflanzenverfügbares Wasser,
- geringe Gefügestabilität (Gefahr von Erosion, Verschlämmung, Verdichtung).

**Schluffreiche Böden** haben im Vergleich zu Ton- bzw. Sandböden die höchste Speicherfähigkeit für pflanzenverfügbares Wasser. Aufgrund seiner Korngröße weist Schluff jedoch die geringste Gefügestabilität auf, was Schluffböden besonders anfällig gegenüber Wind- und Wassererosion macht und sie zur Verschlämmung neigen lässt.

## Bodenarten und ihre Eigenschaften

| Eigenschaft | Sandig | Lehmig | Tonig |
|---|---|---|---|
| Grobporen | Zahlreich | Mittel | Wenig |
| Luftgehalt in Volumenprozent | 30–40 | Zwischen sandigen und tonigen Böden | 0–15 |
| Durchlüftung | Sehr gut | Gut | Schlecht |
| Wasserspeicherung | Gering | Hoch | Sehr hoch |
| Wasserleitfähigkeit | Gering | Gut | Gut |
| Nährstoffspeicherung | Sehr gut | Gut | Schlecht |
| Nährstoffnachlieferung | Schlecht | Gut | Sehr gut |
| Erwärmung | Sehr gut | Sehr gut | Sehr gut |
| Durchwurzelbarkeit | Sehr gut | Gut | Schlecht |
| Bearbeitbarkeit/Befahrbarkeit | Sehr gut | Gut | Schlecht |
| Erosionsgefahr | Hoch | Gering | Sehr gering |
| Pflanzenstandort | Für anspruchslose Arten | Für alle Kulturpflanzen geeignet | Für Grünland bzw. mäßig anspruchsvolle Kulturen |

(Quelle: verändert nach Bio-Austria, 2008)

### 2.1.1.6 Bodenstruktur

Unter der Bodenstruktur oder dem Bodengefüge versteht man die **räumliche Anordnung der festen Bodenbestandteile** zu einem Verband.

Für die Landwirtschaft ist die Bodenstruktur von Bedeutung, weil eine Vielzahl von Bodeneigenschaften und -funktionen wesentlich davon abhängt, wie sich die einzelnen Bodenteilchen zusammenfügen, aneinander hängen und Hohlräume bilden. Ziel ist es, eine für das Pflanzenwachstum günstige Bodenstruktur zu schaffen, welche

- der Saat gute Keim- und Auflaufbedingungen bietet (schnelle Erwärmung, Kapillarwasseranschluss, unverdichtete Oberfläche),
- den Wurzeln ein gleichmäßiges und tiefes Eindringen ermöglicht sowie eine gute Wasserspeicherung und Nährstoffverfügbarkeit gewährleistet,
- genügend grobe, luftführende Poren enthält, die den Wurzeln und Bodenlebewesen das Atmen ermöglichen.

Die Bodenstruktur ist damit auch ein entscheidender Faktor der Bodenfruchtbarkeit.

**INFO!** Bodenstruktur

Die Bodenstruktur hat einen wesentlichen Einfluss auf folgende Bodenfaktoren:
Wärme-, Wasser-, Luft- und Nährstoffhaushalt
- Lagerungsdichte
- Durchwurzelbarkeit
- Erosions- und Verschlämmungsanfälligkeit
- Wasseraufnahmevermögen
- Wasser- und Nährstoffverfügbarkeit
- Aktivität des Bodenlebens

Die **Bodenstruktur verändert sich laufend**. Sie hängt einerseits vom Ausgangsmaterial des Bodens ab, andererseits ist sie jedoch bewirtschaftungsbedingt. Während natürliche Prozesse wie das Verschlämmen der Bodenoberfläche und durch Austrocknung bedingtes Schrumpfen des Bodens ein Zusammendrücken (Verdichten) des Bodens nach sich ziehen, haben Quellen des Bodens durch Wiederbefeuchtung, Frostsprengen und biologische Prozesse ein Auseinanderdrücken (Auflockerung) der Bodenteilchen zur Folge. In ähnlicher Weise wirken die Eingriffe des Menschen: Befahren, Betreten oder Walzen führen zu einer Verdichtung des Bodens. Pflügen, Eggen, Grubbern, Fräsen und dergleichen lockern ihn auf. Besonders im Ackerbau kann die Bodenstruktur daher durch acker- und pflanzenbauliche Maßnahmen (z. B. Fruchtfolge, Bodenbearbeitung) positiv oder negativ verändert werden.

**INFO!** Regelmäßige Beurteilung

**Bei landwirtschaftlicher Nutzung wird die Bodenstruktur durch Maschineneinsatz verändert. In der Praxis ist deshalb eine regelmäßige Beurteilung der Bodenstruktur (z. B. vor und nach einer Bodenbearbeitung, vor Anbau und nach der Ernte von Kulturen) besonders wichtig. Dazu wird eine Spatenprobe durchgeführt (siehe Kapitel 2.1.3 Bodenuntersuchungen).**

Im Hinblick auf die Bodenstruktur können mehrere **Strukturformen** mit jeweils charakteristischen Eigenschaften unterschieden werden. Die Einteilung umfasst zwei nicht aggregierte und fünf aggregierte Strukturformen. Aggregiert bedeutet, dass sich die mit bloßem Auge nicht sichtbaren Bodenteilchen zu größeren, abgrenzbaren Formtypen zusammengeschlossen (Krümel, Bröckel, Polyeder, Prismen, Platten) haben. Entscheidend für die Beurteilung ist, ob die beobachtbaren Merkmale für Pflanzenwachstum günstig (Gefügenote 1 bzw. 2) oder ungünstig (Gefügenote 4 bzw. 5) sind (siehe Kapitel 2.1.4 Bodenuntersuchungen).

Nicht aggregiert

**Einzelkorngefüge**

Die festen Bodenbestandteile liegen lose nebeneinander, weil zu wenige Kittsubstanzen (z. B. Huminstoffe) zum Verkleben der Bodenteilchen vorhanden sind. Diese Struktur ist aufgrund ihres geringen Wasserhaltevermögens ungünstig für den Wasserhaushalt des Bodens und charakteristisch für humusarme Sandböden.

**Kohärentgefüge**

Die Bodenteilchen sind durch Kittsubstanzen (v. a. Ton) zu einer nicht gegliederten Bodenmasse verklebt. Daher ist keine Aggregatbildung erkennbar.

Oben: Löss in ursprünglicher Lagerung, locker, zahlreiche Grobporen – günstig (Gefügenote 2)

Unten: Stark verdichteter Lössboden aus einer Fahrgasse – ungünstig (Gefügenote 4)

Aggregiert

**Krümelgefüge**

Die Krümel sind rundliche, stark poröse, locker gelagerte, feine Aggregate (Durchmesser 1–10 mm). Die Entstehung von Krümeln beginnt mit Ton-Humus-Komplexen, die sich zunächst mit Humus-, Schluff- und Sandpartikeln zu kleineren Aggregaten verkitten. Anschließend wesentlich für die Bildung und Stabilisierung von Krümeln ist die anschließende Lebendverbauung durch Bodenmikroorganismen und Pflanzenwurzeln. Dabei werden die kleineren Aggregate durch Wurzeln, Pilzhyphen sowie Bakterien- und Wurzelausscheidungen zu größeren Aggregaten (= Krümel) zusammengefügt und zusammengehalten.

Aggregiert

Die Krümelstruktur ist die günstigste Strukturform im Oberboden, weil sie einen optimalen Wasser-, Luft-, Wärme- und Nährstoffhaushalt aufweist, sehr gut durchwurzelbar ist, Regenwasser gut aufnehmen lässt und wenig anfällig für Erosion und Verschlämmung ist. Davon profitieren Kulturpflanzen und Bodenorganismen gleichermaßen.

**Polyedrisches Gefüge**

Die Aggregate sind würfelähnlich (annähernd gleich hoch wie breit) und durch mehr oder weniger scharfe Kanten begrenzt. Diese Struktur ist typisch für tonige Böden. Da sich Wasserbewegung, Durchlüftung und Durchwurzelung an den Oberflächen der Aggregate abspielen, sind die Polyedergefüge umso besser zu beurteilen, je kleiner die einzelnen Aggregate sind.

**Prismatisches Gefüge**

Die Aggregate des Bodens weisen scharfe Kanten auf und sind wesentlich höher als breit. Diese Strukturform tritt im Oberboden nach Austrocknung bzw. bei wechselnder Bodenfeuchte auf. Erkennungsmerkmal dafür sind die senkrechten Schrumpfungsrisse.

Die Abbildung zeigt die stark verdichtete Unterkrume einer langjährig nicht gepflügten Parabraunerde aus Löss. Die Wurzeln sind durch den Quellungsdruck platt gepresst – Gefügenote 4.

**Plattiges Gefüge**

Die Aggregate sind durch Verdichtungen (z. B. häufiges Bearbeiten und Befahren) plattig geformt. Diese Strukturform hat einen geringen Anteil an Poren mit großem Durchmesser, weshalb sich die Wasser- und Luftdurchlässigkeit verringern – Gefügenote 4.

**Bodenfragmente (Bröckel und Schollen)**

Durch die Bodenbearbeitung (v. a. Pflügen) entstehen Bodenfragmente mit unregelmäßiger Form und rauen Oberflächen. Bei einer Größe von weniger als 50 mm Aggregatdurchmesser werden die Aggregate als Bröckel bezeichnet, bei einem Aggregatdurchmesser von mehr als 50 mm als Schollen (= Klumpen). Bodenfragmente sind charakteristisch für den Bearbeitungshorizont (Ap) der Ackerböden und umso nachteiliger für das Pflanzenwachstum, je größer, dichter und stärker verfestigt die Aggregate sind.

In der Landwirtschaft wird das Ziel eines „garen Bodens" verfolgt. Unter dem Begriff **Bodengare** versteht man eine **nachhaltig stabile Krümelstruktur in Ackerböden,** die durch Lebendverbauung der Krümelbestandteile entsteht. Sie ist entscheidend für ein optimales Pflanzenwachstum und wird durch eine ausreichende Humus- und Kalkversorgung, eine ausgewogene Fruchtfolge und eine schonende Bearbeitung gefördert. So kann die mikrobielle Aktivität und damit die Produktion von organischen Kittsubstanzen (Wurzel- und Bakterienschleim) erhöht und in weiterer Folge eine intensive Lebendverbauung der Bodenkrümel aufrechterhalten werden.

**INFO!** Bodengare fördern

Als Landwirt bzw. Landwirtin kann man die Bodengare mit Hilfe folgender Maßnahmen fördern:

- regelmäßige Zufuhr von großen Mengen an abgestorbener pflanzlicher Biomasse (z. B. Erntereste, Gründbache)
- Erhöhte organische Düngung (gut verrotteter Mist oder Kompost)
- Vermeidung von Schwarzbrache
- Standortgerechte Fruchtfolge mit möglichst vielen standortangepassten Kulturarten
- Wechsel zwischen Flach- und Tiefwurzlern als Haupt- oder Zwischenfrucht
- Mehrjähriger Feldfutterbau mit Leguminosen-Grasgemenge
- Möglichst lange Bodenbedeckung durch Anbau von Zwischenfrüchten und Untersaaten
- Bodenschonende Bearbeitungssysteme
- Geringe Bearbeitungsintensität
- Vermeidung des Befahrens und Bearbeitens des Bodens bei zu feuchtem Zustand
- Wasseraufnahmevermögen
- Wasser- und Nährstoffverfügbarkeit
- Aktivität des Bodenlebens

## 2.1.2 Aufbau und Pflege der Bodenfruchtbarkeit

Die Fruchtbarkeit der Böden hat einen entscheidenden Einfluss auf die Gesundheit der Pflanzen und damit in weiterer Folge auch auf die Gesundheit der Tiere und Menschen. Ein Boden wird dann als fruchtbar bezeichnet, wenn langfristig stabile Erträge auf hohem Niveau geerntet werden können. Bodenfruchtbarkeit ist also die Voraussetzung für dauerhaft gute Erträge und somit ein wirtschaftlich entscheidender Erfolgsfaktor. Der Humusgehalt, die Bodenstruktur, Pflanzenwurzeln und allen voran die Aktivität des Bodenlebens beeinflussen chemische und physikalische Eigenschaften des Bodens, die darüber entscheiden, wie gut der Boden als Pflanzenstandort geeignet ist (siehe Kapitel 2.1.1 Boden – Funktionen, Entstehung, Bestandteile, Bodentypen und Bodenarten). Diese vier Faktoren bilden daher die Säulen der Bodenfruchtbarkeit.

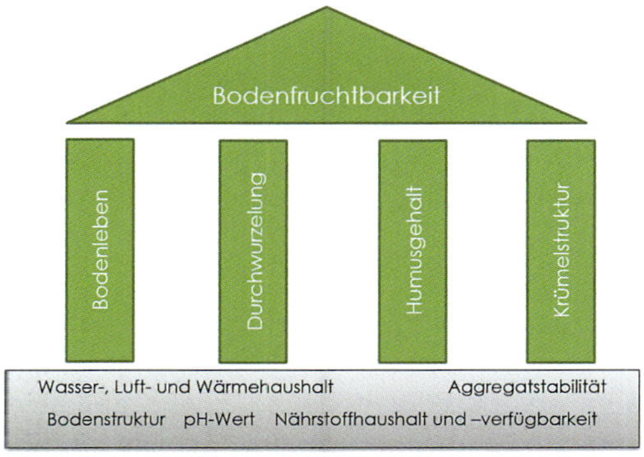


Säulen der Bodenfruchtbarkeit (Quelle: Verändert nach Bio-Austria, 2008)

Um Böden fruchtbarer zu machen, setzen Landwirte und Landwirtinnen deshalb Bewirtschaftungsmaßnahmen, die das Bodenleben aktivieren, den Humusgehalt anheben, die Krümelstruktur fördern und eine möglichst ganzjährige, intensive und vielfältige Durchwurzelung garantieren. Gleichzeitig sollten jene Faktoren vermieden werden, die zu einem Verlust der Bodenfruchtbarkeit führen, wie z. B. Verdichtung, Verschlämmung, Erosion, Humusabbau, Monokulturen, einseitige Fruchtfolgen, unaufbereitete, vergrabene Dünger bzw. Grünmasse oder brachliegende Böden.

### 2.1.2.1 Förderung des Bodenlebens

Die organische Substanz macht im Boden mit ca. 7 % einen vergleichsweise geringen Anteil aus. Bodenlebewesen wiederum betragen weniger als ein Zehntel dieser organischen Substanz. Dennoch enthält 1 kg gesunden Bodens mehr Lebewesen, als es Menschen auf der Erde gibt. In den obersten 30 cm von 1 ha fruchtbaren Boden leben rund 10 t an Bodenlebewesen. Umgerechnet in Großvieheinheiten (GVE) sind das ca. 20 GVE. Im Vergleich dazu können mit der Pflanzenmasse, die oberirdisch auf dieser Fläche wächst, nur etwa zwei bis maximal drei GVE (d. h. rund zwei Kühe mit 750 kg) mit Futter versorgt werden. Der Boden gehört damit zu den am dichtesten besiedelten Lebensräumen der Erde.

Eine Großvieheinheit (GVE) ist ein Umrechnungsschlüssel für die verschiedenen Nutzvieharten auf der Basis des Lebendgewichtes (LG) der einzelnen Tierarten. Eine GVE entspricht dabei ca. 500 kg LG und ist auf den ganzjährig im Betrieb gehaltenen Durchschnittsbestand bezogen.

**Individuenanzahlen und Biomasse der verschiedenen Bodenorganismen unter einer Bodenfläche von 1 m²**

| Anzahl der Individuen | Bodenorganismus | Biomasse |
|---:|:---:|---:|
| 10.000.000.000.000 | Bakterien | ca. 160 g/m² |
| 12.000.000.000 | Pilze | ca. 380 g/m² |
| 1.000.000.000 | Algen | ca. 90 g/m² |
| 600.000.000 | Einzeller | ca. 115 g/m² |
| 1.800.000 | Fadenwürmer | ca. 4 g/m² |
| 28.000 | Springschwänze | ca. 11 g/m² |
| 18.000 | Milben | ca. 10 g/m² |
| 10.000 | Borstenwürmer | ca. 2 g/m² |
| 800 | Käfer(larven) | ca. 18 g/m² |
| 550 | Tausendfüßer | ca. 20 g/m² |
| 320 | Ameisen | ca. 2 g/m² |
| 300 | Asseln | ca. 4 g/m² |
| 240 | Fliegenlarven | ca. 26 g/m² |
| 230 | Spinnen | ca. 2 g/m² |
| 130 | Regenwürmer | ca. 145 g/m² |
| 50 | Schnecken | ca. 25 g/m² |
| | | Gesamtbiomasse ca. 1014 g/m² |

(Quelle: StMUGV, 2006)

Das Bodenleben hat eine große Bedeutung für die Bodenfruchtbarkeit, weil die Bodenorganismen die abgestorbene organische Substanz abbauen, wodurch Nährstoffe für die Pflanzenernährung freigesetzt werden. Gleichzeitig bauen sie stabile Humusverbindungen auf, die im Boden nur langsam wieder abgebaut werden und so einen natürlichen Langzeitdünger darstellen. Außerdem beeinflusst das Bodenleben die Bodenstruktur: Bodenorganismen lockern und durchmischen den Boden einerseits durch ihre Grabungstätigkeit. Andererseits festigen Bodenmikroorganismen durch ihre Schleimbildung die Bodenstruktur und tragen so zur Bildung der günstigen Krümelstruktur bei. Umso aktiver das Bodenleben, umso höher ist daher auch die Bodenfruchtbarkeit.

Die meisten **Bodenorganismen sind Hohlraum- und Oberflächenbewohner**, d. h., sie leben in den Bodenporen oder auf der Oberfläche der Bodenpartikel. Bis auf den Regenwurm können jedoch nur wenige Bodentiere aktiv im Boden graben, weshalb die meisten Bodenorganismen auf bestehende Hohlräume (z. B. Wurzelröhren, verlassene Regenwurmröhren) angewiesen sind.

Um zu überleben, benötigen alle Bodenlebewesen Feuchtigkeit, sie meiden aber stehendes Wasser. Die optimale Temperatur liegt für die meisten Bodenorganismen zwischen 5 und 10 °C, weshalb das Bodenleben hauptsächlich im Frühjahr und Herbst aktiv ist. Für ein aktives und vielfältiges Bodenleben sind daher ausreichend Bodenporen, Sauerstoff, Feuchtigkeit, organisches Material als Nahrung sowie günstige Temperaturverhältnisse im Boden notwendig. Natürliche Faktoren (z. B. Witterung), aber auch die landwirtschaftliche Bewirtschaftung (z. B. Bodenbearbeitung) haben einen starken Einfluss darauf, ob die Lebensbedingungen für die Bodenorganismen günstig sind oder nicht.

**INFO!** Bodenleben fördern

Als Landwirt bzw. Landwirtin kann man das Bodenleben mit Hilfe folgender Maßnahmen fördern:

- Organische Düngung (z. B. Stallmist, Kompost, Gründüngung, Ernterückstände, Mulchwirtschaft)
- Wirtschaftsdüngeraufbereitung
- Reduzierte Bodenbearbeitung (nicht tief, nicht oft)
- Vielseitige Fruchtfolgen
- Mischkulturen (Flach- und Tiefwurzler)
- Mehrjähriger Feldfutterbau
- Möglichst ganzjährige Durchwurzelung
- Schaffung einer günstigen Bodenstruktur (Krümel)
- Aufbau von Dauerhumus
- Eventuell Kalkung (pH-Wert)

### 2.1.2.2 Humusaufbau

Der Humusgehalt eines Bodens wird von den Mineralisations- und Humifizierungsprozessen bestimmt. Beide Vorgänge werden von Mikroorganismen durchgeführt und laufen im Boden ständig parallel ab. Bei der Humifizierung wird **organische Substanz** (Nährhumus) **von Mikroorganismen zu dunkel gefärbten Huminstoffen** (Dauerhumus) **umgewandelt**. Im Gegensatz dazu bauen Mikroorganismen bei der Mineralisierung Dauer- und Nährhumus zu pflanzenverfügbaren Nährstoffen ab und setzen dabei gleichzeitig Wärme, Kohlendioxid und Wasser frei.

Humifizierung = mikrobielle Umwandlung der anfallenden organischen Substanz (Nährhumus) zu Huminstoffen (Dauerhumus)
Mineralisierung = mikrobieller Abbau von Dauer- und Nährhumus zu pflanzenverfügbaren Nährstoffen

In der biologischen Landwirtschaft wird **Stickstoff** fast ausschließlich über die Humusvorräte im Boden **durch Mineralisierung nachgeliefert**. Hohe Erträge sind daher nur durch einen hohen Humusgehalt und eine entsprechende Mineralisierungsrate möglich. Damit dauerhaft Stickstoff nachgeliefert werden kann, muss z. B. über organische Düngung sichergestellt werden, dass neben dem Humusabbau auch neuer Humus aufgebaut wird. Langfristig sollten sich Humusabbau und Humuszufuhr im Boden zumindest die Waage halten bzw. der Humusgehalt im Boden eher erhöht werden.

Am effizientesten kann Humusaufbau in der Praxis erzielt werden, indem die organische Düngung vermehrt, eine humusfördernde Fruchtfolge eingesetzt und gleichzeitig die Bodenbearbeitung reduziert wird.

**Exkurs: Humus als Stickstoffquelle Nr. 1 in der biologischen Landwirtschaft**

Das Element Stickstoff (N) ist für Pflanzen unverzichtbar, weil es ein Baustein des Chlorophylls und daher wichtig für die Photosynthese ist. Außerdem ist es Bestandteil von Enzymen, die wichtige Aufgaben im Stoffwechsel der Pflanze erfüllen. Pflanzen benötigen daher vergleichsweise hohe Mengen an Stickstoff für ihr Wachstum und ihre Entwicklung. Stickstoff ist allerdings in Gesteinen überhaupt nicht enthalten, sondern der Großteil des Stickstoffs im Boden – 95 bis 98 % – ist im Humus gespeichert. Humus ist damit die wichtigste Stickstoffquelle für Pflanzen und Bodenlebewesen und deshalb unverzichtbar für fruchtbare Böden. Da in der biologischen Landwirtschaft auf leicht lösliche mineralische Stickstoffdünger verzichtet wird, muss der Humusgehalt im Boden ausreichend groß sein, damit Stickstoff dauerhaft nachgeliefert werden kann.

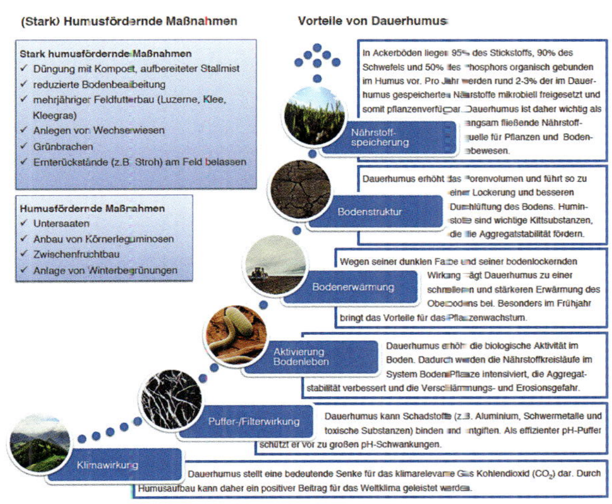

Vorteile von Humus und (stark) humusfördernde Maßnahmen

In der biologischen Landwirtschaft sollte der Humusgehalt in der Ackerkrume daher bei Sandböden mehr als 2 %, bei Lehmböden 2 bis 3,5 % und bei Tonböden 3 bis 4,5 % betragen.

### 2.1.2.3 Bodenerosion vermeiden

Fruchtbare Böden sind notwendig, um dauerhaft gute Erträge zu erzielen. Deshalb muss der Boden bestmöglich vor schädlichen Einflüssen geschützt werden. In der biologischen Landwirtschaft liegen die Gefahren für den Boden vor allem im Bereich der Erosion durch Wind und Wasser und der Verdichtung durch schwere Maschinen.

Bei der Bodenerosion wird fruchtbarer Oberboden entweder durch Wasser weggespült oder durch Wind weggeweht. Fruchtbarer Boden, der über Jahrtausende gebildet wurde, geht dabei unwiederbringlich verloren. Gleichzeitig werden angrenzende Ökosysteme (z. B. Seen und Flüsse) durch den abgeschwemmten, nährstoffreichen Boden aber überdüngt.

#### Schäden durch Bodenerosion

| Sichtbare Schäden | Nicht sichtbare Schäden |
|---|---|
| Verletzung, Entwurzelung, Verschüttung und Vernichtung von Kulturpflanzen | Geringeres Wasserspeicher-, Filter- und Puffervermögen, weil fruchtbarer Boden verloren geht |
| Erosionsrinnen erschweren das Befahren der Fläche | Humus und Pflanzennährstoffe gehen verloren |
| Wegspülen von Saatgut und Düngemitteln vom Ausbringungsort und Ablagerung unerwünschter Stelle | Bodenfruchtbarkeit sinkt |
| Verschmutzung von Gewässern, Wegen und Straßen | Erträge sinken |
| Hangrutschungen, Muren | Überdüngung von Flüssen und Seen |
| | |

Bodenerosion hat viele **Ursachen**. Besonders gefährdet sind Böden, die brachliegen bzw. keine geschlossene Pflanzendecke haben. Aufgrund der mangelnden Bodenbedeckung können langanhaltende, häufige und starke Niederschläge, schnellabschmelzende Schneedecken und Stürme mit hohen Windgeschwindigkeiten starke Bodenerosionen verursachen. Auch Verdichtungen und Verschlämmung der Bodenoberfläche verstärken die Bodenerosion. Weil verdichtete, humusarme Böden deutlich weniger und insgesamt langsamer Niederschlagswasser aufnehmen können, bildet sich bei Regen rasch Wasser an der Oberfläche, das in Hanglagen abfließt und zur Bodenerosion führt. Dabei bilden sich Rinnen und Gräben, die anschließend nicht nur das Pflanzenwachstum sondern auch das Befahren der Flächen erschweren.

Schätzungen gehen davon aus, dass in Mitteleuropa derzeit innerhalb von zehn Jahren in etwa 0,5 cm der Bodenoberfläche durch Wasser- oder Winderosion abgetragen werden. Pro Jahr werden im Durchschnitt aber nur 0,1 mm Boden neu gebildet. Ohne Schutzmaßnahmen würden fruchtbare Böden daher langfristig verschwinden. Vorbeugender Erosionsschutz ist daher eine wichtige Aufgabe in der Landwirtschaft.

#### Bodenerosion verhindern

| Maßnahmen | Bodenschützender Aspekt |
|---|---|
| Konservierende Bodenbearbeitung | Boden wird nur flach gelockert, nicht gewendet, daher bleiben Grobporen (z. B. Wurzelröhren, Regenwurmgänge) erhalten. Mulchmaterial schützt Bodenaggregate davor, von Regentropfen zerstört zu werden. Niederschlagswasser kann daher besser vom Boden aufgenommen werden. |
| Ganzjährige Bodenbedeckung | Zwischenfrüchte, Untersaaten und Winterbegrünungen halten mit ihren Wurzeln den Boden fest und fördern das Bodenleben und den Humusaufbau. Zusätzlich verhindern die Pflanzen, dass der Niederschlag direkt auf den Boden auftrifft und dort Bodenaggregate zerstört. |

| Maßnahmen | Bodenschützender Aspekt |
|---|---|
| Bodenverdichtungen vermeiden | Weil verdichtete Böden nur noch einen geringen Anteil an Hohlräumen haben, können sie weniger Niederschlagswasser aufnehmen und vernässen. Bodenverdichtungen können vermieden werden, indem Radlasten verringert werden sowie die Anzahl an Überfahrten reduziert und die Strukturstabilität des Bodens erhöht wird (siehe Kapitel 2.1.2.4 Bodenverdichtungen vermeiden). |
| Windschutzhecken anlegen | Windschutzhecken bremsen hohe Windgeschwindigkeiten und schützen die hinter der Hecke liegenden Kulturen bzw. den Boden. Die Distanz, bis zu der eine Windschutzwirkung nachgewiesen werden kann, ist von der Höhe der Hecke abhängig und beträgt auf der Luvseite (= dem Wind zugewandte Seite) etwa die fünffache und auf der Leeseite (= dem Wind abgewandte Seite) etwa die 25-fache Heckenhöhe. Zusätzlich bieten Windschutzhecken Rückzugsmöglichkeiten für Nützlinge, schaffen ein günstiges Kleinklima und bieten Schutz vor Verdunstung. |
| Hang-, Flur- und Schlaggestaltung erosionsvermindernd ausführen | Je länger ein Hang ist, umso stärker steigt die Erosionsgefahr. Um eine Reduktion der Hanglänge und damit der Erosionsfahr zu erreichen, kann ein Feld quer zum Hang in mehrere Teilschläge unterteilt werden. Die Teilschläge können zusätzlich mit teilweise erosionsmindernden Kulturen (z. B. Kleegras, Wintergetreide) bestellt werden. Wenn es die Schlagform und die Steilheit des Hanges erlauben, kann das Feld quer zum Hang bearbeitet werden, um Erosionen weiter einzudämmen. |
| Nutzungsänderung vornehmen | Bei extrem erosionsgefährdeten Standorten – z. B. starke Hangneigung, leicht erodierbare Böden – ist eine Nutzungsumstellung von Acker zu Grünland sinnvoll. |

### 2.1.2.4 Bodenverdichtung vermeiden

Jeder Boden hat eine individuelle Stabilität des Gefüges, aus dem er besteht. Wird der Boden jedoch über diese Eigenstabilität hinaus belastet, gibt das Bodengefüge dem Druck nach. Die Bodenteilchen werden dann zusammengeschoben, wodurch sich die Hohlräume für Luft und Wasser verringern. Der Boden wird also verdichtet.

In der Landwirtschaft entstehen Bodenverdichtungen vor allem durch das Befahren mit schweren Maschinen, durch Schlupf (Reifen rutschen bzw. blockieren) oder beim Pflügen. Je höher die Radlast (= Last, die auf jedem Reifen aufliegt), der Kontaktflächendruck (= Größe der Kontaktfläche zwischen Reifen und Boden) und die Bodenfeuchte, umso höher ist das Risiko der Bodenverdichtung. Vor allem bei schweren Erntelasten (z. B. Mais, Rüben) und feuchten Böden im Spätherbst oder der Ausbringung von Gülle auf feuchten Böden im Frühjahr ist die Gefahr von Bodenverdichtungen besonders hoch.

**INFO!** Bodenverdichtung

**In den letzten Jahrzehnten werden in der Landwirtschaft immer leistungsstärkere und dadurch schwerere Traktoren und Geräte eingesetzt. Gleichzeitig hat der Humusgehalt in den Böden abgenommen. Europaweit weisen daher 90 % der landwirtschaftlichen Nutzfläche unterschiedlich starke Verdichtungserscheinungen auf (Studie von Van Lynden, 1995)!**

**Verdichtete Böden** haben nur noch einen geringen Anteil an Grobporen, die für den Wasserdurchfluss und die Luftzirkulation im Boden wichtig sind. Das wirkt sich aus mehreren Gründen **negativ auf die Ertragsfähigkeit und -sicherheit des Bodens** aus:

- Ein reduzierter Anteil an Grobporen führt zu einer mangelnden Durchlüftung des Bodens. Dadurch nimmt die Versorgung des Bodenlebens mit Sauerstoff ab und die biologische Aktivität verkümmert.
- Aufgrund des geringeren Anteils an Hohlräumen im Boden ist die Versickerung von Niederschlagswasser gehemmt. Dadurch steigt nicht nur die Erosionsgefahr, sondern es geht auch Wasser für den Boden und die Pflanzen verloren.

- Bodenverdichtungen führen dazu, dass Pflanzen nicht mehr ausreichend mit Wasser und den darin gelösten Nährstoffen versorgt werden. Weil die Pflanzenwurzeln im verdichteten Boden nicht mehr in tiefere Schichten vordringen können, ist außerdem die Versorgung aus tieferen Bodenschichten eingeschränkt.
- Als Folge davon bleiben Pflanzen bereits im Frühjahr in ihrer Entwicklung zurück und neigen wegen des Luftmangels zur Vergilbung. In trockenen Jahren führen Schadverdichtungen im Sommer häufig zur Notreife bei den Pflanzen.
- Bodenverdichtungen vermindern die Wirksamkeit einer Düngung und erhöhen den Aufwand für die Bodenbearbeitung und Pflanzenschutz.

Insgesamt können verdichtete Böden in der Landwirtschaft Ertragseinbußen von 20 bis 50 % bewirken. Bodenverdichtungen zu vermeiden ist deshalb eine wichtige Aufgabe.

## Bodenverdichtung verhindern

| Maßnahmen | Bodenschützender Aspekt |
|---|---|
| Radlasten verringern, z. B. durch<br>■ Einstellung des Reifendrucks so niedrig wie zugelassen,<br>■ Verwendung von Niederdruckbreitreifen und Zwillingsrädern,<br>■ Verzicht auf unnötiges Gewicht am Fahrzeug (z. B. Frontlader),<br>■ Verwendung von Reifendruckregelanlagen,<br>■ Fahren mit dem Traktor beim Pflügen außerhalb der Furche („Onland"). | Bodenverdichtungen werden hauptsächlich von jenem Druck verursacht, der über die Reifen der landwirtschaftlichen Maschinen auf den Boden ausgeübt wird. Bei gleicher Radlast ist der Kontaktflächendruck umso höher, je kleiner die Aufstandsfläche der Reifen ist. Aus diesem Grund verursachen kleine Kontaktflächen hohe Kontaktflächendrucke und damit große Spurtiefen. Bei großen Kontaktflächen wird das Gewicht hingegen auf eine größere Fläche verteilt und der auf den Boden ausgeübte Druck verringert. Je weniger Gewicht auf die Räder gebracht wird bzw. je größer die Kontaktfläche zwischen Reifen und Boden ist, desto geringer ist also die Gefahr von Verdichtungen. Reifendruckregelanlangen helfen dabei, den Reifendruck an die unterschiedlichen Erfordernisse für Feld- und Straßenfahrten anzupassen. Der Reifendruck wird so für die Feldfahrten gesenkt und für Straßenfahrten wieder erhöht. Hohe Furchenraddrücke werden durch Fahren außerhalb der Furche beim Pflügen („Onland-Pflügen") vermindert. |
| Überfahrten reduzieren, z. B. durch<br>■ Einsatz von Gerätekombinationen,<br>■ Vermeidung von Leerfahren,<br>■ Einsatz von Fahrwerken mit versetzten Achsen,<br>■ Benutzung von Fahrgassen. | Je häufiger ein Boden befahren wird, desto mehr vergrößert sich die Tiefenwirkung von Bodenverdichtungen. Eine Möglichkeit, Bodenverdichtungen zu vermeiden, ist daher, die Anzahl von Überfahrten zu reduzieren, z. B. indem mehrere Arbeitsgänge durch den Einsatz von Gerätekombinationen zusammengelegt und Leerfahrten vermieden werden. Beim Einsatz von Gerätekombinationen sollte darauf geachtet werden, die Radlasten nicht übermäßig zu erhöhen. Werden Fahrgassen angelegt, wird das Feld anschließend nur mehr in diesen Gassen befahren und die übrige Fläche des Feldes vor Bodenverdichtungen geschützt. |
| Strukturstabilität erhöhen, z. B. durch<br>■ Humusaufbau im Boden,<br>■ Förderung des Bodenlebens,<br>■ möglichst ganzjährige Durchwurzelung. | Je höher die Strukturstabilität eines Bodens ist, desto tragfähiger ist er. Eine Erhöhung der Strukturstabilität ist daher eine wirksame und nachhaltige Strategie gegen Bodenverdichtung. Humusaufbau im Boden, Förderung des Bodenlebens und eine möglichst ganzjährige Durchwurzelung tragen dazu bei, die Strukturstabilität zu verbessern. |
| Bodenzustand beachten: Befahren nasser Böden grundsätzlich vermeiden | Wasser erleichtert das Verschieben der Bodenpartikel, weil es wie ein Gleitfilm wirkt. Nasse Böden sind aufgrund des hohen Wassergehalts in den Bodenporen daher wesentlich verdichtungsanfälliger als trockene Böden. Böden sollten daher nur in trockenem Zustand befahren werden, weil sie so wesentlich tragfähiger sind. |

| Maßnahmen | Bodenschützender Aspekt |
|---|---|
| Konservierende Bodenbearbeitung | Bodenverdichtungen können vermieden werden, indem die Tiefe, Fläche und Intensität der Bodenbearbeitung auf das unbedingt notwendige Maß beschränkt werden. Bei konservierender, nicht wendender Bodenbearbeitung (z. B. Grubber, Mulchsaat, Streifenfrässaat, Direktsaat) bleibt die natürliche Stabilität des Bodengefüges weitgehend erhalten, weil Bodentiere als Gefügebildner geschont und die Ausbildung einer Pflugsohle vermieden werden. |
| Fruchtfolge anpassen | Eine standortangepasste Fruchtfolge hilft Verdichtungen vorzubeugen, weil dem Boden durch Zwischenfrüchte, Untersaaten, Feldfutterbau bzw. Grünbrachen reichlich organische Substanz in Form von Wurzelmasse und oberirdischer Pflanzenmasse zugeführt werden. Dadurch werden das Bodenleben und der Humusaufbau gefördert, was wiederum dazu beiträgt, die Strukturstabilität des Bodens zu erhöhen. |

**Bodenverdichtungen sanieren**

Um Bodenverdichtungen sanieren zu können, müssen sie zunächst erkannt werden. Die Lage, Tiefe und Stärke von Bodenverdichtungen können mit Hilfe von **Spatenprobe und Penetrometermessungen** (siehe Kapitel 2.1.3 Bodenuntersuchungen) erkannt werden.

Anschließend kann der Boden durch Tieflockern, Tiefgrubbern oder Parapflügen gelockert werden. Frisch gelockerte Böden sind allerdings besonders verdichtungsempfindlich. Verdichtungen zu sanieren ist also nur sinnvoll, wenn gleichzeitig auch Maßnahmen gesetzt werden, die eine erneute Verdichtung des Bodens auf dem jeweiligen Feld verhindern, z. B. Verringerung der Radlasten, Reduzierung der Überfahrten, Anlage von Untersaaten oder Verlagerung bestimmter Kulturen auf weniger verdichtungsgefährdete Schläge.

Tief wurzelnde Pflanzen, wie z. B. Luzerne, Rotklee, Ölrettich, Raps, Sommerwicke oder Platterbse, helfen dabei, die gelockerte Bodenstruktur zu stabilisieren. Eine Einsaat von Tiefwurzlern nach der Sanierung von Bodenverdichtungen ist daher wichtig, um die verbesserte Bodenstruktur nachhaltig zu erhalten.

Neben maschineller Bodenlockerung können Bodenverdichtungen auch durch natürliche Prozesse, z. B. Frost- und Tauprozesse, Quellungs- und Schrumpfungsprozesse, oder durch Pflanzenwurzeln und Bodenlebewesen zum Teil wieder aufgelockert werden. Ein gezielter Anbau wurzelintensiver Kulturen und die Förderung des Regenwurms unterstützen diese biologische Form der Bodenlockerung.

### 2.1.3 Bodenuntersuchungen: Bewertung des Bodens in der Praxis

Bodenuntersuchungen helfen dabei, die Fruchtbarkeit eines Bodens zu beurteilen, im Hinblick auf die bisherige Bewirtschaftung Bewirtschaftungsfehler aufzudecken sowie Ursachen von ackerbaulichen Problemen (z. B. steigende Verunkrautung) zu erkennen.

Um verschiedene Bodeneigenschaften zu untersuchen, stehen unterschiedliche direkte und indirekte Methoden zur Verfügung. Abhängig davon, welche Bodeneigenschaft untersucht werden soll, wird dementsprechend die passende Untersuchungsmethode ausgewählt. Viele Bodenuntersuchungsmethoden können dabei vom Landwirt bzw. der Landwirtin selbst direkt am Feld durchgeführt werden und bieten daher eine einfache und meist günstige Möglichkeit, Fruchtfolge, Bodenbearbeitung und Düngung standortangepasst zu optimieren.

**Überblick über verschiedene Methoden der Bodenuntersuchung**

| Methode | Was kann untersucht werden? |
|---|---|
| Spatenprobe | Bodenfarbe, Geruch, Bodenfeuchtigkeit, Bodenstruktur, Durchwurzelung, Aktivität des Bodenlebens, Wasserhaushalt etc. |
| Fingerprobe | Bodenart und damit verbundene Bodeneigenschaften, z. B. Bearbeitbarkeit, Wasserspeicherfähigkeit |
| pH-Wert-Messung | Rückschlüsse auf Nährstoffverfügbarkeit, Bodenleben, Pflanzenwachstum etc. |
| Test auf Kalkgehalt | Rückschlüsse auf pH-Wert |
| Drucksonde (Penetrometer) | Bodenverdichtungen, Befahrbarkeit |
| Aggregatstabilitätstest (Verschlämmungstest) | Anzahl und Biomasse von Regenwürmern |
| Regenwurmaustreibung | Humusgehalt, pH-Wert, P- und K-Gehalte |
| Chemische Bodenuntersuchung (Labor) | Bodenfarbe, Geruch, Bodenfeuchtigkeit, Bodenstruktur, Durchwurzelung, Aktivität des Bodenlebens, Wasserhaushalt usw. |

### 2.1.3.1 Spatenprobe

Die Spatenprobe kann vom Landwirt bzw. der Landwirtin **selbst direkt am Feld durchgeführt** werden. Dabei wird mit einem Spaten ein Stück Boden, der so genannte Bodenziegel, entnommen und beurteilt. Ein Vorteil der Spatenprobe ist, dass gleichzeitig mehrere Faktoren der Bodenfruchtbarkeit abgeschätzt und so ein guter Gesamteindruck des Bodenzustands gewonnen werden kann, ohne von einem Untersuchungslabor abhängig zu sein. Weil die Spatenprobe rasch, einfach und günstig durchführbar ist, kann sie vor und nach Bewirtschaftungsmaßnahmen eingesetzt und so der Erfolg bzw. die Auswirkungen einer bestimmten Maßnahme kontrolliert werden.

Die Spatenprobe kann generell **in jeder Kultur zu jeder Jahreszeit** durchgeführt werden. Der optimale Zeitpunkt richtet sich dabei nach der Fragestellung: Um beispielsweise die Durchwurzelung und Bodenstruktur beurteilen zu können, sollte eine hohe Wurzelmasse im Boden vorhanden sein. Bei der Auswahl der Probestellen sollte darauf geachtet werden, Probestellen zu wählen, die für das jeweilige Feld typisch sind (z. B. in Bezug auf Bewuchs und Oberfläche). Bei ungleichmäßigen Beständen sollten zumindest eine gute und eine schlechte Stelle untersucht werden.

**Optimaler Zeitpunkt für die Spatenprobe bei unterschiedlichen Kulturen (Quelle: Bio-Austria, 2008)**

| Kultur | Optimaler Zeitpunkt (hohe Wurzelmasse) |
|---|---|
| Getreide, Rüben, Kartoffel | Etwa drei Wochen vor der Ernte |
| Feldfutter | Kurz vor dem zweiten Schnitt |
| Dauergrünland, Grünbrache | Juni bis September |
| Zwischenfrucht, Gründüngung | Ende September bis Anfang Oktober |

**INFO!** Spatenprobe

Für die Spatenprobe werden folgende Dinge benötigt:
- Spaten (eventuell zwei Spaten verwenden, damit der Bodenziegel während der Grabarbeiten nicht verletzt wird)
- Taschenmesser oder Kralle zur Feinbearbeitung des Bodenziegels
- Eventuell Maßstab sowie Schreibzeug mit Unterlage und Fotoapparat zum Festhalten der Ergebnisse
- Eventuell GPS-Messgerät oder Handy mit entsprechender App um die Probestelle für spätere Vergleichsproben markieren zu können

**Schritt 1: Beurteilung der Bodenoberfläche**
Verschlämmungen, Verkrustungen, Bodenerosion bzw. Regenwurmaktivität (Regenwurmkothaufen) können bereits an der Bodenoberfläche erkannt werden, noch bevor der Bodenziegel mit dem Spaten entnommen wird. Mit Hilfe einer Beurteilung der Bodenoberfläche erhält man daher bereits wertvolle Hinweise zur Strukturstabilität des Bodens.

**Schritt 2: Ausheben des Bodenziegels**
Um den Wurzelraum zu untersuchen, den Boden aufgraben.

## Spatenprobe: So wird der Bodenziegel entnommen

| | |
|---|---|
|  | **Erster Spateneinstich**<br>Mit dem ersten Spateneinstich markierst du die gewünschte Probestelle, an der später der Bodenziegel entnommen wird. Achte bereits beim Einstechen des Spatens darauf, wie stark der Widerstand des Bodens ist, den du spürst. So kannst du bereits erste Anzeichen für Bodenverdichtungen erkennen. |
|  | **Ausheben der Grube**<br>Damit du den Bodenziegel problemlos entnehmen kannst, schaufelst du die Erde vor dem Spaten weg. Achte dabei darauf, dass du den Bodenziegel während der Grabarbeiten nicht zusammendrückst oder sein Profil verletzt. Aus diesem Grund kann es hilfreich sein, einen zweiten Spaten zu verwenden, mit dem du die Erde wegschaufelst. Achte bei den Grabarbeiten darauf, wie die ausgehobene Erde zerfällt. Der Auswurf der Spatenstiche gibt einen ersten Hinweis auf die Bodenstruktur. |
|  | **Ausstechen seitlicher Schlitze**<br>Grenze durch seitliches Einstechen ab, wo der Bodenziegel ausgehoben wird. |
|  | **Abstechen des Bodenziegels**<br>Nun kannst du den Bodenziegel ausheben. Halte dabei den Bodenziegel mit einer Hand auf dem Spatenblatt fest, während du den Spaten mit der anderen Hand als Hebel betätigst. |
|  | **Hochheben des Spatens** (und eventuell Ablage des Spatens samt Bodenziegel auf Stützen) |

**Schritt 3: Bodenbeurteilung anhand des Bodenziegels**
Nachdem der Bodenziegel entnommen wurde, wird er nach Merkmalen beurteilt, die man sehen, fühlen und gelegentlich riechen kann wie Bodenstruktur, Durchwurzelung, Bodenfeuchte, Bodenleben, Ernterückstände, Bodenfarbe und Bodengeruch. Das Ausfüllen eines Bewertungsblattes hilft, verschiedene Probestellen oder Proben an derselben Stelle nach durchgeführten Bewirtschaftungsmaßnahmen miteinander vergleichen zu können. Für die Beurteilung ist entscheidend, ob die beobachteten Merkmale günstig oder ungünstig für das Pflanzenwachstum sind. Günstige Merkmale erhalten die Note 1 oder 2 und stehen im Bewertungsschema links, während ungünstige Merkmale mit 4 oder 5 bewertet werden und auf der rechten Seite stehen.

| Name | | | | Probendatum | |
|---|---|---|---|---|---|
| **Bewertung** | 1 | 2 | 3 | 4 | 5 |
| | Günstig Ungünstig | | | | |
| **Beurteilung der Bodenoberfläche** | | | | | |
| Merkmale | Je nach Anforderung der Kulturpflanze rau bis fein, Grobporen und einzelne Bodenaggregate erkennbar, Regenwurmkot sichtbar | | Grobporen fehlen, Bodenaggregate verwaschen, verschlämmt, Verkrustung der Bodenoberfläche | | |
| **Bodenstruktur** | | | | | |
| Nicht aggregierte Bodenstruktur | | | **Einzelkorngefüge** | | |
| | | | locker | verdichtet | |
| Merkmale | | **Kohärentgefüge** | | | |
| | | Locker zusammenhängend, porös, zerfällt bei Druck leicht | | Fest zusammenhängend, dicht gelagert, kaum Grobporen | |
| **Aggregierte Bodenstruktur** | **Krümelgefüge** | **Bröckelgefüge** | | | |
| | Porös, locker, fein aggregiert | Unscharf begrenzte, poröse Aggregate, bei leichtem/stärkerem Druck zerfallend | | | |
| Merkmale | | **Polyeder-, Prismen-, Plattengefüge** | | | |
| | | Mehr oder weniger scharfkantige Aggregate, unterschiedliche Größen möglich (sehr fein bis 0,2; fein 0,2 bis 0; mittel 0,5 bis 3; grob über 3 cm), je kleiner desto besser | | | |
| **Worauf noch zu achten ist** | | | | | |
| Durchwurzelung | Gleichmäßig, hohe Wurzeldichte, kein Wurzelstau | | Ungleichmäßig, Wurzelfilz auf Kluftflächen, geknickte Wurzeln, wurzelleere Zonen | | |
| Bodenfarbe, Boden-geruch (Durchlüftung) | Gleichmäßige (braune) Farbe, keine Rost- und Grauflecken, erdiger Geruch | | Rost- und Grauflecken, Geruch faulig, stinkend | | |
| Ernterückstände | In Rotte oder weitgehend abgebaut (Jahreszeit berücksichtigen) | | Relativ frisch, „einzementiert“, ungleichmäßig verteilt („Matratzen“), verpilzt | | |
| Röhren, Klüfte | Zahlreiche Röhren (Wurm- oder Wurzelröhren), Klüfte | | Wenige oder keine Röhren und Klüfte | | |
| Übergang zwischen Bodenhorizonten (= Hinweis auf Aktivität des Bodenlebens) | Allmählich | | Abrupter Wechsel zwischen den Bodenhorizonten | | |

Quelle: Verändert nach LfL (2014)

**Bodenstruktur**

Die Bodenstruktur bestimmt, **wie sich die einzelnen Bodenteilchen zusammenfügen, aneinanderhängen und Hohlräume bilden.** Aus diesem Grund hat die Bodenstruktur einen wesentlichen Einfluss auf den Wärme-, Wasser-, Luft- und Nährstoffhaushalt und ist daher ein wichtiges Kriterium für die Durchwurzelbarkeit und Fruchtbarkeit eines Bodens (siehe Kapitel 2.1.1.6 Bodenstruktur). Um die Bodenstruktur zu bestimmen und anschließend im Hinblick auf das Pflanzenwachstum zu beurteilen, wird der **Bodenziegel** vorsichtig mit den Händen zerteilt.

Die Bodenstruktur ist günstig, wenn sie den Pflanzen ein leichtes Durchwurzeln des Bodens ermöglicht und einen guten Saataufgang sowie ein optimales Wasserangebot gewährleistet. Diese Anforderungen an die Bodenstruktur werden umso besser erfüllt, je lockerer die Bodenteilchen lagern oder je kleiner die Aggregate sind. Daher wird das poröse, lockere, feinaggregierte Krümelgefüge als sehr günstig (Gefügenote 1) bewertet, während das dichte, scharfkantige prismatische Gefüge als ungünstig (Gefügenote 4) eingestuft wird.

Bei den weit verbreiteten polyedrischen Gefügen bestimmt hauptsächlich die Größe der Bodenaggregate, wie günstig die Bodenstruktur für das Pflanzenwachstum ist. Ein feinpolyedrisches Gefüge mit kleinen Bodenaggregaten, das eine große Oberfläche und damit viel Raum für Wasserbewegung, Durchlüftung und Durchwurzelung besitzt, erhält die Gefügenote 2 (günstig). Grobpolyedrische Gefüge sind im Gegensatz dazu als ungünstig einzuordnen (Gefügenote 4).

Ähnlich fällt die Bewertung bei Bodenfragmenten (Bröckel oder Schollen) aus, die je nach Größe und Druck, bei dem sie zerfallen, entweder mit Gefügenote 2 oder 3 beurteilt werden. Während prismatische Gefüge sehr scharfe Kanten aufweisen, wurden die Bodenaggregate beim plattigen Gefüge verdichtet und haben deshalb eine verringerte Wasser- und Luftdurchlässigkeit. Sowohl das prismatische Gefüge als auch das plattige Gefüge erschweren daher das Wurzelwachstum und werden aus diesem Grund als sehr ungünstig (Gefügenote 5) eingestuft.

Auch das Kohärentgefüge kann sowohl locker und porös und für Pflanzen dementsprechend günstig als auch völlig verdichtet und deshalb ungünstig sein. Das Kohärentgefüge hat daher eine sehr breite Spannweite, die von günstig (Gefügenote 2) bis sehr ungünstig (Gefügenote 5) reicht. Das Einzelkorngefüge kommt bei Sandböden vor. Wegen seiner geringen Wasserhaltefähigkeit ist es nur als mittelmäßig (Gefügenote 3) und bei stärkerer Verdichtung als ungünstig (Gefügenote 4) zu beurteilen.

Für die Bestimmung und Beurteilung der Bodenstruktur wird der Bodenziegel vorsichtig mit den Händen zerteilt. Die Beurteilung spiegelt wider, wie günstig die Bodenstruktur für das Pflanzenwachstum ist.

**Wurzelwachstum, Verdichtungen und Schichtenbildung**

Wird die Spatenprobe aus einem wachsenden Pflanzenbestand entnommen, geben die Wurzeln am besten Auskunft darüber, ob die Bodenstruktur für das Pflanzenwachstum in Ordnung ist oder nicht. Dabei kann man vor allem aus der Wurzelmasse, der Verteilung der Wurzeln im Boden, dem Wurzelverlauf und Wurzelmissbildungen die meisten Informationen ableiten. Bei einer unregelmäßigen Durchwurzelung werden gewisse Bodenbereiche kaum oder nur entlang vorgegebener Hohlräume (z. B. Schrumpfungsrisse, Regenwurmröhren) durchwurzelt, was auf Strukturschäden hinweist. Wurzelmissbildungen treten hingegen am häufigsten in verdichteten Böden oder Böden mit unerwünschten Bodenschichten (z. B. Oberflächenkruste, Pflugsohle) auf. Fehlende Knöllchen bei Leguminosenwurzeln können ebenfalls ein Hinweis auf Bodenverdichtungen bzw. Luftmangel sein.

Um das Wurzelwachstum zu beurteilen und Verdichtungen sowie unerwünschte Bodenschichten festzustellen, wird der Bodenziegel mit dem Auge, durch Tasten und Herausbrechen von Erdmaterial bzw. mit Hilfe der **Abwurfprobe** untersucht. Bei der Abwurfprobe wird der Bodenziegel aus etwa 1 m Höhe auf eine feste Unterlage (z. B. Brett) fallen gelassen, indem der Spaten ruckartig weggezogen wird. Auf Grundlage der Art, wie der Bodenziegel zerfällt, können Aussagen über die Bodenstruktur, Durchwurzelung und unerwünschte Bodenschichten getroffen werden. Zerfällt der Bodenziegel z. B. in nur einige große Brocken, ist dies ein Hinweis auf Verdichtungen.

**INFO!** Abwurfprobe

Der Grad der Bodenverdichtung kann mit Hilfe der Abwurfprobe festgestellt werden, indem das Wurzelwachstum und die Bruchlinien beurteilt werden, die beim Auseinanderbrechen des Bodens entstehen:

- Verdichtungen ersten Grades: Der Boden zerfällt in Bröckel, ist mäßig durchwurzelt und weist kleine, gewellte Haarwurzeln auf.
- Verdichtungen zweiten Grades: Der Boden zerfällt in Schollen und ist unregelmäßig durchwurzelt (Bodenbereiche werden kaum oder nur entlang vorgegebener Hohlräume, z. B. Schrumpfungsrisse, Regenwurmröhren, durchwurzelt).
- Verdichtungen dritten Grades: Der Boden ist sehr dicht gelagert, bricht in horizontalen Platten oder Tafeln und weist Wurzelmissbildungen auf (horizontale Wurzelbildung an den Bruchflächen, eingeschnürte Wurzeln etc.).

Neben dem Bodenziegel und der Abwurfprobe kann der Zusammenhang zwischen den einzelnen Bodenschichten und dem Wurzelverlauf bzw. eventuellen Wurzelmissbildungen auch an dem nach der Entnahme des Bodenziegels im Aushubloch zurückgebliebenen **Bodenprofil** gut erkannt werden.

Mit Hilfe der Spatenprobe können das Wurzelwachstum im Boden beurteilt bzw. der Verdichtungsgrad im Boden sowie unerwünschte Bodenschichten (z. B. Oberflächenkruste, Pflugsohle) festgestellt werden. Dazu wird der Bodenziegel mit der Hand bzw. mit Hilfe der Abwurfprobe untersucht.

Ein Boden, der **beste Bedingungen für das Pflanzenwachstum** bietet, zeigt folgende Merkmale:

- Hohe Wurzelmasse (Achtung: Die Beurteilung der Wurzelmasse ist vom Witterungsverlauf und dem Stadium der Kultur und damit vom Beobachtungszeitpunkt abhängig!)
- gleichmäßige Durchwurzelung
- Keine Wurzelmissbildungen
- Keine unerwünschten Bodenschichten (z. B. Oberflächenkruste, Pflugsohle)
- Lockere, stabile Bodenstruktur im gesamten Wurzelraum

### Geruch

Der Geruch eines Bodens gibt Hinweise auf den Lufthaushalt im Boden und damit in weiterer Folge auf den Abbau von organischem Material (z. B. Erntereste, Mist). Ein **angenehm erdiger Geruch** deutet auf eine gute Durchlüftung des Bodens, eine günstige Bodenstruktur und damit gute Rottebedingungen im Boden hin. Im Gegensatz dazu ist ein fauliger Geruch ein Zeichen für organisches Material, das aufgrund von mangelnder Durchlüftung und Verdichtung im Boden verfault.

### Bodenfarbe

Mit Hilfe der Bodenfarbe kann man auf den Luft- und Wasserhaushalt sowie den Humusgehalt im Boden schließen. Während **gelbe, braune und rote Farbtöne** durch Eisenverbindungen in **gut durchlüfteten Böden** hervorgerufen werden, entstehen blaugrüne Farbtöne, wenn Böden häufig mit Wasser gesättigt sind. Blaugrüne Farbtöne sind daher ein Hinweis auf Bodenschichten, die das Wurzelwachstum hemmen. Ein **hoher Humusanteil** färbt Böden **grau bis schwarz**. Während bei Grünlandböden sowie auf Ackerböden mit flacher Bodenbearbeitung der Farbübergang zwischen dem humushaltigen Oberboden und dem humusarmen Unterboden meist fließend ist, ist der humusreichere Bearbeitungshorizont vom humusarmen, unbearbeiteten Unterboden bei tief gepflügten Ackerböden farblich meist deutlich abgegrenzt.

### Abbau von organischem Material

Bei der Durchführung der Spatenprobe kann es vorkommen, dass man auf unverrottete Schichten von organischem Material (z. B. Stroh oder Mist) stößt, die mit dem Bodenziegel ausgehoben werden. Daraus kann man Rückschlüsse auf die biologische Aktivität des Bodens ziehen, indem der Abbau von organischem Material anhand der Menge, der Verteilung und des Abbaugrades der gefundenen Ernterückstände beurteilt wird:

- **Menge:** Generell sollten die Ernterückstände des Vorjahres bis zum Sommer des nachfolgenden Jahres abgebaut sein. Dabei werden Gründüngungen und Grasnarben aus Wiesenumbrüchen schneller abgebaut als Mist, Getreidestroh oder Maisstoppeln. Wenn eingearbeitete Ernterückstände bzw. organische Dünger noch nach Jahren im Boden zu finden sind, liegt dies meist an einer schlechten Bodendurchlüftung (z. B. durch Bodenverdichtung, zeitweilige Vernässung), ungleichmäßigen Verteilung des organischen Materials im Boden (z. B. Mist- oder Strohmatratze durch Einpflügen) oder zu tiefem „Vergraben" von frischem, organischem Material.

- **Abbaugrad:** Wenn der Boden längere Zeit mit Wasser gesättigt und daher schlecht durchlüftet ist, verfault das organische Material aufgrund von Sauerstoffmangel, anstatt zu verrotten. Dabei entstehen giftige Abbauprodukte, die zusätzlich das Wurzelwachstum hemmen. Eine ungenügende Zerkleinerung und zu tiefes Einarbeiten können ebenfalls zu Verzögerungen des Abbaues führen (Vertorfung).
- **Verteilung:** Eine ungenügende oder ungleichmäßige Einarbeitung von organischem Material (z. B. Stroh- oder Mistmatratzen durch Einpflügen) erschweren den Abbau.

**INFO!** Luftgehalt im Boden

Bodenlebewesen können organisches Material nur dann abbauen, wenn sie ausreichend mit Luft versorgt werden. In tieferen Bodenschichten ist jedoch meist nur ein geringer Luftgehalt vorhanden, daher sollten größere Mengen von Grünmasse, Stroh oder Mist möglichst nur oberflächlich eingearbeitet werden.

**Bodenfeuchtigkeit**

Um Bodenverdichtungen zu verhindern, sollte der Boden nicht in nassem Zustand befahren werden. Gleichzeitig ist der richtige Feuchtigkeitsgehalt im Boden ausschlaggebend für eine schonende Bodenbearbeitung und eine gute Arbeitsqualität. Die Spatenprobe bietet in diesem Zusammenhang eine rasche und unkomplizierte Methode zur Bestimmung der Bodenfeuchtigkeit. Dazu werden einige Erdbrocken aus unterschiedlichen Bodentiefen zwischen den Fingern zerrieben und das Ergebnis beurteilt.

Ob der Boden befahren oder bearbeitet werden sollte, wird anhand der Bodenfeuchtigkeit entschieden. Bei zu hoher Bodenfeuchtigkeit besteht Verdichtungsgefahr. Gleichzeitig steigt bei nassen Böden der Bearbeitungsaufwand und die Arbeitsqualität nimmt ab. Um die Bodenfeuchtigkeit zu bestimmen, werden mehrere Erdbrocken aus verschiedenen Bodentiefen entnommen und mit den Fingern zerdrückt.

## Empfehlungen für die Bewirtschaftung von Böden bei unterschiedlicher Feuchtigkeit

| Feuchte | Beobachtung | Konsequenz für die Praxis |
| --- | --- | --- |
| Trocken  | Der Boden ist hart und trocken. Die Erdbrocken können nur mit Mühe auseinandergebrochen werden. | Der Boden ist sehr tragfähig und daher ideal zu befahren. Eine Bodenbearbeitung sollte jedoch nicht erfolgen, da ein trockener Boden nur mit hohem Energieaufwand bearbeitet werden kann (Boden wird durch das Bearbeitungsgerät mechanisch zertrümmert und dadurch stark geschädigt). |
| Frisch bis feucht  | Der Boden ist brüchig. Die Erdbrocken zerbröseln beim Zerdrücken zwischen den Fingern. | Weil frische bis feuchte Böden entlang der ihren natürlichen Trennflächen zerbrechen, sind sie gut zu bearbeiten ➜ idealer Zeitpunkt zur Bodenbearbeitung. Das Befahren des Bodens bei dieser Bodenfeuchte ist zwar möglich, der Boden ist aber verdichtungsgefährdet, wenn schwere Maschinen oder ungünstige Reifen verwendet werden. |
| Sehr feucht bis nass  | Der Boden ist knetbar bis breiig (plastisch). | Weil Böden in feuchtem bis nassem Zustand leicht verformt und verdichtet werden können, sollten sie weder befahren noch bearbeitet werden. |

### 2.1.3.2 Fingerprobe

Die Fingerprobe ist eine Methode zur Bestimmung der Bodenart (siehe Kapitel 2.1.1.5 Bodenarten), die schnell und einfach am Feld im Zuge der Spatenprobe durchgeführt werden kann. Eine genaue Bestimmung der Bodenart kann über eine Laboruntersuchung erfolgen.

**INFO!** Die Bodenfeuchte einstellen

**Weil zu trockene Böden häufig körniger (sandiger) und zu feuchte Böden oft bindiger (toniger) eingeschätzt werden, als sie sind, muss die Bodenprobe eventuell etwas angefeuchtet werden. Für die Fingerprobe soll der Boden feucht, aber nicht nass sein.**

| Schritt | | | | Fragen und Antworten | Gehe zu |
|---|---|---|---|---|---|
| Ausrolltest | | 1 |  | Forme eine walnussgroße Menge zwischen den Handtellern zu einer Kugel und versuche, diese anschließend zu einer bleistiftdicken Wurst auszurollen. | |
| | Ergebnis | 1.1 | | Der Boden ist nicht ausrollbar, Wurst zerbröckelt, bevor Bleistiftdicke erreicht ist ➜ Gruppe der Sande | 2 Bindigkeitstest |
| | | 1.2 | | Der Boden ist ausrollbar, die Wurst ist intakt oder nur schwach rissig ➜ Gruppe der Lehme und Tone | 4 Ausrolltest |
| Bindigkeitstest | | 2 |  | Prüfe die Bindigkeit zwischen Daumen und Zeigefinger. | |
| | Ergebnis | 2.1 | | Der Boden ist nicht bindig, nicht formbar ➜ Sande | 3 Zerreibtest |
| | | 2.2 | | Der Boden ist bindig, haftet schwach am Finger ➜ = lehmiger Sand (lS) | |
| Zerreibtest | | 3 |  | Zerreibe das Material auf der Handfläche | |
| | Ergebnis | 3.1 | | In den Handlinien ist kein toniges Material sichtbar ➜ = Sand (S) | |
| | | 3.2 | | In den Handlinien ist toniges Material sichtbar ➜ = schwach lehmiger Sand (lS) | |
| Ausrolltest | | 4 |  | Versuche, die Probe zu einer Wurst von halber Bleistiftstärke auszurollen. | |
| | Ergebnis | 4.1 | | Der Boden ist nicht ausrollbar, Wurst zerbröckelt, bevor halbe Bleistiftdicke erreicht ist ➜ = stark sandiger Lehm (sL) | |
| | | 4.2 | | Der Boden ist ausrollbar, die Wurst ist intakt oder nur schwach rissig ➜ sandiger Lehm, Lehm oder Ton | 5 Quetschtest |
| Quetschtest | | 5 |  | Quetsche die Probe zwischen Daumen und Zeigefinger in Ohrennähe | |
| | Ergebnis | 5.1 | | Starkes Knirschen hörbar ➜ = sandiger Lehm (sL) | |
| | | 5.2 | | Kein oder nur schwaches Knirschen hörbar ➜ Lehm oder Ton | 6 Gleitflächentest |

| | | Schritt | | Fragen und Antworten | Gehe zu |
|---|---|---|---|---|---|
| Gleitflächentest | | 6 |  | Beurteile die Gleitfläche der Quetschprobe | |
| | Ergebnis | 6.1 | | Die Gleitfläche sieht stumpf aus ➜ = Lehm (L) | |
| | | 6.2 | | Gleitflächen glänzen schwach ➜ = toriger Lehm (tL) | |
| | | 6.3 | | Die Gleitflächen glänzen deutlich ➜ Tone | 7 |
| | | 7 | | Untersuche das Probenmaterial genau auf Sandkörner (z. B. durch sehen, fühlen, hören oder schmecken) | |
| | Ergebnis | | | Sehr wenige Sandkörner sicht- und fühlbar, knirscht zwischen den Zähnen ➜ lehmiger Ton (lT) | |
| | | | | Keine Sandkörner sicht- und fühlbar, kein Knirschen zwischen den Zähnen (= butterartig) ➜ Ton (T) | |

### 2.1.3.3 pH-Wert messen

Lernvideo

Der pH-Wert ist ein **Maß für die Bodenreaktion**, die **neutral, sauer oder alkalisch** sein kann. Der pH-Wert beeinflusst direkt Bodeneigenschaften wie die Nährstoffverfügbarkeit und die Bodenstruktur und hat damit einen wesentlichen Einfluss auf das Bodenleben und das Pflanzenwachstum.

Für die Nährstoffverfügbarkeit und das Bodenleben sind pH-Werte im leicht sauren Bereich (pH 6 und leicht darunter) ideal. Um die Bodenstruktur zu verbessern, sind jedoch höhere pH-Werte (pH 7 und leicht darüber) besser. Abhängig von der Bodenart gelten daher schwach saure bis neutrale pH-Werte (pH 6 bis 7) als ideal. Eine Versauerung des Bodens hat hingegen generell negative Folgen für das Bodenleben und das Pflanzenwachstum.

Um den **pH-Wert eines Bodens** zu **bestimmen**, können entweder Indikatorstreifen, ein Feld-pH-Meter oder ein Labormessgerät verwendet werden. Jede Messmethode hat dabei ihre eigenen Vor- und Nachteile:

- **Indikatorstreifen** sind günstig und in Apotheken oder im Internetversand einfach zu kaufen. Die Messung ist nicht aufwendig und kann selbst am Feld durchgeführt werden. Dazu wird eine kleine Menge Bodenprobe zerkleinert und in ein Gefäß mit Verschluss gefüllt. Anschließend wird die Bodenprobe mit etwa doppelt so viel destilliertem Wasser wie Boden übergossen, das Gefäß verschlossen und eine Minute lang geschüttelt. Nun lässt man den Boden absinken und taucht das Indikatorpapier in die überstehende Flüssigkeit. Sobald das pH-Indikatorpapier seine Farbe nicht mehr ändert, kann der pH-Wert anhand der mit dem Indikatorpapier mitgelieferten Farbskala abgelesen werden. Da sich das Indikatorpapier im Bereich von pH 5 bis pH 7, in dem wir uns mit den meisten Böden bewegen, gelbgrün färbt, ist es allerdings oft schwierig, den gemessenen pH-Wert abzulesen, da die Unterschiede zwischen den einzelnen Farbnuancen meist nur schwer zu erkennen sind.
- **Labormessgeräte** liefern im Vergleich die exaktesten Messergebnisse. Sie sind aber in der Anschaffung teuer und in der Regel nur in spezialisierten Laboratorien vorhanden. Lässt man eine Bodenuntersuchung im Labor durchführen, erhält man einen mit einem Labor-pH-Meter gemessenen pH-Wert. Das Laborpersonal stellt die Sonde des pH-Meters mittels Eichlösung ein und misst dann den pH-Wert der Bodenprobe.
- Neben Indikatorstreifen und Labormessgeräten können auch **Feld-pH-Meter** zur Bestimmung des pH-Werts verwendet werden. Im Internet oder in spezialisierten Geschäften sind unterschiedliche Modelle erhältlich. Feld-pH-Meter sind zwar teurer als Indikatorpapier, aber immer noch deutlich günstiger als Labormessgeräte. Feld-pH-Meter können einfach und rasch selbst am Feld z. B. im Zuge einer Spatenprobe eingesetzt werden. Dafür zerkleinert man eine kleine Menge Boden, füllt ihn in die vorgesehene Grube des pH-Meters und tropft die mitgelieferte Indikatorlösung auf die Bodenprobe, bis diese bedeckt ist. Danach lässt man die Indikator-

lösung der Bodenprobe reagieren, bis sich die Farbe nicht mehr ändert (etwa ein bis drei Minuten). Anschließend wird das pH-Meter leicht gekippt, so dass die Indikatorlösung aus der Grube in die Rinne des pH-Meters fließt. Der pH-Wert kann nun anhand der mitgelieferten Farbskala abgelesen werden.

### 2.1.3.4 Karbonatgehalt beurteilen

**INFO!**

**Hohe Kalkgehalte ($CaCO_3$) führen zu höheren pH-Werten sowie pH-Pufferkapazitäten im Boden und fördern eine lockere Bodenstruktur. Der Kalkgehalt des Bodens hat daher einen Einfluss auf wichtige Bodeneigenschaften.**

Um den Karbonatgehalt (= Gehalt an $CaCO_3$ und $MgCO_3$) eines Bodens am Feld zu bestimmen, wird **10%ige Salzsäure** (in der Apotheke erhältlich, Achtung auf sachgemäße Verwendung) **auf den Boden geträufelt**. Ist Karbonat im Boden enthalten, bilden sich Bläschen an jenen Stellen der Bodenprobe, die mit der Salzsäure in Berührung gekommen sind. Während Mergel und Kalksteine stark, rasch sowie gut sicht- und hörbar aufbrausen, bilden sich an der Oberfläche von Dolomiten nur schwach und verzögert Bläschen. Erfolgt kein Aufbrausen, ist der Boden karbonatfrei.

### 2.1.3.5 Bodendichte mit Penetrometer bestimmen

Die Traglast des Bodens, aber auch Bodenverdichtungen und Wachstumsbedingungen für Pflanzen können festgestellt werden, indem der Eindringwiderstand des Bodens ermittelt wird. Dazu werden Drucksonden (= Penetrometer) verwendet. Das Penetrometer besteht aus einem Sondierkonus, einer Sondierstange und einem Messgerät mit Griffen (= Manometer), das am oberen Ende der Sondierstange angebracht ist. Um den Eindringwiderstand des Bodens zu messen, wird die Sondierstange möglichst gleichmäßig und rechtwinklig in den Boden gedrückt. Ein ruckartiges Drücken sollte vermieden werden, weil es zu Messwerten führt, die zu hoch und nicht repräsentativ für den Boden sind. Der Eindringwiderstand des Bodens (kPa/cm²) kann bestimmt werden, indem man den am Manometer angezeigten Wert durch die Oberfläche des Sondierkonus teilt.

Bestandteile und Anwendung des Peneotrometers (Quelle: HPsy, Wikimedia Commons)

### 2.1.3.6 Aggregatstabilitätstest

Bodenaggregate sind Bodenteilchen, die daraus entstanden sind, dass sich einzelne Bodenpartikel (z. B. Sandkörner) mit Ton-Humus-Komplexen (siehe Kapitel 2.1.1 4 Bodenbestandteile, Exkurs: Tonminerale – Die Brücken von Mineral zum Leben) zu größeren Teilchen verklebt haben. Diese kleinen Bodenaggregate werden anschließend durch Wurzelhaare, Pilzhyphen sowie Schleim von Pflanzenwurzeln und Bakterienkolonien zu noch größeren Bodenaggregaten zusammengefügt (= Lebendverbauung). Die Stabilität dieser Aggregate entscheidet darüber, wie anfällig ein Boden gegenüber Erosion, Verschlämmung sowie Verdichtung ist. Die Aggregatstabilität ist daher ein wichtiges Merkmal der Bodenfruchtbarkeit. Weil die höchste Aggregatstabilität bei Bodenaggregaten auftritt, die durch Pflanzenwurzeln und Mikroorganismen lebend verbaut wurden, kann aus der Aggregatstabilität auch auf die Aktivität des Bodenlebens und die Humusversorgung des Bodens geschlossen werden.

Um die Aggregatstabilität selbst am Feld zu bestimmen, werden zunächst Bodenproben aus unterschiedlichen Bodenhorizonten (z. B. Bodenoberfläche, Oberboden und Unterboden) entnommen. Aus diesen Bodenproben werden dann die Bodenaggregate mit einer Größe zwischen 2 bis 3 mm mit einem Sieb in entsprechender Maschenweite herausgesiebt. Anschließend werden die gesiebten Bodenaggregate in ein Schälchen gegeben und mit destilliertem Wasser bedeckt.

Nach einer Einwirkungsdauer von einer Minute werden die entstandenen Aggregatbruchstücke durch kurzes Klopfen an den Rand des Schälchens im Gefäß verteilt. Die Aggregatstabilität kann nun daraus abgeleitet werden, wie sehr sich die Bodenaggregate im Schälchen aufgelöst haben.

**Zerfallsbonitur zur Beurteilung der Aggregatstabilität (nach Beste, 2009)**

| Beurteilung | Aussehen des Zerfallsbildes | |
|---|---|---|
| **Bodenaggregate sind stabil**<br>Die Bodenaggregate zerfallen nicht oder nur in wenige große Bruchstücke. Das Wasser bleibt klar. | ■ Zerfallsbild 1: stabil<br>■ Zerfallsbild 2: stabiles Aggregat mit wenigen kleinen Zerfallsteilchen<br>■ Zerfallsbild 3: Zerfall in zwei gleich große Teilaggregate | 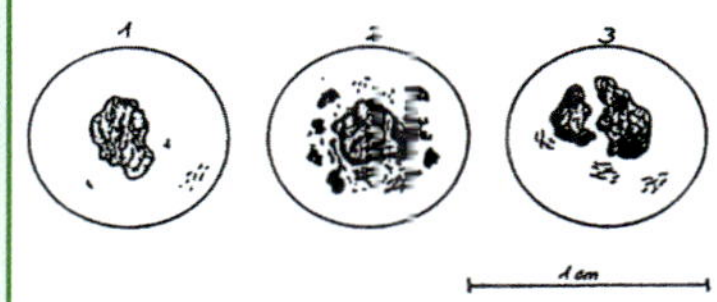 |
| **Bodenaggregate sind mittelmäßig stabil**<br>Die Bodenaggregate zerfallen halb oder in mehrere kleine Bruchstücke. Das Wasser bleibt jedoch noch klar. | ■ Zerfallsbild 4: Zerfall in mittelgroße Teilaggregate<br>■ Zerfallsbild 5: Zerfall in kleine Teilchen bei gleichzeitig gelartiger Verklebung | 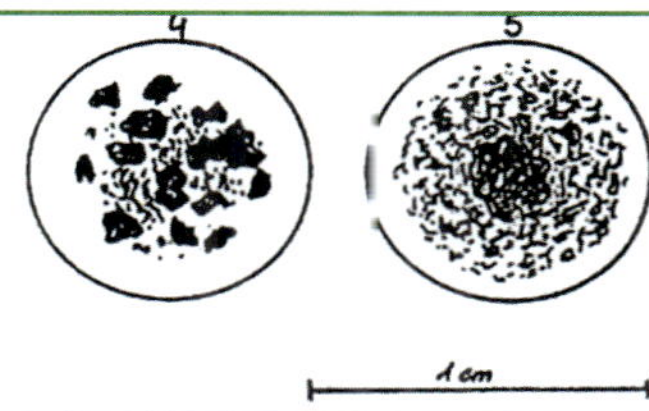 |
| **Bodenaggregate sind instabil**<br>Die Bodenaggregate sind komplett zerfallen. Das Wasser ist dadurch getrübt. | ■ Zerfallsbild 6: vollständiger Zerfall in kleine Teilchen<br>■ Zerfallsbild 7: vollständige Auflösung des Aggregats, Trübung des Wassers | 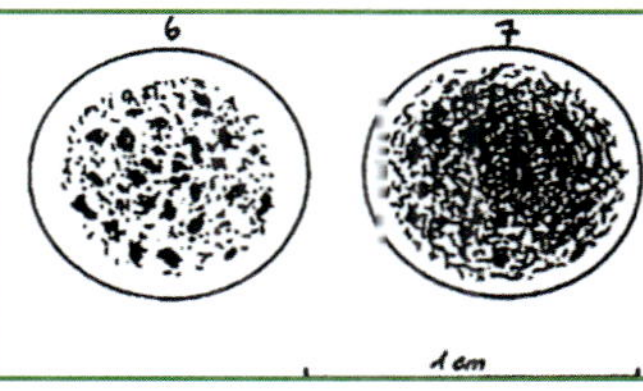 |

### 2.1.3.7 Bodenuntersuchungen im Labor

Eine Bodenuntersuchung liefert Aussagen über den Zustand des Bodens in bestimmten Bereichen zum Zeitpunkt der Probenahme. Mit Hilfe chemischer Bodenuntersuchungen im Labor können wichtige Bodeneigenschaften bestimmt werden, die für das Pflanzenwachstum entscheidend sind, wie etwa der pH-Wert oder die Nährstoffversorgung (z. B. Gesamtgehalt an Phosphor (P) und Kalium (K), pflanzenverfügbares P und K, Humusgehalt). Eine Bodenuntersuchung im Labor eignet sich daher als generelle Standortcharakterisierung und um Bewirtschaftungsmaßnahmen daraus abzuleiten (z. B. Kalkung bei zu niedrigem pH-Wert).

Um Veränderungen im Boden feststellen zu können, ist es empfehlenswert, etwa **alle drei bis fünf Jahre** eine Bodenuntersuchung durchführen zu lassen. Damit diese Ergebnisse verglichen werden können, müssen die verwendeten Untersuchungsmethoden jeweils die gleichen sein. Die Bodenuntersuchungen werden von Laboreinrichtungen daher nach klar definierten nationalen (ÖNORM), europäischen und internationalen Normen durchgeführt.

**INFO!** Laboruntersuchungen

**Achtung: Bei Bodenuntersuchungen im Labor werden aus etwa 300 g Probenmaterial Aussagen für 1 bis 10 ha landwirtschaftliche Nutzfläche getroffen! Daher ist eine fachgerechte Probenahme absolut ausschlaggebend dafür, dass die Untersuchungsergebnisse auch tatsächlich die Wirklichkeit widerspiegeln.**

**Richtige Probenentnahme: So wird's gemacht**

Wurde der Boden gerade gedüngt, ist der Nährstoffgehalt kurzfristig höher. Um ein aussagekräftiges Ergebnis zu erhalten, das auch mit weiteren Bodenuntersuchungen in folgenden Jahren vergleichbar ist, sollte die beprobte Fläche daher mindestens einen Monat vor der Probenahme nicht gedüngt worden sein. Aus diesem Grund sollte die Probenahme auch grundsätzlich nicht nach Luzerne oder Kleegras, sondern am Ende oder in der Mitte der Fruchtfolge nach Getreide erfolgen. Der beste Zeitpunkt für eine Entnahme von Bodenproben für Laboruntersuchungen ist daher im späten Herbst oder im zeitigen Frühjahr. Damit die Ergebnisse späterer Untersuchungen vergleichbar sind, sollte der Probezeitpunkt immer gleich gewählt und die Probenahmeflächen festgehalten werden (z. B. auf einem Plan oder mittels Handy-App).

Für ein aussagekräftiges Ergebnis ist es wichtig, dass die Fläche mindestens einen Monat vor der Probenahme nicht gedüngt wurde. Der beste Zeitpunkt zur Probenahme ist daher im späten Herbst oder im zeitigen Frühjahr.

Weil die Bedingungen auf einer landwirtschaftlichen Nutzfläche nicht einheitlich sind, werden mehrere Proben entnommen und gemischt (= Mischprobe). Für jede **Mischprobe** sollten mindestens 25 Stichproben pro Nutzfläche entnommen werden. Diese sollten gleichmäßig verteilt und möglichst repräsentativ für die Fläche sein (daher keine Maulwurfshügel, Mulden, Kuppen, Geil- und Kahlstellen, Randstreifen oder Radspuren beproben). Am einfachsten gelingt die Probeentnahme mit Hilfe eines Bodenbohrers (kann z. B. bei den Landwirtschaftskammern ausgeliehen werden).

Die Erde der Einzelproben wird in einem sauberen Eimer zu einer Mischprobe vermengt. Für die Bodenuntersuchung im Labor reicht es aus, 500 g der Mischprobe in einen sauberen Plastiksack abzufüllen. Dabei ist es wichtig, dass keine Erntereste, Dünger, Steine oder andere Fremdkörper mit in die Probe gelangen. Damit das Labor die Ergebnisse richtig zuordnen kann, muss die Bodenprobe mit einer eindeutigen Nummer, dem Namen der Parzelle und dem Namen des Einsenders versehen werden. Zusätzlich muss ein Untersuchungsauftrag bzw. Erhebungsbogen ausgefüllt werden, in dem z. B. Nutzungsart und Standortbeschreibung der Fläche angegeben werden. Damit die Ergebnisse nicht durch eine Erwärmung des Probenmaterials verfälscht werden, sollte die Bodenprobe möglichst rasch nach der Entnahme an das Labor geschickt werden.

### 2.1.3.8 Weitere Quellen für Bodendaten in Österreich

Bodenuntersuchungen haben in Österreich eine lange Tradition. Bodeneigenschaften werden in Österreich nicht nur von wissenschaftlichen Einrichtungen wie etwa Universitäten erforscht, sondern auch von verschiedenen Institutionen auf Bundes- und Landesebene (z. B. Bundesministerium für Finanzen) österreichweit erhoben. Neben Bodenuntersuchungen am Feld und im Labor sind diese **flächendeckenden Erhebungen** eine weitere Möglichkeit, um Informationen über die eigenen landwirtschaftlichen Nutzflächen einzuholen. Besonders informativ sind dabei vor allem die Österreichische Bodenkarte und die Ergebnisse der Finanzbodenschätzung.

#### Bodenkartierung: Die Österreichische Bodenkarte

Die Wurzeln der Bodenkartierung reichen in Österreich bis in das 19. Jahrhundert zurück. Erste genaue Anleitungen für die Bodenkartierung wurden bereits 1883 veröffentlicht. Seit 1958 hat die Österreichische Bodenkartierung im Auftrag des Landwirtschaftsministeriums die Aufgabe, die landwirtschaftliche Nutzfläche systematisch bodenkundlich zu untersuchen und die Ergebnisse in Form von Bodenkarten darzustellen. Grundlage für die Herstellung der Bodenkarten sind das **Zeichnen einer Feldkarte** und die **Profilarbeit**. Das Kartierpersonal führt Bodensondierungen durch und schätzt unter Berücksichtigung des Klimas und der Geländeausformung (z. B. Tal, Hang) die Verbreitung bestimmter Bodentypen ab. Aus diesen Informationen wird dann die Feldkarte erstellt. Bei der Profilarbeit wird für jeden Bodentyp anschließend mindestens eine Profilgrube geöffnet und Bodenproben für Laboranalysen entnommen. Dabei werden eine Vielzahl an Bodeninformationen erhoben, z. B. Ausgangsgestein, Geländeform, Hangneigung, Speicherfähigkeit, Erosionsneigung, Bearbeitbarkeit sowie teilweise pH-Wert, Humus- und Kalkgehalt, Kationenaustauschkapazität und Schwermetallgehalt.

Die Bodenkartierung stellt den Bodenaufbau der landwirtschaftlichen Nutzfläche in Karten dar. Als Ergebnis der Bodenkartierung sind umfangreiche Boden-Informationen in digitaler Form verfügbar und können kostenlos auf der elektronischen Bodenkarte (eBOD, www.bodenkarte.at) abgerufen werden.

Die Ergebnisse der Bodenkartierung sind in der Österreichischen Bodenkarte (Kartierungsmaßstab von 1 : 25.000) nachlesbar und werden zur Erstellung thematischer Karten verwendet.

**INFO!** Elektronische Bodenkarte (eBOD): digitale Bodendaten für Österreich

Mittlerweile existiert die Österreichische Bodenkarte auch in digitaler Form, als so genannte elektronische Bodenkarte (eBOD). Alle Bodeninformationen der landwirtschaftlich kartierten Flächen Österreichs können interaktiv und kostenlos unter folgendem Link abgerufen werden:

In der elektronischen Bodenkarte können Bodeninformationen kostenlos und digital abgerufen werden.

**Finanzbodenschätzung**

Bodenbewertungen werden nicht nur aus landwirtschaftlichem Interesse oder zu Forschungszwecken durchgeführt, sondern aus steuerlichen Gründen auch von den Finanzämtern. Schon im 18. Jahrhundert versuchte man die Ertragsfähigkeit der Böden als Basis für die Besteuerung der Landwirtschaft heranzuziehen. Bis heute werden landwirtschaftliche Nutzflächen (ohne Alpflächen) einer Bodenschätzung unterzogen, um jeden Betrieb möglichst gerecht und objektiv zu besteuern. Bei der Finanzbodenschätzung werden der Boden untersucht und die festgestellten Bodenverhältnisse in Schätzungskarten (auf Basis der Katastralmappe) und Schätzungsbüchern festgehalten.

Anschließend wird die **Ertragsfähigkeit des Bodens** aufgrund der natürlichen Ertragsbedingungen (= Bodenbeschaffenheit, Geländegestaltung, klimatische Verhältnisse und Wasserverhältnisse) bewertet. Aus diesen Schätzungsergebnissen wird der Einheitswert (= steuerlicher Wert des land- und forstwirtschaftlichen Grundvermögens) berechnet.

Der Einheitswert ist der steuerliche Wert des land- und forstwirtschaftlichen Grundvermögens und basiert auf der Ertragsfähigkeit des Bodens, nicht auf dem tatsächlichen Verkehrswert (= Wert, der aktuell am Markt dafür bezahlt würde) der landwirtschaftlichen Grundstücke.

Der **Einheitswert** ist für jeden Landwirt bzw. jede Landwirtin sehr wichtig, weil die Höhe seiner bzw. ihrer Steuern, Abgaben und Beiträge (z. B. Grundsteuer, Sozialversicherung) davon abgeleitet wird. Um die Einschätzung der Ertragsfähigkeit des Bodens und damit in weiterer Folge den Einheitswert aktuell zu halten, führen die Finanzämter in periodischen Abständen Überprüfungsschätzungen (z. B. Hauptfeststellung 2014) und Nachschätzungen durch.

Im Vergleich zur Bodenkartierung bietet die Finanzbodenschätzung zwar weniger detaillierte, aber dafür parzellenbezogene Informationen über die landwirtschaftlichen Nutzflächen. Im Rahmen der Finanzbodenschätzung werden unter anderem Bodenart, Bodentyp, Ausgangsmaterial, Humusgehalt, Kalkgehalt und Durchwurzelung festgestellt. Die Ergebnisse sind in den Schätzungsbüchern und Schätzungskarten für jede einzelne Parzelle angeführt und können bei den zuständigen Finanzämtern eingesehen werden.

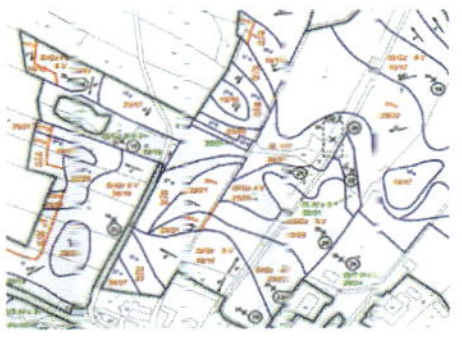

Ausschnitt aus einer Schätzungsreinkarte (Quelle: Bundesministerium für Finanzen, 2013)

## 2.2 STÄRKUNG DER PFLANZENGESUNDHEIT

### 2.2.1 Stressbelastung – Was bedeutet das für die Pflanze?

Pflanzen leiden unter vielen Stressfaktoren. Manche sind einfach natürlich und unabwendbar. Die meisten der Stressfaktoren können aber sehr wohl durch unser Zutun verändert werden.

Hinter fast jedem Stressfaktor steht eine **Disharmonie** oder ein Verhältnis ist aus dem Lot geraten. So entsteht beispielsweise durch Bodenverdichtungen ein unausgeglichenes Verhältnis von Wurzel und oberirdischem Spross der Pflanze. Das bewirkt einen nächtlichen Assimilatstau im Spross, weil die Umlagerung in die Reserveorgane der Wurzeln zu wenig stark erfolgt. Das bedeutet Stress für die Pflanze. Als Reaktion finden wir kopfschwere Pflanzen mit vielen tierischen Schädlingen wie Blattläusen. Besonders bei Pfahlwurzlern wie Ackerbohnen oder Raps sind an befallenen Pflanzen typische Wurzeldeformationen zu finden.

Folgende **Stressfaktoren** werden in **abiotische und biotische Faktoren** unterteilt und folgende sind jedenfalls zu erwähnen:

- Stress durch Bodenbedingungen (Verdichtung, Sauerstoffmangel, $CO_2$- Konzentration, Versauerung ...)
- Stress durch Ernährungszustand (fehlende Nährstoffe und Überdüngung)
- Stress durch Schädlings- bzw. Krankheitsdruck (Ursache oftmals Nährstoff- oder Verdichtungsstress)
- Stress durch Umwelteinflüsse (Klima, Wetter, saurer Regen, mechanische Verletzung durch Hagel oder Striegel und Hackgerät ...)

Mit Terranimo (www.terranimo.ch)® ist ein Simulationsmodell für die Berechnung des Bodenverdichtungsrisikos beim Einsatz von landwirtschaftlichen Fahrzeugen verfügbar.

Eines der sensibelsten Organe der Pflanzen ist die **Wurzel**. Der Bodenzustand kann daher für die Pflanzen sehr schnell zur Stressfalle oder Belastungsprobe werden. Besonders Bodenverdichtungen und Bodenversauerung machen hier große Stressfaktoren aus.

Bezüglich **Bodenverdichtungen** sollten aber nicht die Bodenlockungsmaßnahmen im Fokus der Stressminimierung stehen, sondern vielmehr die vorbeugende Vermeidung von Bodenverdichtungen. Möglichkeiten zur **Vermeidung von Bodenverdichtungen** müssen also ausgeschöpft werden:

- Vorausschauende Arbeitsplanung, um nasses Befahren und Bearbeiten der Böden zu vermeiden
- Eine gesund-kritische Haltung zu immer schwerer und größer werdenden Maschinen und Geräten
- Bewusstsein dafür entwickeln, dass breitere Reifen nicht alle Fehlentwicklungen der Landtechnik abfedern können
- Verbesserung der Schlagkraft – das kann auch über andere Methoden als schwerer und größer werdende Maschinen gelingen

**Schäden durch Bodenversauerung**
Versauerungssimulation durch Atmung aus Schmid-Koffer erklären.

Neben der Bodenverdichtung ist aber auch die **Bodenversauerung** ein enormer Stressfaktor für die Pflanzen. In versauerten Böden sind viele Pflanzenaktivitäten eingeschränkt. Besonders drastisch wirken sich Versauerungen für die Aufnahme gewisser Nährstoffe aus, was zu einer Unterversorgung mit diesen führen kann. Bodenversauerung bewirkt aber auch die Verätzung von Feinwurzeln, Mikroorganismen und anderen Bodenlebewesen. Das gesamte Ökosystem im Boden verliert dann an Stabilität.

Kalkbedarf für Versauerungs-Neutralisation

Der Bodenversauerung kann nur mit der **regelmäßigen Anwendung von kohlensaurem Kalk** entgegengewirkt werden. Die Häufigkeit und Menge wird durch die Bodenart und die Bewirtschaftungsintensität, aber auch durch die Niederschlagsmenge und die Kalkung in der Vergangenheit beeinflusst. Eine einfache Möglichkeit, den Kalkbedarf zu eruieren, wäre einen sogenannten Karbonattest oder Salzsäure-Test anzuwenden.

E-Book+

**Kalkbedarf mit Karbonattest eruieren**

Mit dem Karbonattest kann die Verfügbarkeit von reaktivem Kalk in der beprobten Bodenzone sehr einfach und aussagekräftig sichtbar gemacht werden. Nur die Unterscheidung zwischen Ca-Karbonat und Mg-Karbonat ist kaum möglich.

**Durchführung:** Zu beurteilende Probe mit 10%iger Salzsäure beträufeln und hör- und sichtbare Reaktion abwarten. Bei entsprechender Reaktion (je intensiver, umso mehr Karbonat ist verfügbar) kann von ausreichend Karbonat und davon abgeleitet von keinem Kalkbedarf ausgegangen werden.

**Aufgabe:**
Integriere möglichst viele Gräser in die Fruchtfolge.

Welche Mischungen fallen dir dazu ein? Nenne drei Möglichkeiten, in der Fruchtfolge auf diese Ausgewogenheit zu achten:

Im Zusammenhang mit Nährstoffen in Salzform ist auch noch die Stresssituation durch ein **verschobenes Bakterien-Pilz-Verhältnis** im Boden zu erwähnen. Dies kann besonders im Zusammenhang mit bakterienförderndem Leguminosenanbau und anderen stickstoffmobilisierenden, salzbildenden Maßnahmen entstehen. Pilze hingegen werden vorwiegend von Gräsern und den Lipidausscheidungen der Kreuzblütler gefördert. Daher ist in Fruchtfolgen und Pflanzenbeständen immer auf eine entsprechende Mischung zu achten. Versuche nebenstehende Aufgabe zu lösen.

### 2.2.2 Stärkung der Abwehrkräfte der Pflanzen

Der Faktor Boden wird gerne schnell einmal übersehen, wenn es um die Stärkung der Abwehrkräfte geht. Alle Maßnahmen, die dem Humusaufbau dienlich sind, aber auch alle, die die Belebtheit der Böden fördern, sind jedenfalls auch förderlich für die Gesundheit und Abwehrkraft der Pflanzen. Die Düngung jeglicher Nährstoffe soll, wenn immer dies möglich ist, in bereits etablierte, wachsende Bestände erfolgen. Dann erfolgt die Lebendverbauung eventuell im Dünger enthaltener Salze schnell und hin zu pflanzenverträglichen Verbindungen.

Die beste Möglichkeit, die Abwehrkräfte der Pflanzen zu stärken, ist, sie in gesunden Boden zu pflanzen und sie mit Licht und Wasser zu versorgen.

Neben der oft risikobehafteten Anwendung vieler Dünger sind auch wenige **Betriebsmittelanwendungen** bekannt, **die die Abwehrkraft der Pflanzen besonders stärken**: Die Bodenstärkung mit reifem **Kompost**, der ein nicht zu enges C/N-Verhältnis aufweisen soll, steht hier sicher ganz vorne. Aber auch die Versorgung des Bodens und der Pflanze mit lebensnotwendigen Mikronährstoffen über eine regelmäßige **Steinmehlanwendung** kann einen Teil dazu beitragen.

Die Anwendung von **Kalk** vermindert die Versauerung der Böden. Je nach Intensität sind regelmäßige Anwendungen und entsprechende Mengen notwendig. Damit kann schnell auch Schädlingen oder Krankheiten vorgebeugt werden.

Eine besondere Rolle kommt der **Schwefelversorgung** unserer Pflanzen zu. Nachdem sie vor einigen Jahrzehnten noch ein Stressfaktor durch sauren Regen war, ist die gezielte Düngung mit Schwefel heute oftmals der Schlüssel zu weniger gestressten Pflanzen. Stickstoff und Schwefel stehen dabei immer im Verhältnis von 10 : 1. Vor allem von Schädlingen geplagten Pflanzen fehlt oftmals die ausreichende Schwefelmenge in der momentanen Situation, um schwefelhaltige Aminosäuren und vollständige Proteine aufbauen zu können. An diesen unfertigen Pflanzenbausteinen laben sich die tierischen Schädlinge.

Die Einarbeitung von **Milchsäurebakterienkulturen** (sogenannte Fermente) und die Stärkung von Saat- und Pflanzgut mit eben diesen kann ebenfalls eine deutliche Verbesserung der Abwehrkraft von Pflanzen bewirken.

Zur Verminderung von Stressfaktoren, oftmals nährstoffbedingt, aber auch trockenheits- oder nässebedingt, kann die Stärkung von Pflanzen mit der Anwendung von **Komposttee** einen Vorteil bringen. Dieser Warmwasseransatz von wenigen Kilogramm bestem Kompost je 1000 l Wasser in einem intensiv belüfteten Tank wird mehrmals in der Vegetation zur Stressminderung in der Pflanze ausgebracht. Meist wird die Anwendung mittels Brixmessungen in den Pflanzenteilen begleitet und so schnell auch durch optisch erkennbare Unterschiede untermauert.

Die Anwendung pflanzenstärkender Präparate ist in der biologisch-dynamischen Landwirtschaft ein verpflichtendes Element der regelmäßigen Arbeiten am Hof.

Die Anwendung echter homöopathischer Mittel für Pflanzen entwickelt sich aus dem Haus-, Garten- und Zierpflanzenbereich.

Biologisch-dynamische Präparate sind ähnlich wie homöopathische Mittel für Pflanzen auf feinstofflicher Ebene energetisch wirksam. Messbare Inhaltsstoffe konnten bis dato nicht ermittelt werden. Dennoch sind die Wirkungen oftmals zu sehen, wenn auch nicht immer eindeutig erklärbar. Für die eigene Einschätzung sollten eigenhändige Versuche angelegt und Erfahrungen gesammelt werden.

## 2.3 DIREKTE REGULIERUNG VON ORGANISMEN

### 2.3.1 Pflanzenschutzpyramide

Die Pflanzenschutzpyramide verbildlicht, dass die große Basis für gesunde Pflanzen vor allem durch einen gesunden Boden, eine ausgewogene Fruchtfolge und optimale Aussaat gebildet wird. Als direkte vorbeugende Maßnahmen können dann noch gezielte Bodenbearbeitungsmaßnahmen, gezielte pflanzenstärkende Düngung und andere vorbeugende Managementmaßnahmen angesehen werden. Nur die Spitze, als letzte mögliche Maßnahme, bilden die direkten Anwendungen von Pflanzenschutz- und Pflanzenstärkungsmitteln. Sie sollten nur zum Einsatz kommen, wenn alle anderen, in der Pyramide unterhalb liegenden, Möglichkeiten ausgeschöpft wurden.

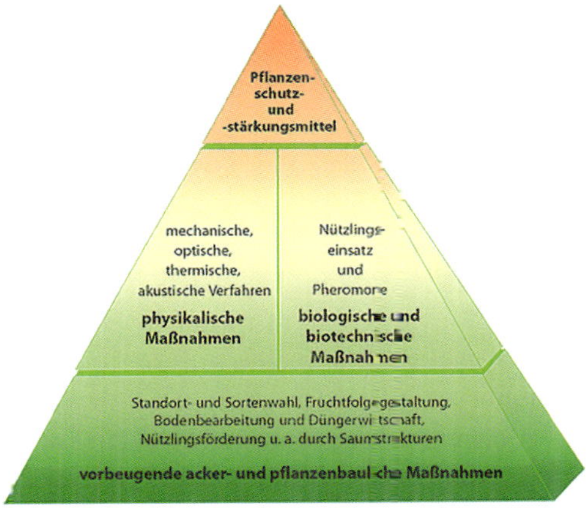


### 2.3.2 Einsatz mechanischer Bodenbearbeitungsgeräte

Mit Bodenbearbeitung kann vieles an Beikräutern vorbeugend oder auch direkt reguliert werden. Besondere Bedeutung kommt der laufenden **sorgsamen Bodenbearbeitung und -bewirtschaftung** zu, welche viele Probleme bereits im Vorfeld vermeiden können. Wer Verdichtungen vermeidet, Strukturschäden des Bodens verhindert und Humusabbau minimiert, hat viele Probleme von Vornherein „vorbeugend" reguliert. Neben Beikräutern kann die sorgsame Bewirtschaftung auch viele stressbedingte Krankheiten und Schädlinge der Pflanzen und des Bodens vorbeugend vermeiden oder regulieren.

Der Einsatz der diversen **Bodenbearbeitungsgeräte** hat vielerlei verschiedene Auswirkungen auf die Beikräuter. **Die meisten vermindern den Beikrautdruck.** Einige Geräte hingegen führen aufgrund ihrer Arbeitsweise oder des hohen Risikos der **Anwendung unter nicht passenden Bodenbedingungen** sogar zur **Vermehrung von gewissen Beikrautarten:**

- Insbesondere flächig schmierende Geräte vermehren bei zu nassen Bedingungen in der Bearbeitungszone (nicht täuschen lassen von oberflächlicher Abtrocknung!) beispielsweise die Ackerkratzdistel und begünstigen damit Schachtelhalm, Quecke und Beinwell.

- Zapfwellenbetriebene und damit stark zerteilend arbeitende Geräte, aber auch die klassische Scheibenegge vermehren verstärkt Beikräuter, welche sich vegetativ über Wurzelausläufer und Wurzelteile verbreiten. Vor allem die Quecke, aber auch die Ackerkratzdistel, der Ampfer, der Beinwell und Gräser sind davon betroffen. Eine feuchte Bearbeitung verstärkt die vermehrende Wirkung.

Der **Pflug** gilt nach wie vor als **Beikraut-Regulierungsmittel Nummer eins** im Bio-Landbau. Diese Rolle ist ihm kaum abzusprechen. Vor allem unter feuchten Bedingungen verhilft er der Kulturpflanze zu unschätzbarem Entwicklungsvorsprung und damit entsprechenden Beständen. Nur unter sehr trockenen Bedingungen kann der Pflug aufgrund der erhöhten Verdunstung und der Zerstörung der Kapillaren in der gesamten Pflugtiefe auch negative Auswirkungen haben. Unter sehr trockenen Bedingungen ist er aber auch leichter durch andere Geräte zu ersetzen, da die Beikrautregulierung dann durch Austrocknung auch auf hartnäckige Beikräuter wie Gräser gut wirkt. Diese sind unter feuchten Bedingungen eigentlich nur durch tiefes Vergraben ohne Wiederaustriebsrisiko regulierbar.

**Grubber und Scheibeneggen** helfen, Samenunkräuter und Ausfallsamen diverser Kulturpflanzen schnell zum Auflaufen zu bringen. Je nach Nachläufer ist die Rückverfestigung entsprechend gering oder stark. Starke Rückverfestigung lässt hingegen wieder alle Wurzelbeikräuter und Gräser gut an- oder weiterwachsen. Daher ist von einer stärkeren Rückverfestigung in biologischen Ackerbaubetrieben Abstand zu nehmen. Ein Großteil der Samenbeikräuter wird auch durch nachfolgende starke Zwischenfrüchte oder konkurrenzstarke Hauptfrüchte unterdrückt.

Mit **Eggen und Kultivatoren** können schon angewurzelte kleinere Beikräuter gut reguliert werden. Diese Geräte kommen meist zum Einsatz, wenn die erste Bodenbearbeitung bereits erfolgt ist und in der Zwischenzeit bereits wieder Beikräuter aufgelaufen sind.

**Federzinkengeräte** haben eine besonders enterdende Wirkung auf Wurzelballen schon stärkerer Gräser und befördern Wurzelteile von Quecken oder Ampfer recht zuverlässig an die Bodenoberfläche. Für eine nachfolgende Vertrocknung oder eine mechanische Weiterbearbeitung bzw. einen Abtransport ist dies besonders hilfreich.

Die **starre Ackeregge** (ohne Nachläufer!) kommt insbesondere bei Kümmel- und Samenfenchelflächen im zeitigen Frühjahr zum Einsatz. Dabei wird der Acker in mehreren Überfahrten regelrecht „schwarz“ gemacht. Die Kümmel- und Fenchelwurzeln treiben danach aber unbeschadet aus.

Zur Beikrautregulierung in bereits angelegten Beständen sind hauptsächlich **Striegel und Hackgeräte** im Einsatz. Exaktstriegel, Rollstriegel, Rotationseggen (Krustenbrecher) oder kameragesteuerte Hackgeräte lassen auf der technischen Seite mittlerweile kaum mehr Wünsche offen. Sie können vor allem in speziellen Kulturen, bei besonders hartnäckigen Beikräutern oder unter besonderen Bedingungen zusätzliche Einsatzbereiche eröffnen. In Summe kommt ein Großteil der Ackerbaubetriebe aber oftmals mit der bisherigen klassischen Striegel- und Hacktechnik aus.

Neuerdings gibt es auch schneidende Geräte, die überstehende Beikräuter (Dela Bio-Schneidwerk) oder solche mit mehr Widerstand (CombCut®) aus den Beständen herausholen können.

Die allerneueste Entwicklung sind **Hackroboter**, die mittels Kamera Kulturpflanzen(reihen) erkennen und mit kleinen Rotoren oder einem Laser die Beikräuter herausselektieren. Wie schnell sich diese Technik in der Praxis bewähren wird, lässt sich zum Zeitpunkt des Erscheinens dieses Buches noch nicht endgültig abschätzen.

Links und Mitte: CombCut; rechts: Dela Bio-Schneidwerk

**Getreidehähnchen**

Die Getreidehähnchenregulierung ist im biologischen Landbau mit keinem erlaubten Mittel möglich oder erfolgreich. Da die Larven, die den schädlichen Schabefraß an den Fahnenblättern erzeugen, sehr leicht zerplatzen oder abwischbar sind, können sie einfach abgestreift werden. Dies kann am besten mit sehr breiten Arbeitsgeräten wie dem Striegel erfolgen. Dabei sind aber nicht die Zinken, sondern der Striegelrahmen/-balken relevant und entsprechend knapp unter den Fahnenblättern zu steuern. So fährt man dann die Bestände durch und streift die Larven ab. Sie zerplatzen dabei und sind damit stark reduziert.

**Getreidehähnchen** werden am besten abgestreift. Anstatt des Striegels könnten auch Rohre, Holzstangen, -latten oder auch Seile verwendet werden, um die Bestände abzustreifen. Rein theoretisch wären auch saubere Pflanzenschutzspritzen-Gestänge dafür verwendbar.

**Drahtwurm**

Auch der Drahtwurm ist unter den mechanischen Regulierungsmaßnahmen zu erwähnen, da die bisher einzige althergebrachte Regulierungsstrategie mittels mehrmaliger Bodenbearbeitung im Sommer vor sensiblen Kulturen (Kartoffel, Mais ...) erfolgt(e). Leider hat sich in Folge der heißen Frühjahre und Sommer 2018 und 2019 diese Maßnahme in der Praxis nicht mehr besonders bewährt. Viele Betriebe stehen damit wieder ohne wirklich wirksame Regulierungsmöglichkeit da.

### 2.3.3 Einsatz von Pilzen, Bakterien und Viren

Pilze und Bakterien tragen in vielen Situationen zur Regulierung von Schadorganismen bei. Grundsätzlich sind Bakterien und Pilze in allen lebendigen Prozessen des Pflanzenwachstums direkt oder indirekt beteiligt. Jeder Phase des Abbaus von organischer Masse durch Bakterien folgt die des Umbaus und des Wiederaufbaus durch Pilze. Das können wir uns zunutze machen.

**Bakterien und Pilze** sind für sich eine eigene kleine Welt, von der wir scheinbar nur minimale Bruchteile bisher erforscht haben. Dennoch gibt es bereits jetzt viele interessante Möglichkeiten, die Arbeit der Mikroorganismen und der Pilze für uns nutzbar zu machen.

Eine interessante Variante, um **Bakterien in der Praxis anzuwenden**, sind die folgenden Mittel:

- Die Produkte Cerall® und Cedomon® sind Saatgutbehandlungsmittel und basieren auf vorhandene Bakterien (Pseudomonas chlororapis) des Bodens und verhindern die Keimung der Pilzsporen von Schneeschimmel, Fusarien, Streifenkrankheit und anderen samenbürtigen Krankheiten.
- Die Bakterien der Art Bacillus thuringiensis können effiziente Pflanzenschutzmittel zum Einsatz gegen Larven des Kartoffelkäfers und schädlicher Falterraupen (Maiszünsler, Buchsbaumzünsler, Kümmelmotte etc. ...) liefern. Bt-Präparate sind typische Bio-Mittel und wirken als Fraßgift im Verdauungstrakt der Larven. Sie sind in gewissen Vertragsproduktionsprogrammen aber nicht erlaubt.
- Die Bakterien Saccharopolyspora spinosa erzeugen mit dem Wirkstoff Spinosad ein hochwirksames Insektizid für den Obst- und Weinbau und für die Kartoffelkäferregulierung. Aufgrund der hohen Bienen- und Nützlingsgefährlichkeit und der zeitlich befristeten Nachweisbarkeit (Rückstandsbildung) wird es von gewissen Verbänden und Vertragsproduktionen von vornherein abgelehnt oder mit Wartefristen belegt.
- Apfelwicklerlarven („Wurm im Apfel") werden mit ihren eigenen Krankheitserregern, den Granuloseviren, reguliert. Sie werden zum Abtöten der frisch geschlüpften Apfelwicklerlarven direkt auf die noch ganz jungen Äpfel gespritzt.
- Mit der sogenannten Pilzgerste werden von einem Pilz durchwachsene Gerstenkörner hauptsächlich im Grünland gegen Maikäferlarven ausgebracht. Ein neueres, ähnliches Pilz-Präparat wird mit Cultan-Technik direkt in den Boden injiziert. Beide brauchen aber zur Wirkungsentfaltung ausreichend Feuchtigkeit, was auf Engerling-Wiesen oft eine große Herausforderung darstellt bzw. meist die Grenze der Wirksamkeit ergibt.
- Auch gegen den Drahtwurm gibt es einen Schadpilz, mit dem man den Boden mit Befallsrisiko beimpft. Die befallenen und damit sicher abgetöteten Drahtwürmer verbreiten ihrerseits den Pilz weiter. Wie auch bei anderen Pilzen darf der Boden aber nie richtig austrocknen.

### 2.3.4 Einsatz von Nematoden und Insekten

**Schlupfwespen** *(Trichogramma)* werden als Nützlinge gegen gewisse Schädlinge eingesetzt. Sie schlüpfen aus den Kartonkärtchen oder Transportbehältnissen aus und suchen sich ihren Wirt. Dabei werden die eigenen Eier in die Larven der Wirtstiere abgelegt. Daraus schlüpft dann wieder ein Nützling, die Vermehrung des Schädlings ist gestoppt.

*Trichogramma* werden einerseits sehr erfolgreich gegen den **Maiszünsler** angewandt. Dafür werden die Kärtchen händisch oder Kugeln mittels Drohnen in die Maisbestände ausgebracht. Dies erfolgt nach Warndienstempfehlung mehrmals und nach einem fixen Schema. In Österreich wird dies momentan ausschließlich im Gemüsemaisbau (Zuckermais), dort aber flächendeckend angewandt.

Eine weitere Anwendungsmöglichkeit der Trichogramma ist die **Bekämpfung von Motten** im Getreidelager **und von Stallfliegen**. Beide Larven werden von den Nützlingen sehr effizient aufgesucht und abgetötet. Je offener die Räume und Ställe sind, desto öfter muss eine Wiederbesiedelung erfolgen, da eine Abwanderung stattfindet. Umgekehrt schmälert es die Wirkung weil gerade bei Stallfliegen die Wirtschaftsdüngerlager außerhalb des Stalles meist die größten Brutstätten des Hofes sind. Von dort wandern meist mehr Fliegen zu, als die Nützlinge abtöten können.

Eine Anwendung von Insektiziden ist klarerweise parallel zur Anwendung von Nützlingen nicht möglich.

Gegen die Stallfliege kommen dann auch noch **Güllefliegen** zum Einsatz. Wie ihr Name schon sagt, sind sie auf die Bedingungen der Güllekanäle (finster und feucht) angewiesen. Können ganzjährig Plus-Grade sichergestellt werden, kann die Population über mehrere Jahre aufrechterhalten werden. Sind keine Stallfliegen vorhanden, kann sich allerdings der Nützling ebenfalls nicht weitervermehren.

Nützlingsschonende Entmistungsintervalle und das Ablassen der Güllekanäle mit System sind Voraussetzung, dass die Nützlinge über längere Phasen auch ihre Dienste verrichten können.

Gegen diverse Larven von Insekten haben sich **Nematoden** als Nützlinge bewährt. Diese Fadenwürmer befallend die Larven der Maulwurfsgrillen, des Maiswurzelbohrers, der Trauermücken oder des Gartenlaubkäfers. Ähnlich wie die nützlichen Pilze gegen den Drahtwurm und den Engerling vermehren sich die Nematoden in ihrem toten Wirt und verbreiten sich von dort aus weiter.

### 2.3.5 Einsatz von physikalischen Methoden

**Abflammen**

In anfangs konkurrenzschwachen Kulturen hat sich das System des Abflammens gegen diverse neukeimende Samenunkräuter als mögliche Beikrautregulierungsmöglichkeit etabliert. Vor allem in Karotten und bei Säzwiebeln hat sich das System des Damm- und Reihen-Abflämmens vor dem Auflaufen der Kulturen bewährt.

Mit Hitze können aber auch gewisse Schaderreger auf Lebensmitteln und auf Saatgut unschädlich gemacht werden. Grenzwertüberhöhte Partien werden dann zur sogenannten Entkeimung gebracht.

Ursprünglich kam das System auch bei Mais in den ersten Entwicklungsstadien zum Einsatz. Dieser hält eine kurze Hitzeeinwirkung aufgrund seiner dicken Wachsschicht nämlich ganz gut aus. Die Gaskosten und der Mangel an den Geräten, aber auch die effizienter gewordenen Striegel- und Hackgeräte haben diese anfängliche Entwicklung im Bio-Maisanbau aber schnell wieder eingebremst.

**Warmwasserbehandlung**

Die Warmwasserbehandlung wird vor allem **gegen samenbürtige Krankheitserreger auf Saatgut** verwendet. Dabei werden Samen und auch Steckzwiebel über eine gewisse Zeit in Warmwasser (ca. 40 °C) gelegt und anschließend rückgetrocknet bzw. bei Selbstanwendung im Steckzwiebelbereich gleich ausgepflanzt. Dies vermindert viele Fäulniskrankheiten sehr effektiv.

**Abtrocknung mit Steinmehl**

Gewisse Schaderreger lassen sich einfach durch (zu) trockene Lebensbedingungen regulieren. Diadomenerde-Anwendungen wirken auf gewisse Insekten (Kartoffelkäfer und -larven, Getreidekäfer, Rote Vogelmilbe bei Geflügel, Erdfloh) schädigend, weil sie dadurch ersticken und vertrocknen oder die Mundwerkzeuge irreversibel geschädigt werden. Silikatgesteinsmehle können aber auch als Blattbelag gegen Pilze auf Kartoffeln, im Hopfen-, Wein- und Obstbau eine gewisse Infektionsverzögerung bringen, weil auf trockenen Blättern die Keimung nicht stattfinden kann. Im großen Stil sind die alleinige Anwendung und deren Wirkung aber meist zu gering, vor allem ist die Regenfestigkeit gleich null und daher muss der Blattbelag nach jedem größeren Niederschlagsereignis erneuert werden. Bei gleichzeitiger Anwendung anderer Mittel können aber immer 1 bis 2 kg/ha ultrafeine Steinmehle mitgenommen werden.

### 2.3.6 Einsatz natürlicher Gifte und Wirkstoffe

**Senföl** als Wirkstoff wird im Saatgutbehandlungsbereich gegen die samenbürtigen Krankheiten wie Steinbrand eingesetzt. Überproportionale Befallsmengen kann aber dieses natürliche Mittel auch nicht sanieren.

**Neemöl:** Das Öl aus den Samen und Pflanzenteilen des indischen Neembaums wird traditionell im asiatischen und afrikanischen Raum gegen Insekten verwendet. Es hemmt die weiteren Entwicklungsstadien der Verpuppung und Häutung. Es ist sehr nützlingsschonend und wird vor allem gegen die Kartoffelkäferlarven oder viele stechende und saugende Insekten wie Frostspannerlarven oder diverse Blattläuse eingesetzt.

Crysanthemenblüten liefern das natürliche Insektizid **Pyrethrum**. Es wird gegen diverse Käfer (Kornkäfer, Rapsglanzkäfer ...), Stallfliegen (auch Larvenmittel), Blattläuse und Spinnmilben im Obst-, Wein, Gemüse- und Zierpflanzenanbau eingesetzt.

Natürliche **Säuren** werden gegen diverse Pilze und Bakterien als Regulierungsmöglichkeit eingesetzt. Genau genommen können sie auch als Futterkonservierungsmethode eingesetzt werden, weil eben verderbende Pilze trotz vorhandener Feuchtigkeit (z. B. bei Mais oder Getreide) nicht wachsen können. Daneben gelten diverse natürliche Säuren in der Bio-Imkerei als Möglichkeit, der Varroamilbe Herr zu werden, ohne Resistenzen befürchten zu müssen.

Über die **Absenkung des pH-Wertes** mittels Aufbringen von versauernden Mitteln können beispielsweise Pilze auf Blättern von Pflanzen nicht keimen. Gute Erfahrungen gibt es dabei beispielsweise mit Milchsäurebakterien-Präparaten im Gemüsebau gegen Mehltau und Phytophthora.

**Schwefel** wird im Obst- und Weinbau gegen Schorf und Echten Mehltau eingesetzt. Weiters ist Schwefel aber auch ein wichtiger Pflanzennährstoff und kann, als regelmäßiger Dünger ausgebracht, viele Probleme mit Schadinsekten (Getreidehähnchen, Rapsglanzkäfer, Kartoffelkäfer, Blattläuse ...) vermindern, weil diese oftmals auf ein Stickstoffüberangebot in der Pflanze hin auftreten oder angelockt werden. Mit ausreichend Schwefel kann die Pflanze diesen Stickstoff zu vollständigen Eiweißbausteinen verstoffwechseln und macht ihn dadurch für diese einfachen Schadinsekten unverdaubar. Schwefel als Blattdünger hat zudem eine repellente Wirkung auf diverse Schadinsekten.

Besonders **Kupfer** wird in seiner Anwendung oft plakativ als Kritik an der generellen Anwendung von Pflanzenschutzmitteln im Bio-Landbau herangezogen. Dabei bleibt aber meist unerwähnt, dass die Anwendung nicht exklusiv im Bio-Landbau erfolgt, sondern gerade zum Resistenzenbrechen und aufgrund der relativ breiten Zulassungen mittlerweile auch im klassischen konventionellen Landbau wieder gerne angewandt wird. Die neu formulierten Mittel stellen dabei hochmoderne Produkte mit entsprechend geringem Anwender- und Umweltrisiko dar und bestätigen keinesfalls die oft vermittelten Bilder einer total veralteten und umwelttechnisch nicht mehr vertretbaren Form von Pflanzenschutz. Andererseits ist jeder Überfahrt, die eingespart werden kann, und jedes Gramm Kupfer, das nicht ausgebracht werden muss, etwas Gutes. Alle anderen vorbeugenden Maßnahmen und Ersatzhandlungen sowie -produkte und auch das generelle Bekenntnis, von Kupfer als Pflanzenschutzmittel wegkommen zu wollen, sind aber begrüßens- und unterstützenswert. Nicht zu vergessen ist aber, dass Kupfer ein essentieller Pflanzennährstoff ist und auf immer mehr Flächen auch Kupferdüngungsempfehlungen ausgesprochen werden, die die Pflanzenschutz-Anwendungsmengen um ein Vielfaches übersteigen!

Eine ganz andere und dennoch besondere Form von Pflanzenschutz stellt die im Erwerbsobstanbau oft vorkommende **Anwendung von Pheromonen** dar. Dabei werden die Sexuallockstoffe verschiedener Schädlinge mittels Dispensern so über die gesamte Anlage verteilt, dass durch die Lockstoffe kein Zusammenfinden von Weibchen und Männchen stattfinden kann. Damit ist auch die Ablage von befruchteten Eiern und in weiterer Folge der Schlupf der schädigenden Larven unterbunden. Diese als Verwirrmethode bezeichnete Anwendung wird gerne als integrierte und besonders biologische Methode des Pflanzenschutzes hervorgehoben. Sie ist etwas Besonderes, da sie ohne direkte Anwendung von Mitteln am Obstbaum und der Frucht und damit auch ohne Rückstandsrisiko auskommt. Besonders bei der Regulierung des Apfelwicklers („wurmiger Apfel") ist diese Methode unübertroffen effizient.

### 2.3.7 Direkte Eingriffe

Dazu zählen letztendlich jede mechanische Beikrautregulierung und natürlich auch die eine oder andere Anwendung oben angeführter Mittel und Methoden, sofern sie nicht schon vorbeugend auf die Pflanzen angewandt werden müssen, um eine entsprechende Wirkung zu erzeugen.

Die mechanische Beikrautregulierung beginnt schon mit der Bodenbearbeitung nach der Ernte der Vorkultur bzw. zum Anbau der Folgekultur. In diesem Zusammenhang sollten bereits die

Alle weiteren direkten Möglichkeiten der Beikrautregulierung und Eingriffe zur Schädlings- und Krankheitsregulierung sind bei den jeweiligen Kulturen direkt angeführt.

richtigen Geräte verwendet werden, wobei der Pflug in vielen Situationen vor allem, was die Beikrautregulierung betrifft, nach wie vor das Mittel der Wahl ist.

## 2.4 BEDEUTUNG VON PFLANZENZUCHT UND SORTENWAHL

Der Pflanzenzucht kommt im biologischen Landbau eine ganz entscheidende Bedeutung zu. Immerhin stehen wenige Betriebsmittel zur Verfügung, die ungünstige genetische Eigenschaften der Pflanzen kaschieren oder ausgleichen können. Daher müssen die Sorten, welche für den Bio-Landbau geeignet sind, viele zusätzliche Eigenschaften aufweisen, um als stabile Sorte eingestuft zu werden.

### 2.4.1 Biologische Pflanzenzüchtung

Im Bio-Landbau ist auch die Bedeutung der Pflanzenzucht bei weniger wichtigen Kulturen und anderen Arten abseits von Mais, Soja und Weizen entscheidend. Besonders leistungsstarke und den oben angeführten Eigenschaften entsprechende Leguminosenarten und -sorten sind die Basis für funktionierende Fruchtfolgesysteme.

#### 2.4.1.1 Standortangepasste Regionalsorten und Zuchtinitiativen

Besonders die biologisch-dynamische Landwirtschaft hält den Auftrag nach Zucht und Erhaltung von reinen Bio-Sorten im besonderen Ausmaß hoch und betreibt im deutschsprachigen Raum auch aktiv erfolgreiche Zuchtprogramme.

Gerade dem Bio-Landbau und seinem Anspruch nach standortangepassten Sorten kommen regionale Züchteraktivitäten und Initiativen besonders zugute. Daher werden auch gerade im Bio-Landbau oft gerne noch alte erhaltene Regional- und Landsorten verwendet, da neue Hochertragssorten unter suboptimalen Bedingungen oft ihren Vorteil nicht ausspielen können. Vereinzelt haben aber bis heute meist Bio-Betriebe diese wertvollen genetischen Ressourcen erhalten und in Form von Erhaltungszucht und Weiterselektion gute regional angepasste Züchtungen bewahrt. Im österreichischen Programm ÖPUL sind mit der Maßnahme „Seltene Landwirtschaftliche Kulturpflanzen-SLK“ der Anbau und die Erhaltung eines Teiles dieser Sorten erfasst, dokumentiert und auch gefördert.

#### 2.4.1.2 Hybridsaatgut im Bio-Landbau

Leider holt auch den Bio-Landbau und seine Idee, dass Sorten und Saatgut als Allgemeingut zu verstehen sind, immer öfter und bei vielen Kulturen die Hybridisierungstendenz ein. Viele Verbände und Vermarktungsorganisationen verbieten Hybridsaatgutverwendung nicht pauschal und nicht aktiv. Dennoch ist eine klare Haltung und Empfehlung hin zu Liniensorten in allen relevanten Organisationen zu erkennen.

Bei den meisten Gemüsearten, Ölkürbis, Ölraps und Roggen lässt sich auch der vermeintliche Mehrwert der Hybridzüchtungen im Bio-Landbau oft nicht in höheren Erträgen verwirklichen. Einzig bei Mais und Sonnenblumen ist dies schwierig zu beurteilen, weil de facto Liniensorten mit vergleichbarem Ertragspotenzial fehlen. Einen kleinen Lichtblick stellt eine in Österreich vor der Zulassung stehende rotkörnige Linien-Maissorte dar. Sie ist ertraglich Hybriden ebenbürtig und in ihrer Wuchtigkeit den meisten sogar überlegen.

#### 2.4.1.3 Mehrjähriges Getreide als Zukunftsvision

Ein bisher zu wenig forciertes Thema stellt die Zucht von mehrjährigen Sorten bei Getreide dar. Dabei werden Getreidesorten selektiert, die durch laufenden Wiederaustrieb ohne weitere Aussaat beerntet werden könnten. Eine ansatzweise ähnliche Form stellt die Roggensorte Waldstaudekorn (oder Johannisroggen) dar. Sie kann bereits im Frühjahr oder Frühsommer (Johannis am 24. Juni) gesät werden und wird im Anlagejahr als Viehfutter oder Weide grün genutzt. Im nächsten Jahr wird dann der Samen geerntet. Danach erfolgt aber kein Wiederaustrieb aus der ursprünglichen Pflanze.

### 2.4.2 Sortenwahl und Saatgutbeschaffenheit

#### 2.4.2.1 Sorteneigenschaften

Für die Auswahl der richtigen Sorten im speziellen sind bei den Beschreibungen der jeweiligen Kulturen die genauen Auswahlkriterien und Prioritätenreihungen erwähnt.

Folgende Eigenschaften sollten die Sorten vieler Arten im Bio-Landbau haben:

- Sehr üppiges Wurzelsystem für gute Nährstoffaneignung und Wassereffizienz
- Rasche Keimung und schnelle Jugendentwicklung
- Längerer Wuchs und üppige Pflanzenmasse
- Gute Beikrautunterdrückung durch Blattstellung bzw. Verzweigung
- Gesundheit und Robustheit
- Hohes Kompensationsvermögen

#### 2.4.2.2 Saatgutbeschaffenheit

Saatgut muss besonders im Bio-Landbau den höchsten Ansprüchen genügen, da keine nachträglichen Betriebsmitteleinsätze Qualitätsmängel (Keimfähigkeit, Krankheitsbefall, dünne Bestände ...) von Saatgut wieder wettmachen können.

**Originalsaatgut** wird daher im Bio-Landbau grundsätzlich empfohlen und rechnet sich normalerweise immer. Damit sind alle gesetzlich relevanten Qualitätsparameter eingehalten. Einzig die regionale Herkunft und damit womöglich die fehlende Standortanpassung machen einen Teil der Vorteile mindestens wieder zunichte und lassen in der Praxis auch einmal empfindliche Unterschiede zu hofeigenem Nachbau erkennen.

Soll von einer Kultur eigener Nachbau betrieben werden, ist dies laut Saatgutgesetz innerbetrieblich erlaubt und muss für die Bio-Kontrolle als solcher dokumentiert werden. Eigene Ernten dürfen jedoch für Saatgutzwecke nicht an andere Betriebe weitergegeben werden.

Für die **hofeigene Verwendung** empfiehlt sich, wie bei der offiziellen Saatgutproduktion entsprechend hohe Qualitätsansprüche an das Saatgut zu stellen und dieses auch zu überprüfen. Nachbau sollte nur verwendet werden von Feldstücken oder Teilen davon, die auch bereits vor der Ernte aktiv begangen und besichtigt wurden. Dabei ist besonders auf Erscheinungsbilder von samenbürtigen Krankheiten (Schneeschimmel, Flugbrand, Steinbrand, Mutterkorn, Brennflecken, Stängelfusarien u. dgl.) und schwierig herauszureinigenden Beikrautsamen (je nach Kultur Ampfer, Kleeseide, Kleeteufel, Stechapfel, Ackerfuchsschwanz etc.) zu achten. Damit erfolgt der erste Schritt in Form der **Feldanerkennung**. Den zweiten Schritt der **Laboranerkennung** kann man über die Gebrauchswertprüfung als Angebot der AGES in Österreich bewerkstelligen. Es empfiehlt sich bei beiden Schritten sehr selbstkritisch zu sein.

Aus Beständen mit Kleeteufelvorkommen sollte kein Nachbausaatgut verwendet werden.

Mögliche Saatgutsanierungsmöglichkeiten mittels diverser Pflanzen- und Bodenhilfsstoffe und auch zugelassener Pflanzenschutzmittel stoßen dabei aber schnell an ihre Grenzen. Ein von vornherein gesundes Saatgut ist durch nichts zu ersetzen. Die mit Originalsaatgut, dem sogenannten Saatgutwechsel, verbundene Sicherheit und Qualität steht schnell in Relation zu den Kosten. Besonders bei Speisegetreide wird man oft nur mit der hohen Qualität von Originalsaat den besonderen Premiumansprüchen des Bio-Landbaus gerecht.

## 2.5 BIOLOGISCHER ACKERBAU

Der Bio-Ackerbau stellt entsprechende Anforderungen an seine Umsetzer. Oftmals müssen gewisse Dinge stärker vorbeugend geplant und längerfristig betrachtet werden. Außerdem braucht es in der Situation oftmals individuellere Lösungen, es gibt kaum Patentrezepte mit Düngergaben oder Pflanzenschutzmittel-Anwendungen. Dennoch wurde der Bio-Ackerbau in den letzten Jahren stetig weiterentwickelt und vor allen von den Bauern und Bäuerinnen wurden in der Praxis viele Lösungsansätze gefunden. Heute kann man getrost sagen, es gibt im Bio-Landbau kaum eine Frage, die nicht mit einer praxistauglichen Lösung beantwortet werden kann

Die **wichtigste Herangehensweise**, um im Bio-Ackerbau erfolgreich zu sein, ist aber, **sich an der Natur und ihren Gesetzen zu orientieren**. Dazu muss man die Zusammenhänge lernen oder kennen und die Naturgesetze auch als Grenzen akzeptieren. Damit ist klar, dass gewisse Situationen wie Witterungsextreme und damit einhergehende stärkere Verunkrautung oder jahresbedingtes Schädlingsauftreten oftmals auch die Grenzen des natürlich Machbaren aufzeigen.

Kann man aber in speziellen Situationen die gewisse Toleranz für Beikräuter, naturgemäße Ausfallsrisiken oder witterungsbedingte Problemsituationen aufbringen, gehört der Bio-Ackerbau zu den schönsten Berufen der Welt. Es ist einfach ein gutes Gefühl, es jährlich zu spüren, was die pure Kraft der Mutter Erde ohne chemische Zusätze und künstlich hergestellte Dünger an Lebensmitteln für uns bereitstellen kann.

### 2.5.1 Gesunde Pflanzen als Grundlage für gesunde Tiere

Nicht nur die Menschen sollen von den gesunden Lebensmitteln aus gesunden, biologisch bewirtschafteten Flächen profitieren. Auch für die Tiere dienen die Bio-Äcker als Grundlage für gesundes Futter aus der Region. Dabei ist der Kreislaufgedanke und die möglichst vollständig vom eigenen Acker stammende Futtergrundlage oftmals noch stärker in der Zielvorstellung der Bio-Bäuerinnen und -Bauern verankert als konventionell und auch richtlinienseitig vorgegeben.

Zum Futter kommt noch die durch Richtlinien vorgegebene Verwendung von Einstreu als ein weiteres mögliches Produkt der eigenen Bio-Ackerflächen. Die flächengebundene Tierhaltung ist eine der großen Grundsteine der kreislauforientieren Bio-Landwirtschaft.

### 2.5.2 Fruchtfolgeplanung am Bio-Betrieb

Die **Fruchtfolge** stellt die Bio-Betriebe vor die **größten Herausforderungen** in der ackerbaulichen Planung. Fruchtfolge ist aber mehr als nur Anbauabstände einzuhalten und Unverträglichkeiten zu beachten. Nur die richtige Aneinanderreihung von Kulturpflanzen bringt den Erfolg im Ackerbau. Ein einziger Fehlgriff kann hier genügen und Beikräuter mit Zeigerpflanzenfunktion können in den nächsten Jahren zu einem Problem auf dieser Fläche werden.

Daher sind die Fruchtfolgeplanung und das Wissen um die Zusammenhänge in diesem Bereich eine unabdingbare Grundlage im Bio-Ackerbau. Ganz zentral ist in diesem Zusammenhang der Begriff der **Nährstoff- bzw. der Stickstoffdynamik** zu nennen. Starkzehrer brauchen demnach eine entsprechend hohe Stickstoffmenge im Boden, Schwachzehrer entsprechend weniger, Leguminosen klarerweise möglichst nitratfreie Böden. Auch für die Beikrautregulierung über die Fruchtfolge ist das aktuelle Stickstoffniveau entscheidend. Leguminosen auf stickstoffreichen Böden verunkrauten oft massiv, während auf leeren Böden die gleichen Kulturen einfach beikrautfrei gehalten werden können. Daher nutzt oft die beste Planung nichts, wenn nicht die notwenige Flexibilität und die Kenntnis über den Boden zu jahres- und feldstücksindividuellen Entscheidungen führen.

Da Fruchtfolgen vielen Ansprüchen genügen müssen und viele Aufgaben zu erfüllen haben, gibt es nicht die eine richtige, sondern viele verschiedene Abwandlungen davon. Innerbetrieblich kann es vorkommen, dass parallel mehrere Fruchtfolgen ablaufen. Im „schlimmsten" Fall hat jedes Feld eines Betriebes eine eigene spezielle Fruchtfolge.

**Aufgabe:**
Überlege, was dich veranlassen würde, eine Fruchtfolge auf einem Feldstück abzuändern. Bei welchen Fruchtfolgegliedern ist dies besonders relevant?

#### 2.5.2.1 Aufgaben und Funktionen einer Fruchtfolge

Folgende Funktionen muss eine Fruchtfolge jedenfalls erfüllen:

- Möglichst viel marktfähige Ware
- Möglichst viel Humusaufbau/-erhalt
- Möglichst viel Gareaufbau/-erhalt
- Möglichst geringer Beikrautdruck
- Möglichst ganzjährige Bodenbedeckung
- Ausgewogene Nährstoffkreisläufe
- Überangebote von Nährstoffen vermeiden
- Raubbau an den Nährstoffvorräten vermeiden
- Erosion vermeiden

Fruchtfolgen sollten einerseits fixen schematischen Abläufen folgen, die man eigentlich nur in äußersten Notfällen oder großen betrieblichen Umbrüchen umstößt. Andererseits muss für die Fruchtfolgen und die Kulturauswahl immer ein Plan B vorhanden sein. Gerade in biologischen Anbausystemen müssen witterungsbedingte Extreme oder besondere Bodenverhältnisse akzeptiert werden und im Zweifelsfall zu einer kurzfristigen Änderung der Anbauplanung führen.

#### 2.5.2.2 Geschichtliche Entstehung der Fruchtfolge

Eigentlich ist die Fruchtfolge als Folge des Sesshaftwerdens der Menschen entstanden. Denn von da an hatten sie keine Möglichkeit mehr, nach dem Verlust der fruchtbaren Böden einfach weiterzuziehen und neue Flächen durch (Brand-)Roden nutzbar zu machen. Sie mussten sich ein System überlegen, das sie auch in vielen Jahren noch ernähren würde.

Schnell kam man darauf, dass alleine das Brachliegenlassen eines Feldes in einem Drei-Jahres-Rhythmus eine entsprechende Erholung des Bodens brachte und die Erträge gut blieben. In diesem Brachejahr wuchs anfangs nur eine Begrünung aus selbstauflaufenden Samen, die die Natur aufbrachte.

Aus einer Dorfsicht wurden die Brachen der einzelnen Bauern und Bäuerinnen jedes Jahr in eine andere Himmelsrichtung alle nebeneinander angeordnet (die Bauern wurden mittels Flurzwangs dazu angehalten), somit entstand eine große zusammenhängende Weidefläche für das Vieh.

Später wurde die Selbstbegrünung durch Kleeeinsaaten ersetzt, da man lernte, dass dies die Erträge in den Folgejahren nochmals steigerte.

Die bis heute als **alte Dreifelderwirtschaft** bekannte **erste Form der Fruchtfolge** entstand. Dabei folgte im Normalfall dem Brachejahr ein anspruchsvolles Speisegetreide und als drittes noch ein weniger anspruchsvolles Speise- oder Futtergetreide. In der Weiterentwicklung des Systems wurde später der Klee oft auch wieder durch andere Blattfrüchte wie Kartoffeln oder Zuckerrüben (neue/weiterentwickelte Dreifelderwirtschaft) ersetzt, um die Lebensmittelmengen aus einer Fruchtfolge nochmals zu erhöhen und die damals mehr werdende Bevölkerung in den Städten zu versorgen. Dies geschah aber erst mit dem Einzug der Handelsdünger im Ackerbau und dem Verbot der Zuckerimporte aus Übersee im 19. Jahrhundert.

### 2.5.2.3 Dreifelderwirtschaft als Vorlage

Viele Fruchtfolgen im Bio-Landbau orientieren sich auch heute mehr oder weniger am alten Schema der Dreifelderwirtschaft mit Phasen des Bodenaufbaus, der starken Zehrer und der schwachen Zehrer. Meist läuft dieses Rad mehrmals in einer Fruchtfolge ab bis sie wieder von vorne beginnt. Gerne werden im Bio-Landbau Fruchtfolgen mit sechs-, sieben- oder achtjährigem Ablauf verwendet. Dies bringt genügend Vielfalt und ausreichend Anbauabstände für sensible Kulturen und auch die Leguminosen unter sich. Gewisse selbstverträgliche oder robuste Kulturen (Mais, Soja, Triticale) vertragen dabei auch die mehrmalige Aufnahme in einem Fruchtfolgedurchgang.

**Beispiele für Fruchtfolgen**
KG-WTrit-M-AB-WTrit-SJ-WRog
RK-WG-M-AB-M-SJ-WTrit
Luz-WW-M-SJ-Di-SJ-WG

**Legende:**
KG ...Kleegras,
WTrit ... Winter-Triticale,
AB ... Ackerbohne,
SJ ... Soja,
WRog ... Winter-Roggen,
RK ...Rotklee,
WG ... Wintergerste,
M ... Mais,
Luz ...Luzerne,
WW ...Winterweizen,
Di ... Dinkel

### 2.5.2.4 Düngung über die Fruchtfolge

Die Fruchtfolge stellt ein wesentliches Element im Gesamtgefüge der indirekten Düngungsidee dar. **Leguminosen-Hauptfrüchte stellen Stickstoff bereit**, mittels nachfolgenden Zwischenfrüchten und sorgsamer Bodenbearbeitung wird dieser möglichst gut bis zur Folgefrucht verfrachtet. Nachdem der Bodenvorrat durch mehrere Folgefrüchte geleert wurde, kann wieder eine Leguminose als Haupt- oder Zwischenfrucht folgen.

### 2.5.2.5 Beikrautregulierung über die Fruchtfolge

Auch die Beikrautregulierung über die Fruchtfolge erfolgt hauptsächlich über die Beachtung der Nährstoff- und vor allem der Stickstoffdynamik. Folgen auf stark stickstoffanreichernde Kulturen keine adäquaten Verbraucher, sind Wurzelbeikräuter wie Disteln und Ampfer vorprogrammiert. Auch nach Hackfrüchten wie Ölkürbis, Soja und Kartoffel dürfen diese N-Dynamiken nicht unterschätzt werden. Je schneller und vollständgier diese Nitratmengen wieder lebendverbaut werden, desto geringer ist das Risiko, dass daraus ein Beikrautproblem entsteht.

Untersaaten und Zwischenfrüchte nach Körnerleguminosen, Untersaaten in Hackkulturen wie Ölkürbis und Soja und winterharte, stickstoffzehrende und garestabilisierende Folgefrüchte auf Kartoffeln und Zuckerrüben sind da besonders erwähnenswert. Umgekehrt müssen alle Bodenbearbeitungsmaßnahmen vermieden werden, die der Beikrautregulierung dienen sollen (Distelkuren, Queckenregulierung ...). Viel effizienter ist es stattdessen, mehrfach austreibende Untersaaten oder Zwischenfrüchte zu etablieren und diese mehrmals zu mähen oder zu mulchen, um die Disteln zu regulieren. Quecken reguliert man am besten mit Sudangras und Buchweizen als Zwischenfrucht während des Monats August. In diesem Monat sammelt nämlich sie ihre Hauptenergie.

## 2.5.3 Gründüngung und Untersaaten

Zwischenfrüchte bilden im Zusammenhang mit der Fruchtfolge eine fast untrennbare Einheit. Einerseits können Zwischenfrüchte und auch Untersaaten die Wirkung von Hauptfrüchten verstärken oder abfedern, andererseits sind sie im Bereich Anbauabstände, Familienzugehörigkeit und Krankheitsübertragung mit zu beachten. Zwischenfrüchte spielen oftmals neben der Fruchtfolge an sich die entscheidende Rolle, ob die nachfolgende Kultur funktioniert oder nicht. Selbst die Einarbeitung der Zwischenfrucht kann hierbei die Schlüsselrolle spielen.

#### 2.5.3.1 Untersaaten

Untersaatanlagen waren früher stärker vorhanden. Nachdem sie schon fast in Vergessenheit geraten sind, werden sie in den letzten Jahren wieder häufiger angewandt. Besonders die regenerative Landwirtschaft setzt bewusst auf Untersaaten, um Biodiversität, Schädlingsabwehr und Humusaufbau zu verstärken.

Dafür werden für viele Kulturen passende Mischungen angeboten. Oftmals ist die Angst des Überwachsens oder Konkurrenzierens der Kulturpflanze gegeben. Werden Untersaaten gleich mit der Hauptfrucht mitgebaut, sollten sie, aber auch die Hauptfrucht tatsächlich sehr bewusst ausgewählt werden. Bei Untersaaten in Hackkulturen beim letzten Hackdurchgang können durchaus bewusst üppiger werdende Pflanzen als Einsaaten verwendet werden, um überhaupt spürbare Wirkungen zu erzielen.

**Wintergetreide**

In Wintergetreide können im Frühjahr (am besten schon auf den Februar-Schnee oder am letzten Frost) viele Komponenten eingesät werden. Ist die darauffolgende Witterung zu trocken, können die jungen Keimlinge allerdings schnell verdorren.

Daher hat es sich seit einiger Zeit etabliert, die Untersaat bereits im Herbst einzustreuen. Dabei wird spätestens beim Blindstriegeln ein Rasengenetik-Gras (z. B. Mischung M2) oder langsam wachsende Kleearten wie Weißklee, Luzerne, Inkarnatklee oder evtl. Rotklee eingesät. Die Deckfrucht aus Getreide und die milder werdenden Winter tragen zu sehr guten Überwinterungserfolgen bei.

**Sommergetreide**

In Hafer lassen sich viele Untersaaten einbringen, er gilt als klassische Deckfrucht für Futterbaubetriebe. Auch die sogenannte Kleegerste war früher allerorts bekannt. In beiden Fällen werden Futtergräser und Klee (als Zwischenfrucht oder auch als nachfolgende Hauptfrucht) einfach mit angebaut. Dies erfolgt meist in einer zweiten Überfahrt. In Hafer wird auch gerne Leindotter (4 kg/ha) eingestreut. Dieser darf nur nicht zu tief eingestriegelt werden. Leindotter kann als Druschkultur dann mitgeerntet werden.

**Ackerbohnen**

In Ackerbohnen werden entweder 6 bis 8 kg/ha Rasengenetik-Gräser oder Kreuzblütler (5 kg/ha Senf oder 4 kg/ha Leindotter) einstreut. Am besten funktioniert das direkt im Anschluss an den Anbau. Für besonders üppige Untersaaten sollte die Ackerbohne auf doppelten Reihenabstand angebaut werden. Nachfolgende Beikrautregulierungsschritte minimieren die Untersaaten kaum. Senf passt besonders gut, weil er mit der Wuchshöhe der Bohnen entsprechend mithalten kann, in normalen Jahren gleich reif wird und mit seinen Duftstoffen erfolgreich Blattläuse und deren Virusübertragung vermindert.

**Erbsen**

In Erbsen gilt das Gleiche wie bei Ackerbohnen, wobei die Leindottereinsaat (4 kg/ha) besser passt. Diese beschattet anfangs den Boden perfekt und hält das Beikraut hintan. Danach fungiert der Leindotter auch als Stützfrucht. Die Bestände stehen bis zum Dreschen wie gewachsen und brechen nicht nieder, dies verhindert auch erfolgreich die Spätverunkrautung.

**Soja**

Einsaaten in Soja sind selten. Besonders die Einsaaten von 4 kg/ha Leindotter oder von 6 kg/ha Rasengenetik-Gräsern beim letzten Hackdurchgang gelten als erfolgsversprechend. Auch Betriebe, die Soja auf Getreideabstand anbauen und ausschließlich als Striegelkultur betreiben, versuchen mit Leindotterbegleitsaaten von bis zu 10 kg/ha die Anfangsverunkrautung zu unterdrücken. Das Striegeln dünnt später den Leindotter aus. Dieser wird letztendlich mitgeerntet und kann leicht weggetrennt werden.

### Mais

Untersaaten in Mais sind sehr vielseitig diskutiert. Zwei Dinge können sie jedoch kaum: die mechanische Beikrautregulierung ersetzen und die Düngung zu Mais ersetzen. Auch die oft erhoffte Reduzierung der Erosionsprobleme setzt in der Wirkung meist erst ein, wenn der Mais selbst schon längst den Boden bedeckt. Untersaaten können aber sehr wohl später den Boden zwischen den Reihen bedecken und vor allem durchwurzeln und auch gut befahrbare Böden bei der Ernte erzeugen. Silomaisbestände können mit der Untersaat von Futtergräsern oder Landsberger Gemenge zwei Wochen nach der Ernte bereits beweidet werden. Im System Immergrün sind Untersaaten eine Möglichkeit, die Zeit bis zum Anbau von Sommerungen zu überbrücken. Je üppiger die Untersaat ist, desto weniger hat das Maisstroh bei der Ernte einen unterdrückenden Effekt. Sollte dennoch eine Hemmmung der Untersaat stattfinden, kann ein Striegeln zehn bis 14 Tage nach der Ernte das Stroh nochmals so weit anheben, dass die Untersaat durchfindet.

Neuerdings wird in Mais auch die Untersaat von Getreide (60 kg Roggen oder 45 kg Einkorn ...) probiert, da diese üppige, aber wieder gut regulierbare Bestände erzeugen.

Direkt- und Frässaaten sind im Mais nicht vielversprechend, weil die Mineralisierungseffekte, die in der Bodenernährung von Mais relevant sind, komplett auslassen. Dies könnten nur Wirtschaftsdüngerbetriebe durch überproportional viel Gülleanwendung ausgleichen. Oder es wird zumindest streifenweise zwischen dem Mais später tief(er) gelockert.

### Sonnenblumen

Für Untersaaten in Sonnenblumen gilt Ähnliches wie für Mais. In Sonnenblumen ist die Stickstoffkonkurrenz weniger ein Problem. Üppigere Untersaaten, teilweise zufällig, teilweise bewusst, bspw. mit Buchweizen, bringen regelrechte Mischkulturbestände, die sogar eine zusätzliche Ernte ermöglichen würden. Einsaaten mit Wicken, Klee und auch Gräsern (auch Kleegras) funktionieren in Sonnenblumen beim letzten Hackdurchgang sehr gut. Damit wäre die Thematik der Ausfallkörner und des Durchwuchses in den Folgejahren auch gelöst.

## 2.5.3.2 Zwischenfrüchte

### Begrünung im Sinne der Naturgesetze

Eine Begrünung von Ackerflächen im Sommer sollte keinesfalls eine lästige Fördernotwendigkeit erfüllen, sondern eine Selbstverständlichkeit für fortschrittlichen Ackerbau darstellen. Diverse Naturgesetze geben gute Anleitungen für die ordentliche Begrünung der Felder.

### Zum Schutz der Haut

Die Haut der Erde ist genauso sensibel wie die menschliche Haut, sie braucht Schutz und Bedeckung, um direkte Sonneneinstrahlung und zu starke Austrocknung zu verhindern. Die Natur kennt keinen offenen Boden, daher schickt sie bei länger offenen Böden sofort Bewuchs mit Beikräutern, eben aber meist Pflanzen, mit denen man nicht wirklich zufrieden ist.

Daher gilt es, das **Naturprinzip der ständigen Bodenbedeckung** sofort nach der Ernte umzusetzen. Die Humusbildung und die Förderung der Bodenlebewesen werden damit bestmöglich unterstützt. Die beste Form der sofortigen Bodenbedeckung mit grünen Pflanzen wären Untersaaten, da die langsame und sensible Jugendentwicklung noch im Schutz der Deckfrucht passiert. Mittlerweile gibt es ja nicht mehr nur die zeitige Einsaat von Untersaaten im Frühjahr, sondern auch Untersaaten bereits im Herbst, Vorerntesaaten (14 Tage vor der Ernte) oder auch Druschsaat während des Mähdruschs durch aufgebaute Saateinheiten unter dem Tisch des Dreschers oder in den Strohstrom des Häckslers.

### Kollektorflächen für Sonnenenergie

Niemand würde die Solar- oder Photovoltaikanlage zwischen Juli und Oktober abdrehen. Sieht man die Blätter und anderen grünen Teile der Pflanzen aber als Kollektorflächen für Sonnenenergie, die die Bodenlebewesen und Umsetzungsprozesse im hochkomplexen Organismus Boden mit Energie versorgen, so sind vor allem Getreideflächen nach der Ernte ohne nachfolgende Begrünungen regelrechte (Sonnen-)Energieverschwender.

Durch die fehlende Bedeckung wird nicht nur keine Sonnenenergie gesammelt und in Form von Pflanzenmasse gespeichert, es wird sogar gleichzeitig durch oft mehrmalige Bodenbearbeitung, die notwendig ist, um den aufkommenden Beikrautbesatz zu bändigen, ehemals gespeicherte Energie (Humusmengen) abgebaut und somit der Speicher an organischer Substanz belastet statt aufgefüllt.

**Lücken füllen**

Lückenfüllerpflanzen wie Quecken, Ampfer und Disteln sammeln in dieser Zeit im Sommer bei fehlender Konkurrenz durch üppige Begrünungen genau die Energie und speichern sie in ihren Wurzeln, die sie im nächsten Jahr brauchen, um stärker als die Kulturpflanzen zu sein.

**Keine Zeit verschenken**

Mehrmaliges Grubbern vor der Aussaat der Begrünung kostet in den meisten Jahren viel wertvolle Zeit, die Gare, die unmittelbar nach der Ernte im Boden vorhanden ist, wird nicht bestmöglich ausgenutzt. Ausfallgetreide wird durch üppige Begrünungsmischungen meist genauso zuverlässig unterdrückt. Wenn nicht, ist das Ausfallgetreide durchaus auch eine Bereicherung der Begrünungsmischung. Eine der Begrünungszeit nachfolgende Bodenbearbeitung zur Aussaat der Folgefrucht bringt das Ausfallgetreide normalerweise zuverlässig um.

**Vielfalt auf mehreren Etagen walten lassen**

Die Natur bringt niemals nur eine Art auf, daher sollte man gerade bei Begrünungen besonders darauf achten, die Biodiversität durch eine artenreiche und stockwerksartig aufgebaute Begrünungsmischung zu unterstützen. Bunte Mischungen, auch blühende Komponenten, sind hier reinen Senf- oder Futterrapsbegrünungen in den allermeisten Fällen vorzuziehen.

Die etagenartig aufgebaute Mischung sollte sich auch unterirdisch (im Wurzelbild) widerspiegeln. Daher sind Feinwurzelpflanzen wie Alexandrinerklee und Phacelia gemeinsam mit Tiefwurzlern wie Ölrettich, Melorationsrettich oder Ackerbohnen die beste Kombination.

**INFO!** Empfehlungen

Nach Getreide vor Getreide: mit Leguminosen
- 15 kg Bio-Alexandrinerklee + 10 kg Sudangras
- 50 kg Bio-Hafer+ 35 kg Bio-Sommerwicken
- Ansonsten Mischungen mit Leguminosen und Nichtleguminosen

Nach Getreide vor Leguminosen: ohne Leguminosen
- 15 kg Bio-Buchweizen, 5 kg Sommerfutterrraps (nur mit Saatgutansuchen), 5 kg Sudangras (nur mit Saatgutansuchen)
- Mischungen nur OHNE Leguminosen (Sudangras, Sandhafer, Sommerroggen, Ölrettich, Meliorationsrettich, Mungo, Kresse, Leindotter, Sonnenblumen, Hirse, Senf ...)

Nach Mais vor Leguminosen
- 75 kg Grünschnittroggen oder 15 kg Winterrübsen beim Grubbern im Herbst

Nach Leguminosen vor Getreide/Mais
- 5 kg Senf/Sommerfutterraps
- Mischungen nur OHNE Leguminosen (Sudangras, Sandhafer, Sommerroggen, Ölrettich, Meliorationsrettich, Mungo, Kresse, Leindotter, Sonnenblumen, Hirse, Senf ...
- Vor Mais eventuell mit Grünschnittroggen, Winterrübsen und Inkarnatklee

## 2.5.4 Getreide

Getreide spielt als Halmfrucht in vielen Regionen, Betrieben und Fruchtfolgen die größte Rolle. In den letzten Jahren geht die Entwicklung dahin, dass ein Großteil der Getreide als Wintergetreide angebaut werden.

### 2.5.4.1 Weichweizen

Weizen ist das wichtigste Brotgetreide und im Trockengebiet im Osten Österreichs besonders stark verbreitet. Dort wird im Normalfall ohne großes Zutun die Mahl- oder Qualitätsstufe bei Weizen erreicht. Aufgrund der Niederschlagsmengen werden aber dafür Grannensorten mit Qualitätsbetonung angebaut.

### Fruchtfolge

Das Hauptkriterium Proteingehalt, aber auch der Ertrag können vor allem durch gute Fruchtfolgestellungen (nach Luzerne, Kleegras oder evtl. nach Ackerbohnen und Wicken) abgesichert werden. Weizenbestände nach Soja erreichen die Proteinwerte oftmals nicht, was Soja als Ersatz für Ackerbohnen, Erbsen oder gar Klee in der Fruchtfolge aus dieser Sicht ausschließt.

### Sortenwahl

Ist Wasser der begrenzende Faktor für die Weizenerträge, ist man mit Qualitätsweizensorten mit guten Kompensationseigenschaften gut beraten (oftmals Grannenweizen). Können jedoch in Gunstlagen und Veredelungsbetrieben Stickstoffmengen und auch Niederschläge für hohe Erträge sichergestellt werden, sind ertragsbetonte Mahlweizensorten mit Kompensationseigenschaften die beste Wahl. Echte Futterweizensorten sind oftmals krankheitsanfällig (Gelbrost ...) und bräuchten für hohe Erträge vor allem eine hohe Bestandesdichte. Diese bilden sich aber oft sehr bald im Frühjahr, wo aber in den meisten Betrieben weder über Bodennachlieferung (fehlende Temperaturen, träger Boden) noch über organische Düngung die N-Mengen sichergestellt werden können. Das Ertragspotenzial dieser Sorten kann oftmals nicht ausgeschöpft werden.

Speziell für Ernährungszwecke ist auch noch sogenannter Purpur-Weizen, eine Weizensorte mit roter Samenschale und deutlich erhöhten Antocyan- bzw. Lysingehalten, im Kontraktanbau zu finden.

Entsprechend lange Wuchshöhe, gute Beikrautunterdrückung und geringe Anfälligkeit für diverse Krankheiten wie Gelbrost oder Steinbrand sind wichtige vorbeugende Möglichkeiten, Probleme in der Kulturführung zu vermeiden.

Sorten mit Kompensationseigenschaften und üppigem Wurzelvolumen sind klassischen Höchstertragssorten im Bio-Landbau oftmals überlegen.

### Anbau

**Sommerweizen** kann eine Alternative sein, wenn die Anbaubedingungen im Herbst zu nass waren. Auch sogenannte Wechselweizen wären dafür geeignet. Sie haben sich aber nie durchgesetzt. Sommerweizen erreicht die Erträge von Winterweizen normalerweise nicht, da die Jugendentwicklung und Bestockung im Frühjahr in sehr kurzer Phase ablaufen. Fehlt es hier an Wasser oder Nährstoffen, sind Ertragseinbußen vorprogrammiert. Wird Sommerweizen angebaut, sollte der ehestmögliche Anbautermin im Frühling gewählt werden. Ab 10. bis 15. April sollte entweder auf Sommergerste oder andere zehrende Sommerungen ausgewichen werden.

Es wird in Sommer- und Winterweizen unterschieden. Entsprechend wird der eine im Frühjahr und der andere im Herbst angebaut.

**Winterweizen** wird im Normalfall Ende September bis Mitte November gesät. In vielen Lagen haben sich die ersten beiden Oktoberwochen als optimal herausgestellt. Je nach Saattermin und Sorte variieren die Saatstärken von 150 bis 190 kg/ha. Zum Anbau am 10. Oktober empfehlen sich 175 kg/ha. Die Saattiefe beträgt wie bei allen Getreidearten ca. 2,5 cm.

### Düngung

Weizen stellt unter den Getreidearten die größten Ansprüche in der Düngung und Fruchtfolgestellung. Er sollte jedenfalls nach guten Vorfrüchten stehen. In tierhaltenden Betrieben verträgt er Mist- und Güllegaben bestens. Grundsätzlich sind für gute Erträge die Stickstoffmengen in der Bestockungsphase entscheidend. Für die guten Proteinwerte sind die Stickstoffmengen in der Kornfüllungsphase relevant. Je nach Stickstoffdynamik des Bodens und der Vorfrucht sind die Düngegaben entsprechend ergänzend dazu zu planen.

**Aufgabe:**
Weizen steht in der Fruchtfolge gerne nach Kleegras. Wann sollte dazu eine Gülledüngung erfolgen? Wenn Weizen nach Soja angebaut wird, ist eine Düngegabe meist sinnvoll. Diese sollte vorrangig in welcher Phase wirken?

### Beikrautregulierung

Weizen wird wie alle Getreidearten grundsätzlich als Striegelkultur geführt. Auf vielen Betrieben mit gutem vorbeugenden Beikrautmanagement und entsprechend effizienter Bodenbearbeitung zur Saat wäre der Striegeleinsatz wegen der Beikrautregulierung oft gar nicht notwendig. Dennoch wird gerade zu Weizen gerne im Frühling gestriegelt, um die Bestockung anzuregen und Nährstoffe zu mobilisieren.

Nur in einzelnen Fällen hat sich der Weizenanbau als Hackkultur durchgesetzt. Im sogenannten Lichtschachtsystem wird Weizen im Reihenabstand von 24 bis 50 cm angebaut und demnach einmal bis mehrmals gehackt. Dies ist natürlich einerseits aus Sicht der Beikrautregulierung notwendig und bei starkem Wurzelbeikrautdruck interessant. Das Hacken verstärkt aber auch die Mineralisierung der Nährstoffe und die daraus abgeleiteten Düngeeffekte. Vor allem auf schweren, trägen Böden kann dies eine Variante sein. Durch die oft dünneren Bestände wird aber (bewusst) auf Ertrag zugunsten der Kornqualität verzichtet. Dies ist vor allem bei großen Preisunterschieden zwischen dem Futter- und dem Speiseweizenpreis interessant.

In Weizen wird Klettenlabkraut bei Bedarf in einem späten Striegeldurchgang (Zinken auf Griff, meist kein Bodenkontakt) rund um das Ährenschieben bis zur Blüte herausgekämmt.

### Krankheiten und Schädlingsregulierung

Weizen wird von diversen Krankheiten befallen. Besonders beachtenswert sind die **samen- und bodenbürtigen Brandkrankheiten** wie Steinbrand und Zwergsteinbrand. Wichtige **Managementmaßnahmen** sind

- entsprechend gesundes Saatgut (Originalsaatgut oder untersuchter Nachbau),
- wenig anfällige Sorten und
- auf befallenen Feldern entsprechende Sanierungsmaßnahmen (Anbauabstände, Ausweichen auf weniger anfällige Getreidearten ...).

Direkte Regulierungsmöglichkeiten gibt es nicht. Saatgutbehandlungen mit Bakterien, Senfmehl oder Heißwasser bringen nicht die notwendigen Effekte. Befallene Partien sind schnell genussuntauglich (giftig und Fischgeruch) und bei entsprechend intensivem Befall auch für die Verfütterung ungeeignet.

Um **Gelbrost- und Braunrostbefall** zu vermeiden, sind entsprechend gesunde Sorten zu wählen. Die bio-vermehrten Sorten sind oftmals schon nach diesen Ansprüchen ausgewählt. Umgekehrt ist der Befall oft wenig ertragsrelevant und beeinträchtigt die Verwertung der Körner nicht.

Mehltau ist im Bio-Landbau aufgrund der organischen Düngung selbst in Veredelungsbetrieben mit Gülleeinsatz kaum vorhanden. Daher ist die Anfälligkeit darauf ein untergeordnetes Sortenmerkmal.

Getreidehähnchen können in allen Getreidearten auftreten. Plakativ sei hier erwähnt, dass das Abstreifen der Larven mittels Striegel oder einfachen Leisten und Stangen äußerst effektiv ist. Die Regulierung macht ab einer Schadschwelle von mehr als einer Larve je Fahnenblatt Sinn.

### Ernte

Weizen wird wie üblich geerntet. Bei Qualitätsweizen ist in feuchten Jahren eine etwas frühere Ernte und anschließende Nachtrocknung finanziell sinnvoll.

### Verwendung

Weizen wird universell eingesetzt. Im Bio-Landbau wird entweder Futterweizen oder klassischer Speiseweizen erzeugt, dessen Korninhaltsstoffe und Backfähigkeit eine entsprechende Rolle spielen. Parameter wie Rohrprotein, Hektoliter-Gewicht und Fallzahl werden für die Einstufung bestimmt und die Bezahlung danach abgestimmt. 13 % Rohprotein, 80 Hektoliter und eine Fallzahl von 220 gelten dafür als Richtwert. Da aber viele Bäcker noch traditionell backen, kann auch Mehl von Weizen mit 12 % Protein oftmals gut verbacken werden. Weizen mit guter Backfähigkeit aber weniger Protein wird entweder zum Mischen mit Hochproteinpartien verwendet oder zu Flocken verarbeitet. Im geringen Ausmaß wird Weizen auch zu Malz für die Bierbrauerei verarbeitet.

Auch die Verwendung von Futterweizen wird laufend mehr, da die Veredelungsbranche, im Speziellen der Geflügelsektor, als wichtiger Abnehmer laufend größer wird.

Je nach Jahr und Mengenangebot liegen die Preisunterschiede zwischen den Futter- und Qualitätsweizenpartien zwischen 30 und mehr als100 Euro je Tonne.

## 2.5.4.2 Gerste

Im Bio-Landbau wird sowohl Sommer- als auch Wintergerste angebaut. In den letzten Jahren ist aber ein klarer **Trend zur Wintergerste** zu beobachten. Dies hat mehrere Gründe:

- Einerseits werden die Wintergersten ertraglich immer besser, auswinterungsfester und es gibt langstrohigere Sorten mit guter Beikrautunterdrückung.
- Andererseits sind auch immer mehr Braugersten als Wintergerstensorten im Programm, was in klassischen Marktfruchtbetrieben den Trend zur Wintergetreide hin verstärkt.

Wintergerste zeigt sich in trockenen Jahren oft als das Wintergetreide mit den geringsten Ertragseinbußen, da sie ihre Erträge gut aus der Winterfeuchtigkeit bilden kann. Außerdem ist der Boden bei Frühjahrstrockenheiten schon bedeckt, was die Verdunstung mindert.

#### Fruchtfolge

Wintergerste steht **wie Winterweizen nach guten Vorfrüchten**. Anders als Weizen braucht Gerste den Großteil des Stickstoffs sehr bald nach Vegetationsbeginn. Daher sind Vorfrüchte wie Kleegras oft nicht voll ertragswirksam. Körnerleguminosen wie Ackerbohnen und Erbsen, aber auch Soja mit ihrem garen Boden nach der Ernte eignen sich bestens als Vorfrüchte. Auch Getreide mit einer nachfolgenden üppigen Sommerzwischenfrucht kommt als Vorfrucht in Frage.

Braugersten dürfen keinen Vorfrüchten folgen, die eine länger andauernde N-Nachlieferung bringen (Kleegras ...), auch Mistgaben sind kontraproduktiv. Denn damit werden die Rohproteinwerte zu hoch, was als negatives Qualitätskriterium bei Braugerste gilt. In der Praxis werden die Partien aber selten tatsächlich aberkannt.

Sommergersten stehen auch abtragender als die Winterform und meist nach klassischen Zwischenfrüchten.

#### Sortenwahl

Langstrohigkeit und Beikraut-Unterdrückungsvermögen sind entscheidende Sortenauswahlkriterien. Dies erfüllen mehrzeilige Sorten meist besser als zweizeilige. Auch die Blattgesundheit ist ein entscheidender Faktor.

Mehrzeilige Sorten sind den zweizeiligen im Bio-Landbau oftmals überlegen, da sie weniger Bestandesdichte verlangen. Gerade für die überproportionale Bestockung und die frühe Stickstoffversorgung fehlen oft die Bodentemperaturen im Frühling oder auch die notwendigen Dünger. Auch der oben beschriebene spätere Anbau wirkt sich bei mehrzeiligen Sorten weniger negativ aus.

Für die Verwendung als Speisegerste (Rollgerste zum Schälen) müssen zweizeilige Sorten verwendet werden. Als Braugersten sind für die Großabnehmer ausschließlich als solche ausgewiesene Sorten möglich. Kleinmälzereien und -brauereien sind da oftmals flexibler.

#### Anbau

**Wintergerste** wird ca. zehn Tage vor Weizen angebaut. Wichtiger als das Datum ist bei Gerste eine **trockene Saat**. In vielen Gunstlagen hat sich als natürliche Regulierung des Gelbverzwergungsvirus aber ebenfalls ein Oktober-Saattermin als erfolgreich herausgestellt. Demnach wird die Saatstärke eventuell etwas nach oben korrigiert und bewegt sich meist um 170 bis 180 kg/ha.

Bei **Sommergerste** ist ebenfalls eine **trockene Saat**, lieber ein paar Tage später, deutlich besser für die Entwicklung. Hineinschmieren verträgt sie überhaupt nicht. Die Saattiefe liegt getreideüblich bei ungefähr 2,5 cm.

#### Düngung

Wintergerste verwertet jeden Stickstoff, der bald zu Vegetationsbeginn wirksam wird, sehr gut. Obwohl gerade Gerste immer wieder der größte N-Bedarf oder auch das größte N-Aufnahmepotenzial von allen Getreidearten im Herbst nachgesagt wird, macht eine N-Düngung zum Anbau keinen Sinn. Ihr Bedarf wird durch die Mineralisierungseffekte aus vorhergehenden Bodenbearbeitungsmaßnahmen gut gedeckt. Mist als Langzeitdünger für das Frühjahr passt aber zum Anbau im Herbst optimal. Gülle kann im Frühjahr um ein Vielfaches ertragswirksamer eingesetzt werden. Bei Lagerkapazitätsproblemen rechnet sich die Investition in zusätzlichen Grubenraum sehr rasch.

Gerste ist die Getreideart, die auf eine Kalkgabe und optimale Phosphorwerte am stärksten reagiert.

#### Beikrautregulierung

**Wintergerste** wird für eine erfolgreiche Beikrautregulierung und entsprechende Bestockungsanregung am besten **im Herbst gestriegelt**. Blindstriegeln am fünften bis siebenten Tag nach dem Anbau und eventuell ein zweiter Durchgang bei drei bis vier Blättern kann dabei erfolgreich sein. Striegeln im Frühjahr hat sich bei Wintergersten im Normalfall nicht bewährt. Da die Wintergerste im Frühjahr nicht mehr nachbestocken kann, hat jede Überfahrt eine ausdünnende Wirkung. Dies hebt die schlechten Beikrautregulierungseffekte oft sogar mehr als auf. Nur das Klettenlabkraut herauszukämmen, wie bei Weizen schon beschrieben, kann rund um die Blüte gute Erfolge erzielen.

**Sommergerste** kann ebenfalls am fünften bis siebenten Tag **blindgestriegelt** werden. Danach kann ab dem Dreiblatt-Stadium wieder erfolgreich gestriegelt werden.

**Krankheiten und Schädlingsregulierung**

Bei Gerste sind einige Blattkrankheiten (Streifenkrankheit, Netzflecken, Ramularia, Rhynchosporium ...) relevant, wobei die Sortenauswahl eine starke Rolle spielt. Besonders haben aber die folgenden Faktoren den größten Einfluss auf den Verlauf und die Ertragsrelevanz:

- Stickstoffniveau des Bodens (je mehr N, umso anfälliger)
- Bestandesdichten (je dichter, umso anfälliger)
- Witterungsverlauf (Trockenheit ist das wirksamste biologische Fungizid)

Bei Flugbrand kommt zur Sortenanfälligkeit auch die Saatgutreinheit dazu. Befallene Bestände sollten keinesfalls zum Nachbau im nächsten Jahr herangezogen werden.

**Ernte**

Gerste wird wie alle Getreidearten geerntet. Aufgrund ihrer Frühreife wird sie normalerweise als erste Druschfrucht im Jahr geerntet.

**Verwendung**

Hauptsächlich wird Gerste als Futtergetreide angebaut. Nur ein kleiner Teil wird als Mahlgetreide geschält. Immer öfter wird dafür aber gleich die spelzenlose Nacktgerste angebaut (siehe Nacktgetreide). Ein beachtlicher Teil geht auch im Bio-Landbau mittlerweile als Braugerste zu kleinen und großen Mälzereien und Brauereien, um zu Bio-Bier zu werden.

### 2.5.4.3 Hafer

Hafer gehört durchaus in typische Bio-Fruchtfolgen und zählt zu den **funktionssichersten Getreidearten**, ohne große Schädlings- und Krankheitsanfälligkeiten. Er ist als Speisegetreide mittlerweile genauso beliebt wie als Futtergetreide. Die Zeiten der Verpilzungsgefahr sind durch neue Züchtungen, genaue Kenntnis über Kulturführung und Ernte sowie eine schlagkräftige Ernte- und Trocknungstechnik heute weitestgehend gebannt. Daher ist sein Ruf oftmals schlechter als die Realität. Er ist in vielen Bio-Fruchtfolgen eines der ertragsstabilen Getreidearten mit geringem Aufwand.

**Fruchtfolge**

Hafer gilt als einer der **Allrounder in der Fruchtfolge**. Nur mit sich selbst ist er unverträglich und braucht Anbaupausen von fünf bis sechs Jahren. Mittlerweile wird Hafer auch nach gräserbetontem Kleegras, nach Wechsel- und Dauerwiesenumbruch oder auch mal nach Mais angebaut. Klassisch ist er aber eine eher abtragende Frucht am Ende der Fruchtfolge, da ihn die klassischen Getreidekrankheiten nicht befallen. Außerdem eignet er sich sehr gut als Deckfrucht von Klee(gras)einsaaten, um bereits damit die nächste Hauptfrucht anzulegen.

Aus milderen Anbauregionen Frankreichs und Englands kommen neuerdings erste Winterhafersorten. Die Winterhärte liegt aber meist deutlich hinter Wintergerste zurück.

**Sortenwahl**

Fast alle Hafersorten eignen sich für den Anbau im Bio-Landbau, außer die Wuchshöhe wäre sehr kurz. Viele der angebotenen Sorten erreichen gute Hektolitergewichte, um auch als Schälhafer in die Speisehaferverwertung gehen zu können. Wie bei Gerste stünde dafür auch die spelzenlose Form als Nackthafer zur Verfügung. Generell für die Verfütterung, speziell aber für Pferdebetriebe, eignet sich neben Gelbhafer der Schwarzhafer als Spezialzüchtung. Das Korn hat Ähnlichkeit mit dem ebenfalls dunkel gefärbten Korn des Sandhafers. Dieser ist eine Art Grünschnitthafer, der besonders hoch wächst, feiner im Wuchs bleibt und keine Berostung im Herbst zeigt, was seine Grünfuttereignung deutlich verbessert. Er kann aber auch gedroschen werden.

Grünschnitt- und vor allem Sandhafer wären eine sehr trockenheitsverträgliche und verlässliche Sommerzwischenfrucht.

**Anbau**

Hafer wird ehestmöglich im Frühjahr gesät. Unter den Sommergetreiden passt er trotzdem am ehesten für schwerere Böden. Am besten erfolgt die Haferaussaat im März oder in den ersten Tagen im April. Für gute Erträge zählt hier jeder Tag.

Die Saattiefe ist auf übliche 2,5 cm anzusetzen.

**Düngung**

Hafer hat ein enorm gutes Wurzelwerk mit gutem Nährstoffaneignungsvermögen. Er verwertet langsam wirksame organische Masse sehr gut und bereitet diese auch für Folgefrüchte auf (z. B. nach Grünlandumbruch). Zu viel schnell wirksamer Stickstoff aus Vorfrucht, Zwischenfrüchten und Gülle geht aber in instabile Halmbildung und erzeugt lagernde Bestände. Außerdem sind diese Bestände enorm anfällig für Getreidehähnchenbefall.

**Beikrautregulierung**

Hafer kann gut blind- und im Dreiblatt-Stadium gestriegelt werden. Sind der Nährstoff- und Kalkhaushalt des Ackers in Ordnung, ist aber oftmals gar keine mechanische Beikrautregulierung notwendig.

**Krankheiten und Schädlingsregulierung**

Hafer wird von Kronenrost befallen, dies ist aber eine eher unbedeutende Krankheit, die weniger relevant wird. Außerdem ist Hafer mit zu starker N-Versorgung sehr anfällig für das Getreidehähnchen (Regulierung siehe Weizen).

**Ernte**

Hafer wird klassisch geerntet. In vielen Anbaulagen ist er das letzte Getreide, das geerntet wird.

**Verwendung**

Hafer ist im Müsli genauso beliebt wie im Futtertrog. Außerdem wird in Futterbaubetrieben Hafer als Grundfutter-Puffer angebaut. In trockenen Jahren wird er siliert oder grün verfüttert, in normalen Jahren gedroschen. Aber auch dann ist sein Stroh ein beliebtes Zufutter.

Speisehafer muss entsprechende Hektolitergewichte um 50 erreichen und eine schöne goldgelbe Farbe aufweisen. Nur wenn keine Verpilzung stattfand, ist die Speisetauglichkeit gegeben. Neue Sorten sind dafür aber meist nicht mehr anfällig.

### 2.5.4.4 Triticale

Triticale ist eine **Kreuzung aus Weizen und Roggen**. Damit sind auch die Eigenschaften der beiden Arten vereint. Teilweise sind weizenähnliche Typen und roggenähnliche Typen vorhanden.

**Fruchtfolge**

Triticale gilt als **flexibelste Getreideart in der Fruchtfolge**, sie kann als Starkzehrer nach Klee(gras) stehen und gute Vorfrüchte in guten Ertrag umwandeln. Sie kann aber auch abtragend in der Fruchtfolge die letzten Reserven mobilisieren, um danach mit Klee(gras) den Boden wieder aufzubauen. Aufgrund der geringen Anfälligkeit für Krankheiten kann ähnlich wie bei Roggen von einer Selbstverträglichkeit ausgegangen werden. Damit ist eine direkte Aufeinanderfolge in einzelnen Situationen ohne Komplikationen möglich. Triticale kommt in längeren Fruchtfolgen durchaus mehrmals vor.

**Sortenwahl**

Bei Triticale sind enorm viele Sorten verfügbar. Auszuschließen für den Bio-Landbau sind besonders kurzstrohige Hochertragstypen und gelbrostanfällige Sorten.

Einzelne Wechseltriticale und vereinzelte Sommertriticale werden demnach ehestmöglich im Frühjahr gesät. Oftmals sind diese in Futterbaubetrieben ähnlich wie Hafer für die Grünnutzung und Kleegrasdeckfrucht interessant.

**Anbau**

Triticale wird zwischen Mitte September und 25. Oktober gesät. Je nach Saattermin werden dafür 150 bis 180 kg/ha ausgesät.

**Düngung**

Triticale verträgt ähnlich wie Weizen auch eine intensivere Düngung, braucht sie aber auf gut versorgten Böden und nach entsprechenden Vorfrüchten oftmals gar nicht. Das üppige roggenähnliche Wurzelsystem hilft ihr, Nährstoffe gut aufzuschließen. Dies verschafft ihr in vielen mittleren und schlechteren Fruchtfolgestellungen bis zu 1000 kg/ha Ertragsvorteil gegenüber gleich versorgtem Mahl- oder Futterweizen.

### Beikrautregulierung

Triticale kann sowohl im Herbst als auch im Frühjahr gut gestriegelt werden. Sind herbstkeimende Beikräuter vorhanden, sind diese meist unbedingt auch im Herbst zu regulieren. Dies gilt vor allem für Kamille, Kornblume, Klettenlabkraut oder Windhalm. Viele andere werden durch die Üppigkeit der Triticale gut unterdrückt. Dies ermöglicht oftmals, ohne striegeln durchzukommen.

### Krankheiten und Schädlingsregulierung

Triticale wird deutlich weniger von Steinbrand und Zwergsteinbrand befallen als Weizen. Nur Gelbrost ist eine bedeutende Krankheit, der aber gut durch eine entsprechende Sortenwahl mit Gelbrosttoleranz entgegengetreten werden kann. Getreidehähnchen sind selten regulierungswürdig.

### Ernte

Triticale wird wie alle anderen Getreidearten geerntet. Oftmals ist die Ausdruscheignung etwas schlechter als bei Weizen. Auch die Auswuchsgefahr ist bei einigen Sorten vorhanden.

Triticale könnte in Roggen-Weizen-Mischbroten auch als Mahlgetreide Verwendung finden. Allerdings haben nur wenige Bäcker diese Möglichkeit bisher auch umgesetzt.

### Verwendung

Triticale ist das klassische Futtergetreide des Bio-Landbaus, das an alle Tierarten in größeren Rationsanteilen verfüttert wird. Nur Legehennen bevorzugen eher Weizen. In Futterbaubetrieben wird Triticale immer öfter auch als Ganzpflanzensilage genutzt. Dies kann entweder bis zum Ährenschieben erfolgen oder in der Teigreife der Körner.

## 2.5.4.5 Roggen

Roggen ist ein beliebtes Getreide im Bio-Landbau. Aufgrund seiner Robustheit ist er sehr weit verbreitet. Als **winterfesteste Getreideart** mit entsprechend angepassten Sorten ist er besonders in rauen Lagen und auf trockenen Standorten sehr beliebt und besonders dort auch unübertroffen erfolgreich.

### Fruchtfolge

Roggen gilt ähnlich wie Triticale als sehr flexibel. Auf schlechteren Standorten ohne großes Nachlieferungspotenzial steht er auch mal nach Kleegras. Ansonsten ist er klassisch ein eher abtragendes Getreide, ohne große Ansprüche an die Nährstoff- und N-Versorgung. Auch die Wasserversorgung spielt aufgrund des guten Wurzelsystems eine untergeordnete Rolle. Daher ist er auch in den ausgewiesenen Trockengebieten Österreichs und Deutschlands stark verbreitet.

### Sortenwahl

Speziell für raue Lagen sind diese Sorten nach wie vor sehr gut geeignet. Durch die Wuchshöhe können diese Sorten auch beachtliche Strohmengen liefern, was für Futterbaubetriebe oftmals sehr relevant ist.

Im Bio-Landbau werden bevorzugt Liniensorten verwendet. Hybridroggen werden bis dato aber nicht kategorisch ausgeschlossen. Die Ertragsvorteile können aber unter biologischen Anbaubedingungen oftmals nicht ausgeschöpft werden, was die Saatgutkosten selten rechtfertigt. Umgekehrt passt die Verwendung regional gezüchteter Sorten auch besser zu den Grundideen des Bio-Landbaus. Gerade bei Roggen sind auch noch viele alte Landsorten bekannt und im Anbau verbreitet. Mit der SLK-Förderung in Österreich wird die Erhaltung dieser Sorten auch offiziell gefördert.

Eine Sonderform von Roggen ist die **biodynamische Schweizer Lichtkorn-Züchtung**, mit hellem Korn und besonderen Backeigenschaften.

Eine weitere Besonderheit ist die **Variante eines mehrjährigen Nutzungstypen**, sogenannte **Staudensorten**. Beim Waldstaudenroggen lässt sich bei Ansaat im Frühjahr eine entsprechende mehrmalige Futternutzung verwirklichen und im nächsten Jahr kann der Roggen normal gedroschen werden. Andere Staudensorten überleben offensichtlich sogar den Drusch und wachsen weiter.

Besonders wichtig sind auch die Grünnutzungssorten des **Grünschnittroggens.** Vorrangig sind diese als winterharte Zwischenfrucht vor Mais, Soja, Hanf, Kürbis und Kartoffel interessant. Sie können aber auch gedroschen werden. Standfestigkeit und Kornertrag sind aber deutlich unter dem der normalen Kornnutzungssorten.

**Sommerroggen** ist wenig verbreitet. Als üppige Deckfrucht in Futterbaubetrieben und neuerdings in der Neuansaat nach Engerling-Regulierungsmaßnamen am Dauergrünland ist er aber stärker im Anbau.

Sommerroggen wäre eine sehr trockenheitsverträgliche und verlässliche Sommerzwischenfrucht mit gutem Futterwert.

**Anbau**

Roggen wird gerne etwas früher gesät. Daher kommt er oftmals schon ab Mitte September zur Aussaat. Aufgrund seines überdurchschnittlich guten Bestockungsdrangs reichen dafür oft geringe Saatstärken von 120 bis 140 kg/ha aus. In Gunstlagen kann Roggen aber auch bis 15. Oktober gesät werden. Entsprechende Mengen von 180 kg/ha und aufwärts sind dann notwendig. In der Saattiefenwahl gilt bei Roggen das Sprichwort: „Roggen will den Himmel sehen!“ Das bedeutet, eine sehr seichte Ablage von ca. 1 cm wäre optimal.

Bei Grünroggen kommen durchaus auch Streu- und Schleudersaattechniken zum Einsatz, was aber den Vogelfraß begünstigen kann.

**Düngung**

Roggen braucht aufgrund seines Wurzelsystems keine Düngung. Mist zum Anbau oder eine verdünnte Güllegabe verwertet er aber meist dankbar. Schnell ist die Stickstoffversorgung aber übertrieben, was lagernde Bestände mit sich bringt. „Guter Roggen muss sich anlehnen“, ist aber ein altes Sprichwort im Mühlviertel und meint damit die typische leichte Lagerung der Bestände vor der Ernte, wenn der Ertrag gut sein soll.

**Beikrautregulierung**

Roggen wird aufgrund seiner Wuchshöhe und seiner Beikrautunterdrückung selten gestriegelt. Erfolgt dies dennoch, ist ein Herbststriegeleinsatz ab dem Dreiblatt-Stadium oder ein ehestmöglicher Frühjahrseinsatz wichtig. Zu spätes Striegeln lässt nachrangige Triebe nochmals durchtreiben und verursacht starken Zwiewuchs.

**Krankheiten und Schädlingsregulierung**

Roggen wird von Braunrost befallen, was sich aber über Sorten regulieren lässt und meist wenig Ertragsrelevanz hat.

Sehr lästig kann in dünnen Beständen oder bei sehr schlechtem Blühwetter der Befall mit Mutterkorn werden. Dieses ist äußerst giftig und darf nicht verfüttert oder gar zu Mehl vermahlen werden. Betroffene Partien müssen unbedingt spezialgereinigt oder entsorgt werden.

Getreidehähnchen ist im Roggen normalerweise nicht regulierungswürdig.

**Ernte**

Roggen wird wie alle Getreidearten geerntet. Die höhere Auswuchsneigung sollte in regnerischen Jahren beachtet werden. Bei Speiseroggen sind Fallzahl und Amylogrammwert als Parameter für die Auswuchsfreiheit in Verwendung.

**Verwendung**

Roggen ist neben Weizen und Dinkel ein sehr wichtiges Brotgetreide. In vielen Rinderbetrieben in höheren Lagen ist es aber auch das Futtergetreide schlechthin. Grünschnittroggen ist aus dem Zwischenfruchtanbau nicht mehr wegzudenken.

### 2.5.4.6 Dinkel

Dinkel gilt als typisches Bio-Getreide. Er wird gerne auch als Weizen der ärmeren Böden bezeichnet. Er gilt als überaus robust und kann tatsächlich auch unter rauen Bedingungen gute Erträge bringen. Auch der als Lebensmittel beliebte Grünkern wird aus Dinkel hergestellt. Außerdem gilt er als klassisches SLK-Getreide, da fast alle Sorten im aktuellen Programm für alte Getreidesortenerhaltung in Österreich gelistet sind.

**INFO!** Seltene landwirtschaftliche Kulturpflanzen (SLK)

**Dieses Programm stellt eine Bestrebung dar, eine große Auswahl alter Sorten von Getreide, Alternativen und Gemüse für die nächsten Generationen zu erhalten. Dafür ist im ÖPUL-Programm bis 2020 eine eigene Maßnahme vorhanden, um die geringeren Erträge und den Erhaltungsaufwand dadurch abzugelten.**

#### Fruchtfolge

In der Fruchtfolge ist Dinkel ähnlich universell einsetzbar wie Triticale. Während er auf mittleren und schwächeren Böden mit geringem Nachlieferungspotenzial auch auf Kleegras und Luzerneumbruch stehen kann, steht er auf guten Böden abtragend sogar nach Mais.

#### Sortenwahl

Bei Dinkel gab es lange Zeit fast nur robuste, aber langstrohige Urdinkelsorten. Die meisten entstammen regionalen Selektionen aus Österreich und dem Schwarzwald. Diese sind reine Dinkel ohne Weizeneinkreuzung und somit auch für Weizenallergiker geeignet. Auch die Hildegard-von-Bingen-Bewegung im deutschsprachigen Raum unterscheidet die Sorten nach Reinheit. Seit einigen Jahren sind auch Dinkelsorten mit Weizengenen erhältlich, die leicht den doppelten Ertrag der alten Sorten bringen. Diese sind aber in vielen Spezialprogrammen verboten. Besonders für Exporte in die Schweiz sind sie kategorisch ausgeschlossen. Als neue Generation von Dinkel gilt die Sorte Zollernspelz, er ist laut Züchterangabe eine reine Dinkelsorte. Er ist deutlich kurzstrohiger und standfester, bei sehr guten Erträgen und bester Pflanzengesundheit.

#### Anbau

Dinkel wird wie alle Wintergetreide zwischen Ende September und Mitte Oktober angebaut. Die Aussaat erfolgt fast ausschließlich als Vesen, in denen immer zwei Körner stecken. Wird er entspelzt angebaut, leidet oftmals die Keimfähigkeit darunter. Er ist sehr bestockungsfreudig und kommt mit niedrigen Saatstärken aus. Dinkel im Spelz wird normalerweise mit ca. 180 kg/ha angebaut. Die neuen Sorten kommen mit weniger (160 kg/ha) aus.

#### Düngung

Dinkel braucht in guten Fruchtfolgestellungen keine Düngung. Sollten Wirtschaftsdünger vorhanden sein, sind 10 t/ha Mist zum Anbau im Herbst und 10 m³ Gülle im Frühjahr einsetzbar. Die Mengen sollten wegen der geringen Strohstabilität aber keinesfalls übertrieben werden.

#### Beikrautregulierung

Dinkel kann wie alle Robustgetreide mit entsprechender Wuchshöhe den Großteil der vorhandenen Beikräuter gut unterdrücken. Sind Kornblumen oder Kamillen auf dem Acker ein Thema, ist ein Striegeldurchgang im Herbst ab zwei Blättern (sehr sanft und langsam), besser im Dreiblatt-Stadium empfehlenswert. Vor allem Kornblumenköpfe lassen sich nämlich später von den Vesen schwierig wegreinigen.

#### Krankheiten und Schädlingsregulierung

Dinkel kann von fast allen klassischen Getreidekrankheiten befallen werden, was aber sehr selten der Fall ist. Auf zwergsteinbrandbelasteten Flächen ist aber ein Befall mit diesem möglich, was eine Verwertung dann oft verunmöglicht. Ansonsten ist Gelbrost in kühlen, feuchten Frühjahren ein Thema, der durch Sortenwahl beeinflussbar ist. Auch die gute Schwefelversorgung zur Vorkultur brachte in der Praxis Verbesserungen. Ansonsten ist abwarten die beste Strategie. Beim Einsetzen einer wärmeren Witterung brechen die Befallsherde oftmals wieder zusammen. Ertraglich hat dies bei den Robustsorten meist wenig Relevanz. Dennoch ist die neue Sorte Zollernspelz mitunter auch durch ihre Gelbrosttoleranz ertraglich im Vorteil.

**Ernte**

Dinkel wird klassisch mit dem Mähdrescher geerntet, wobei die Ähre vollständig in die Spindelstufen, die einzelnen Vesen, zerbricht. Abgeliefert wird Dinkel im Spelz, so wie er aus dem Mähdrescher kommt. Entspelzt wird er in einem eigenen Verfahren als Vorstufe zur Vermahlung oder Aufbereitung zu Reis und dergleichen.

**Grünkern** wird bereits geerntet, wenn die **Körner noch in der Milchreife** sind. Danach werden die Vesen in einem speziellen Darrverfahren meist mit Buchenholzrauch getrocknet. Das dann trockene Korn kann genauso wie anderes Getreide vermahlen werden.

**Verwendung**

Dinkel wird fast ausschließlich als Speisegetreide verwendet. Abgesehen von der Sorte und der Korngesundheit (Brandigkeit) gibt es wenig relevante Qualitätskriterien. Dinkel erreicht eigentlich immer die Proteinwerte und die Glasigkeit für Brotgetreide und auch Nudeln können hervorragend aus Dinkel erzeugt werden. Einzig das Hektolitergewicht wird im Normalfall für die Einstufung herangezogen. Nur in feuchten Jahren sind ein etwas vorgezogener Drusch und eine technische Nachtrocknung zu empfehlen.

Im Spelz kommt die Verfütterung kaum in Frage, weil durch die Spelzen viel Rohfaser ins Futter gelangt. Rinder fressen aber auch Dinkelschrot mit Spelzen gerne.

Durch das vollständige Brechen der Ähre ist im Dinkelstroh ein sehr geringer Restkornanteil vorhanden, was es neuerdings auch als Baustroh (Strohdämmung) sehr interessant macht.

### 2.5.4.7 Hartweizen (Durum)

Durum ist auch als Hartweizen bekannt und demnach auch in der gesamten Kulturführung **dem Weizen sehr ähnlich**. Während Durum traditionell als Sommerung angebaut wurde, gelangen in den letzten Jahren hervorragende Züchtungserfolge mit Winterdurumsorten. Da Durum fast ausschließlich im Trockengebiet im Osten Österreichs angebaut wird, sind Herbstsaaten durch die Verwertung von Winterfeuchtigkeit deutlich im Ertragsvorteil.

### 2.5.4.8 Urgetreide (Emmer und Einkorn)

Unter Urgetreide im weitesten Sinn werden auch Dinkel und alte Sorten von Weizen und Roggen verstanden. Im engeren Sinn sind damit Emmer und Einkorn zu verstehen. Während Einkorn den Vorgänger des Weichweizens darstellt, gilt Emmer als Vorfahre des Hartweizens (Durum). Der Anbau von Urgetreide ist ebenfalls im österreichischen SLK-Programm gefördert. Angebaut sollten sie aber trotzdem nur werden, wenn die Vermarktung unter passenden Preisen sichergestellt ist.

**Fruchtfolge**

Die Urgetreide stehen abtragend und vertragen zu üppige Vorfrüchte nicht. Emmer braucht etwas mehr Nährstoffe, Einkorn ist äußerst genügsam.

**Sortenwahl**

Bei den Urgetreiden wird selten in Sorten unterschieden. Oftmals werden Herkünfte angegeben und in Frühjahrs- und Herbstanbau-Eignung unterschieden. Viele Sorten und Herkünfte sind aber Wechselformen.

**Anbau**

Der Frühjahrsanbau sollte nur in Notfällen in Betracht gezogen werden. Herbstaussaaten bringen im Normalfall den doppelten Ertrag. Die Urgetreide werden normalerweise im Spelz gesät.

**Düngung**

Die langsame Jugendentwicklung und die Gelbfärbung im Frühjahr vor allem bei Einkorn sollten keine vorschnellen Düngergaben veranlassen. Düngung zu Urgetreide bringt eigentlich keine Mehrerträge.

**Beikrautregulierung**

Aufgrund der Langstrohigkeit ist eine gute Beikrautunterdrückung gegeben. Der Striegel kommt kaum zum Einsatz.

**Krankheiten und Schädlingsregulierung**

Urgetreide werden selten von Krankheiten und Schädlingen befallen, wobei jedoch vor allem Einkorn von Steinbrand und Mutterkorn befallen werden könnte.

**Ernte**
Die Urgetreide werden wie alle Getreidearten geerntet.

**Verwendung**
Die Urgetreide werden ausschließlich als Speisegetreide verwendet. Aus ihnen werden schmackhafte und äußerst gehaltvolle und gesunde Lebensmittel hergestellt. Während Einkorn als Brot- und Kuchenmehl und auch als Reis gut verwendet werden kann, gilt Emmer als Nudelgetreide und kann ebenfalls zu Reis geschliffen werden. Aufgrund der geringen Bekanntheit sind die Vermarktungsmöglichkeiten aber sehr eingeschränkt.

### 2.5.4.9 Nacktgetreide

Kulturführungsempfehlungen siehe Spelzenformen, meist sind die Nacktgetreidearten aber robuster.

Als Nacktgetreide werden die Formen von Gerste und Hafer bezeichnet, die spelzenlos gezüchtet wurden, um die Körner ohne technischen Entspelzungsvorgang zu Lebensmitteln (Mehl, Gries, Flocken) verarbeiten zu können.

### 2.5.4.10 Hirse

Hirse wird gerne als Pseudogetreide bezeichnet. Botanisch gesehen ist sie aber genauso ein Süßgras wie alle anderen Getreidearten. Einzig die **Glutenfreiheit** unterscheidet sie von den klassischen Getreidearten. Hirsen sind C4-Pflanzen wie Mais und damit besonders wärme-, sonnenlicht- und wassereffizient.

Im Hirseanbau müssen diverse Typen unterschieden werden:

- **Braun- und Goldhirsen** sind Flatter- bzw. überhängende Typen der Rispenhirse (lat. *Panicum miliaceum var.*) und eine mittel anspruchsvolle bis anspruchslose Kultur, die durch ihre kurze Kulturdauer nach misslungenen Frühjahrssaaten, in Gunstlagen sogar als Zweitfrucht kultiviert werden kann. Ihre Korninhaltsstoffe sind einerseits ernährungsphysiologisch sehr wertvoll (Eiweiß, Mineralien), können aber auch in der Verfütterung interessant sein (Aminosäuremuster passt optimal für Geflügel!).
- Daneben werden vereinzelt im Bio-Landbau die ertragsbetonten Kolbentypen von **Sorghumhirsen** (lat. *Sorghum bicolor*) angebaut. Sie sind deutlich spätreifer und oftmals in der Fütterung in Verwendung. Erst in letzter Zeit werden einzelne Sorten auch speisetechnisch verwertet, wenn auch mit deutlich weniger wertvollen Korninhaltsstoffen.
- Als dritter Hirsetyp sind **Silohirsen** (*Sorghum bicolor*) und Sudangrastypen (*Sorghum sudanese*) für die Grünnutzung in Verwendung. Während erstere auch interessante Kornanteile und Energiedichten liefern, dafür aber lange Vegetationszeiten und viel Stickstoff brauchen, ist Sudangras deutlich genügsamer aber fütterungstechnisch weniger gehaltvoll. In trockenen Jahren ist Sudangras aber ein willkommener Silofüller.

**Fruchtfolge**
Vor allem die Sorghumhirsetypen gelten als mittelmäßig bis stark stickstoffbedürftig und können in Fruchtfolgen durchaus auch Mais ersetzen. Vor allem in Veredelungsbetrieben können Wirtschaftsdünger damit verwertet werden. Nur die Braunhirse braucht wenig Dünger.

**Sortenwahl**
Bei Braunhirsen werden die Sorten Kornberger Mittelfrühe (Gelb) und Lisa (Rot) angebaut. Bei Sorghum sind viele meist sehr spätreife Sorten erhältlich und für ungünstigere Lagen daher oftmals ungeeignet.

**Anbau**
Hirsen werden oftmals als Drillsaat angebaut. Nur die Kolbenhirsen werden auch mittels Einzelkorntechnik gesät. Die Anbautechnik ist jedenfalls auf die Pflegestrategie und Nutzungsform abzustimmen.

Hirsen dürfen **nur in sehr warmen Boden mit guten Wetterprognosen** für die folgenden Tage gesät werden. Andernfalls drohen hohe Ausfallsraten aufgrund schlechter Keimung. Dann sind lückige Bestände beikrauttechnisch oft kaum zu erhalten. Eine Neuanlage macht dann schnell Sinn. Spätere Saatzeitpunkte kompensiert die Hirse noch besser als alle anderen Kulturen.

**Düngung**

Die Kolben- und Silohirsen, auch Sudangras, vertragen Wirtschaftsdüngergaben sehr gut. Rispenhirsen brauchen eine zusätzliche Düngung oftmals nicht, bei ihnen entsteht bei zu hoher N-Versorgung schnell Lagergefahr.

**Beikrautregulierung**

Während Kolbentypen von Sorghum durchaus auch wie Mais angebaut und gehackt werden, kommen Silohirsen und Sudangras in der Regel ohne Beikrautregulierung aus und werden daher flächig gedrillt.

Allen Hirsetypen ist gemein, dass sie auf einen eventuellen Reinigungsschnitt mit Wiederaustrieb und zusätzlicher Bestockung reagieren. Die spätreifen Kolbentypen werden damit noch später reif.

Bei den frühreifen Typen machen eine vorgeschaltene Beikrautkur und eine spätere Saat zu noch wärmeren Bedingungen oftmals Sinn und reichen als Beikautregulierungsmaßnahme dann normalerweise aus.

Im Speziellen ist bei Hirse auf die Stechapfel-Freiheit zu achten! Hier müssen auch Einzelpflanzen händisch entfernt werden. Auch nur minimal kontaminierte Partien müssen aufgrund der Giftigkeit entsorgt werden.

**Krankheiten und Schädlingsregulierung**

Hirse leidet weder unter relevanten Krankheiten noch unter bekanntem Schädlingsbefall.

**Ernte**

Hirse wird für Körnernutzung mit dem Mähdrescher, Silohirse und Sudangras mit Maishäckseltechnik, Sudangras mehrschnittig, evtl. auch mit klassischer Grünlandtechnik, geerntet. Bei zu früher Nutzung (unter 50 bis 70 cm Wuchshöhe) von Silohirse und Sudangras wird immer wieder ein erhöhter Blausäuregehalt vermutet. Umfangreichere Untersuchungen dazu fehlen aber, Probleme in der Praxis sind keine bekannt.

**Verwendung**

Hirsen sind je nach Typ wie oben beschrieben als glutenfreies Spezial-Speisegetreide, Körnerfutter oder Grundfutter in Verwendung. Hirsen sind besonders in warmen Lagen und in trockenen Jahren wertvolle Zwischenfruchtkulturen mit Verfütterungseignung.

### 2.5.5 Mais

Der Bio-Maisanbau galt und gilt teilweise als schwieriges Unterfangen. Heute weiß man, dass diese Kultur genauso wie andere ihre Tücken hat, aber dennoch auch mit biologischer Wirtschaftsweise gut machbar ist. Oftmals ist gerade bei Mais das Ertragsniveau der konventionellen Vergleichsbetriebe in der Region leichter zu erreichen als bei Getreide. Natürlich sind die Nährstoffversorgung und die Beikrautregulierung herausfordernd, aber für innovative Betriebe gut schaffbar.

**Fruchtfolge**

Mais ist aufgrund der Selbstverträglichkeit wenig anspruchsvoll in der Fruchtfolge. Er dankt gute Vorfrüchte, räumt aber den Boden aus. Nach ihm haben alle nährstoffbedürftigen Arten ihre Probleme.

**Sortenwahl**

Auch für den Anbau im Bio-Landbau steht mittlerweile eine große Sortenauswahl zur Verfügung. Einzig das Sortiment der besonders frühreifen Sorten darf durchaus noch umfangreicher werden. Viele Sorten werden nicht nur ungebeizt, sondern auch als Bio-Saatgut angeboten.

Für die Auswahl der Sorten sind vor allem Jugendentwicklung und auch die Wuchshöhe von Bedeutung. Aufgrund der länger anhaltenden Stickstoffnachlieferung durch organische Quellen (Zwischenfrucht, Wirtschaftsdünger) ist die Abreife im Herbst oftmals verzögert und bringt bei zu hohen Reifezahlen deutlich höhere Kornfeuchten und spätere Siloreife-Zeitpunkte. Daher sind auch in Gunstlagen gerne Sorten mit Reifezahlen von FAO 250 bis 290 in Verwendung.

**Anbau**

Mais wird ausschließlich in Einzelkorntechnik angebaut. Die Anzahl der Reihen am Sägerät muss zur Anzahl der Reihen am Hackgerät passen, um den Anschluss und die Genauigkeit der Pflegearbeiten optimal zu ermöglichen.

Anhäufeln von mehreren Zentimetern Erde bei der Saat vereinfacht das spätere Blindstriegeln. Versuche zeigen, dass Mais es liebt, wenn unmittelbar neben der Saatfurche mit einem einfachen Dorn 10 cm tiefer nochmals gelockert wird.

Mais sollte auf einen feuchten Erdhorizont gelegt werden, um gleichmäßig und vor allem schnell zu keimen. Bei sehr trockenen Bedingungen kann Mais auch 5 cm und tiefer gelegt werden. Bei nassen und kühlen Anbaubedingungen ist die beste Variante zuzuwarten und zwei Wochen später anzubauen. Ein Anbau bis Anfang Juni ist in vielen Anbaulagen möglich.

### Düngung

Die Nährstoffversorgung für Mais hängt oft hauptsächlich an einer guten Zwischenfrucht und einer guten Bodenstruktur. Interessanterweise sind die Erträge oft nach Klee oder Leguminosen-Hauptfrüchten um nichts besser als nach Getreide und einer Leguminosen-betonten Zwischenfrucht.

### Beikrautregulierung

Für die Beikrautregulierung in der Reihe sind für viele Hackgeräte zusätzliche Anbauteile erhältlich. Am weitesten verbreitet und am meisten bewährt haben sich die Fingerhackelemente. Auch die Torsionshackelemente sind sehr einfach gebaut und trotzdem hocheffizient.

Mais braucht **saubere Felder**, da er anfangs keine Konkurrenz verträgt. Gerade bei Mais wird offensichtlich, dass im Normalfall nur die Beikräuter ein Problem machen, die bereits vor oder spätestens mit der Kulturpflanze keimen. Pflanzen, die später keimen, stellen für die Kultur oftmals keine große Konkurrenz mehr dar. Sind die Zwischenfrucht und darin befindliche Beikräuter vollständig abgestorben, gilt der Hauptschwerpunkt in der Kulturführung der Regulierung der Keimfäden von Samenbeikräutern.

Die wichtigste Maßnahme der Beikrautregulierung bei Mais stellt das **Blindstriegeln** dar. Die Bodenbearbeitung davor muss so durchgeführt werden (Kluten, Zwischenfrucht-Rückstände etc.), dass ein Blindstriegeln und in weiterer Folge ein Hacken jedenfalls möglich sind. Es muss normalerweise zwischen drittem und sechstem Tag nach der Saat erfolgen und darf keinesfalls übersehen werden. Ein erfolgreicher Durchgang ist in der späteren Kulturführung meist durch nichts mehr zu ersetzen. Mais lässt sich sogar bis zum Spitzen gut blindstriegeln. Danach folgt die kurze sensible Phase der Keimung. Anschließend erfolgt meist sehr bald der erste Hackdurchgang, wobei ein Verschütten der Maispflanze jedenfalls verhindert werden muss. Im Anstand von jeweils ca. zehn Tagen werden durch weitere Überfahrten mit Striegel und Hackgerät die bis dahin nicht erfassten Beikräuter dezimiert.

Der letzte Hackdurchgang ist mit hoher Geschwindigkeit und besonders dafür adaptierten Hackscharen (Paddeln oder auch Scheiben) durchzuführen und soll einen maximalen Anhäufel-Effekt erzielen. Diese Bearbeitung bringt oftmals einen regelrechten Wachstumsschub beim Mais.

### Krankheiten und Schädlingsregulierung

Mais wird nur von wenigen Krankheiten befallen. Sowohl die HT-Blattdürre als auch der Befall mit Maisbeulenbrand sind als typisches Sortenmerkmal über die entsprechende Sortenwahl zu beeinflussen.

Mais ist **besonders anfällig für Drahtwurmfraß**. Leider sind bis dato wenig Erkenntnisse vorhanden, wie die Probleme vermindert werden können. Gleichzeitig ist auch ein Schadensfall kaum vorhersehbar, außer dass im zweiten Jahr nach mehrjährigem Feldfutterbau die Schäden am ehesten vorhanden sind. Alles was dem Boden guttut, fördert indirekt den Drahtwurm. Kleine Lösungsansätze sind das Dazumischen von ein paar Kilogramm Ringelblume oder Tagetes pro Hektar in der Zwischenfrucht vor Mais oder das Aussäen von Weizen- oder Buchweizenkörnern als Ablenkung zwischen die Maisreihen. Diese werden später weggestriegelt bzw. -gehackt.

Die **Saatenfliege** tritt als Schädling auf, wenn auf die Maisaussaat direkt kühle und feuchte Witterung folgt, die eventuell sogar Fäulnis im Boden erzeugt und den Mais in seiner schnellen Jugendentwicklung hemmt. Sobald die Pflanzen auflaufen, ist die Gefahr eines Schadens gebannt.

**Krähen** fressen vorrangig die gekeimten Körner, indem sie bereits aufgelaufene Pflanzen aus dem Boden ziehen und die anhaftenden Körner picken. Da die Schäden zu einem viel späteren Zeitpunkt als die Saat passiert, helfen Saatgutbehandlungen und natürliche Beizen leider gar nichts. Krähen kann man nur mittels Fütterung von weichen Maiskörnern am Feldrand ablenken oder mittels Flugdrachen, Ballons und legal erlegten Krähen abschrecken.

### Ernte
Mais wird mit der üblichen Erntetechnik geerntet. Bio-zertifizierte Trocknungsanlagen, am besten mit Heizquellen aus nachwachsenden Rohstoffen, sind in der Körnermaisproduktion ebenfalls zu bedenken.

### Verwendung
Mais wird enorm vielfältig verwendet und gilt fast als Universalgenie. Neben der klassischen Verwendung als Futter und für Polenta wird daraus Maisstärke für Babynahrung, für viele verarbeitete Lebensmittel, für die Bio-Kunststofferzeugung und als Industrierohstoff erzeugt. Das Nebenprodukt der Maisstärkeerzeugung wird als Bio-Maiskleber (hochwertiger Eiweißträger) an Bio-Geflügel verfüttert.

## 2.5.6 Kartoffel
Die Kartoffel spielt in vielen Bio-Betrieben zumindest für die Eigenversorgung eine entsprechende Rolle. In gewissen Gebieten sind aber auch Kartoffeln als Marktfrüchte (Speise, Stärke, Saatgut) im Anbau.

### Fruchtfolge
Kartoffeln sind hauptsächlich im Anbauabstand zu sich selbst anspruchsvoll. Ansonsten können Kartoffeln nach guten Zwischenfrüchten (Landsberger Gemenge, Wickroggen, abfrostende Leguminosen-Zwischenfrucht mit Inkarnatklee) allen möglichen Vorfrüchten folgen.

### Sortenwahl
Die Sortenwahl ist entscheidend: Einerseits werden damit Verwertung und eventuell die Kocheigenschaft festgelegt, andererseits sind Anfälligkeiten für Krankheiten und Schädlinge oft direkt damit verbunden. Eine Austestung eines kleinen Sortenspektrums am eigenen Standort macht meist Sinn. Außerdem können vielerorts erprobte Standardsorten meist ohne Überraschungen angebaut werden. Letzten Endes ist auch die (Bio-)Verfügbarkeit von Pflanzgut eine relevante Entscheidungsgrundlage.

### Anbau
Kartoffeln werden für einen guten Start und einen entsprechenden Vorsprung gegenüber Beikraut, Krankheiten und Schädlingen im besten Fall **als vorgekeimte Knollen gelegt.** Lichtkeime aus 14-tägigker Vorkultur sind dabei besonders stabil. Je nach Technik werden die Kartoffeln auf entsprechende Reihenabstände und Pflanzabstände gelegt. Eine etwas tiefere Ablage ermöglicht eine bessere mechanische Beikrautregulierung, verzögert aber auch das Auflaufen.

### Düngung
Kartoffeln brauchen zum Starten **kleine Mengen gut verfügbaren Kalk** und eine **gute Spurenelementversorgung.** Daher kann ab Auflaufen mit Blattdüngern wie Spritzkalk und Spurenelementdüngern gearbeitet werden. Ansonsten können natürliche Kaliumdünger (Kali SOP, Patentkali) und Bittersalz oder Kieserit gut zu Kartoffeln gedüngt werden. Gute Schwefelversorgung beugt der Anfälligkeit für Kartoffelkäfer vor. Eine gute Bor-, Silizium- und vor allem Zinkversorgung (Düngung bereits zur Zwischenfrucht) soll die Drahtwurmanfälligkeit verringern.

Auf organisch gut versorgten Böden brauchen Kartoffel für einen guten Ertrag keine zusätzliche Düngung. Gülle sollte keinesfalls vor dem Legen ausgebracht werden, auch Mist ist besser im Herbst zur oder in die wachsende Zwischenfrucht. Zu gute Stickstoffversorgung bringt starken Kartoffelkäferdruck und Krautfäuleanfälligkeit mit sich.

### Beikrautregulierung

Kartoffeln werden meist **mehrmals gestriegelt und wieder aufgehäufelt**. Um dies zu vermeiden und weitere Vorteile zu generieren, können auf Kartoffeldämme kurz nach dem ersten Häufelvorgang und dem Auflaufen der Kartoffeln Mulchmaterialien wie gehäckseltes Wiesengras, im Vorjahr silierte Luzerne oder Wickroggen aufgestreut werden. Als Richtwert sind Flächenverhältnisse von 3-4:1 zw. Spender- und Kartoffelflächen empfehlenswert. Für die Ausbringung können auch Fahrgassen angelegt werden.

### Krankheiten und Schädlingsregulierung

Kartoffel im klassischen Anbau müssen mehrmals mit Mitteln gegen Kartoffelkäfer und Krautfäule behandelt werden. Gegen **Kartoffelkäfer** sind hauptsächlich Bt-Präparate und Neemmittel im Einsatz, in gravierenden Situationen auch das bienengefährliche Spinosat-Präparat. Gegen **Krautfäule** kommen Pflanzenstärkungsmittel und vor allem Kupferpräparate zur Anwendung. Gewisse Abnehmer schränken aber sowohl die Kartoffelkäfer- als auch die Kupfermittelanwendung ein.

Gegen **Drahtwurm** im Herbst hilft am besten die ehestmögliche Ernte nach Schalenfestigkeit. Im Anbau unter Mulch, wie oben kurz beschrieben, dürften die Befallsraten mit Drahtwurm deutlich geringer ausfallen, aber auch die Anfälligkeit für Kartoffelkäfer und Krautfäule sinkt merkbar.

### Ernte

Kartoffeln sollten vor allem bei Drahtwurmgefahr in trockenen Herbsten nicht zu lange im Boden bleiben. Nasse Bedingungen begünstigen hingegen die Infektion mit Knollenfäule. Kartoffeln sollten nach der Wundheilungsphase (2-4 Wochen) sofort sortiert werden, damit sie nach erfolgter Abkühlung nicht mehr zu stark bewegt und gedrückt werden.

### Verwendung

Die Verwendung als Futterkartoffeln geht in größerem Stil wegen der aufwendigen Dämpfarbeit mittlerweile gegen null, obwohl ein Einsatz in der Schweinemast, aber auch in der Rinderfütterung durchaus interessant wäre.

Die Verwendung in den verschiedenen Formen der Lebensmittelbranche (Speisekartoffeln, Verarbeitung zu Stärke, Pommes, Chips etc.) liegt auf der Hand. Die Kartoffel ist für viele Hofläden der Frequenzbringer und lockt Kunden und Kundinnen oft von weit her, wenn Geschmack und Qualität der angebotenen Kartoffeln entsprechen.

## 2.5.7 Ölfrüchte (Sonnenblumen, Ölkürbis, Öllein)

### 2.5.7.1 Sonnenblumen

Sonnenblumen fungieren im Bio-Landbau als Massen-Ölsaat und als Rapsersatz. Dies hat sich seit der Pflanzenöl-Treibstoffphase so entwickelt. Sonnenblumenöl und -kuchen sind wertvolle Komponenten.

### Fruchtfolge

Sonnenblumen sind in der Fruchtfolge flexibel und stehen meist eher abtragend. Wichtiger als die Vorfrucht ist die passende Nachfrucht, in der Ausfall der Sonnenblume und deren Durchwuchs im Zweifelsfall nicht stören sollen. Dies ist entweder durch Wintergetreide oder durch Kleegras gegeben.

### Sortenwahl

Bei Sonnenblumen ist insbesondere auf die Reifegruppe und die Wuchshöhe zu achten. Daneben schränkt das Angebot von ungebeizten Sorten die Auswahl gravierend ein. Nur eine einzige Firma bietet aktuell eine Sorte aus Bio-Vermehrung an, diese ist frühreif und stellt noch dazu eine hohe Nektarmenge für Bienen zur Verfügung.

Je nach Verwertung werden Linoleic- und Highoilic-Sorten verwendet. Letztere haben besonders hohe Ölsäuregehalte und lassen sich daher von Haus aus besser erhitzen, ohne gleich zu rauchen. Auch die technische Verwertungsmöglichkeit ist deutlich besser.

**Anbau**
Sonnenblumen werden fast ausschließlich in Einzelkorntechnik angebaut, um mit klassischer Maishacktechnik gepflegt zu werden.

**Düngung**
Sonnenblumen brauchen nicht viel Stickstoff, dieser kann leicht mit einfachen Zwischenfrüchten zur Verfügung gestellt werden. Gut kalk- und phosphorversorgte Böden sind für ihre Entwicklung förderlich.

**Beikrautregulierung**
Sonnenblumen können blindgestriegelt und mehrmals gehackt und gestriegelt werden. Ist die erste Jugendentwicklungsphase gut überstanden, sind Sonnenblumen sehr konkurrenzkräftig.

**Krankheiten und Schädlingsregulierung**
Sonnenblumen werden von diversen **Fäule-Krankheiten** (Sklerotinia, Botrytis) befallen. Werden die Anbauabstände eingehalten, gesunde Sorten verwendet und ist die Witterung um die Ernte nicht zu nass, sind die Schäden aber sehr überschaubar. Für Speisekörner-Nutzung empfiehlt es sich, die Körner etwas früher zu ernten und nachzutrocknen.

**Schneckenfraß** beim Aufgang kann die Bestände schnell dezimieren. Bei feuchten Aufgangsbedingungen sollte unbedingt ein Schneckenkorn auf Eisen-III-Phosphatbasis angewandt werden. **Hasenfraß** in der Jugendentwicklung sollte vor allem auf kleinen Flächen beachtet werden. Abschreckmaßnahmen (Wildverbissmittel, Schafwolle, gewisse Düngerpellets ...) und scharfe Bejagung im Vorjahr können hier Abhilfe schaffen.

**Ernte**
Sonnenblumen werden mit dem Mähdrescher entweder mit Reihengebiss oder auch mit dem Getreideschneidwerk geeerntet. Tischverlängerungen und Sonnenblumenschiffchen verringern die Verluste um das Schneidwerk.

**Verwendung**
Sonnenblumenöl wird gerne als universell einsetzbares Speiseöl verwendet. Durch Extrudieren wird es besonders erhitzbar gemacht. Es kann aber auch als technisches Öl und als Treibstoffersatz eingesetzt werden.

### 2.5.7.2 Ölkürbis
Der ursprünglich fast nur in der Steiermark heimische Ölkürbis ist zur interessanten Marktfrucht für viele Ackerbaugebiete in Österreich geworden. Der ggA-Anbau ist dennoch auf gewisse Regionen in und um die Steiermark beschränkt. Das Bundesland mit den meisten Bio-Ölkürbisflächen ist aber seit langem Niederösterreich. Im biologischen Anbau spielt die Steiermark dabei eine untergeordnete Rolle. Verarbeitet werden aber dann ein Großteil der Bio-Kürbiskerne dort.

**Fruchtfolge**
Der Ölkürbis stellt keine hohen Ansprüche an die Vorfrucht und die Fruchtfolgestellung, mit Ausnahme der Beikrautfreiheit, da ihm eine eigene Unterdrückungskraft in der Jugendphase fehlt.

**Sortenwahl**
Beim Ölkürbis sind in den letzten Jahren die Hybridzüchtungen stetig mehr geworden. In weniger intensiven Anbaugebieten und auf jungfräulichen Böden sind aber in normalen Jahren mit Liniensorten oft gleich hohe Erträge erwirtschaftbar. Unter Fäulnis- oder Virusbedingungen können die Hybridsorten aber große Ertragsvorteile bringen.

Neben den Erträgen unter Bio-Bedingungen sind die Frühreife für späte Anbautermine und die üppige Pflanzenentwicklung für eine gute Bodenbedeckung entscheidend. Außerdem muss der Wuchstyp (Busch- oder Rankentyp) zur gewählten Reihenweite passen. Eine Reihenweite von

Der Kürbis gilt als Mist- und Kompostliebhaber, am besten bringt man diese zur oder in die Zwischenfrucht im Vorjahr oder sehr bald im Frühjahr aus.

Alle Krankheiten und Schädlinge lassen sich bei Ölkürbis aber durch eine konsequente Einhaltung der Anbauabstände von vier bis fünf Jahren eindämmen.

über 1,4 m ist dabei definitiv bei Rankentypen notwendig, der Boden wird bei Reihenweiten bis 1,4 m auch mit Buschtypen meist ausreichend abgedeckt.

### Anbau

Ölkürbis wird ausschließlich in Einzelkorntechnik angebaut. Je nach Reihenweite errechnet sich der Abstand in der Reihe. Der Zielbestand liegt bei ca. 16.000 Pflanzen je ha. Bestände bis 10.000 Pflanzen pro ha können einen Vollertrag („1 Kürbis je m²") liefern, darunter ist mit Einbußen zu rechnen. Da durch Fraßschädlinge, mechanische Beikrautregulierung etc. die Bestände oft im Nachhinein noch dezimiert werden können und zu dichte Bestände keinen Schaden erzeugen, wird in Bio-Betrieben mittlerweile besonders bei Liniensorten mit niedrigen Saatgutkosten bis zur doppelten Saatstärke gesät.

### Düngung

Der Ölkürbis braucht keine übertriebene Düngung, meist reicht eine gute Zwischenfrucht davor aus. Zu viel Dünger erzeugt mehr Blätter, aber meist keinen höheren Kernertrag. Spätwirksame N-Dünger wie Mist und Kompost können die Abreife stark hinauszögern und die Fäulnisgefahr erhöhen.

### Beikrautregulierung

Der Ölkürbis ist eine der wenigen Kulturen im Bio-Landbau, die meist gar nicht gestriegelt werden. Ein Großteil der Beikräuter soll durch mehrmaliges Abschleppen des Ackers vor dem Anbau bereits reguliert werden. Danach wird der Kürbis mehrmals im Abstand von ca. zehn Tagen mit dem Hackgerät bearbeitet. Der Einsatz der Finger- und der Torsionshackelemente hat sich bei Ölkürbis bewährt. Der letzte Durchgang erfolgt so spät wie möglich und noch kurz bevor die Ranken das „Auseinanderlaufen" starten.

### Krankheiten und Schädlingsregulierung

Die wichtigsten Schädlinge beim Ölkürbisanbau stellen die **Fäulnispilze** und die **Saatenfliege** dar, da sie einen schlechten Feldaufgang bewirken. Warme wüchsige Aufgangswitterung können diese am besten regulieren. Verspätete Saattermine bis Anfang Juni sind dabei besser als der frühere Anbau mit entsprechender Kaltwetterphase. Fruchtfäule und Virusanfälligkeit sind sortenspezifische Eigenschaften. Der Befall mit Falschem Mehltau ist typisch für den Beginn der Abreife und kann letztendlich nicht verhindert werden.

### Ernte

Die Erntekette besteht beim Ölkürbis aus mehreren Schritten und verursacht auch entsprechende Kosten. Zuerst werden die Früchte auf Zeilen zusammengeschoben, nur wenige Vollernter nehmen die Kürbisse flächig auf. Durch das Aufzeilen werden sie von den Reben getrennt und dadurch wird die Endreifung eingeleitet. Diese erfolgt in den fünf bis 14 Tagen nach dem Aufzeilen. Dies stellt jedenfalls das mögliche Erntefenster für die Kürbisse dar. Nach dem Drusch werden die Kerne in Trommelwaschmaschinen gewaschen und von Fruchtfleischresten getrennt. Die Kerne mit bis zu 50 % Wassergehalt müssen danach unverzüglich getrocknet werden. Dafür kommen nur Rost- bzw. Satztrockner in Frage, die Ausstattung mit einem Rührwerk ist fast unerlässlich.

### Verwendung

Beim Ölkürbis werden ausschließlich die schalenlos gewachsenen Kerne verwendet. Diese werden als Backsaat, Knabberkerne und vor allem zu Kürbiskernöl verwertet. Speise- und Zierkürbisse werden ähnlich kultiviert und entsprechend der Nutzungsrichtung verwendet.

## 2.5.7.3 Öllein

Der Öllein gilt mittlerweile als der **heimliche Star unter den Bio-Ölsaaten**. Vor allem die Qualität seines Öls entspricht dem Bewusstsein vieler Bio-Konsumenten besonders. Gleichzeitig lässt sich sein Anbau auch relativ einfach bewerkstelligen.

### Fruchtfolge

Öllein stellt wenig Ansprüche an seine Vorfrucht. Außer zu sich selbst braucht er im besten Fall acht Jahre Anbauabstand. Der Druck an Wurzelbeikräutern darf nicht zu hoch sein, da er diese nicht unterdrücken kann. Öllein kann gut nach Zwischenfrüchten angebaut werden, bessere Vorfrüchte wie Klee oder Leguminosen stärken eher das Beikraut als sein Wachstum.

**Sortenwahl**

Bei der Sortenwahl sind die Kriterien Ölgeschmack, Vermarktbarkeit bzw. Sortenvorgaben des Abnehmers und für eine gute Beikrautunterdrückung eine große Wuchslänge und eine gute Standfestigkeit entscheidend.

Ergänzend zum klassischen Sommer-Öllein sind auch Winter-Ölleinsorten (z.B. Angora) mit guter Winterhärte auf dem Markt.

**Anbau**

Öllein wird fast ausschließlich in Drillsaat angebaut. Die Saatstärke beträgt ca. 65 kg/ha und die Saattiefe ca. 1,5 cm. Öllein kann in trockenen Phasen aber auch bis zu 4 cm tief gesät werden, wenn dies für einen gleichmäßigen Aufgang hilfreich ist.

Nur wenige Betriebe säen den Lein in weiteren Reihenabständen um hacken zu können. Die Kompensationsmöglichkeiten durch Verzweigen stoßen bei Öllein schnell an ihre Grenzen. Nach dem Anbau sollte jedenfalls angewalzt, bei Reihensaat die Saatreihe gut angepresst werden.

**Düngung**

Öllein braucht **keine Düngung**. Die Stickstoffversorgung wird durch eine einfache Zwischenfrucht sichergestellt. Wirtschaftsdüngergaben wirken sich negativ auf Strohlänge, Standfestigkeit und Erntbarkeit aus. Öllein ist auch eine der wenigen Kulturen, die unmittelbar vor dem Anbau getätigte Kalkgaben nicht mögen.

**Beikrautregulierung**

Die wichtigste Beikrautregulierung für Öllein erfolgt vor der Saat. Dabei hat sich herausgestellt, dass der Pflug eher Samenbeikräuter zum Keimen anregt als Mulchsaat. Eine seichte Beikrautkur vor dem Anbau ist dann mehrmals möglich. Alles, was den schnellen und gleichmäßigen Aufgang fördert, ist der Beikrautunterdrückung förderlich.

Öllein besitzt anscheinend Wurzelausscheidungen, die ihm helfen, eigentlich dominante Samenbeikräuter zu schwächen. Diese Wirkung lässt aber während der Abreife nach.

**Krankheiten und Schädlingsregulierung**

Öllein wird theoretisch von Sklerotinia befallen, die auch viele andere Kulturpflanzen schädigen kann. In der Praxis ist aber hauptsächlich der Abstand zu sich selbst entscheidend, um die sogenannte Leinmüdigkeit nicht zu provozieren.

**Ernte**

Öllein wird mit dem Mähdrescher geerntet, wobei der Direktdrusch schwierig ist. Dafür braucht es stabile und auch strohreife Bestände und neue, scharfe, glatte Messer und Gegenschneiden am Schneidwerk. Dennoch ist Lein als Faserpflanze bei der Direkternte tückisch und verursacht Wickler und Stopfer im Mähdrescher. Daher hat sich als zweite sehr gute Variante der **Schwaddrusch** entwickelt. Dazu wird der Lein ca. eine Woche vor der Samenreife mit einem Doppelmessermähwerk oder eventuell mit einem Scheibenmähwerk abgemäht und die Schwaden ohne weitere Bewegung einen bis drei Tage in der Sonne der Tauröste ausgesetzt. Minimale Niederschläge dazwischen fördern das Brüchig werden des Strohs. Dabei wird einerseits die Faser des Leins sehr brüchig und andererseits werden sowohl der Leinsamen als auch die Beikräuter gut trocken. Dies erleichtert die Mähdrescherernte mit ganz normalem Schneidwerk enorm.

**Verwendung**

Öllein wird einerseits als Rohstoff für die Pressung von Leinöl verwendet, andererseits findet das Samenkorn in der menschlichen Ernährung direkte Verwendung auf Backwaren und in Müslimischungen. Leinsamen werden aber auch in der Tierernährung und als Hausmittel gegen Durchfall eingesetzt.

### 2.5.8 Körnerleguminosen (Soja, Ackerbohne, Erbse, Lupine)

Die Körnerleguminosen sind ein wesentlicher Bestandteil des Gesamtkreislaufs im biologischen Landbau. Sie stehen als direkte Symbionten mit den N-sammelnden Knöllchenbakterien in Verbindung und werfen als Stickstofffabrik auch noch handelbare Körner für den Ackerbauern bzw. die Ackerbäuerin ab. Daneben sind im Veredelungsbereich die Tierhalter und -halterinnen auf pflanzliche Eiweißquellen angewiesen, um ihre Nutztiere zu ernähren. Nicht verwerteter Stickstoff aus dem Eiweiß düngt wiederum die energiehaltigen Gras-, Getreide- und Maisbestände der Veredelungsbetriebe. Dies stellt einen optimalen Kreislauf dar.

### 2.5.8.1 Ackerbohne

Die Ackerbohne gilt als die effektive Leguminose schlechthin. Neben ihren guten Kornerträgen hat sie viel Vorfruchtpotenzial und kann ihre Nachfrüchte mit bis zu 120 kg Vorfrucht-Stickstoff versorgen.

#### Fruchtfolge

Ackerbohne braucht zu sich selbst mindestens fünf bis sechs Jahre Anbauabstand und auch möglichst weite Abstände zu Erbsen und Rotklee. In einer üblichen Fruchtfolge kommt Ackerbohne nach stark zehrendem Mais oder nach abtragendem Hanf. Auch nach mehrmaligem Getreide passt sie, dann muss aber noch eine leguminosenfreie Zwischenfrucht dazwischen angebaut werden. Hafer, Sudangras, Sommerroggen und die Kreuzblütler Kresse, Leindotter und Rettich sind dafür passend. Winterharte Zwischenfrüchte machen hier wenig Sinn, da der Anbau ehestmöglich im Frühjahr, meist in Mulchsaat, erfolgt. Wird dennoch der Pflug vor dem Anbau eingesetzt, bieten sich Winterrübsen und auch winterharte Gräser als Zwischenfrüchte an.

Für die Bewältigung der System-Immergrün-Auflagen kann Winterackerbohne oder auch Wintererbse ein adäquater Ersatz sein.

#### Sortenwahl

Hier liegt viel Potenzial drinnen. Einerseits sind einige kurzstrohige standfeste Typen mit schlechter Beikrautunterdrückung, aber guten Schotenansätzen auch unter trockeneren Bedingungen verfügbar. Andererseits sind nach wie vor die langstängeligen Begrünungstypen mit Knick-Gefahr und oftmals schlechten Schotenansätzen bei Hitze und Trockenheit vorhanden.

Weiters gibt es noch Wintersorten, die in der ersten Jugendphase gut kältetolerant sind. Diese haben auch die Eignung zu bestocken (bei tiefer Saat). Die Winterfeuchtigkeit wird in normalen Jahren gut mitgenommen. Passende Bodenfeuchte und moderate Temperaturen zum Ansatz der Hülsen sind aber auch für sie relevant.

#### Anbau

Beim Anbau gilt: maximal früh, maximal tief

Ackerbohnen **vertragen** durch ihre Sprengkraft an den Wurzeln **auch etwas feuchtere Anbaubedingungen**. Daher ist eine möglichst frühe Saat auch mal in den letzten Februartagen oder der ersten Märzwoche realistisch. Die Saattiefe (Ziel 10 cm, in der Praxis 6 cm) sollte in jeder Hinsicht ausgereizt werden. Rückverfestigende Packerwalzen an der Kreiselegge vor den Saateinheiten sind dafür kontraproduktiv. Die besten Ergebnisse werden mit Sägrubbern und im abgesetzten Saatverfahren mit vorangegangener Saatbettbereitung durch Federzinkengeräte erzielt. Im Zweifelsfall können Ackerbohnen auch ausgestreut und seicht (12 cm) eingepflügt werden. Die Triebkraft und die folgende Pflanzengesundheit sind oftmals überzeugend. Vor allem bei nicht optimaler Anbautechnik und -tiefe sollten Ackerbohnenflächen jedenfalls nachgewalzt werden.

Die **Saatstärke** wird bei Ackerbohnen am besten in Körnern je m² (Ziel 35 bis 40) angegeben, da das TKG extrem (200 bis 500 g) schwankt. Als Richtwert gilt eine Saatmenge von 180 bis 220 kg/ha.

Die Forderung nach entsprechend tiefer Saat würde auch für die Einzelkorntechnik sprechen. Ein Hackgeräteeinsatz ist aber aus stickstoffdynamischen und humusmindernden Gründen nicht zu rechtfertigen.

Ackerbohnen sollten für eine längerfristig erfolgreiche Kulturführung am besten als Mischkultur mit Hafer und Senf angebaut werden (siehe Kapitel Mischkulturen).

Winterackerbohnen hingegen werden möglichst spät (2. Oktoberhälfte, in Gunstlagen 25. Oktober) und ebenfalls möglichst tief (Ziel 10 cm, in der Praxis 6 cm) angebaut. Winterackerbohnen werden mit 28 bis 35 K/m² gesät.

Ackerbohnen in Dichtsaat (600 bis 1000 kg/ha) ergeben nach ein paar Vegetationswochen eingearbeitet eine optimale Vorfrucht für starkzehrende Kohlgewächse im Gemüsebau.

**Düngung**

Ackerbohnen lieben ein **frisch gekalktes Saatbett** und eine **ausreichende** (50 kg/ha) **Schwefelversorgung.** Am besten werden dafür 2 t/ha Kohlensaurer Kalk und 250 kg/ha Naturgips(korn) verwendet. Der Boden sollte möglichst leer an Nitrat sein und gute Kali- und Phosphorwerte aufweisen.

**Beikrautregulierung**

Ackerbohnen sind **die Striegelkultur schlechthin.** Im Abstand von acht bis zehn Tagen ab der Saat kann meist zwei- bis viermal optimal gestriegelt werden. Entscheidend ist der Fortschritt der Beikräuter. Die Kulturpflanze wird maximal durch angepasste Fahrtgeschwindigkeit geschont.

Ein Hackgeräteeinsatz hilft, Wurzelunkräuter etwas zu minimieren, vermehrt diese aber in der Folgekultur. Stickstoff-Mineralisierung dürfte der Grund dafür sein.

**Krankheiten und Schädlingsregulierung**

Ackerbohnen werden von allerlei Schädlingen (Blattrandkäfer, Blattläusen, Trips, Bohnenkäfer etc.) und Krankheiten (Schokoladenflecken, Brennflecken, Pythium, Fusarien etc.) befallen. Direktanwendungen von Mitteln waren bisher nicht erfolgversprechend, auch nicht in der biologischen Blattlausregulierung, um die Übertragung durch diese zu vermindern.

**INFO!** Regulieren

**Die wichtigste Möglichkeit der Regulierung ist, den Anbauabstand zu sich selbst und allen anderen Leguminosen einzuhalten. Die zweitwichtigste Möglichkeit ist die frühe und tiefe Saat von gesundem Saatgut. Und die dritte liegt in der optimalen Kalk- und Schwefelversorgung und dem Anbau von Mischkulturen.**

Buntblühende Sorten sind bitterstoffreicher, haben damit aber vor allem gegen stechende und saugende Schädlinge auch eine gewisse Abwehrkraft.

**Ernte**

Ackerbohnen werden wie Getreide gedroschen. Bei großer Hitze am Tag empfiehlt sich eine Ernte in den frühen Morgenstunden, um die Schoten etwas vor dem Aufplatzen zu schützen. Aufgrund der Korngröße lassen sich etwaige Mischungspartner aus Mischkulturanbau bestens über einfache Reinigungsanlagen wegtrennen.

**Verwendung**

Ackerbohnen werden in Österreich hauptsächlich als Viehfutter und Zwischenfruchtsaatgut verwendet. In kleinen Mengen wird Ackerbohnenschrot auch als Dünger für Dauerkulturen angewandt.

### 2.5.8.2 Erbsen

Die Körnererbse ist aufgrund des laufend starken Rückgangs im Osten Österreichs nach wie vor die Leguminose mit sinkenden Anbauflächen. Dennoch wird sie in den trockenheitsgeplagten Gebieten in Oberösterreich gerade wiederentdeckt. Die seit 30 Jahren zu beobachtende Bewegung und Gegenbewegung zwischen Ackerbohnen- und Erbsenanbauflächen geht damit offenbar in eine neue Runde.

**Fruchtfolge**

Erbsen brauchen sehr lange Anbauabstände zu sich selbst (acht bis zehn Jahre) und zu anderen Leguminosen wie Rotklee und Luzerne. Dies gilt insbesondere für die weißblühende Körnererbse. Peluschken-Typen sind dabei deutlich weniger anspruchsvoll (sechs bis acht Jahre).

Erbsen stehen wie Ackerbohnen nach möglichst starkzehrenden Vorkulturen wie Mais, Hirse, Hanf oder strohstarken Getreiden und leguminosenfreien Zwischenfrüchten.

### Sortenwahl

Entscheidend bei weißblühenden Erbsen sind die große Wuchshöhe mit blatttyp-ähnlichem Wuchs, die dennoch gute Standfestigkeit und die gute Fußgesundheit.

Teilweise wird auch die Peluschkenerbse im Frühjahrsanbau mit Stützfrucht Hafer und Senf wieder stärker angebaut. In Futterbaubetrieben ist diese ein optimaler Grünfutterpuffer (dann evtl. ohne Senf anbauen) für etwaige trockene Jahre.

**INFO!** Wintererbse

**Eine Besonderheit ist die Wintererbse für den Anbau in Mischkultur mit diversen Wintergetreidearten. Während die weißblühenden Sorten besser zu Wintergersten passen, sind die üppig werdenden Peluschken-Typen für die Saat mit Wintertriticale am besten geeignet. Der Anbau erfolgt für eine erfolgreiche Überwinterung möglichst spät. Das Produktionsgebiet gibt die spätest möglichen Anbautermine für die Getreidekomponenten vor. Bei Gemengen aus Wintererbsen (35 kg/ha) und Triticale (100 kg/ha) gilt für frostgefährdete Standorte aber dennoch der 25. Oktober als Empfehlung.**

### Anbau

Sommer-Körnererbsen werden etwas später und etwas seichter als Ackerbohnen angebaut. Für ihre Entwicklung ist eine gewisse Wärme förderlich und es sind feuchte Saatbedingungen unbedingt zu vermeiden. Etwas spätere Saattermine sind für die tagneutrale Pflanze zur Ertragsbildung unproblematisch. Körnererbsen werden als Sommer- und Winterform eigentlich fast immer als Mischkultur angebaut. Für die Sommersorten gelten trotz Beimengung von Mischungspartnern aber als Richtwert für die Saatstärke 180 bis 200 kg/ha fast uneingeschränkt. Für genaue Mischungszusammensetzung siehe Kapitel Mischkulturen. Die optimale Saattiefe beträgt 3 bis 5 cm.

### Düngung

Erbsen lieben wie alle Leguminosen Kalk und Schwefel. Dazu reagiert die Erbse besonders auf gute Phosphorversorgung positiv.

### Beikrautregulierung

Körnererbsen können blindgestriegelt und nach dem Auflaufen bis zum Verranken der Pflanzen gestriegelt werden. In Mischkulturen wird aber oft bewusst ohne Beikrautregulierung gearbeitet. Besonders bei der Einsaat mit Leindotter direkt nach der Erbsensaat gelingt dies optimal.

### Krankheiten und Schädlingsregulierung

**Körnererbsen** werden von einer Reihe von Krankheiten und Schädlingen befallen. Einerseits sind die Anbauabstände zu sich selbst, der Mischkulturanbau und die gute Versorgung mit Kalk und Schwefel gute Möglichkeiten, diese Schadfaktoren vorbeugend abzuwehren. Eine möglichst frühe, aber dennoch trockene Saat andererseits hilft, den Blattlausflug möglichst spät in der Vegetation zu erwischen.

**Wintererbsen und Peluschken** werden hauptsächlich durch Fuß- und Welkekrankheiten erfasst, was ebenfalls durch Anbauabstände, aber auch durch gesundes Saatgut beeinflussbar ist.

**Ernte**

Körnererbsen sind klassisch mit dem Mähdrescher zu ernten. Besonders bei der Ernte der Mischkulturen und hier insbesondere der Winter-Peluschkengemenge ist ein seitlicher Rapstrenner von Vorteil. Buntblühende Peluschken-Typen von Sommer- und Wintersorten sind bitterstoffreicher, haben damit aber vor allem gegen stechende und saugende Schädlinge auch eine gewisse Abwehrkraft.

**Verwendung**

Körnererbsen werden ausschließlich in der Fütterung eingesetzt. Die Peluschken-Typen sind aufgrund der höheren Bitterstoffgehalte bei sensiblen Tierarten wie Ferkeln, Küken, Legehennen und säugenden Sauen nur begrenzt einsetzbar.

### 2.5.8.3 Soja

Soja ist das Eiweißpaket vom Acker. Sowohl in der menschlichen Ernährung als auch als Tierfutter ist sie weltweit die Nummer eins im Proteinversorger.

**Fruchtfolge**

Soja ist grundsätzlich selbstverträglich und auch auf enge Anbauabstände zu anderen Leguminosen reagiert sie kaum. Am besten steht sie nach stickstoffzehrenden Kulturen wie Mais, vor allem um die Beikrautunterdrückung zu verbessern.

**Sortenwahl**

Soja wird wie Mais in Reifegruppen eingeteilt. Dazu braucht es vor allem eine standortpassende Auswahl. Leere Böden vertragen etwas spätere Reifezahlen, da vor allem Reststickstoff im Boden die Abreife verzögert. Besonders wichtig ist die Wuchshöhe der Sorten und die damit im Normalfall direkt zusammenhängende Verzweigungskraft. Schnelle Jugendentwicklung, Standfestigkeit und Gesundheit sind ebenfalls relevant für die Auswahl.

**Anbau**

Soja wird in verschiedenen Varianten, abgestimmt auf die Beikrautregulierungsmethode, gesät. Hauptsächlich wird in Drill- und Einzelkorntechnik unterschieden.

3 bis 5 cm tief und mit einem Richtwert von 65 bis 70 Körnern/m² ist der Anbau zu tätigen. Sojasaatgut muss jedenfalls mit spezifischen Sojarhizobien beimpft werden. Mehrfache Impfstoffmengen und die Kombination verschiedener Präparate sind besonders effektiv. Der Nutzen übersteigt jedenfalls den Aufwand.

**Düngung**

Soja braucht entgegen landläufiger Meinungen insbesondere bei mechanischer Beikrautregulierung keine Stickstoff-Startdüngung. Je leerer der Boden ist, umso besser wächst die Soja und umso schlechter das Beikraut.

Auf Kalkgaben und vor allem auf eine Schwefelversorgung mit Naturgips(korn) reagiert Soja mit höheren Erträgen und besserem Eiweißgehalt. Auch die Phosphornachlieferung des Bodens ist für Soja relevant.

**Beikrautregulierung**

Wie oben beschrieben, wird Soja je nach Anbaumethode von Beikraut freigehalten. Unabhängig von der Anbaumethode sollte Soja jedenfalls blindgestriegelt werden. Je nach Saattiefe und Keimtemperaturen erfolgt dies am fünften bis siebenten Tag nach der Saat. Bis zum Häkchen-Stadium ist dies möglich. Danach schiebt Soja durch die epigäische Keimung das gesamte Saatkorn durch die Bodenoberfläche und ist wenige Tage lang sehr sensibel und kann leicht abbrechen. Ist diese Zeitspanne dennoch für eine Beikrautregulierung relevant, ist bei Reihensaaten ein Überhäufeln der Sojareihen die beste Methode, um die Beikräuter in der Reihe zu verschütten und den Keimling nicht zu stören. Ab dem Erscheinen des ersten echten Laubblattpaares kann Soja wieder gut gestriegelt werden. Danach folgt im Normalfall auch ein Hackdurchgang.

Immer wieder werden selbst Reihensaaten nur mit Striegel sauber gehalten. Bei der Drillvariante ist dies ohnehin nicht anders möglich. Leindotterbegleitsaaten können hier einen wichtigen Beitrag zur Unterdrückung von Beikraut in der ersten Wachstumsphase bilden.

### Krankheiten und Schädlingsregulierung

Soja hat wenige Krankheiten und Schädlinge, nur bei der Keimung kann bei sehr kühlen und nassen Bedingungen die Saatenfliegenlarve gravierende Schäden verursachen. Sklerotiniaauftreten kann in früher Raps-lastigen Fruchtfolgen und bei zu engem Abstand zu befallenen Sonnenblumen sichtbar werden. Eine wirklich ertragsrelevante Größe erreicht dies meist aber kaum.

Weiters ist bei Soja noch der Wildverbiss relevant. Vor allem auf kleinen Flächen sind Hasen und Rehe oft für gravierende Schäden zu verantworten. Mit Wildverbissmitteln rund um die Sojaflächen kann eine gewisse Zuwanderung unterbunden werden.

### Ernte

Soja wird mittels Mähdrescher und Getreideschneidwerk geerntet. Im Normalfall ist eine leichte Nachtrocknung notwendig.

### Verwendung

Soja wird einerseits als Lebensmittel, bspw. als Sojamehl für Sojamilchprodukte, eingesetzt, andererseits wird Soja für Futtermittelzwecke verwendet. Dafür wird die Bohne zumindest getoastet, meistens in diesem Bearbeitungsschritt auch gepresst. Dabei ist eine Ölausbeute von ca. 10 % zu erwarten. Sojaöl kann als Futteröl, technisches Öl und auch als gut erhitzbares Speiseöl verwertet werden.

## 2.5.8.4 Lupinen

Lupinen können als die Sojabohnen für rauere Lagen bezeichnet werden. Sie sind in Wuchstyp, Korninhaltsstoffen und Verwertungsmöglichkeit den Sojabohnen sehr ähnlich.

### Fruchtfolge

Lupinen sind hauptsächlich mit sich selbst unverträglich. Daneben reagieren sie am ehesten auf andere sklerotiniaanfällige Arten wie Raps, Sonnenblumen und Soja.

### Sortenwahl

Bei Lupinen werden endständig, kurz wachsend, aber gleichmäßig abreifende Sorten und verzweigende, gut beikrautunterdrückende, ungleichmäßig abreifende Sorten unterschieden. Zweitere sind ertraglich normalerweise besser, aber oft schwierig zu ernten.

Es gibt die Typen blaue, gelbe, weiße Süßlupinen und diverse einjährige und ausdauernde Bitterlupinen, wobei die Bezeichnung noch nicht eindeutig die Blütenfarbe beschreibt. Jedenfalls ist die blaue Lupine der für die meisten Standorte in Österreich passendste und am wenigsten Anthraknose-anfällige Typ. Bitterlupinen eignen sich ausschließlich für den Bodenaufbau und im Zwischenfruchtbereich.

### Anbau

Lupinen werden in Drillsaat, meist in Reinkultur, angebaut. Leindotteruntersaaten passen aber gut dazu. Der Anbautermin ist gleich wie der von Erbsen und Sommergetreide und die Saattiefe liegt bei ca. 2 bis 4 cm. Angebaut werden je nach Sorte 120 bis 160 kg/ha.

### Düngung

Lupinen brauchen keinen Dünger, anders als alle anderen Leguminosen mag sie auch keinen Kalk! Deswegen passt sie auf alle kalkfreien Böden, vor allem auf die des Mühl- und Waldviertels.

### Beikrautregulierung

Lupinen werden meistens blindgestriegelt und ein weiteres Mal bei einer Wuchshöhe von ca. 5 bis 10 cm gestriegelt.

### Krankheiten und Schädlingsregulierung

Die Anthraknose ist die gefürchtetste Krankheit im Lupinenanbau. Durch die Typen- und Sortenwahl kann dieser ausgewichen werden. Alle anderen Krankheiten und Schädlinge sind untergeordnet, außer es tritt starker Hasenfraß auf. Dann können Abwehrmaßnahmen mit Wildverbissmitteln notwendig werden.

**Ernte**

Lupinen werden mit dem Mähdrescher und Getreideschneidwerk geerntet. Bei endständigen Typen ist dies problemlos und vom Zeitpunkt her eindeutig. Da verzweigende Sorten ungleich abreifen und oftmals nochmals durchblühen, kann hier ein Schwaddrusch nach zwei bis drei Tagen Sonnenschein die beste Variante darstellen.

**Verwendung**

Lupinen werden einerseits als eiweißreiches Viehfutter ohne Toast- und Pressnotwendigkeit verfüttert. Andererseits erfreuen sich die Süßlupinen als Lebensmittel in Form von eiweißreichen Mehlen, Tofu und Lupinen-Kaffeeersatz immer größer werdender Beliebtheit.

### 2.5.8.5 Wicken

Wicken sind typische Leguminosen der trockenen Ackerbaugebiete. In den letzten Jahren hat sich der Anbau in Ackerbaubetrieben hauptsächlich als Mischkultur etabliert.

**Fruchtfolge**

Wicken brauchen wie alle Körnerleguminosen zehrende Vorfrüchte mit entsprechend stickstoffleeren Böden. Während Sommerwicken meist nach leguminosenfreien Zwischenfrüchten stehen, folgen Winterwicken auch nach späträumenden Vorfrüchten wie Mais oder Hanf.

**Sortenwahl**

Bei Sommerwicken ist die Sortenauswahl gering und weniger bedeutend für Anbau und Verwertung. Bei Winterwicken ist im Normalfall der weißblühenden pannonischen Winterwicke definitiv der Vorzug zu geben. Die blaublühende Zottelwicke ist mit ihren hartnäckigen Samen oftmals kaum mehr vom Acker wegzubekommen („Einmal Wicke, immer Wicke“). Aufgrund der kleinen Körner kann sie schlimmstenfalls Speiseweizenpartien zu Futter abwerten.

**Anbau**

Sommerwicken werden wie Körnererbsen am besten in Mischkultur mit Sommergerste oder Hafer angebaut. Winterwicken werden mit Populationsroggen oder Grünschnittroggen gemischt angebaut. Genauere Hinweise dazu siehe Kapitel Mischkulturen.

**Düngung**

Wicken brauchen wie alle Leguminosen keine Düngung, eine gute Kalk- und Schwefelversorgung verwerten sie aber gut.

**Beikrautregulierung**

Wicken in Mischkultur angebaut brauchen keine Beikrautregulierung. Aus ihrem üppigen Wuchs geht eine so gute Beikrautunterdrückung hervor, dass die Felder nach dem Anbau oft wie gereinigt wirken. Selbst gegen Disteln können Winterwicken mit Grünroggen eine ganz gute Wirkung erzielen.

**Krankheiten und Schädlingsregulierung**

Wicken werden weder von relevanten Schädlingen noch von relevanten Krankheiten befallen.

**Ernte**

Die Ernte erfolgt mit dem Mähdrescher, wobei die Reife des Strohs vollständig abgeschlossen sein muss. Ansonsten können dadurch Wickler und Verstopfungen im Mähdrescher entstehen.

**Verwendung**

Wicken werden großteils als Zwischenfruchtsaatgut und eingeschränkt an weniger empfindliche oder an den bitteren Geschmack gewöhnte Tierarten wie Rinder oder Schweine verfüttert.

### 2.5.8.6 Sonstige Körnerleguminosen (Platterbsen, Esparsette, Serradella ...)

**Fruchtfolge**

Diese speziellen Körnerleguminosen sollten ebenfalls nach starkzehrenden Vorfrüchten auf stickstoffgeleerten Böden stehen.

**Sortenwahl**

Hier werden bei diesen Arten oft nur Herkünfte unterschieden. In der Auswahl der Sorten liegt dabei wenig kulturführungstechnische oder verwertungstechnische Relevanz.

**Anbau**

Alle diese Arten werden als Drillsaat angebaut. Die üblichen Saatstärken können aus den jeweiligen Anbauempfehlungen entnommen werden. Die Saatplatterbse braucht, wenn möglich, eine Stützfrucht.

**Düngung**

Keine der Arten braucht spezielle Düngung. Während Serradella eher kalkarme Böden bevorzugt, liebt die Esparsette die kalkreichen Standorte und entsprechende Gaben vor dem Anbau.

**Beikrautregulierung**

Bei keiner der Arten wird eine aktive Beikrautregulierung durchgeführt. Bei zu starkem Samenbeikrautdruck in Serradella und Esparsette wird der Samennutzung eine Schnittnutzung oder ein Mulchdurchgang vorgeschaltet. Saatplatterbsen wachsen sehr schnell und dicht und brauchen oftmals keine Beikrautregulierung, wobei Striegeln in der Anfangsphase durchaus gut vertragen wird.

**Krankheiten und Schädlingsregulierung**

Bei diesen Arten treten selten Krankheiten und Schädlinge auf.

**Ernte**

Alle diese Arten können mit dem Mähdrescher geerntet werden, wobei vor allem Serradella und Esparsette auch als Heu und Grünfutter geerntet werden können.

**Verwendung**

Sie werden als Körnerfutter oder Grünfutter, teilweise auch als Zwischenfruchtsaatgut verwendet. Saatplatterbsen weisen aber erhöhte Bitterstoffe und Cumaringehalte in den Körnern auf, was die Verwendung auf Rinder und Schweine begrenzt. Im Grüngut ist dieser Stoff ebenfalls enthalten und schließt eine Grundfutterverwertung der Saatplatterbsen daher im Normalfall klar aus.

### 2.5.9 Feldfutterbau

Der Feldfutteranbau stellt im Bio-Landbau **flächenmäßig die größte Kulturgruppe** dar. Viele tierhaltende Betriebe brauchen es als Futtergrundlage. In viehlosen Betrieben erfolgt damit Bodenaufbau, Humus- und Stickstoffanreicherung und Beikrautregulierung. Während der Tierhaltungsbetrieb die Anbaumethode, die Fruchtfolgestellung und die Mischungsauswahl vorrangig an die Futtereignung und den Futterbedarf abstimmt, versucht der Ackerbau möglichst sparsam mit diesen oft wenig produktiven Flächen umzugehen.

Viele Kleegrasflächen leiden unter Kalk- und Schwefelmangel, wie neuere Untersuchungen und Versuche zeigen. Daher ist auch auf Kleegras und Wechselwiesen für die Düngung mit diesen Mineralien, auch mit Steinmehl, zu sorgen. Kleebetonte Feldfutterbestände brauchen keine regelmäßige Güllegabe. Bekommen sie diese trotzdem, womöglich von Anfang an, ist ein schneller Rückgang des Kleeanteils, eine Verschiebung hin zu Gräsern und womöglich ein insgesamt lückiger Bestand vorprogrammiert. Daher sollte auch die Auswahl der Mischungen auf die Gülledüngungsintensität abgestimmt sein (je mehr Gülle, desto höherer Gräseranteil).

Bei sehr hohem Feldfutteranteil in der Fruchtfolge ist es besser, die Standzeit weniger lange zu wählen und dafür verschiedene Mischungen abzuwechseln. Ein möglicher Fruchtfolgeumbau ohne Futtermengenverlust ist in der Grafik dargestellt.

**Fruchtfolgeoptimierung für Futterbaubetriebe**

| Vorher | | Nachher | |
|---|---|---|---|
| **HF** | **ZF** | **HF** | **ZF** |
| Kleegras 1.Jahr | | Kleegras 1.Jahr | |
| Kleegras 2.Jahr | | Kleegras 2.Jahr | |
| Kleegras 3.Jahr | | Getreide ev. GPS | danach Zwischenfrucht mit Futternutzung |
| Kleegras 4.Jahr | | Mais | danach Grünroggen mit Intensivgrasmischung |
| Mais | | Intensivgrasmischung | |
| Getreide | | Getreide ev. GPS | |

### 2.5.9.1 Kleegras im viehlosen Betrieb

Viele Bio-Betriebe haben auch als viehlose Betriebe Feldfutterbestände in Form von reinem Klee oder Luzerne oder als Kleegrasflächen in der Fruchtfolge. Um damit die maximale Menge an Stickstoff anzureichern, empfiehlt es sich, pro Jahr die ersten beiden Schnitte abzutransportieren. Werden diese eingemulcht oder nach der Mahd liegengelassen, geht sofort der Abbau los und setzt große Stickstoffmengen in der Leguminosen-Wachstumsphase frei. Dies schmälert aber die Knöllchenbakterienleistung enorm. Wurzelbeikräuter wie Ampfer und Disteln können daraus oftmals schon ihre nächsten Nährstoffschübe generieren.

In diesem Zusammenhang stellt sich natürlich die Frage der Verwertung. Die beste Variante ist, dass das Material den Betrieb nicht verlässt. Ohne Tierhaltung liegt dies aber nicht auf der Hand. Folgende Möglichkeiten der **Verwertung mit Kreislaufansatz** wären denkbar:

- Futter-Mistkooperation mit Tierhaltungsbetrieb und Wirtschaftsdünger-Rücklieferung
- Innerbetriebliche Kompostierung, Fermentierung (Bokashi) bzw. klassische Silierung und spätere Ausbringung wie Mist
- Innerbetriebliche Mulchverwertung (Cut- und Carry-Methode)

### 2.5.9.2 Samenvermehrung bei Klee

Eine besondere Form des Feldfutterbaus stellt die Samenvermehrung von Klee dar. Insbesondere wird Rotklee vermehrt, selten auch andere Kleearten und Luzerne. Die Anlage der Bestände erfolgt im Normalfall im Sommer nach Getreide oder im besten Fall bereits als Untersaat in der Vorkultur, z. B. in Hafer. Bei der Sommersaat empfiehlt es sich 60 kg Hafer oder Triticale beizumischen. Letztere wird erst mit dem Reinigungsschnitt im Frühjahr abgemäht und damit wieder verdrängt. Gerade bei der Kleeansaat ist eine ampferfreie Jugendentwicklung relevant. Daher bewährt es sich besonders mindestens 2 t/ha kohlensauren Kalk zu streuen. Auch für Schwefelgaben zur Saat, zum Vegetationsstart im Frühjahr oder zum zweiten für die Samenvermehrung relevanten Schnitt sind Klee und Luzerne besonders dankbar.

## 2.5.10 Mischkultur

Mischkulturen sind Gemenge aus mehreren Arten von Kulturpflanzen, die zeitgleich auf demselben Acker wachsen und möglichst in Symbiose gemeinsam wachsen und geerntet werden. Dafür haben sich unterschiedliche Gruppen in der Kulturführung und Erntbarkeit herauskristallisiert. Es werden gerade in diesem Segment aber auch immer wieder neue Kombinationen ausprobiert.

Mischkultur mit Ackerbohne, Hafer und Senf

**Leguminosen-Getreide**

Diese Gemenge sind vor allem mit Sommergetreide und Erbsen eine sehr weit verbreitete Mischkultur. Ackerbohnen und Hafer passen aber genauso gut zusammen wie Wintertriti-

Sollten Disteln bereits vor der Anlage von Kleevermehrungsbeständen auf der Fläche vorhanden sein, macht es Sinn, diese Distelflecken besonders im Anlagejahr, aber meist auch im Nutzungsjahr, partiell immer wieder zu mähen oder zu mulchen. Andernfalls könnten die Disteln gestärkt aus dem Kleevermehrungsjahr in den nächsten Fruchtfolgezyklus starten.

cale mit Wintererbsen oder Winterroggen mit pannonischen Wicken. Aufgrund der Erkenntnis, dass Kreuzblütler Blattläuse abhalten können, können diese Gemenge sogar mit Kreuzblütlern ergänzt werden.

**Leguminosen-Kreuzblütler**

Zu Ackerbohnen passt Senf aufgrund der üppigeren Entwicklung und des Abreifeverhaltens besser, während sich zu Erbsen die Beisaat von Leindotter bewährt hat. Leindotter und Senf können gut mitgedroschen werden und in einem folgenden Trennungsvorgang über einfache Reinigungsanlagen werden die feinen Samen von den groben Bohnen getrennt.
Anbau siehe Untersaaten.

**Getreide-Kreuzblütler**

Auch in Getreide können Kreuzblütler eingebaut werden, wobei sich bei Wintergetreide 0,2 bis 0,5 kg/ha und bei Sommergetreide max. 4 kg/ha bewährt haben.

### 2.5.11 Nischenkulturen

**Zuckerrüben**

Zuckerrüben werden als klassische Hackfrucht geführt und müssen im Normalfall mehrmals auch mit Handhacke und evtl. Jäteflieger (Saisonarbeitskräfte) von Beikraut befreit werden. Außerdem können Fraßschädlinge vom Aufgang der Kultur weg großen Schaden verursachen, auch die Blattgesundheit spielt für den Anbauerfolg eine große Rolle. Bei der Zuckerrübe darf auch die negative Humusbilanz alleine durch die wurzelanhaftende Schmutzerde nicht unterschätzt werden.

**Buchweizen**

Buchweizen wird regional als sehr wichtiges sogenanntes Pseudogetreide angebaut und hat vor allem in Kärnten und der Steiermark regional große Bedeutung (Heidenmehl, Sterz etc.). Buchweizen darf auch in vielen Begrünungsmischungen nicht fehlen, hat aber den gravierenden Nachteil der extrem schnellen Samenbildung. Diese kann aber in Gunstlagen im Zweitfruchtanbau für die Körnerernte genutzt werden. Buchweizen ist außerdem eine sehr attraktive Trachtpflanze für Bienen und sehr frostempfindlich. Die Saatstärke als Hauptfrucht beträgt 40 bis 65 kg/ha.

**Hanf**

Hanf ist eine wichtige Nischenkultur im Bio-Landbau geworden. Während früher und regional die Strohverwertung ein Thema war, werden heute einerseits die ölhaltigen Körner gedroschen und zu Knabberhanf und Hanföl verwertet und andererseits Blätter und Blüten zu Tee, Sirup und Nahrungsergänzungsmitteln verarbeitet. Hanf soll keinesfalls zu früh (Anfang Mai bis Anfang Juni) angebaut werden. Hanf wird ausschließlich in Vertragsproduktion angebaut. Dafür sind Sortenvorgaben und in der gesamten EU ausschließlich Originalsaatgut erlaubt.

**Raps**

Raps wird als Sonderkultur der Superlative bezeichnet, da er die scheinbare Unmöglichkeit der Kulturführung in Nährstoffversorgung und Pflanzenschutz vereint. Dennoch steigt die Anbaufläche stetig und die Erfolge werden stabiler, da die Knackpunkte für den Rapsanbau klarwerden. Mit Mischkulturanbau mit Ackerbohnen oder Platterbsen und der vorbeugenden Versorgung mit ausreichend Kalk und Schwefel kann auch Bio-Raps erfolgreich geführt werden.

**Mohn**

Der Mohnanbau im Bio-Landbau wird ebenfalls als Königsdisziplin geführt. Zur Ausbringung von 1 kg Saatgut je ha, der Nährstoffversorgung und den Fraßschädlingen wie dem Erdfloh kommen auch noch die langsame Jugendentwicklung und die schwierige mechanische Beikrautregulierung dazu.

**Kümmel**

Kümmel wird gerne als Untersaat in Ackerbohnen und Erbsen angelegt. Im Herbst erfolgt dann ein Reinigungsschnitt. Mit einer massiven mechanischen Bearbeitung kann der Bestand im Frühjahr vor dem Aufstängeln nochmals gut vom Beikraut befreit werden. Dann gilt es, um den Blühbeginn Anfang Mai die Bestände auf Kümmelmottenbefall zu kontrollieren.

## 2.6 BIOLOGISCHER FUTTERBAU

### 2.6.1 Bedeutung des (Bio-)Grünlands

Der Anteil an Bio-Betrieben ist besonders in Futterbaugebieten mit viel Grünland besonders hoch. Das Grünland kann nur von Wiederkäuern und Pferden verwertet werden. Als Grünfutter, Heu oder Silage liefert es Nährstoffe für die Tiere und diese liefern die Nährstoffe wieder als Wirtschaftsdünger für die Flächen. Wir sprechen dabei von einem **geschlossenen Nährstoffkreislauf**. Nur geringe Mengen an Nährstoffen verlassen die Grünlandbetriebe durch den Verkauf von Milch und Fleisch. Über 90 % der Nährstoffe kommen über die Wirtschaftsdünger wieder auf die Flächen zurück. Die Stickstoffverluste durch Produktverkauf und durch die Verluste bei der Wirtschaftsdüngerausbringung werden durch Leguminosen wieder ausgeglichen. Strohzukauf und Futtermittelzukauf stellen ebenfalls Nährstoffimporte für den Betrieb dar.

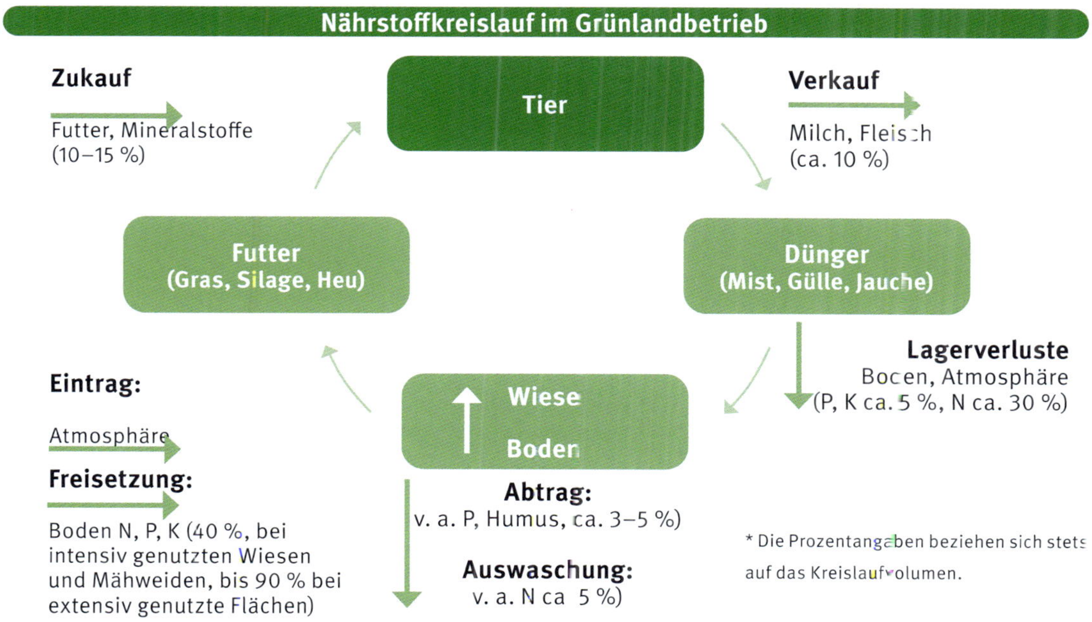


**Die Bedeutung des Grünlandes**

Grünland ist die Produktionsgrundlage für Milch, Fleisch und Energie und schafft Einkommen für die Landwirtschaft. Grünland speichert und filtert das Wasser und schützt vor Erosion. Als wesentlicher Bestandteil der Kulturlandschaft ist Grünland für Tourismus und Erholung wertvoll. Da davon alle profitieren, liefert die Grünlandbewirtschaftung auch Leistungen für die gesamte Gesellschaft.

Grünland ist auch Lebensraum für eine vielfältige Flora und Fauna. Viele der Tiere sind Nützlinge und eine hohe Biodiversität trägt zu stabilen Grünlandbeständen bei.

### 2.6.2 Nutzungsformen im Grünland

Als Grünland bezeichnet man landwirtschaftlich genutzte Flächen, auf denen Gräser, Kräuter und Leguminosen als Dauerkultur länger als fünf Jahre wachsen. Grünland wird entweder als Weide oder Alm beweidet, als Wiese oder als Naturschutzfläche durch Mähen geerntet oder durch Mulchen gepflegt.

**Extensiv bewirtschaftetes Grünland:**

- Hutweiden = extensive Weide ohne Pflegeschnitt
- Streuwiese = extensive Wiese, die einmal im Jahr zu Streugewinnung gemäht wird
- Grünland mit einer oder zwei Nutzungen pro Jahr

**Mittelintensiv bewirtschaftetes Grünland:**
- Grünland mit drei Nutzungen pro Jahr

**Intensiv oder ertragsbetont bewirtschaftetes Grünland:**
- Grünland mit vier oder mehr Nutzungen pro Jahr
- Feldfutter = Ackergrünland = Wechselwiese

### 2.6.3 Einflussfaktoren auf den Ertrag im Grünland

Die betriebseigene Grundfutterqualität und -menge ist ein wichtiger Baustein für den Betriebserfolg. Als Betriebsführerin oder Betriebsführer haben wir es in der Hand, wie wir die Nutzung, die Düngung und den Pflanzenbestand gestalten. Diese Entscheidungen müssen immer auf das Standortpotenzial abgestimmt sein. Ebenso ist das harmonische Verhältnis von Düngung – Nutzung – Pflanzenbestand zueinander von grundlegender Bedeutung. Der Pflanzenbestand einer Wiese wird durch den Standort, die Nutzung und Düngung indirekt bestimmt. Durch die Bestandesführung kann die Zusammensetzung des Grünlands auch aktiv beeinflusst werden.

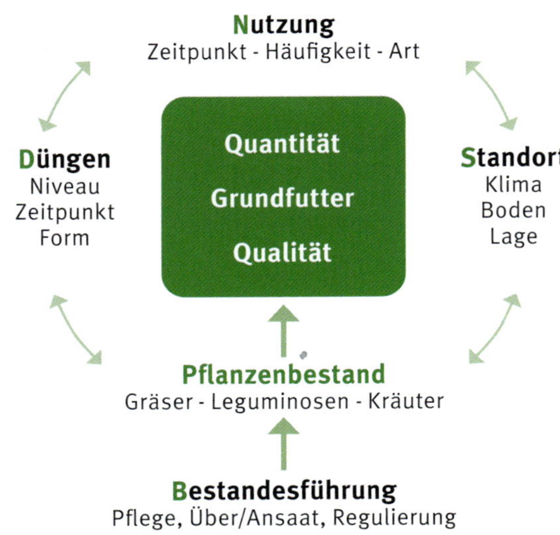


Einflussfaktoren auf Qualität und Quantität von Grundfutter (verändert nach Pötsch, 2009)

### 2.6.4 Standortgerechte und abgestufte Grünlandnutzung

Die Nutzung des Grünlandes richtet sich nach den natürlichen Standortfaktoren, z. B. Klima, Boden, Wasserhaushalt, Geländeform. Die natürlichen Standortfaktoren lassen sich nur wenig beeinflussen, entscheiden aber über die mögliche Nutzungsart und -intensität.

Beispielsweise liefern Vielschnittwiesen, Raygraswiesen oder Feldfutterbau mit vier Nutzungen junges, eiweiß- und energiereiches Futter für hochleistende Milchkühe in der Laktation. Kalbinnen und Trockensteher werden hingegen mit weniger gehaltreichem Futter von extensiven Wiesen ausreichend versorgt.

Neben den natürlichen Standortfaktoren entscheiden auch die verfügbare Wirtschaftsdüngermenge, die Entfernung der Feldstücke zum Hof, die Feldstücksgröße und eventuelle Pachtverhältnisse über die Intensität der Bewirtschaftung. Dadurch ergeben sich für den Betrieb unterschiedliche Nutzungshäufigkeiten und somit unterschiedliche Futterqualitäten. Im Unterschied zur Fruchtfolge am Acker wird die gewählte Nutzungsintensität je Wiese dauerhaft beibehalten. Man spricht vom **abgestuften Wiesenbau.**

Zusätzlich kann der Bio-Betrieb durch den abgestuften Wiesenbau die gesamtbetriebliche Artenvielfalt auf den Grünlandflächen erhöhen, da extensive Wiesen eine vielfach höhere Artenzahl an Insekten und Pflanzen aufweisen.

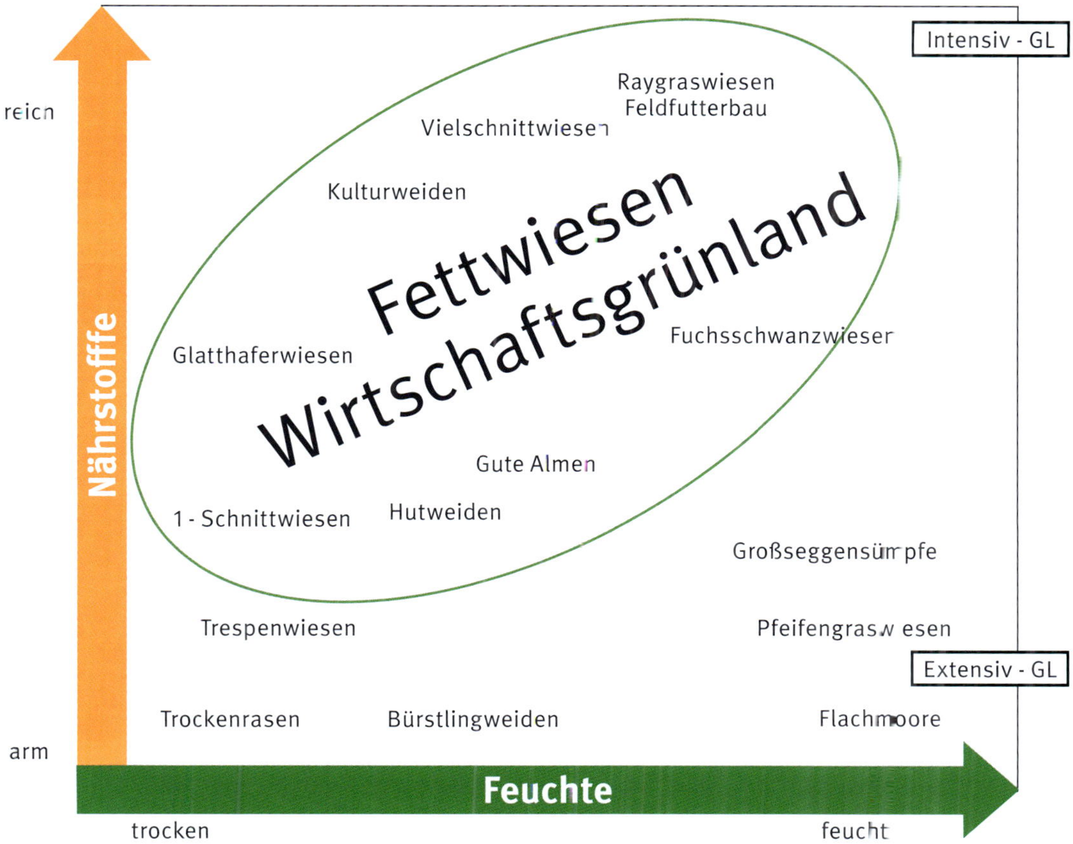


Intensitätstypen im Grünland nach Wasser- und Nährstoffversorgung (verändert nach Humer, 2013)

## Artenzahl und Nutzungsintensität am Grünland

| Nutzungsintensität | Extensiv | Wenig intensiv | Mittel intensiv | Sehr intensiv |
|---|---|---|---|---|
| Artenzahl | 45–60 | 30–45 | 15–30 | ‹ 15 |
| Anzahl der Nutzungen | 1–2 | 2–3 | 3–4 | › 4 |
| Ertrag (dt TM/ha) | ‹ 30–50 | 50–70 | 70–90 | › 90 |
| Düngung | Ungedüngt | Mäßig | Stark | Stark |
| Wiesentypen | Trespenwiese, Rotschwingel-Straußgraswiese, Feuchtwiesen | Glatt- und Goldhaferwiesen | Wiesenfuchsschwanzwiese, Knaulgras-Kräuterwiese | Raygraswiesen, Feldfutterbau, Kurzrasenweide |

**Die Vorteile des abgestuften Wiesenbaus:**

- Wertvolles Futter sowohl für hochleistende Milchkühe als auch für Jungvieh und Trockensteher
- Gesamtbetrieblich wieder höhere Artenvielfalt
- Düngung und Nutzung können auf allen Nutzungsintensitäten mit einer betrieblichen Nährstoffbilanz in Einklang gebracht werden
- „Ungünstige" Flächen bekommen wieder mehr Wert durch Extensivierung
- Berechtigung zu Intensivierung auf Teilflächen

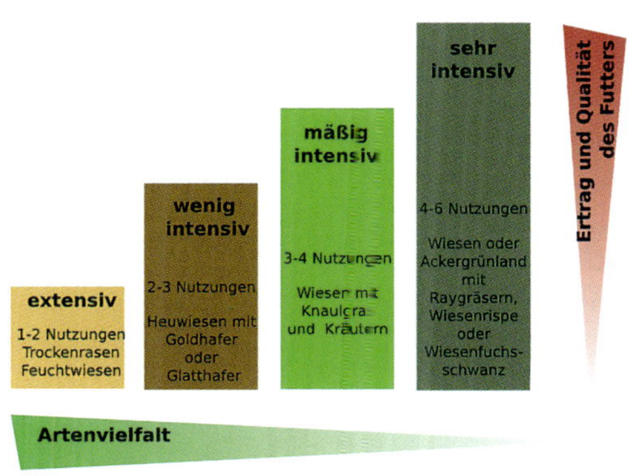


Abgestufte Wiesenbewirtschaftung schafft Artenvielfalt und liefert gleichzeitig hochwertiges Futter.

**Die Herausforderungen des abgestuften Wiesenbaus:**
- Zusätzliche Arbeitstermine durch verschiedene Schnittzeitpunkte
- Verbesserte Lagerlogistik für unterschiedliche Futterqualitäten
- Eine betriebliche Nährstoffbilanzierung und Düngeplanung zu erstellen, setzt voraus, dass man sich damit beschäftigt.

### 2.6.5 Der Pflanzenbestand

Ein leistungsfähiger, harmonischer Grünlandbestand ist Voraussetzung für eine ertragsbetonte Grünlandbewirtschaftung und setzt sich aus zwei Dritteln Gräser und einem Drittel Leguminosen und Kräutern zusammen.

**Zusammensetzung eines leistungsfähigen Grünlandbestandes**

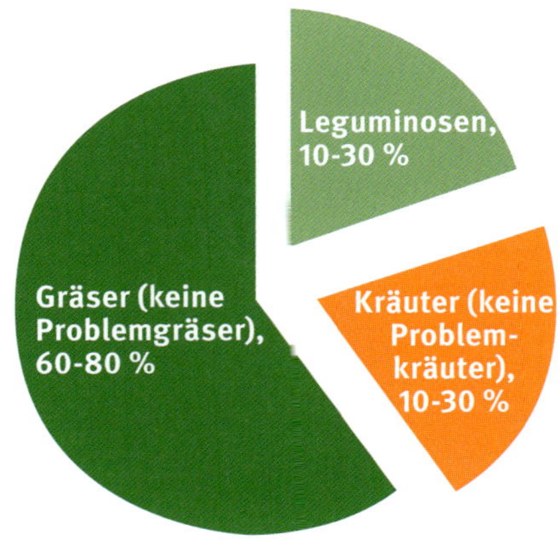


**INFO!** Bestimmungshilfen

Für die Bestimmung und das Erlernen der Gräser können zwei Bestimmungshilfen besonders empfohlen werden:
- Dietl, Walter & Jorquera, Manuel. (2013). Wiesen und Alpenpflanzen. Österreichischer Agrarverlag. S610ff
- Diepolder&Raschbacher. (2007). Kleine Gräserkunde. Lfl-Bayern. Online: https://www.lfl.bayern.de/mam/cms07/iab/dateien/graeserkunde_2.pdf

#### 2.6.5.1 Gräser als Gerüst der Wiese

Gräser, besonders die Süßgräser, liefern den größten Teil des Ertrages und sind für eine gute Konservierung unumgänglich. Folgende **Eigenschaften** zeichnen Gräser aus:
- Gräser sind rohfaserreich und ein wertvoller Bestandteil der Wiederkäuerration.
- Gräser enthalten viel Zucker und garantieren daher eine gute Silierbarkeit.
- Gräser haben im Vergleich zu Kräutern und Leguminosen wenig Bröckelverluste.
- Gräser sorgen für eine intensive Durchwurzelung des Oberbodens (Büschelwurzler).
- Gräser bilden den Hauptanteil des Ertrages.
- Rasengräser bilden eine dichte Grasnarbe

Betrachtet man Gräser genauer, so unterscheidet man nach Wuchstypen Horstgräser und ausläuferbildende Weidegräser (Rasengräser).

**Horstgräser** wachsen büschelförmig und breiten sich kaum aus. Einige Vertreter bilden kurze Seitentriebe, weshalb man diese Wuchsform als lockere Horste bezeichnet. Die Vermehrung und Verbreitung der Horstgräser findet über Samen statt. Die Lebensdauer von Horstgräsern ist mit drei bis fünf Jahren begrenzt. Für ertragreiches Dauergrünland müssen Horstgräser immer wieder nachgesät werden oder aussamen können.

Horstgräser wachsen büschelförmig und breiten sich kaum aus.

**Gräser mit Ausläufern** bilden ober- oder unterirdische Kriechtriebe, so genannte Ausläufer, und breiten sich so flächig aus. Ausläufertreibende Gräser sind in der Lage, sich mit Hilfe des Kriechtriebes oder auch über Samen zu vermehren. Diese ausläufertreibenden Gräser sind typische Rasengräser, die für eine dichte Grasnarbe hauptverantwortlich sind.

Die Wuchsform hat auch einen Einfluss auf die Einteilung in Ober-, Mittel- und Untergräser. Obergräser sind ausschließlich Horstgräser, während man bei den Untergräsern hauptsächlich ausläufertreibende Gräser findet.

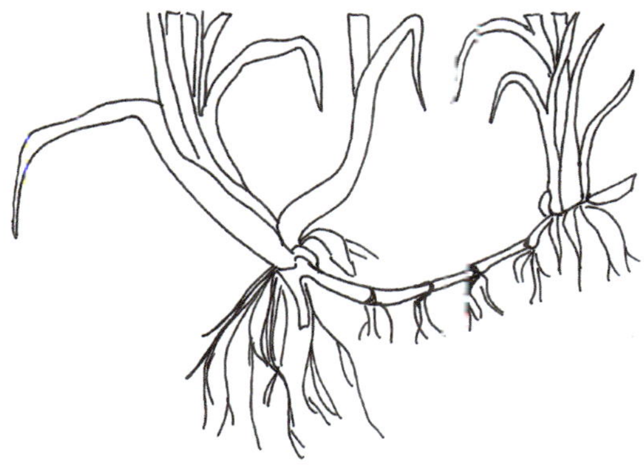

Rasengräser verbreiten sich durch Ausläuferbildung.

Obergräser sind ausschließlich Horstgräser, als Untergräser findet man hauptsächlich ausläufertreibende Gräser.

**Beispielgräser nach Wuchsform und Wuchshöhe (Quelle: Starz, 2007)**

| Wuchsform | Obergräser | Mittelgräser | Untergräser |
|---|---|---|---|
| Horste | Knaulgras, Wiesenschwingel, Glatthafer | Goldhafer | Kammgras |
| Lockere Horste | Wiesenfuchsschwanz | Englisches Raygras, Timothe | |
| Ausläufer | | | Wiesenrispe, Wiesenschwingel, Rotes Straußgras |

### 2.6.5.2 Kräuter als Gewürze und Heilkräuter

Die Bedeutung der Kräuter wird häufig unterschätzt. Sie haben eine sehr wichtige Funktion für die Gesundheit und den Geschmack des Futters. Problemkräuter (z. B. Stumpfblättriger Ampfer) müssen jedoch in Schach gehalten werden.

Folgende **Eigenschaften** charakterisieren Kräuter als Bestandteil des Grünlandes:

- Kräuter sind mineralstoffreich und tragen so wesentlich zu einer ausgewogenen Ration bei.
- Viele Kräuter sind wirkstoffreich und fördern die Gesundheit unserer Tiere.
- Aromatische Kräuter erhöhen die Futteraufnahme.
- Grundsätzlich sind Kräuter gut verdaulich, solange sie jung sind. Alte Kräuter sind schlecht verdaulich.
- Bei der Ernte können bei den Kräutern hohe Bröckelverluste entstehen.
- Ein hoher Kräuteranteil erschwert die Trocknung, da die Stängel schlecht trocknen.

Folgende **Problemkräuter** sollen nur in geringen Mengen im Bestand vorkommen:

- Stumpfblättriger Ampfer (umgangssprachlich: Laanstadl, Alte Roß) ist ein Platzräuber
- Scharfer Hahnenfuß kann in großen Mengen und bei Grünfütterung zu Vergiftungen führen.
- Der Löwenzahn hat hohe Bröckelverluste, wirkt aber milchtreibend. Er ist daher bis zu 30 % im Bestand wertvoll.
- Bärenklau, Wiesenkerbel und Kälberkropf sind Platzräuber und wegen der harten Stängel werden sie von den Tieren nicht gerne gefressen.

### 2.6.5.3 Bedeutung der Leguminosen im Futter

Leguminosen sind in der Bio-Landwirtschaft eine wichtige Quelle, um zusätzlichen Stickstoff (N) in den Nährstoffkreislauf einzubringen. Im Grünland sind es in erster Linie Kleearten, die in Symbiose mit den Knöllchenbakterien Luftstickstoff pflanzenverfügbar im Boden speichern.

Unter optimalen Bedingungen können aus der biologischen N-Fixierung im Grünland 100 bis 380 kg N/ha und Jahr bereitgestellt werden. Der Rohproteinertrag von Klee- und Kleegrasbeständen beträgt 1.900 bis 3.000 kg/ha und Jahr. Zum Vergleich: Sojabohne oder Ackerbohne liefern lediglich 1.500 kg Rohprotein je Hektar (vgl. Pötsch & Lüscher, 2014).

Wichtige **Eigenschaften der Leguminosen** im Grünland sind:
- Stickstofffixierung
- Leguminosen liefern eiweißreiches Futter.
- Leguminosen sind mineralstoffreich (Ca).
- Leguminosen haben hohe Bröckelverluste bei der Trocknung.
- Leguminosen sind schwierig zu silieren, weil sie wenig Zucker, aber viel Eiweiß beinhalten.
- Leguminosen behalten eine gute Verdaulichkeit auch bei später Nutzung.

## INFO!

**Bestimmung des Leguminosenanteils – Training mit Hilfe des Leguminosenschätztrainers (ZALF)**

Mit etwas Übung kann der Leguminosenanteil visuell geschätzt werden. Für das Training des eigenen Schätzvermögens an bestehenden Beständen fehlt jedoch meist die Zeit, vor allem für die Ermittlung des tatsächlichen Leguminosenanteils durch Sortieren von Schnittproben.

Eine kostengünstige Alternative bietet der Leguminosenschätztrainer des Leibniz-Zentrums für Agrarlandschaftsforschung (ZALF) e.V. Dem Nutzer werden nach Mausklick auf die Schaltfläche „neues Bild" per Zufallsgenerator Bilder und Zusatzinformationen wie Schnitthöhe, Gesamtfrisch- und -trockenmasse angezeigt. Mit Hilfe eines eingeblendeten Tastenfeldes (Schaltflächen mit prozentualen Leguminosenanteilen in vier bzw. fünf Klassen) kann eine Schätzung eingegeben werden. Der Nutzer bzw. die Nutzerin wird informiert, ob die Schätzung richtig oder falsch war.

Der Leguminosenschätztrainer kann unter folgendem Link abgerufen werden: http://www.zalf.de/de/forschung_lehre/software_downloads/Documents/oekolandbau/schaetztrainer/de_start.html

| Wichtige Leguminosen im Feldfutterbau ... | |
|---|---|
| ... mehrjährig | Rotklee, Luzerne, Weißklee, (Schwedenklee) |
| ... einjährig bzw. überjährig | Inkarnatklee, Alexandrinerklee, Perserklee, Sommersaatwicke, Zottelwicke |
| **Wichtige Leguminosen im Dauergrünland mit ...** | |
| ... intensiver Nutzung | Weißklee |
| ... mittlerer Nutzung | Rotklee, Weißklee, Schwedenklee |
| ... extensiver Nutzung | Gelbklee, Hornklee, Wundklee, Vogel- und Zaunwicke, Wiesenplatterbse |

## INFO! Leguminosenwachstum unterstützen

Als Landwirt bzw. Landwirtin kann man das Wachstum von Leguminosen im Grünland mit folgenden Maßnahmen unterstützen:
- Ablagetiefe bei Neuansaaten von unter 0,5 cm sowie Spät- und Frühfrostempfindlichkeit von Leguminosen beachten
- Für eine ausreichende Phosphor- und Kaliumversorgung des Bodens sorgen (teilweise zeigt sich eine starke P-Unterversorgung im Grünland!)
- Rhizobien sind ubiquitäre (= überall verbreitete) Bodenbakterien. Beim erstmaligen Anbau (vor allem bei Luzerne) sollte trotzdem beimpftes Saatgut eingesetzt werden.
- Der pH-Wert des Bodens sollte für Leguminosen im schwach sauren Bereich (5,5 bis 6,5) liegen. Eine Ausnahme ist die Luzerne mit einem gewünschten pH-Wert von 6,5 bis 7,5.
- Ein niedriges bis mäßiges N-Düngungsniveau fördert das Leguminosenwachstum.

### 2.6.6 Düngung im Grünland: das Bodenleben füttern

Während in der konventionellen Landwirtschaft die unmittelbare Nährstoffversorgung der Pflanze im Vordergrund steht, werden in der biologischen Landwirtschaft mit den Wirtschaftsdüngern primär die Bodenlebewesen ernährt. Diese verarbeiten und speichern die Nährstoffe im Humus. Bei entsprechenden Bedingungen werden dann die Nährstoffe aus dem Boden den Pflanzen zur Verfügung gestellt. Dafür ist ein aktives Bodenleben notwendig, welches durch feste und flüssige Wirtschaftsdünger angeregt wird.

**Festmist** ist der langsamere Dünger. Die Nährstoffe sind großteils in organischer Form gebunden und werden als Humus im Boden eingebaut und langsam freigesetzt. Für eine leichtere Ausbringung und eine Reduktion der Unkrautsamen wird der Festmist oft kompostiert. Ein ausreichender Strohanteil oder der Zusatz von Lehmerde oder Steinmehl verbessern die Eigenschaften von Festmist.

**Flüssige Wirtschaftsdünger** enthalten einen höheren Anteil an mineralischen Nährstoffen (z. B. Nitrat oder Ammonium) und wirken deshalb schneller. Gülle liefert organisch und mineralisch gebundenen Stickstoff im Verhältnis 50 : 50. Gülle muss unbedingt aufbereitet werden, um pflanzenverträglich zu sein. Als günstigste und einfachste Möglichkeit empfiehlt sich die Verdünnung mit Wasser im Verhältnis von 0,5 bis 1 : 1. Auch Zusatzstoffe, z. B. Effektive Mikroorganismen, Kräuterextrakte oder verschiedene Kohlen verbessern die Eigenschaften der Gülle (Fließfähigkeit, Geruchsreduktion ...). Unmittelbar vor der Ausbringung wird Gülle aufgerührt.

**Jauche** beinhaltet vorwiegend mineralisch gelöste Nähstoffe und wirkt sehr schnell. Da aber oft nur geringe Nährstoffmengen und viel Wasser enthalten sind, ist eine Aufbereitung nicht unbedingt notwendig.

Für die Düngung im Grünland gilt der Spruch: „Komme oft – bring wenig." Konkret werden bei intensiver Nutzung Güllegaben von 10 bis 15 $m^3$ (Menge unverdünnt) mit 5 bis 15 $m^3$ Wasserzugabe vor dem ersten und nach jedem weiteren Schnitt empfohlen. Nach dem letzten Schnitt soll maximal die Hälfte ausgebracht werden. Auf extensivem Grünland werden entsprechend weniger Dünger und vor allem Mist oder Mistkompost ausgebracht.

**INFO!** Bedarfswerte zur Düngung

**In den Richtlinien zur Sachgerechten Düngung (SGD) können sämtliche Bedarfswerte zur Düngung unter Berücksichtigung der Bodenuntersuchungsergebnisse im Grünland nachgeschlagen werden. Die aktuelle Version der SGD findet sich auf der Website der AGES unter: http://www.ages.at/themen/umwelt/boden/boden-und-duengerbroschueren/**

Eine **möglichst verlustarme Lagerung und Ausbringung von Wirtschaftsdüngern** kann durch folgende Maßnahmen erreicht werden:

- Harnpfützen im Stall vermeiden, um Ammoniakausgasung und Feinstaub zu verhindern.
- Ausbringung unmittelbar nach der Nutzung bei kühlem, windstillem Wetter.
- Ideal wäre die Ausbringung vor leichtem Regen oder in den Abendstunden.
- Verlustarme Verteiltechnik wie Schwenkverteiler (Möscha-Verteiler) oder Schleppschläuche verwenden, wenn die Gülle entsprechend verdünnt ist.

Am Bio-Grünland können auch Zukaufdünger eingesetzt werden. Dies ist etwa notwendig, wenn ein gravierender Phosphormangel besteht. Welche Dünger im Bio-Bereich zugelassen sind, steht im Betriebsmittelkatalog auf www.infoxgen.com.

Mittelfristig muss aber auch der Phosphor im Kreislauf geführt werden. Dazu ist es notwendig, Lösungen für eine Rückführung des Phosphors aus den menschlichen Exkrementen zu finden.

Auch kohlensaurer Kalk muss am Grünland bei einem pH Wert unter 5 ausgebracht werden. Zur Förderung der Leguminosen soll auch eine Erhaltungskalkung alle fünf Jahre mit 2 t kohlensaurem Kalk je Hektar durchgeführt werden. Langfristige Erfahrungswerte zeigen auch, dass der pH-Wert auch mit Kompost oder Steinmehl stabilisiert werden kann.

### 2.6.7 Wirtschaftsdüngeraufbereitung: Kompostierung (nach Bio-Austria, 2008)

Bei der Kompostierung werden leicht lösliche bzw. leicht flüchtige Nähr- und Wirkstoffe des Ausgangsmaterials in eine organisch gebundene, stabile Form umgewandelt. Damit der Kompostierungsprozess optimal verläuft, muss auf eine ausreichende Durchlüftung sowie einen optimalen Feuchtigkeitsgehalt geachtet werden. Damit eine ausreichende Durchlüftung gewährleistet wird, hat sich in der Praxis das **Aufsetzen einer Miete** etabliert. Durch das regelmäßige Umsetzen der Kompostmiete mit einem Kompostwender, in Ausnahmefällen mit dem Lader oder Frontlader, wird genug Luft in die Miete eingebracht und der Rotteprozess beschleunigt.

Dieser **Rotteprozess** kann mit Hilfe von verschiedenen Zusätzen **gesteuert und unterstützt** werden:

- Pflanzliche Materialien, wie Stroh, Laub oder Grünschnitt, zur Regulation des C:N-Verhältnisses (optimal: 15 bis 20 : 1)
- Pflanzliche Materialien, wie Stroh und Laub, zur Regulation der Feuchtigkeit
- Wässern oder Jauche/Gülle zur Feuchtigkeitsregulierung (beim Austrocknen)
- Urgesteinsmehle binden Nähr- und Wirkstoffe, aktivieren das Bodenleben und führen dem Boden mineralische Nährstoffe zu
- Lehmerde bindet Nährstoffe und beimpft das Ausgangsmaterial mit Bodenbakterien
- Bakterienzusätze als Starterkultur
- Kräuterextrakte
- Beimpfen mit einem alten Kompost als Bakterien-Impfmaterial
- Beimpfen mit bio-dynamischen Kompostpräparaten

Abhängig von der Zeitdauer und den Bedingungen der Rotte entstehen unterschiedliche Kompost- bzw. Mistarten mit unterschiedlichen Eigenschaften und somit auch unterschiedlichen Einsatzgebieten.

**Rottemist**

Als Rottemist wird **Stallmist nach einer Lagerung von drei bis acht Wochen** bezeichnet. Wird der Mist von Beginn weg richtig gelagert (flache Stapeln oder Miete), kann bereits nach drei bis vier Wochen aufgrund von Luftzutritt die mikrobielle Umsetzung so weit fortgeschritten sein, dass das Stroh bereits brüchig wird. Aufgrund des Rotteprozesses ist der Mist hygienisiert (Temperaturanstieg auf bis zu 60° C) und ist somit gut boden- und pflanzenverträglich.

**Reifer Kompost**

**Kompost reift sechs bis zwölf Monate** bei lockerer Lagerung in Mieten. Bei der Lagerung muss ein ständiger Luftzutritt gewährt werden. Einen reifen Kompost erkennt man an seinem angenehmen Geruch nach Erde. Der Kompost wird auch als Langzeitdünger bezeichnet, da diese Nährstoffe über längeren Zeitraum wirken. Kompost wirkt sich äußerst positiv auf die Durchlüftung, Krümelstabilität, Nährstoffhaltefähigkeit und Wasserhaltefähigkeit des Bodens aus. Zusätzlich fördert Kompost die Widerstandsfähigkeit von Pflanzen gegenüber Krankheiten und Schädlingen. Durch die Hygienisierung bei der Kompostierung trägt der Kompost auch wesentlich zur Beikrautregulierung in der biologischen Landwirtschaft bei.

### 2.6.8 Nutzungen

Bei der Nutzung hat der Mähzeitpunkt den größten Einfluss auf die Qualität und die Quantität des Futters. Die Schnitthöhe und die Höhe der nachfolgenden Heuwerbegeräte sind ebenfalls von großer Bedeutung.

Der **Nutzungszeitpunkt** richtet sich in erster Linie nach den gewünschten Inhaltsstoffen. So wird man für hochleistende Milchkühe junges, eiweiß- und energiereiches Futter ernten. Für Kalbinnen und Trockensteher hingegen ist ein gewisser Rohfasergehalt und weniger Eiweiß und Energie ausreichend. Ausgehend von den Anforderungen an die Milchkuhration soll anhand der Abbildung 8 der optimale Erntezeitpunkt ermittelt werden.

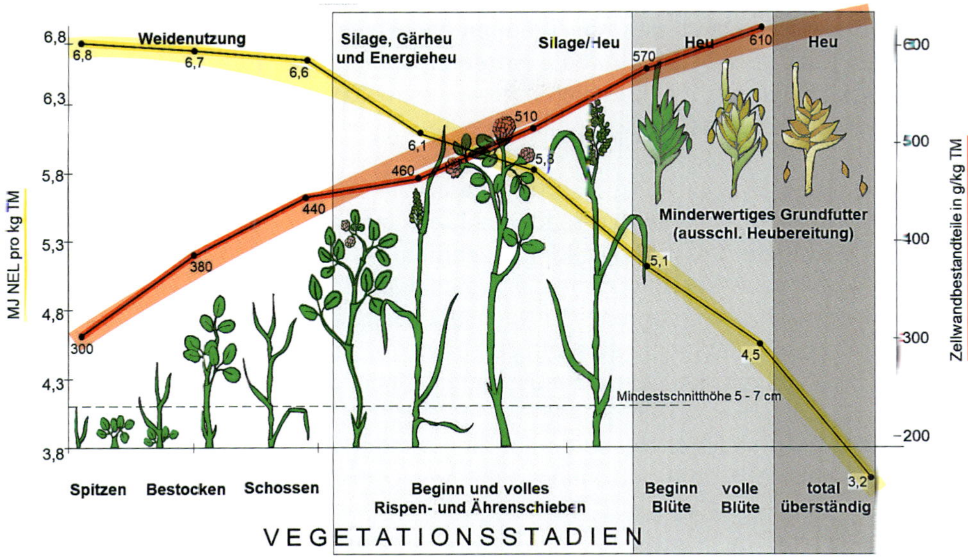


Der optimale Nutzungszeitpunkt wird nach dem phänologischen Kalender bestimmt. (Quelle: Buchgraber, 2018, S. 75)

Im Schossen sind Energie- und Eiweißwerte sehr hoch, allerdings fehlt es noch an der erforderlichen Quantität. Für die Silagenutzung oder die Nutzung als Belüftungsheu ist der Beginn des Ähren- und Rispenschiebens der Leitgräser der optimale Erntezeitpunkt. Mit zunehmendem Alter nehmen Eiweiß- und Energiegehalt ab, der Rohfaseranteil steigt im Gegenzug. Gutes Heu aus Bodentrocknung wird zu Beginn der Blüte gemäht, während überständiges Heu (z. B. als Pferdeheu) erst nach der Blüte geerntet wird.

Das Leitgras wird durch den Standort, die Düngung und die Nutzungsintensität bestimmt. Dabei werden besonders **ertragsbildende Gräser als Leitgras** herangezogen:

- Englisches Raygras auf sehr intensiven Flächen
- Knaulgras auf mittelintensiven bis intensiven Flächen
- Goldhafer und Glatthafer auf mittelintensiven bis extensiven Flächen
- Das Umfärben der Löwenzahnblüten von Gelb zu Weiß fällt mit dem Rispenschieben von Knaulgras zusammen und wird ebenfalls als Indikator verwendet.

Die Einstellung der Mähwerke bestimmt auch darüber, wie tief Wender und Schwader eingestellt werden müssen. Eine Schnitthöhe von 6 bis 8 cm sorgt für sauberes Futter (wenig Rohasche) und erleichtert den Wiederaustrieb für den Folgeaufwuchs.

**INFO!** Narbenschäden und Bodenverdichtung vermeiden!

Narbenschäden bei der Nutzung durch hohen Schlupf der Traktorreifen oder zu enge Radien bei der Mäharbeit sollen verhindert werden. Narbenschäden können auch durch den Tritt der Tiere bei nasser Beweidung entstehen. Diese Narbenschäden verursachen Lücken und damit Probleme im Grünland.

Mit den größeren Transportfahrzeugen bei der Grünlandernte zeigen sich auch Probleme durch Verdichtungen. Ein verdichteter Boden engt den Wurzelraum für die Pflanzen ein (siehe Kapitel 2.1.2 Aufbau und Pflege der Bodenfruchtbarkeit). Nährstoffe sind nicht mehr ausreichend verfügbar und es entstehen Unkraut- und Ungrasprobleme. Es ist daher eine dringende Notwendigkeit, das Grünland nur mit verträglichen Achslasten und bei passender Bodenfeuchte zu befahren. Auch bei der Beweidung muss auf den Bodendruck geachtet werden.

### 2.6.9 Pflege und Beikrautregulierung

Die erste Pflegemaßnahme stellt das **Abschleppen der Wiesen im Frühjahr** dar. Ziel ist dabei das Einebnen von Maulwurfshügeln, um die Futterverschmutzung mit Erde zu verringern und die Standzeit der Mähwerksschneide zu verlängern. Zusätzlich sorgt das Abschleppen für eine gewisse Durchlüftung der Grasnarbe.

Häufig wird mit dem Abschleppen im Frühjahr auf intensivem Grünland eine **Nachsaat** kombiniert. Da der erste Schnitt bei ausreichenden Niederschlägen meist sehr hoch wird, besteht dabei die Gefahr, dass die jungen Gras- und Leguminosenpflanzen unter dem Altgras ersticken. Der optimale Zeitpunkt für Nachsaaten ist daher nach dem dritten Schnitt. Anfang August ist durch den Tau eine gewisse Wasserversorgung der Nachsaat gesichert und die Konkurrenz durch die Altnarbe ist zu dieser Zeit nicht mehr so groß. Zu bedenken ist, dass Leguminosensamen spätestens Mitte August ausgebracht werden müssen, um sicher überwintern zu können.

Bei der Wahl der Saatgutmischungen sollte auf die jeweilige Nutzungsintensität und auf den Standort geachtet werden. Saatgutmischungen mit dem ÖAG-Zeichen garantieren Qualität.

Für die Ausbringung von Nachsaaten haben sich Grünlandstriegel bewährt. Das Saatgut wird durch nachlaufende Walzen in die Erde gedrückt, um sicher Feuchtigkeit zu bekommen.

Auf Weideflächen ist ein Abschleppen im Frühjahr nicht notwendig. Ein früher Austrieb beim Ergrünen mit großzügiger Flächenvorgabe schafft die Durchlüftung des Pflanzenbestandes. Während des Weidejahres ist bei richtiger Besatzdichte kein Nachmähen notwendig. Weideflächen, die auswachsen, können hoch abgemäht werden (toppen). Ein Reinigungsschnitt darf erst am Ende der Weideperiode gemacht werden, damit es zu keiner Futterverschmutzung kommt.

Die Beikrautregulierung im Grünland beginnt wie auch am Acker mit den vorbeugenden Maßnahmen. Daher ist es wichtig, die **Ursachen von Verunkrautung** im Grünland zu kennen:

- Hauptursache ist fast immer, dass ertragreiche dauerhafte Futtergräser fehlen und so Lücken im Bestand entstehen!
- Überdüngung/zu wenige Nutzungen
- zu häufige Nutzung/zu wenig Düngung
- Narbenverletzungen durch Trittschäden und Landmaschinen (zu schwer, zu nass, zu wild, zu tief eingestellt)
- erstickte Grasnarben durch Futterreste oder zu hohe Gaben von Wirtschaftsdüngern
- fehlende Weidepflege
- Urinbrandstellen bei Weide, Gülleätzschäden
- Schädlinge (Maulwurf, Wühlmäuse, Engerlinge) und Krankheiten (Schneeschimmel, Rost)

Grünlandstriegel mit Walze und Saatkasten. (Quelle: Kadereit, CC BY-SA 3.0)

Der **Stumpfblättrige Ampfer** ist ein Problemkraut im Grünland. Er bildet große Mengen an Samen (bis zu 60.000 Samen je Pflanze) aus. Diese Samen sind sehr robust, bleiben sehr lange keimfähig und sind Lichtkeimer. Das heißt, entsteht eine Lücke in der Grasnarbe, so ist dies eine gute Gelegenheit für den Ampfer zu keimen. Die Wurzel des Stumpfblättrigen Ampfers ist eine Pfahlwurzel, speichert Reservestoffe und besitzt bis in 12 cm Bodentiefe Wiederaustriebsknospen. Die Ampferwurzel kann verdichtete Bodenschichten durchbrechen und holt Nährstoffe aus der Tiefe an die Oberfläche, wo Graswurzeln diese nicht mehr erreichen. Der Ampfer hat somit eine wichtige ökologische Aufgabe. Das Problem der Landwirtschaft mit dem Ampfer ist sein ungeheurer Platzbedarf auf der Wiese. Die reifen Pflanzen werden von den Tieren wegen des hohen Oxalsäuregehalts nicht gefressen.

**Möglichkeiten der Ampferregulierung:**

- Die Ursachen der Verampferung erkennen und beheben.
- Das Aussamen von reifen Ampferpflanzen verhindern.
- Die Verbreitung der Samen im Betriebskreislauf kann durch Kompostieren von Mist effektiv verhindert werden. Gülle sollte mindestens drei Monate lagern, damit Ampfersamen nicht mehr keimfähig sind.
- Ampferbestände keinesfalls grün verfüttern – besser silieren.
- Bei Nachsaaten oder Ansaaten nur ampferfreies Saatgut verwenden (ÖAG-Mischungen).
- Ampfer bekämpfen durch Ausstechen, Fräsen etc.
- Als Begleitmaßnahme wird der Ampferblattkäfer gefördert, indem Böschungen oder Teilfächen nicht gemäht werden und als Rückzugsgebiet für den Käfer zur Verfügung stehen.

Die Fraßspuren des Ampferblattkäfers (Grüner Dickbauch) schwächen die Ampferpflanzen.

Die **Gemeine Rispe** füllt Lücken im Bestand. Sie hat besonders bei oberflächlich verdichteten Böden einen entscheidenden Vorteil, da sie sich über oberirdische Ausläufer vermehrt. Bis zu einem Anteil von 5 % kommt die Gemeine Rispe normal im Bestand vor. Ab einem Anteil von über 20 % wird sie allerdings zum Problem. Aufgrund des modrigen Geruchs wird sie von den Tieren nicht gerne gefressen. Die Gemeine Rispe liefert nur beim ersten Schnitt Ertrag und durch den dichten Filz bleibt Gülle oberflächlich liegen und kommt nicht zu den Wurzeln der wertvollen Futtergräser.

**Gemeine Rispe** **Wiesenrispe**

**Gemeine Rispe: Wurzelausläufer (1) und Knotenausläufer (2); fehlender Nachtrieb bei der Gemeinen Rispe nach dem ersten Schnitt**

**INFO!** Regulieren von Gemeiner Rispe

Als Landwirt bzw. Landwirtin kann man den Anteil der Gemeinen Rispe mit folgenden Regulierungsstrategien reduzieren:

- Förderung der vorhandenen „guten“ Gräser
- Kein Befahren und Mähen einer nassen Grasnarbe
- Bodendruck, vor allem in den obersten Zentimetern, dringend vermeiden. Hier ist die Gemeine Rispe besonders konkurrenzstark.
- Die Gemeine Rispe ist ein „Lückenfüller“, sie besetzt sehr schnell Kahlstellen und Mäusefraßstellen. Daher ist eine Nachsaat auch eine Vorbeugung gegen Gemeine Rispe.
- Ein scharfer Pflege-Weidegang mit Nachsaat von Deutschem Weidelgras und Weißklee hilft auf Weiden.
- Eine mechanische Bekämpfung und Nachsaat:
- Entfilzen der Narbe durch den Einsatz eines Grünlandstriegels, am besten in Trockenperioden zwei Mal kreuzweise. Die herausgerissenen, flach wurzelnden Ungräser vertrocknen und werden abtransportiert. Die tief wurzelnden Kulturgräser (beispielsweise Weidelgräser) werden nicht herausgerissen. Anschließend sind eine Nachsaat mit kampfkräftigen Gräsern und ein rechtzeitiger Pflegeschnitt angebracht.

## 2.7 WISSEN ANGEWANDT – BODENBEURTEILUNG

Zum Themenbereich „Pflanzenernährung“ gibt es informative Videos vom Verein „Land schafft Leben“, die in der E-Book Variante als Zusatzmaterial bereitgestellt und mit einem Arbeitsauftrag versehen sind.

**Aufgabe 1:**
Führe selbstständig eine Spatenprobe mit Hilfe des Bewertungsblattes in Kapitel 2.1.3 „Bodenuntersuchungen: Bewertung des Bodens in der Praxis“ durch.

- Wie beurteilst du die Bodenfruchtbarkeit?
- Welche Maßnahmen kannst du als Landwirt bzw. Landwirtin setzen, um die Bodenfruchtbarkeit zu steigern?
- Warum steht das Bodenleben in engem Zusammenhang mit der Bodenfruchtbarkeit?
- Wie kannst du als Landwirt bzw. Landwirtin die Bodenfruchtbarkeit fördern?

**Aufgabe 2:**
Entnimm der Spatenprobe etwas Boden und bestimme die Bodenart mit Hilfe der
a. Fingerprobe
b. Schlämmanalyse

**Anleitung zur Schlämmanalyse:**
Entferne zuerst Steine, Wurzeln oder andere Fremdkörper aus deiner Bodenprobe. Gib ca. 100 g Bodenprobe in ein Glasgefäß, fülle es ca. zur Hälfte mit Wasser auf und verschließe das Gefäß. Schüttle das Glasgefäß anschließend, so dass ein möglichst homogenes Gemisch entsteht („Bodenshake“). Stelle das Glasgefäß auf einem Tisch ab, so dass sich die Bodenpartikel in Ruhe absetzen können. Bodenpartikel setzen sich entsprechend ihrer Korngröße bzw. ihres spezifischen Gewichtes unterschiedlich schnell ab und lagern sich schichtweise am Grund des Gefäßes an. Bei den Tonpartikeln kann dies mehrere Stunden bis Tage dauern.

- Miss mit dem Lineal die Dicke der einzelnen „Bodenschichten“ in den Glasgefäßen nach ca. 50 Minuten und nach einer Woche (damit sich auch kleinste Bodenpartikel absetzen können). Vorsicht, die Gefäße nicht schütteln!
- Trage in folgender Abbildung ein, wie sich die Bodenpartikel im Glas verteilt haben:

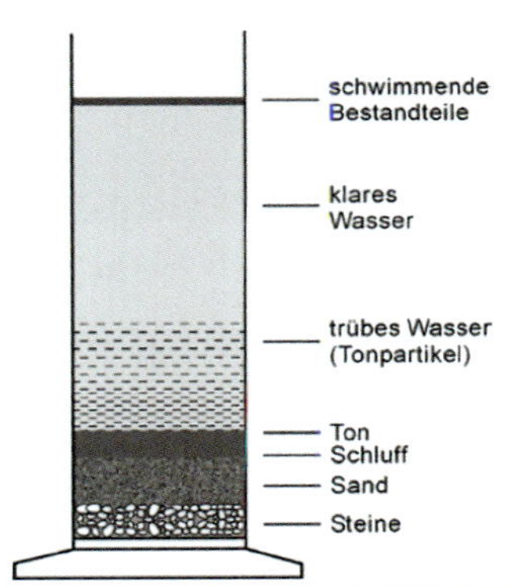


Schematische Darstellung einer Schlämmprobe (Quelle: Bayerisches Staatsministerium für Umwelt, Gesundheit und Verbraucherschutz, 2006)

Notiere die Dicke der einzelnen Schichten nach ca. 50 Minuten und nach einer Woche (Quelle: Bayerisches Staatsministerium für Umwelt, Gesundheit und Verbraucherschutz, 2006)

- Errechne aus den Schichtdicken die Prozentanteile der jeweiligen Korngrößen am Gesamtboden und bestimme die Bodenart, indem du dein Ergebnis in folgendes Texturdreieck einträgst:

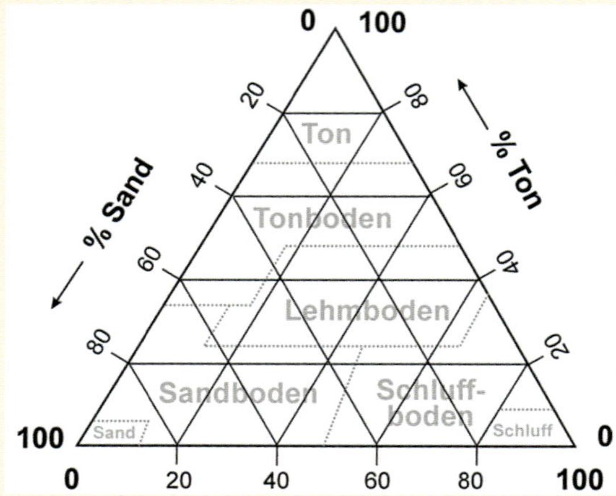


**Notiere deine Ergebnisse im Texturdreieck und lies die Bodenart ab (Quelle: Bayerisches Staatsministerium für Umwelt, Gesundheit und Verbraucherschutz, 2006).**

Wie solltest du das Ergebnis der durchgeführten Fingerprobe bzw. Schlämmanalyse – also die Bodenart – in deiner Bewirtschaftungspraxis berücksichtigen?

**Aufgabe 3:**
Du machst mit deiner Familie einen Sonntagsspaziergang. Auf dem Weg kommt ihr an einem Feld vorbei, auf dem sich euch folgendes Bild bietet:

(Quelle: Kuratorium Boden des Jahres)

- Was könnten die Ursachen dafür sein, dass Fahrspuren auf dem Feld entstanden sind?
- Welche Auswirkungen haben Bodenverdichtungen?
- Wie kannst du als Landwirt bzw. Landwirtin Bodenverdichtungen vermeiden?
- Welche Empfehlungen würdest du dem Landwirt bzw. Landwirtin geben, um entstandene Bodenverdichtungen zu sanieren?

# 3. BIOLOGISCHE TIERHALTUNG

Dieses Kapitel hilft dir dabei, folgende Kompetenzen zu erlernen:
Ich kenne, respektiere und handle entsprechend den Zusammenhängen von gesundem Boden, gesunder Pflanze, gesundem Tier und gesundem Menschen nach dem Prinzip der Kreislaufwirtschaft.

**Ziele:** Ich kann
- ✔ die Qualität der Lebensbedingungen in Bezug auf die Grundbedürfnisse der Nutztiere beurteilen.
- ✔ biologische von konventionellen Produktionsverfahren unterscheiden und diese bewerten.
- ✔ Tiere artgerecht, kostengünstig und arbeitswirtschaftlich optimiert halten und pflegen.
- ✔ mein wirtschaftliches Handeln nicht nur am persönlichen Vorteil, sondern auch am ethischen Bewusstsein der Verantwortung im umfassenden Horizont meines Weltbildes einer wesensgerechten und standortangepassten Land- und Forstwirtschaft orientieren.
- ✔ Weidesysteme definieren, auswählen und umsetzen.
- ✔ Nutztiere aufgrund ihrer Bedürfnisse einteilen und dementsprechend geeignete Haltungsformen auswählen.
- ✔ Signale der Nutztiere beobachten und daraus Handlungen ableiten.
- ✔ selbständig gesundheitsverbessernde, leistungssteigernde, ökonomische und besonders ökologische Maßnahmen in der Tierhaltung durchführen.
- ✔ Tiergesundheit als Basis für wirtschaftlichen Erfolg erkennen.
- ✔ Auslöser und Symptome von Krankheiten beschreiben sowie alternative Behandlungsverfahren erläutern und einsetzen.
- ✔ Hobbyhaltung und produktionsrelevante Haltungsformen unterscheiden und besonders hinsichtlich der über die rein wirtschaftlich Anforderungen hinausgehenden Aspekte beschreiben.
- ✔ relevante Rassen und ihre Eigenschaften für produktionsrelevante Haltungsformen definieren und auch den Wert regional typischer und erhaltungswürdiger Rassen erkennen.
- ✔ Geflügel so halten, dass es sich natürlich fortpflanzen kann und entsprechende Aufzuchterfolge erzielt.
- ✔ den Bedürfnissen der jeweiligen Geflügelarten angepasste Haltungssysteme beschreiben, die verschiedenen Funktionsbereiche definieren und einfache Stallsysteme planen.
- ✔ den Ansprüchen der jeweiligen Tierart und dem -alter angepasste Fütterungskonzepte erstellen. Dabei lege ich insbesondere auf innerbetriebliche und regionale Kreisläufe wert und versuche artgerechte Anforderungen besonders zu beachten.
- ✔ den physiologischen Zustand der Tiere angepasste Managementmaßnahmen treffen.

## 3.1 BEDEUTUNG DER NUTZTIERE IN DER BIOLOGISCHEN LANDWIRTSCHAFT

Der Mensch ist eng mit Tieren verbunden. Seit der Sesshaftwerdung hält der Mensch Tiere und bietet ihnen Schutz, Fürsorge und ausreichend Futtermittel über das ganze Jahr. Im Gegenzug nutzt der Mensch u. a. tierische Produkte wie Fleisch, Eier, Milch und Wolle und setzt Tiere in der Landschaftspflege, zum Schutz, als Fortbewegungsmittel, aber auch in der Seelsorge ein. Dieses Zusammenleben von Lebewesen verschiedener Art zu gegenseitigem Nutzen wird auch als Symbiose bezeichnet. Tiere, die vom Menschen wirtschaftlich genutzt werden, werden als Nutztiere bezeichnet und sind eng mit der Menschheit verbunden.

**Produkte und Leistungen von Nutztieren**
(Quelle: Verändert von Stöbich, Ch. nach Rahmann, G.)

| Lebensmittel | Rohstoffe | Dienstleistungen | Innerbetriebliche Leistungen |
|---|---|---|---|
| Fleisch | Wolle | Therapie, Seelsorge | Düngung |
| Milch | Felle | Erholung | Resteverwertung |
| Eier | Haare | Landschaftspflege | Pflanzenbestäubung |
| Honig | Knochen | Transport | Schädlings-bekämpfung |
| Blut | Garne (Seide) | Jagd | Hüte-Tätigkeiten |
| Medikamente | Schutz | | |
| | Federn | Sport | |
| | | Status | |
| | | Forschung | |
| | | Erziehung | |

**Exkurs: Nutztiere und die Entwicklung der Landwirtschaft**
Das Verhältnis von Mensch und Tier hat sich über die Jahrtausende immer wieder verändert und zwar sowohl zum Guten als auch zum Schlechten. Eine Konstante gibt es aber – die Abhängigkeit des Menschen vom Tier. Der US-Biologe Jared Diamond hat sich in seiner Forschung auf die frühe Menschheitsgeschichte konzentriert. In seinem Buch „Arm und Reich – Schicksale menschlicher Gesellschaften" beschreibt er einen überraschenden Zusammenhang: Kulturen und somit auch die Landwirtschaft entwickelten sich in Europa und Asien schneller als anderswo. Ein Grund dafür ist, dass auf diesen beiden Kontinenten viele verschieden große Tiere lebten, die sich zähmen und anschließend züchten ließen. Auf anderen Kontinenten, z. B. Australien, gab es kein einziges Tier, welches als Reit-, Zug-, Last- oder Zuchttier geeignet gewesen wäre. Dieser Zusammenhang ist erstaunlich und zugleich nachvollziehbar.

### 3.1.1 Wozu Tiere am Bio-Betrieb?

In der biologischen Landwirtschaft nimmt die Tierhaltung einen sehr hohen Stellenwert ein, weil es ohne Tierhaltung kaum möglich ist, einen **geschlossenen Nährstoffkreislauf** zu gewährleisten. Synthetische Nährstoffe können den hochwertigen Dünger der Tiere nicht ersetzen. Deshalb hat die Tierhaltung im Bio-Landbau eine besondere Bedeutung, weil der im Zuge der Tierhaltung anfallende Wirtschaftsdünger zur „Ernährung" der Bodenlebewesen genützt wird. Die Bodenlebewesen wandeln ihrerseits die Nährstoffe in pflanzenverfügbare Formen um und ernähren somit die Pflanze. Die Pflanze wiederum ist die Lebensgrundlage für unsere Tiere. Dieser ausgeklügelte und perfekt abgestimmte Kreislauf besteht und funktioniert seit Jahrtausenden in dieser Form und hat aus unfruchtbarem Gestein über Jahrtausende fruchtbare und wertvolle Böden hervorgebracht. Gleichzeitig stellt das stabile System Boden-Pflanze-Tier sicher, dass Böden fruchtbar bleiben.

Landwirtinnen und Landwirte greifen auch auf einem Bio-Betrieb mit ihrer Tätigkeit in dieses harmonische System ein. Beispielsweise werden Nährstoffe durch den Verkauf von Milch und Fleisch aus dem geschlossenen System entzogen und andere Nährstoffe wie etwa Stickstoff durch Knöllchenbakterien in das System eingebracht. Dennoch versucht die biologische Landwirtschaft diesen Kreislauf so gut es geht geschlossen zu halten. Deshalb ist es wichtig, dass in der biologischen Landwirtschaft eine flächengebundene Tierhaltung dominiert und dadurch der Nährstoffkreislauf bestmöglich geschlossen bleibt. Eine **flächengebundene Tierhaltung** bedeutet, dass die Anzahl der Tiere je Flächeneinheit nicht für alle Betriebe gleich sein kann, sondern an das Umfeld des Betriebes angepasst werden muss: Da Flächen in Gunstlagen produktiver sind als solche in Extensivlagen, können in Gunstlagen höhere Tierbesatzdichten realisiert werden.

Nutztiere sind Spezialisten in ihren jeweiligen Bereichen. So ist das Huhn eines der besten Futterverwerter, d. h. je Kilogramm Zuwachs wird weniger Futter benötigt als bei anderen Nutztieren: Das Huhn wandelt 1,71 kg Futter in 1 kg Fleisch um, während ein Schwein z. B. 2,9 kg fressen muss, um 1 kg zuzulegen. Das Schwein ist hingegen als Allesfresser eine wichtige Fleischquelle für uns Menschen. Außerdem können unsere Nutztiere Nährstoffe aus Futtermitteln aufschließen und verwerten, die für uns nicht zugänglich sind. Das ermöglicht es uns, Nährstoffe zu uns zu nehmen, die uns ohne unsere Nutztiere verwehrt blieben. Ein herausragendes Beispiel dafür sind Rinder, die aus Grünland Milch und Fleisch erzeugen und somit Grünland, das wir Menschen nicht direkt als Nahrungsquelle nutzen können, für uns zugänglich machen.

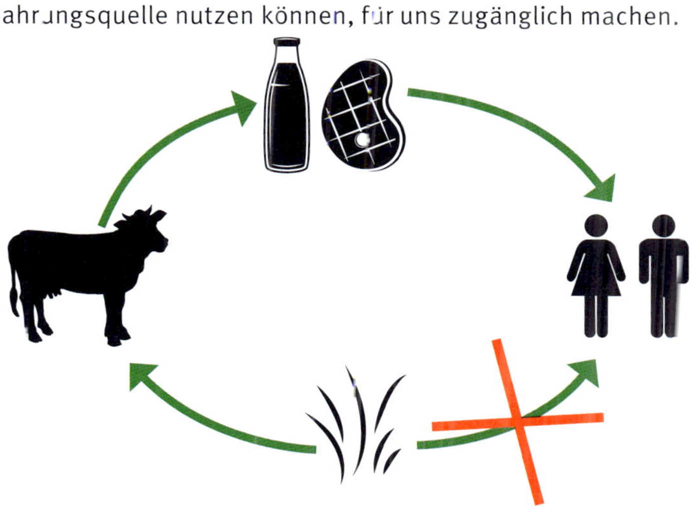

Tierhaltung erschließt Grünland als Nahrungsquelle

### 3.1.2 Anforderungen an die biologische Tierhaltung

Die Haltungssysteme müssen den Bedürfnissen der Tiere angepasst sein und ihren (verhaltens-) physiologischen Ansprüchen gerecht werden. Der Tierhalter bzw. die Tierhalterin ist verpflichtet, dem Haustier diese Qualitäten in Form von tiergerechter, wesensgerechter und aufeinander abgestimmter Haltung, Fütterung und Zucht zu garantieren. Grundsätzlich hat jedes Tier seine eigenen tierindividuellen bzw. tierartindividuellen Bedürfnisse. Am besten können diese Bedürfnisse von den ursprünglichen Lebensräumen der Nutztiere abgeleitet werden. So verträgt ein Pferd (Steppentier) viel Wind, während das Schwein (Waldtier) im Gegensatz dazu wenn möglich eher Windstille bevorzugt.

### Lebensraum, Witterungsbedürfnisse und Futterbasis

(Quelle: Verändert von Stöbich, Ch. nach FiBL Schweiz)

| | Pferd | Rind | Schwein | Huhn |
|---|---|---|---|---|
| Licht (Verträglichkeit/ Bedarf) | viel | mittel | wenig | viel |
| Wind (Verträglichkeit/ Bedarf) | viel | mittel | wenig | mittel |
| Lebensraum (ursprünglich) | Steppe | Waldrand | Wald | Wald |
| Futterbasis | Blütenbereich | Blattbereich | Wurzelbereich | Wurzelbereich |
| Temperatur (Verträglichkeit) | Kälte und Hitze | keine Hitze | eng begrenzt | begrenzt |

Die artgerechte Tierhaltung ist das Leitbild im biologischen Landbau. Die Tiere sollen gesund bleiben, sich wohl fühlen und ihre arteigenen Verhaltensweisen möglichst uneingeschränkt ausleben können. Diese Bedürfnisse stellen die Tiere an das vom Menschen geschaffene Haltungssystem.

Folgende Faktoren nehmen einen Einfluss auf das Haltungssystem:
- Tier
- Tierhalter bzw. Tierhalterin
- Konsument bzw. Konsumentin
- Richtlinien, Normen
- Landwirtschaftliche Tradition
- Land und Boden, Klima und Umwelt

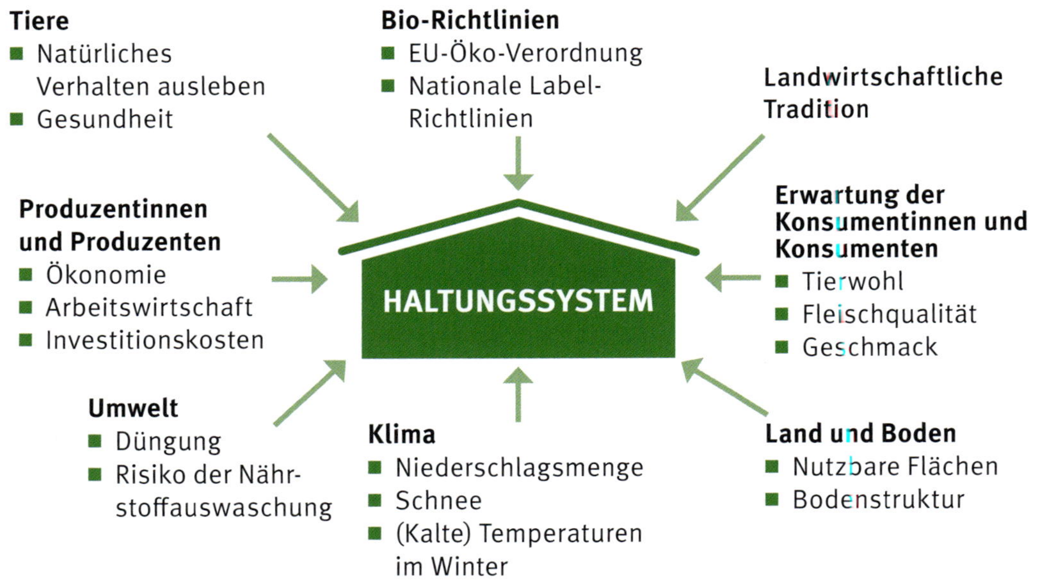


Einfluss auf das Haltungssysstem der Nutztiere (Quelle: FiBL Schweiz, 2016)

#### 3.1.2.1 Das Tier: Anforderungen an das Haltungssystem

Moderne Haltungssysteme sind bestmöglich an die Tiere angepasst. Sie ermöglichen den Tieren eine wesensgerechte Lebensweise und werden zu diesem Zweck ständig weiterentwickelt und erneuert. Stallneubauten orientieren sich daher an wichtigen Funktionsbereichen im Leben der Nutztiere (z. B. Fressen, Liegen, Komfortverhalten etc.).

Haltungssysteme, die heute als veraltete Haltungsformen angesehen werden, waren früher Stand der Technik bzw. der Wissenschaft, sind jedoch aufgrund neuerer Erkenntnisse mittlerweile überholt. Dies verdeutlicht, wie wichtig Forschung im Bereich der Nutztierhaltung und der biologischen Landwirtschaft ist.

Die Ansprüche an das Haltungssystem unterscheiden sich nicht nur nach der Tierart, sondern auch innerhalb einer Tierkategorie gibt es deutliche Unterschiede. Ein Beispiel dafür sind die Temperaturansprüche von Schweinen: Während die thermoneutrale Zone (= Behaglichkeitsbereich) von Ferkeln bei 28 bis 38 °C liegt, beträgt die thermoneutrale Zone bei Schweinen 15 bis 20 °C. Dieser Unterschied macht deutlich, dass auch innerhalb von Tierkategorien unterschiedliche Bedürfnisse befriedigt werden müssen (z. B. über Wärmelampen).

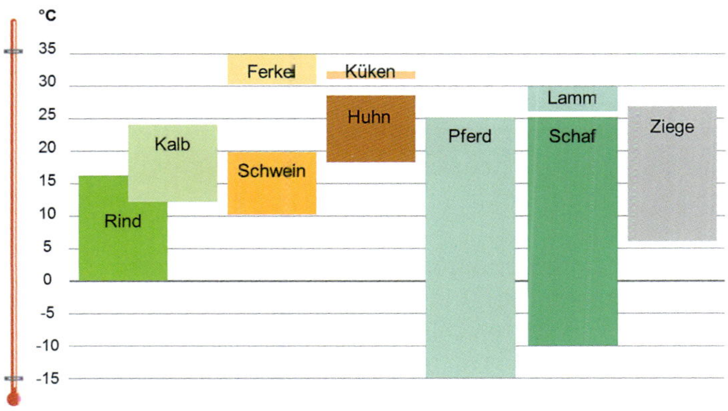


Thermoneutrale Zone: keine Energie zur Thermoregulation nötig (Jungtiere: erste Lebenswoche) (Quelle: FiBL, Schweiz)

### 3.1.2.2 Der Tierhalter bzw. die Tierhalterin: Anforderungen an das Haltungssystem

Neben den Tieren haben auch die Tierhalterinnen und Tierhalter Ansprüche an das Haltungssystem ihrer Tiere. So soll die tägliche Arbeit möglichst einfach, gesundheitlich unbedenklich und rasch vonstattengehen. Außerdem müssen sich die getätigten Investitionskosten rechnen, während die Futterkosten nicht unnötig vom Haltungssystem in die Höhe getrieben werden dürfen. Diese Punkte bezeichnet man als **Gesamtökonomie**, die vom Tierhalter bzw. der Tierhalterin beachtet werden müssen.

Auch eine einfache Betreuung der Tiere bzw. der Überblick über eine Herde müssen vom gewünschten System ermöglicht werden. Um die Sicherheit im Umgang mit den Tieren im Haltungssystem zu gewährleisten, sollte sich der Tierhalter bzw. die Tierhalterin bereits im Zuge der Planung Gedanken machen, welche Fluchtwege vorhanden sind, ob diese ausreichen und wie welche adaptiert werden können. Auch der Verbrauch von Ressourcen muss mitbedacht werden. So ist z. B. vor allem in Regionen mit teilweisem Wassermangel ein durch das Haltungssystem erhöhter Wasserverbrauch nicht akzeptabel. Zusätzlich müssen Haltungsformen mit hoher Emissionsgefahr insbesondere in der Nähe von Wohnsiedlungen überdacht werden.

### 3.1.2.3 Der Konsument bzw. die Konsumentin: Anforderungen an das Haltungssystem

Aus Sicht des Konsumenten bzw. der Konsumentin ist es sowohl wichtig, dass den Tieren ein hohes Maß an Tierwohl ermöglicht wird, als auch, dass die Qualität des Endprodukts sowie dessen Geschmack überzeugen. Konsumentinnen und Konsumenten haben mit Hilfe des Internets die Möglichkeit, sich rasch und einfach über die Ansprüche von Tieren zu informieren und daraus Schlüsse zu ziehen. Manche Konsumenten und Konsumentinnen übertragen menschliche Eigenschaften auf Tiere (= Anthropomorphismus) und nehmen dadurch ein verzerrtes Bild der Ansprüche von Tieren wahr. Hier gilt es, als Landwirt bzw. Landwirtin und Tierhalter bzw. Tierhalterin die Konsumentinnen und Konsumenten bestmöglich zu informieren und aufzuklären. Für einen Teil der Konsumentinnen und Konsumenten ist aber auch ihre eigene finanzielle Situation ausschlaggebend für die Kaufentscheidung – sprich: Das Produkt darf im Handel nicht subjektiv überteuert sein.

### 3.1.2.4 Richtlinien, Normen: Anforderungen an das Haltungssystem

Nachdem die Bio-Pioniere während des letzten Jahrhunderts die biologische Landwirtschaft geformt und definiert hatten, kam von den Betriebsleiterinnen und Betriebsleitern selbst der Wunsch, Richtlinien zu generieren, damit ein einheitliches Normenwerk die Produktion regelt und schützt. Dieses Normenwerk ist mittlerweile als Bio-Richtlinien in nationalen Verbänden und als Grundverordnung, welche EU-weit die Basis regelt, vorhanden. Die EU-Bio-Richtlinie bildet den Sockel der Bio-Tierhaltungsverordnung. Jedem Land und jedem Verband (Label) ist es gestattet, darüber hinaus Richtlinien zu erlassen, die ein tierhaltender Betrieb einhalten muss. Als übergeordnetes Ziel dieser Richtlinien und Verordnungen gilt der Zugang, dass die

Tiere gesund bleiben, sich wohl fühlen und ihre arteigenen Verhaltensweisen möglichst uneingeschränkt ausleben können sollen. Die Einhaltung höherer Standards bzw. noch strengerer Richtlinien wird im Handel oft als Verkaufsargument eingesetzt und hat besonders in Bereichen mit einer Überproduktion in der Bio-Landwirtschaft zu einem Hochtreiben der Richtlinien geführt.

#### 3.1.2.5 Die landwirtschaftliche Tradition: Anforderungen an das Haltungssystem

Die landwirtschaftliche Tradition übt einen nicht zu verachtenden Einfluss auf das Haltungssystem aus. Almwirtschaft und die Kombinationshaltung (= Anbindehaltung und Weide bei Rindern) haben immer noch große Bedeutung und sind weit verbreitet. Auch althergebrachte Haltungssysteme wie die Wanderschäferei sind wichtige Nischenbereiche. Die landwirtschaftliche Tradition hat die heutigen Betriebe geformt. Während es früher oftmals viele gemischte Betriebe (Haltung von Schweinen, Hühnern und Rindern als eigene Betriebszweige auf einem Betrieb) gab, haben sich im Laufe der Zeit regionsspezifische Schwerpunkte entwickelt.

#### 3.1.2.6 Land und Boden, Klima und Umwelt: Anforderungen an das Haltungssystem

Die flächengebundene Tierhaltung ist ein wesentlicher Grundsatz in der biologischen Landwirtschaft, der eine nachhaltige Landwirtschaft garantieren soll. Diese Flächenbindung wird derzeit mittels Stickstoffobergrenze je Hektar (170 kg N/ha, Jahr 2019) sichergestellt. Allerdings wird bei diesem Ansatz der Anteil des erzeugten Futters am eigenen Betrieb nicht berücksichtigt. Je nach Tierart kann der Anteil vom selbst erzeugten Futter sehr klein sein (z. B. Legehennen im Grünlandgebiet).

Auch der Standort des Betriebes beeinflusst die Gestaltung und Art des Haltungssystems. So werden Ställe im Berggebiet aufgrund der örtlichen Gegebenheiten (Klima, Hangneigung) anders gebaut als Haltungssysteme im pannonischen Raum. Tierhaltungssysteme im Ackerbaugebiet können stroh-intensiver ausgerichtet sein als Haltungssysteme in Grünlandgebieten, wo Stroh zugekauft werden muss. Gleichzeitig hat die Weide in Berggebieten eine höhere Bedeutung als in Nicht-Berggebieten.

## 3.2 BIOLOGISCHE RINDERHALTUNG

Als Wiederkäuer sind Rinder in der biologischen Landwirtschaft eine der wichtigsten Tierarten und in der biologisch-dynamischen Landwirtschaft sogar unersetzlich. Rinder nutzen Pflanzen sowie deren Reste und erzeugen daraus Milch bzw. Fleisch sowie den für die Kreislaufwirtschaft so wichtigen Dünger.

Folgende drei Bereiche prägen jede Form der Tierhaltung:
- Haltung
- Fütterung
- Zucht

Haltung, Fütterung, Zucht stellen Zahnräder dar, die ineinander greifen müssen, damit die Tierhaltung am Betrieb problemlos läuft. Sowohl Haltung und Fütterung als auch Zucht sind oftmals so ausgerichtet, dass den Tieren eine möglichst hohe Leistung ermöglicht wird: Landwirtinnen und Landwirte bieten den Tieren ein möglichst hohes Maß an Tierwohl, damit diese leistungsbereit sind. In Zuchtprogrammen wird ausschließlich mit den besten Tieren gearbeitet, was dazu führt, dass annähernd die gesamte Population auf wenige Blutlinien zurückzuführen ist. Die Fütterung erfolgt – ähnlich wie für einen Hochleistungssportler – möglichst bedarfs- und wiederkäuergerecht, um das vorhandene Leistungspotenzial voll und ganz auszuschöpfen. Vor allem im Bereich der Milchviehhaltung wurde in den letzten zwei Jahrzehnten durch Optimierungen in den Bereichen Haltung, Zucht und Fütterung die Leistung der Tiere stark gesteigert.

**Kritisch nachgedacht: Leistungssteigerung – was ist wiederkäuergerecht?**
Hochleistungsherden in der biologischen Landwirtschaft mit mehr als 10 t Milch je Tier und Laktation sind beeindruckend und stellen hohe Ansprüche an das Management (Haltung, Züchtung, Fütterung). Um diese Ansprüche abdecken zu können, müssen sich die Landwirtinnen und Landwirte viel Wissen aneignen und dieses auch umsetzen. Gleichzeitig muss die Tierbetreuung die höchsten Anforderungen erfüllen und das Haltungssystem optimiert sein. Landwirtinnen und Landwirte mit derartigen Stalldurchschnitten werden daher als Vorzeigebäuerinnen und -bauern vor den Vorhang geholt. Auf der anderen Seite stellt sich die Frage, in wie weit diese Art und Weise, Nahrungsmittel zu erzeugen und Rinder zu halten, noch unseren Wiederkäuern gerecht wird.

Diskutiert folgende Fragen:
- Was bedeutet der Begriff „wiederkäuergerecht“ für euch?
- Grünland hat einen deutlich höheren Anteil an der Erdoberfläche als Ackerland. Zusätzlich sind fruchtbare Flächen begrenzt bzw. wird Ackerland durch Verbauung und Erosion von Jahr zu Jahr weniger. Ist es vor diesem Hintergrund eurer Meinung nach „gerecht“, Rindern Kraftfutter zu füttern? Ist es gerecht, dass Rinder aus Lebensmitteln wieder Lebensmittel erzeugen, oder wäre es besser, aus Futtermitteln Lebensmittel zu erzeugen, indem Grasland nicht als Basis oder Grundlage, sondern als tatsächliches Hauptfuttermittel eingesetzt wird?

### 3.2.1 Biologische Rinderzucht

In der Praxis gibt es zwischen biologischer und konventioneller Rinderzucht weder in der Auswahl der geeigneten Stiere noch in der Leistung der Muttertiere deutliche Unterschiede. Es gibt jedoch Bestrebungen, die Zuchtarbeit auf biologisch wirtschaftenden Betrieben zu überdenken.

Eine kompetenzorientierte Unterrichtsvorbereitung zum Thema Rinderzucht steht im E-Book als Zusatzmaterial bereit.

Eine für die biologische Landwirtschaft interessante Zuchtinformation in der Rinderzucht ist der ökologische Gesamtzuchtwert. Dieser Zuchtwert wird für die männlichen Tiere, also die Söhne bzw. Väter ausgewiesen. Der Grund für die Abkehr vom derzeitigen offiziellen Zuchtprogramm sind die unterschiedlichen Interessen zwischen konventioneller und biologischer Landwirtschaft: Im Bio-Landbau lassen sich Standortbedingungen nur begrenzt durch Hilfsmittel ausgleichen (z. B. durch Futterzukauf, hohen Kraftfuttereinsatz, den Umgang im Einsatz von Medikamenten). Bio-Betriebe benötigen Tiere, die zum Standort und zur Futtergrundlage passen. Sehr hohe Tagesleistungen können unter biologischen Bedingungen nicht erfüttert werden und sind aufgrund der Kraftfutterpreise nicht wirtschaftlich. Daraus ergeben sich unweigerlich Leistungsgrenzen. Aus diesen Gründen setzt die biologische Landwirtschaft auf hohe Grundfutterleistungen mit entsprechend guter Lebensleistung bei ansprechenden Laktationsleistungen.

Standortgerechte Milchviehzucht bedeutet, gesunde, fruchtbare und langlebige Milchkühe mit guten Produktionsleistungen zu züchten. Das genetische Niveau (Leistung und Größe) muss dem Standort gerecht sein.

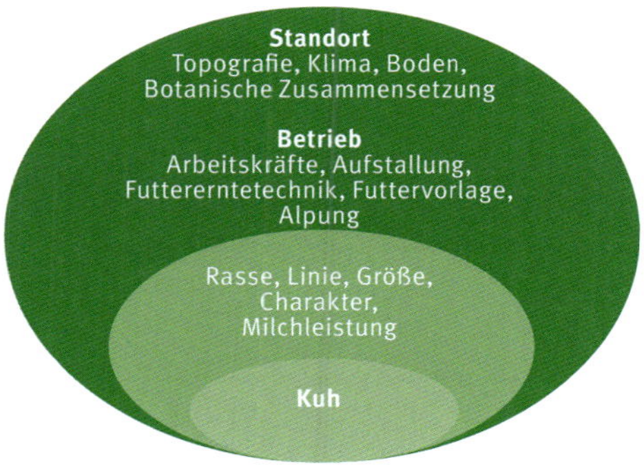


Standortgerechte Milchviehzucht
(Quelle: verändert nach FiBL, 2016)

**INFO!** Welcher Kuhtyp passt zu meinem Betrieb?

Kuhtyp, Betrieb und Standort müssen als Einheit gesehen werden. Somit umschließt eine nachhaltige Milchproduktion die Bedürfnisse der Tiere und vereint betriebliche und standortliche Gegebenheiten.
Wissen angewandt: Welcher Kuhtyp passt am besten zu deinem Betrieb bzw. Standort? Erkläre warum genau dieser Kuhtyp passt!

Grundsätzlich gibt es Zuchtziele, die für alle Bio-Milchkühe gelten und Zuchtziele, die sich individuell nach Betriebsausrichtung und Standort richten.

## Zuchtziele für Bio-Milchkühe; allgemein & betriebsindividuell (FiBL Schweiz, 2016)

| Allgemeine Zuchtziele für Bio-Milchkühe | Individuelle Zuchtziele je nach Betrieb |
|---|---|
| ■ Gesundheit und Vitalität<br>■ Fruchtbarkeit<br>■ Persistenz<br>■ Funktionales Exterieur<br>■ Nutzungsdauer | ■ Leistung (Milchmenge, Milchinhaltsstoffe und Fleischansatz)<br>■ Größe<br>■ Gewicht<br>■ Körperbau |

Informationen zum ÖZW können auch auf der Website der HBLFA Raumberg-Gumpenstein abgerufen werden. Link: https://www.raumberg-gumpenstein.at/cm4/de/forschung/forschungsbereiche/bio-landwirtschaft-und-biodiversitder-nutztiere/tier/rind/bio-milchviehzucht/271-fors-bio-landwirtschaft-und-biodiversit/tier/rind/bio-milchviehzucht/5371-oezw-oekologischer-gesamtzuchtwert.html

### 3.2.1.1 Ökologischer Zuchtwert (nach LfL, HBLFA Raumberg-Gumpenstein)

Um die allgemeinen Zuchtziele zu erreichen, haben sich Zuchtorganisationen, Bio-Verbände und die Bio-Forschung zusammengetan und den Ökologischen Zuchtwert (ÖZW) für biologisch wirtschaftende Betriebe entwickelt. Der ÖZW trägt den Zielsetzungen und Rahmbedingungen der biologischen Landwirtschaft in besonderer Weise Rechnung. Er gilt als DER Zuchtwert in der biologischen Landwirtschaft. Alle Abstammungs- und Leistungsdaten der Besamungsstiere sind aus den Bereichen Konstitution (Nutzungsdauer, Kalbung und Vitalität, Form und Euter) und Leistung (ökologischer Milchwert, Persistenz und Leistungssteigerung, Fleischwert) mit unterschiedlicher Gewichtung in einem Wert zusammengefasst. Den Fitnessmerkmalen wird dabei großes Augenmerk geschenkt. Bei der Zucht nach dem ÖZW wird ein sehr deutlicher Zuchtfortschritt im Fitnessbereich erreicht (Fruchtbarkeit, Eutergesundheit, Kalbeverlauf, Nutzungsdauer etc.). Im Gegensatz dazu schneiden Tiere mit hohen Einsatzleistungen, frühreife Linien und Linien mit sehr hohen Einzeltierleistungen und geringer Persistenz schlechter ab. Der große Vorteil des ÖZW ist, dass er es ermöglicht, mit den Daten der Zuchtwertschätzung eine für den biologischen Landbau geeignete Kuh zu züchten.

**INFO!** ÖZW

Der ÖZW wird als Zuchtinformation geführt und ist kein offizieller Zuchtwert im Sinne der Verordnung (EU) 2016/1012.

Aufgrund der Wichtigkeit des Ökologischen Zuchtwertes werden nachfolgend die Berechnungen, Ansätze und deren Auswirkungen genauer erklärt.

**Allgemeines zur Auswahl der Stiere**

Der ÖZW unterscheidet bei den Stieren folgende drei Kategorien:

- nachkommengeprüfte Stiere mit hoher Sicherheit (klassische ÖZW-Stiere = ÖZW)
- nachkommengeprüfte Vererber mit mittlerer Sicherheit (NK)
- genomische Jungvererber mit geringer Sicherheit (GJV)

Die Reihung der Stiere erfolgt innerhalb jeder Kategorie nach dem Ökologischen Zuchtwert. Darüber hinaus müssen die Vererber weitere Mindestanforderungen (siehe Tabelle Mindestanforderungen) erfüllen. Die zusätzlichen Anforderungen sind ebenfalls kategorienspezifisch, d. h. je geringer die Sicherheit, desto höher sind die Anforderungen an die Zuchtwerte.

**Abkürzungen:** Zuchtwerte für Eu (Euter), Fu (Fundament), EGW (Eutergesundheitswert), MB (Melkbarkeit), LS (Leistungssteigerung), PER (Persistenz), ND (Nutzungsdauer), KF (Kalbung und Fruchtbarkeit), FE (Fundament und Euter)

## Zusätzliche Mindestanforderungen an die Stierkategorien

(Quelle: HBLFA Raumberg-Gumpenstein)

| | Eu | Fu | EGW | MB | LS | PER | ND | KF | FE |
|---|---|---|---|---|---|---|---|---|---|
| GJV | 103 | 100 | 100 | 95 | 103 | 100 | 100 | 100 | 100 |
| NK | 102 | 100 | 98 | 95 | 102 | 98 | 98 | 100 | 100 |
| ÖZW | 100 | 95 | 95 | 95 | 95 | 95 | 95 | 95 | 95 |

Die zusätzlichen Mindestanforderungen sind für die **klassischen ÖZW-Stiere** am niedrigsten, da diese die höchste Zuchtwertsicherheit aufweisen. Für die Reihung nach dem Ökologischen Zuchtwert müssen für ÖZW-Stiere von mindestens 20 Töchtern eines Stieres mindestens drei Probemelkungen in der dritten Laktation vorliegen. Aufgrund der höchsten Sicherheit dieser Stiere ist ein starkes Abfallen der Zuchtwerte in den folgenden Zuchtwertschätzungen nur in einem geringen Umfang zu erwarten. Da es sich bei diesen Stieren in der Regel um ältere Stiere handelt, ist jedoch das absolute Zuchtwertniveau niedriger. Diese Stiere werden besonders für den breiten Zuchteinsatz empfohlen.

Im Gegensatz dazu ist die Sicherheit bei den **genomischen Jungvererbern (GJV)** am niedrigsten. Da von diesen Stieren noch keine Töchterleistungen vorliegen und die Zuchtwerte noch nicht durch Leistungsprüfungsergebnisse abgesichert sind, müssen in dieser Stierkategorie die höchsten zusätzlichen Mindestanforderungen erfüllt werden. Die höheren Mindestanforderungen sollen verhindern, dass es durch größere Rückgänge in den Zuchtwerten einzelner Merkmale zu Beeinträchtigungen in der Leistungsfähigkeit, Tiergesundheit und Langlebigkeit kommt.

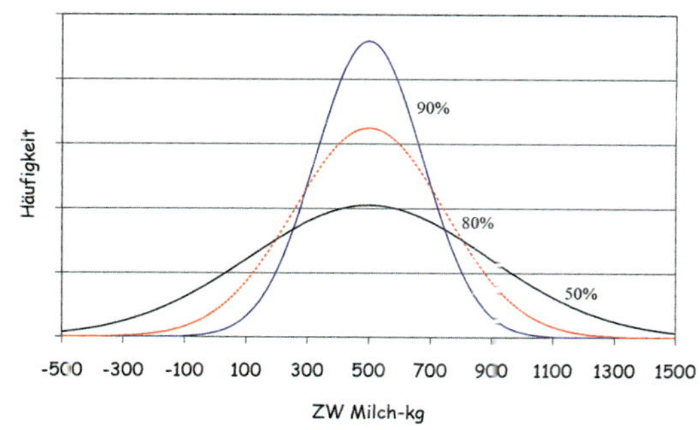


Verteilung der wahren Zuchtwerte bei einem geschätzten Zuchtwert von +500 (Beispiel Milch) in Abhängigkeit von der Zuchtwertsicherheit

Diese Stierkategorie hat das höchste absolute Zuchtwertniveau. Wählt man einen Stier aus der Kategorie GJV für die Besamungen, müssen trotz der höheren Mindestanforderungen die Besamungen auf mehrere verschiedene GJV-Stiere verteilt werden. Dadurch kann das Risiko, das sich aus der geringeren Sicherheit der Zuchtwerte ergibt, gestreut werden.

Die Kategorie **nachkommengeprüfte Vererber mit mittlerer Sicherheit (NK)** liegt zwischen den beiden ersten Gruppen. Von diesen Stieren liegen bereits Töchterleistungen vor, die Anforderungen hinsichtlich der Sicherheit von ÖZW-Stieren werden aber (noch) nicht erreicht. Entsprechend liegen die zusätzlichen Mindestanforderungen zwischen denen der ÖZW- und denen der GJV-Stiere.

### Genomisch optimierte Zuchtwerte als Grundlage für den ÖZW

Die genomische Selektion beim Rind ermöglicht die Auswahl der genetisch besten Tiere durch die Untersuchung ihres Erbguts aus einer Blut- oder Gewebeprobe. Dabei wird der **Zuchtwert eines Tieres** direkt **aus seinen Erbanlagen** – dem genetischen Code – **abgeleitet**. Hierzu werden die gewonnenen DNA-Informationen mit den Ergebnissen der konventionellen Zuchtwertschätzung kombiniert, wozu eine große Referenzgruppe (Lernstichprobe) von Stieren mit sicheren Zuchtwerten benötigt wird. Aufgrund der analysierten Zusammenhänge zwischen den Ergebnissen der DNA-Typisierung und den Zuchtwerten wird dann eine Formel entwickelt, mit der direkte genomische Zuchtwerte von Tieren ohne jegliche Eigen- oder Nachkommenleistung geschätzt werden können. Um alle vorliegenden Informationen zu nutzen, wird dieser direkte genomische Zuchtwert anschließend mit Abstammungs- und Leistungsergebnissen kombiniert.

Der hieraus resultierende genomisch optimierte Zuchtwert ist der offizielle Zuchtwert beim Fleckvieh und wird veröffentlicht. Durch die Kombination von DNA-Informationen, Abstammungsinformationen und Leistungsinformationen ist er genauer als der bisherige rein auf Abstammung und Leistung basierende konventionelle Zuchtwert.

Bei der genomischen Selektion werden also Informationen aus dem Erbgut genutzt, um die Vererbungsleistung eines Tieres genauer zu schätzen. Es handelt sich also um eine Erweiterung der bisherigen Zuchtverfahren, bei denen die Vererbung nur aus Abstammungs- und Leistungsinformationen abgeleitet wurde.

**INFO!** Genomische Selektion

**Die genomische Selektion basiert auf einer Ableitung der Zuchtwerte eines Tieres direkt aus seiner DNA. Bei diesem Verfahren kommt es aber zu keinen Eingriffen in das Erbgut oder zu einer Manipulation des Erbguts!**

### Grundsätzliches zum ÖZW und Hinweise zur Interpretation der Ergebnisse (nach LfL)

Der Ökologische Zuchtwert ist ein zusammenfassender Wert über alle vorliegenden Abstammungs- und Leistungsdaten der Besamungsstiere, der die Zielsetzungen und Rahmenbedingungen der biologischen Landwirtschaft in besonderer Weise berücksichtigt. Die Daten sind je nach Bedeutung für die Leistungsfähigkeit, Tiergesundheit und Langlebigkeit unterschiedlich gewichtet.

Im Ökologischen Zuchtwert werden sechs Teilwerte zusammengefasst:

- Ökologischer Milchwert (ÖMW)
- Persistenz und Leistungssteigerung (PL)
- Fleischwert (FW)
- Nutzungsdauer (ND)
- Kalbung und Fruchtbarkeit (KF)
- Fundament und Euter (FE)

**Ökologischer Milchwert (ÖMW)**

Der Ökologische Milchwert setzt sich aus den Zuchtwerten Fett (kg) und Eiweiß (kg) für die erste, zweite und die dritte Laktation zusammen, wobei die Gewichtung Fett (kg) zu Eiweiß (kg) 1 : 1,4 beträgt.

Die Zuchtwerte aus den drei Laktationen werden im Verhältnis 10 : 20 : 70 gewichtet. Die dritte Laktation erhält die höchste Gewichtung, um die Bedeutung der Lebensleistung herauszustellen. Aufgrund fehlender genomischer Zuchtwerte für die einzelnen Laktationen muss bei genomischen Jungvererbern und bei Stieren mit mittlerer Sicherheit der genomisch optimierte Milchwert verwendet werden.

**Persistenz und Leistungssteigerung (PL)**

Im Zuchtwert Persistenz und Leistungssteigerung wird das Durchhaltevermögen innerhalb der Laktation mit 40 % und die Leistungssteigerung von der ersten zur zweiten bzw. zu den weiteren Laktationen mit 60 % gewichtet. Hier wird eine flache Laktationskurve angestrebt, die gut zu erfüttern ist. Die Leistungssteigerung charakterisiert die Entwicklung der Zuchtwerte Fett (kg) und Eiweiß (kg) von der ersten Laktation zu den weiteren Laktationen. Tiere mit höheren Zuchtwerten für die Leistungssteigerung entwickeln ihr volles genetisches Milchleistungsvermögen erst in höheren Laktationen.

Durch die Einbeziehung der Leistungssteigerung wird eine Überbewertung der Einsatzleistung vermindert und es werden jene Kühe besser bewertet, die weniger stark einsetzen, sich aber dann von Laktation zu Laktation steigern. Durch eine geringere Stoffwechselbelastung in der ersten Laktation soll die Tiergesundheit verbessert und die Grundlage für eine hohe Lebensleistung gelegt werden.

**Fleischwert (FW)**

Der Fleischwert ist ein zusammenfassender Wert über die Mast- und Schlachtleistungsvererbung des Stieres. Es erfolgt eine simultane Berücksichtigung von Leistungsinformationen aus allen Fleischleistungsprüfungen des Stieres selbst, seiner Vorfahren und Nachkommen sowie der weiteren Verwandten.

Die berechneten Teilzuchtwerte für Nettozunahme, Ausschlachtung und Handelsklasseneinstufung werden dabei über eine ökonomische Gewichtung zu einer Relativzahl mit dem Mittelwert 100 für den Fleischwert zusammengefasst. Beim Fleischwert handelt es sich wie bei allen anderen Zuchtwerten um einen genomischen Zuchtwert.

**Nutzungsdauer (ND)**

Als direkt zu beobachtendes Merkmal für die Langlebigkeit wird der Zuchtwert Nutzungsdauer ermittelt. Im Gegensatz zur Verbleiberate, bei der nicht unterschieden werden kann, ob eine Kuh aufgrund einer schlechteren Konstitution oder aufgrund niedriger Milchleistung gemerzt wurde, ist die Nutzungsdauer ein Maßstab für Lebensleistungsveranlagung aufgrund von Fitness und Vitalität.

**Kalbung und Fruchtbarkeit (KF)**

Im Bereich der Kalbung und Fruchtbarkeit werden der Fruchtbarkeitswert, der Kalbeverlauf und der Vitalitätswert zusammengefasst. Die größte Bedeutung wird hier den maternalen (weiblichen) Zuchtwerten (Stier als Vater der Kuh) beigemessen, da eine regelmäßige Fruchtbarkeit sowie problemlose Abkalbungen für die Lebensdauer einer Kuh von entscheidender Wichtigkeit sind.

**Fundament und Euter (FE)**
Im Teilwert Fundament und Euter finden sich Zuchtwerte, die für ein gutes Fundament und für ein funktionales und gesundes Euter von großer Bedeutung sind. Beim Fundament wird neben dem Zuchtwert für das Fundament selbst der Zuchtwert für die Trachtenhöhe berücksichtigt, da dieser insbesondere für die Laufstall- und Weidehaltung wichtig ist. Beim Euter wird ergänzend zur Euterbewertung die Melkbarkeit (durchschnittliches Minutengemelk) als Hinweis auf eine arbeitswirtschaftlich optimale Melkarbeit mitaufgenommen. Weil aber ein zu hoher Milchfluss auch negative Auswirkungen haben kann, wird auch der Eutergesundheitswert (= Index aus Zellzahl, Mastitis und Eutermerkmalen) berücksichtigt.

**INFO!** Ökologischer Zuchtwert

**Der ökologische Zuchtwert setzt sich aus dem Teilwert Leistung (ökologischer Milchwert und Fleischwert) und dem Teilwert Konstitution (Persistenz und Leistungssteigerung, Nutzungsdauer, Kalbung und Fruchtbarkeit sowie Fundament und Euter) zusammen. Im Teilwert Leistung sind die Zuchtwerte zusammengefasst, die für die direkte Erzeugung von Milch und Fleisch bedeutend sind. Im Bereich Konstitution finden sich die Merkmale, die dafür entscheidend sind, dass diese Leistungen von gesunden, fruchtbaren und langlebigen Tieren erzeugt werden können.**

Die Berechnung des ökologischen Zuchtwerts erfolgt mittels Selektionsindexmethode, d. h., es werden die Erblichkeitsgrade, die genetischen Korrelationen, die Sicherheiten der geschätzten Zuchtwerte und die unterstellten wirtschaftlichen Gewichte der Merkmale berücksichtigt.

**Wirtschaftliche Gewichtung der Merkmale des ÖZW** (Quelle: LfL)

| | Fleckvieh | Braunvieh | Gelbvieh |
|---|---|---|---|
| Teilwert Leistung | 35 % | 35 % | 35 % |
| Ökologischer Milchwert | 20 % | 25 % | 20 % |
| Fleischwert | 15 % | 10 % | 15 % |

Aufgrund dieser Berechnungsmethode ergeben sich zum Teil deutliche Unterschiede zwischen der unterstellten wirtschaftlichen Gewichtung für ein Merkmal und dem wirklichen Anteil dieses Merkmals am Zuchtfortschritt. Aufgrund von Modellrechnungen wurde die optimale Gewichtung der Einzelmerkmale so festgelegt, dass die entsprechenden erwarteten Zuchtfortschritte das Zuchtziel in der ökologischen Rinderzucht widerspiegeln.

**INFO!** Gewichtung und Zuchtfortschritt beim Fleckvieh

**Der erwartete Zuchtfortschritt liegt in etwa zu einem Viertel im Leistungsbereich und zu drei Vierteln im Bereich der Konstitution. Der höchste Zuchtfortschritt liegt auch weiterhin im Bereich der Milchleistung, da diese die Haupteinnahmequelle der Bio-Betriebe ist. Es wird aber auf höhere Zuchtfortschritte in diesem Bereich zugunsten einer ausreichenden Fleischleistung und einer guten Konstitution und Tiergesundheit verzichtet.**

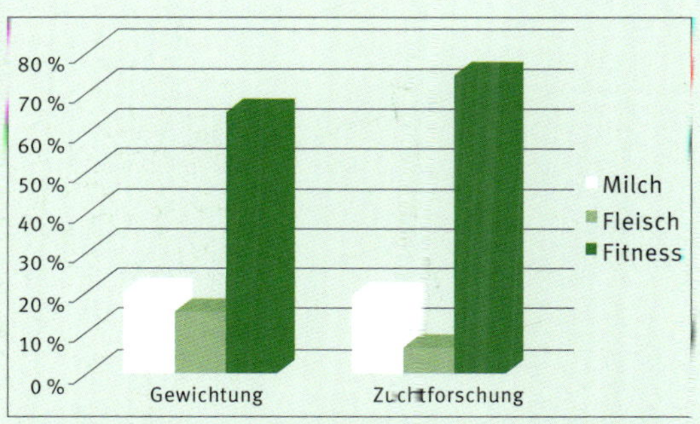


**Gewichtung und Zuchtfortschritt beim Fleckvieh**

#### 3.2.1.2 Züchten nach den Grundlagen der Arbeitsgemeinschaft österreichischer Lebensleistungszüchter

Wirtschaftlich gesehen ist die Zucht auf höhere Leistungen eine effektive Möglichkeit, Futter-, Arbeits- und Stallplatzkosten einzusparen. Neben einer hohen Grundfutterleistung ist aber auch die Nutzungsdauer der Kühe für die Wirtschaftlichkeit der Milchkuhhaltung von großer Bedeutung. Haiger (2019) kommt daher zum Schluss, dass auf Bio-Betrieben mit niedrigem Kraftfuttereinsatz mindestens sechs – besser neun – Laktationen erreicht werden sollten, um eine entsprechende Rentabilität zu gewährleisten. In der Zucht sollte daher vor allem die **Lebensleistung** in den Vordergrund gestellt werden.

Die Arbeitsgemeinschaft österreichischer Lebensleistungszüchter wählt daher die Zuchtstiere nach folgenden Kriterien aus:

- Kuhfamilien mit hohen Lebensleistungen, erbracht in vielen Laktationen
- Zuchtwert Fitness (Nutzungsdauer, Persistenz, Zellzahl)
- Zuchtwert Fett- und Eiweißmenge 1 : 1, auf Gewicht korrigiert
- Zuchtwert Fleisch ist zweitrangig

### 3.2.2 Biologische Rinderhaltung

Unsere Rinder besitzen natürliche Verhaltensweisen, die sich über Jahrtausende entwickelt haben und vom Ur-Rind, dem Auerochsen, stammen. Diese Verhaltensweisen sind an den Lebensraum angepasst und sichern damit die Fortpflanzung und das Überleben der Tiere. Obwohl das gesamte Repertoire an Verhaltensweisen mehr oder weniger ausgeprägt in unseren Hausrindern verankert ist, muss unser heutiges Nutztier Rind mit gewissen Einschränkungen im Verhalten zurechtkommen, da es sich nicht mehr im natürlichen Lebensraum bewegt. Die Haltungssysteme der Tiere müssen daher so gestaltet sein, dass Einschränkungen für die Tiere so gut es geht vermieden werden.

Rinder haben verschiedene **Verhaltenskomplexe**, die sie ausleben wollen und müssen:

- Sozialverhalten, Mutter-Kind-Verhalten
- Sexual-, Fortpflanzungsverhalten
- Ruheverhalten
- Nahrungsaufnahme bzw. Trinken
- Bewegungsverhalten
- Komfortverhalten
- Ausscheidungsverhalten

Diese Verhaltensweisen sind unseren Rindern angeboren und tief verankert. Damit die Tiere diese Verhaltenweisen ausleben können, müssen im Haltungssystem folgende **Funktionsbereiche** zur Verfügung stehen:

- Liegebereich
- Bewegungsbereich
- Tränkebereich – Fütterungsbereich
- „Wellnessbereich“

### 3.2.2.1 Ruheverhalten – Liegebereich

Rinder ruhen bis zu zwölf Stunden am Tag. Während der langen Liegezeiten kaut das Rind das aufgenommene Futter wieder. Lange Liegezeiten sind somit wichtig für die Verdauung. Außerdem kann sich während der Liegezeit der Bewegungsapparat erholen. Rinder liegen gerne seitlich mit gestreckten Beinen oder in enger Position, bei der die Vorder- und Hinterbeine unter dem Köper abgelegt werden. Der Liegebereich muss den Tieren ein freies Abliegen und Aufstehen ermöglichen. Um die Gelenke zu schonen, unterstützen Rinder das Aufstehen mittels Kopfschwung, der es dem Tier erleichtert, die Hinterhand und so das eigene Körpergewicht zu heben.

Arttypischen Abliegen (oben) und Aufstehen (unten) des Rindes (Quelle: Karin Aschauer)

Das Haltungssystem muss ruhenden Rindern daher einen **ungehinderten Kopfschwung** ermöglichen. Am ehesten ist dies in Haltungssystemen mit freien Liegeflächen der Fall, daher bieten Kompoststall, Tiefbucht- oder der Tretmiststall hierfür optimale Voraussetzungen. Aus arbeitswirtschaftlichen und ökonomischen Gründen sind in der Milchviehhaltung Liegeboxensysteme weit verbreitet und als übliches Haltungssystem anzusehen. Weil Rinder sich mit der Hinterhand zur Seite ablegen und daher nach dem Abliegen neben dem vorherigen Standplatz liegen, müssen Liegeboxensysteme in der Milchviehhaltung so gestaltet sein, dass ein **ungehindertes Aufstehen und Abliegen** möglich ist. Im Handel erhältliche und übliche Systeme sind in dieser Hinsicht allerdings nicht immer als rindergerecht einzustufen.

Um ein arttypisches Aufstehen zu ermöglichen, ist ein ungehinderter Kopfschwung nötig. (Quelle: Stöbich, Ch.)

Um die Gelenke der Tiere zu schonen und Beeinträchtigungen vorzubeugen, müssen die Liegeflächen weich ausgestattet sein. Dafür ist Stroh bzw. eine Strohmistmatratze ideal geeignet, da sie weich und verformbar bleibt und sich dadurch optimal an die Tiere „anpasst".

Hier finden die Rinder ausreichenden Platz für den Kopfschwung. (Quelle: Stöbich, Ch.)

### 3.2.2.2 Bewegungsbereich

Rinder sind Weidetiere und somit Weichbodengänger. Je nach Futterangebot und Witterung können die Tiere zwischen 3 bis 13 km pro Tag zurücklegen. Rinder bewegen sich gerne, weshalb ihnen auch Auslauf bzw. Weidegang ermöglicht werden sollte. Werden die Tiere in Anbindehaltung gehalten (bei Bio-Betrieben nur zeitweise im Rahmen der so genannten Kleinbetriebsregelung möglich), so muss den Tieren mindestens zwei Mal in der Woche Zugang zu Freigelände-, Auslauf- oder Weideflächen gewährt werden.

### 3.2.2.3 Tränkebereich

Rinder sollten **ständig Zugang zu Wasser in ausreichender Menge und in Trinkwasserqualität** haben. Rinder suchen die Tränkestelle fünf bis zehn Mal pro Tag auf und saugen pro Minute bis zu

20 l Wasser ein. Die optimale Trinktemperatur beträgt 10 bis 18 °C. Als Saugtränker trinken Rinder am liebsten aus größeren Behältern (z. B. Wannen, Tröge, Bäche usw.). Aus diesem Grund haben sich Tränkewannen gut bewährt.

Rinder sind Herdentiere, d. h., sie fressen, trinken und wandern gemeinsam. Somit kommt es vor, dass mehrere Tiere gleichzeitig trinken möchten. Um Rangkämpfe und die damit verbundene mögliche Verletzungsgefahr zu verringern, sind mehrere Tränken erforderlich.

Die tägliche Wasseraufnahme kann bei leistungsstarken Tieren im Sommer bis zu 150 l je Tag erreichen. In den Wintermonaten werden kaum höhere Tagesmengen als 100 l aufgenommen.

Rinder sind Weidetiere. (Quelle: Pixabay)

### 3.2.2.4 Fütterungsbereich

Im Stall benötigen Rinder mindestens sechs Stunden Fresszeit zur Futteraufnahme. Werden die Tiere ganztägig geweidet, ist je nach Weidequalität, Witterung, Anzahl der Wasserstellen und Herdenstruktur mit einer Fresszeit von sieben bis neun Stunden zu rechnen. Betrachtet man rein die Fresszeit im Stall, erscheint ein Fressplatz-zu-Tier-Verhältnis von 1 : 3 durchaus noch als tiergerecht. Das ist aber ein Trugschluss, da Rinder als Herdentiere synchrones Verhalten an den Tag legen und das Fressverhalten hier keine Ausnahme ist. Es ist daher empfehlenswert, dass jedem Tier ein eigener Fressplatz zur Verfügung steht.

Synchrones Verhalten beim Fressen (Quelle: Stöbich, Ch.)

Synchrones Verhalten beim Liegen (Quelle: Stöbich, Ch.)

### 3.2.2.5 „Wellnessbereich“

Pflegemaßnahmen sind für das Komfortverhalten der Rinder sehr wichtig. Sie reinigen das Fell von Verschmutzungen, schützen die Tiere vor unliebsamen Ektoparasiten und sind ein Teil der Sozialstruktur (z. B. gegenseitiges Belecken und Säubern). Auch das Abregnen lassen erfüllt diese Funktionen, regt den Stoffwechsel an und wirkt sich somit insgesamt positiv auf die Fruchtbarkeit und den Hormonhaushalt aus. Kratzbürsten erhöhen für die Rinder das Wohlbefinden und werden sehr gerne angenommen.

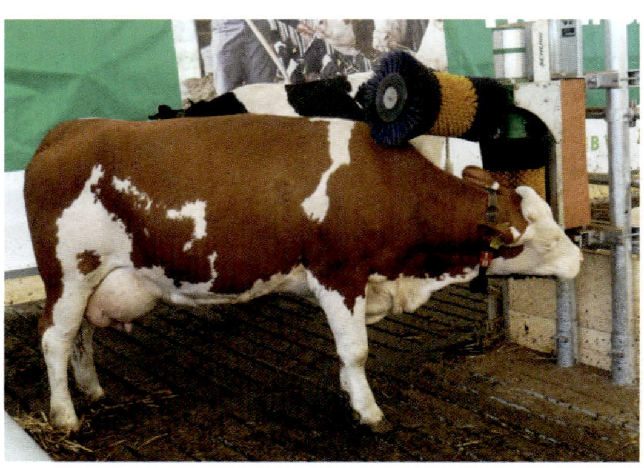

Kratzbürsten ermöglichen Rindern, ihr Komfortverhalten auszuleben. (Quelle: RudolfSimon, CC BY-SA 3.0)

Ein in die Stallfläche integrierter Auslauf ermöglicht den Tieren den Kontakt mit Umwelteinflüssen wie Regen oder Schnee. (Quelle: Stöbich, Ch.)

### 3.2.2.6 Fortpflanzungsverhalten

Rinder zeigen normalerweise ein ausgeprägtes Sexualverhalten. Sie sind sozial aktiver, zeigen eine erhöhte Aufmerksamkeit, vermehrtes Kopfauflegen sowie Bespringen bzw. Bespringenlassen. Damit die Tiere ihr Sexualverhalten vollständig ausleben und brünstige Tiere leichter erkannt werden können, ist es wichtig, dass die Laufflächen rutschfest sind. Gussasphalt, perforierter Beton oder Gummimatten haben sich in diesem Zusammenhang bewährt. Besonders gut zeigen die Tiere ihre Aktivität auf Tiefstrohbereichen und freien Kompostliegeflächen. Während der Brunst werden Tiere in einer Kuhherde ohne Stier 50 bis 60 Mal besprungen. Ein Stier in der Herde behütet seine brünstige Kuh.

### 3.2.2.7 Sozialverhalten, Mutter-Kind-Verhalten

Rinder haben Freundschaften in der Herde. Wer aufmerksam durch den Stall geht, kann beobachten, dass immer wieder dieselben Tiere nebeneinander liegen oder die gegenseitige Nähe suchen. Das zeigt uns, dass Rinder sehr soziale Tiere sind. Sie haben **soziale Strukturen**, die durch Rangordnungen gegliedert sind, welche den möglichst konfliktfreien Zugang zu vorhandenen Ressourcen (z. B. Liegebereiche, Wasser sowie Fressplätze) regeln.

Auch das Einhalten einer **Individualdistanz** (= Abstand, den ein Tier zu den anderen Tieren lässt) ist Teil des Sozialverhaltens von Rindern. Diese Individualdistanz ist von Tier zu Tier unterschiedlich und auch von der Tätigkeit abhängig. So ist diese Distanz bei der Futteraufnahme auf der Weide größer als im Stall. Unterlegene Tiere weichen im Normalfall überlegenen Tieren aus. Daher sollten auch Laufgänge im Stall ausreichend groß dimensioniert sein, um den Rindern ein Ausweichen bzw. die Einhaltung der Individualdistanz zu ermöglichen. Behornte Tiere halten die Individualdistanz von Artgenossen eher ein, da der Respekt gegenüber anderen Tieren größer scheint. Daher gibt es, wenn ausreichend Platz vorhanden ist, unter gleichen Bedingungen bei behornten Tieren weniger Rangauseinandersetzungen als bei enthornten.

Im Gegensatz zu anderen Tierarten haben Rinder insbesondere bei größeren Kuhherden im Stall nicht ein Leittier (= Alpha-Tier), sondern es herrschen so genannte Mehrecksverhältnisse.

Kühe sondern sich kurz vor der **Geburt** von der Herde ab und suchen einen geschützten Ort auf, wo sie ungestört abkalben können. Nach der Geburt wird das Kalb intensiv berochen und beleckt. Das fördert die **Mutter-Kind-Beziehung** und unterstützt den Abgang der Plazenta (= Nachgeburt). Beim Kalb ist das Belecken wichtig für die Entfernung der Eihaut, die Förderung der Durchblutung und die Aktivierung des Kreislaufs sowie um die Gesundheit des Kalbes (vor allem bei Frosttemperaturen) aufrecht zu erhalten. Das Kalb sollte wenn möglich innerhalb von wenigen Stunden mit der Aufnahme des Kolostrums beginnen. Wenn das Kalb die Milch aus dem Euter trinkt, fördert das den Abgang der Plazenta, die Rückbildung der Gebärmutter sowie die Bindung zwischen Kuh und Kalb. Am wichtigsten ist jedoch die Aufnahme von Immunglobulinen für die passive Immunisierung des Kalbes sowie die Aufnahme von Energie und Eiweiß.

Rinder haben ein ausgeprägtes Sozialverhalten. (Quelle: Pixabay)

Den Kühen sollte man im Stall die Möglichkeit geben, sich von der Herde zu trennen und dennoch in (Sicht-)Kontakt zu bleiben. Eine komplette Distanzierung und Trennung des Tieres von der Herde ist nicht empfehlenswert, da dies bei der zu kalbenden Kuh zu erhöhtem Stress führen kann, was sich negativ auf den weiteren Verlauf der Geburt auswirken kann.

### 3.2.2.8 Arteigenes Verhalten von Rindern und die Umsetzung in artgemäße Haltung

| Arteigenes Verhalten | Umsetzung in artgemäße Haltung |
|---|---|
| Herdentiere | Laufstall, Weide |
| Synchrones Verhalten: fressen, ruhen, trinken | Pro Tier ein Fressplatz und ein Liegeplatz sowie ausreichend Tränkemöglichkeiten |
| Mehrere Fressperioden | Futtervorlage ad libitum, Fütterungsroboter |
| Selektive Futteraufnahme nach Geruch und Geschmack | Fressgitter, TMR |
| Saugtrinker | Trogtränke, Tränkewannen |
| Bewegungsbedürfnis | Laufstall, Laufhof, Weide |
| Weichbodengänger | Weide, trittsicherer Boden (Gummimatten auf Laufgängen) |
| Rangniedriger Kuh muss Ausweichdistanz einhalten | Gänge und Auslauf großzügig gestalten, keine Sackgassen, keine Hindernisse |
| Lange Liegeperioden (10 bis 12 h/Tag) | Komfortable, eingestreute Liegebereiche |
| Arteigene Bewegungsabläufe | Freie Liegefläche (Tiefstreu, Tretmist, Kompost), nicht einschränkende Liegeboxenabtrennung, rutschfeste Gänge |
| Scheuern, Belecken | Scheuerbürste |
| Ausgeprägtes Sexualverhalten | Natursprung, Stier in der Herde, Rutschfeste Gänge |
| Absonderung von der Herde zur Geburt | Abkalbebox (mit Sichtkontakt zur Herde) |
| Kälber saugen bis ca. zehn Monate an der Mutter | Muttergebundene Kälberaufzucht (nicht etabliert), Ammenkuh |
| Anpassungsfähig an klimatische Bedingungen, thermoneutraler Bereich bei Kühen: 0 bis 16 °C | Hitze bedeutet mehr Stress als Kälte ➜ Laufhof, Schatten auf Weide, Ventilatoren, Stall quer zur Hauptwindrichtung |

Nur gesunde Kühe sind leistungsbereit ➜ Kühe danken das Achten auf ihre Signale und das Setzen der richtigen Impulse mit Milch!

### 3.2.2.9 Kuhsignale wahrnehmen und verstehen (nach Manser, 2017)

Durch das frühzeitige Wahrnehmen von Kuhsignalen können Betriebsleiterinnen und Betriebsleiter Krankheiten vorbeugen und die Betriebsblindheit verhindern.

**Was ist zu tun?**

**Schau hin!**
- Alles sehen: Was fällt dir auf?
- Was siehst du?

➜

**Denk nach!**
- Warum ist das so?
- Was bedeutet das?

➜

**Handle!**
- Was kann ich tun?
- Was ist gut und was kann verbessert werden?

**Wichtig: Tu etwas!**
„Dass man etwas nicht weiß, kann vorkommen. Aber dass man etwas nicht sieht, ist dumm", Zitat eines Landwirts.

Die Kuh braucht ihre **sechs Freiheiten**, die sie auf der Weide auch hätte, um gesund zu bleiben (Hulsen, 2009):

- Futter
- Wasser
- Licht
- Luft
- Ruhe
- Raum

Jeder Landwirt und jede Landwirtin sollte versuchen, seinen bzw. ihren Tieren alle sechs Freiheiten ausreichend zur Verfügung zu stellen. Sollte dies nicht der Fall sein, ist es ratsam, entsprechende Maßnahmen zu setzen. Um Betriebsblindheit zu vermeiden und ein objektives Ergebnis zu erhalten, kann es von Vorteil sein, betriebsfremde Personen (z. B. Berater oder Beraterinnen) die Beurteilung durchführen zu lassen.

### Kuhsignale – worauf sollte geachtet werden?

Die Beobachtung der Tiere ist das zentrale Managementtool in der Tierhaltung, da sie kostengünstig ist und von jeder Person durchgeführt werden kann. Jede Kuh sendet Signale, die Auskunft über Wohlbefinden und Gesundheit geben, z. B. die Körperhaltung, die Verhaltensweisen und die äußerlichen Merkmale des Tieres. Gerade in größeren Herden ist es kaum möglich, allen Tieren die gleiche Aufmerksamkeit zu schenken, daher ist es wichtig, auf spezielle Bereiche und Tiergruppen bzw. Situationen zu achten:

- Wartende Kühe (Kuh geht in die Liegebox mit der Absicht, sich hinzulegen – bleibt aber stehen, sie wartet → sollte nicht sein.)
- Risikotiere (Kalbinnen, frisch Laktierende, Abkalbende, Kühe in den ersten zwei Monaten, Kühe am Ende der Laktation)
- Risikoorte (Abkalbebox, glatte Übergänge, unebene Spaltenböden,
- Risikozeitpunkte (Trockenstellen, Kalben, Futterwechsel, Hitzewellen, Wetterumschwung, Eingliederung neuer Tiere in die Herde)

### Wann sollen die Tiere beobachtet werden und wie wird das Beobachten richtig durchgeführt?

Sobald der Stall betreten wird, sollte man als Landwirt bzw. Landwirtin die Herde aufmerksam beobachten. Die Tiere vermitteln ständig Signale, es kommt nur darauf an, sie richtig zu deuten. Am besten gelingt das Erkennen von Kuhsignalen,

- wenn man alleine oder zu zweit ist, jedoch nicht in Gruppen.
- außerhalb der routinemäßigen Stallzeiten (ausgenommen Beobachtungen im Melkstand).
- an einem Platz, der einen guten Überblick über den Stall bietet. Die Beobachtungspunkte und damit die Sichtweisen sollten regelmäßig gewechselt werden.
- wenn man sich ruhig und unauffällig verhält.
- wenn man sich langsam durch die Herde bewegt.

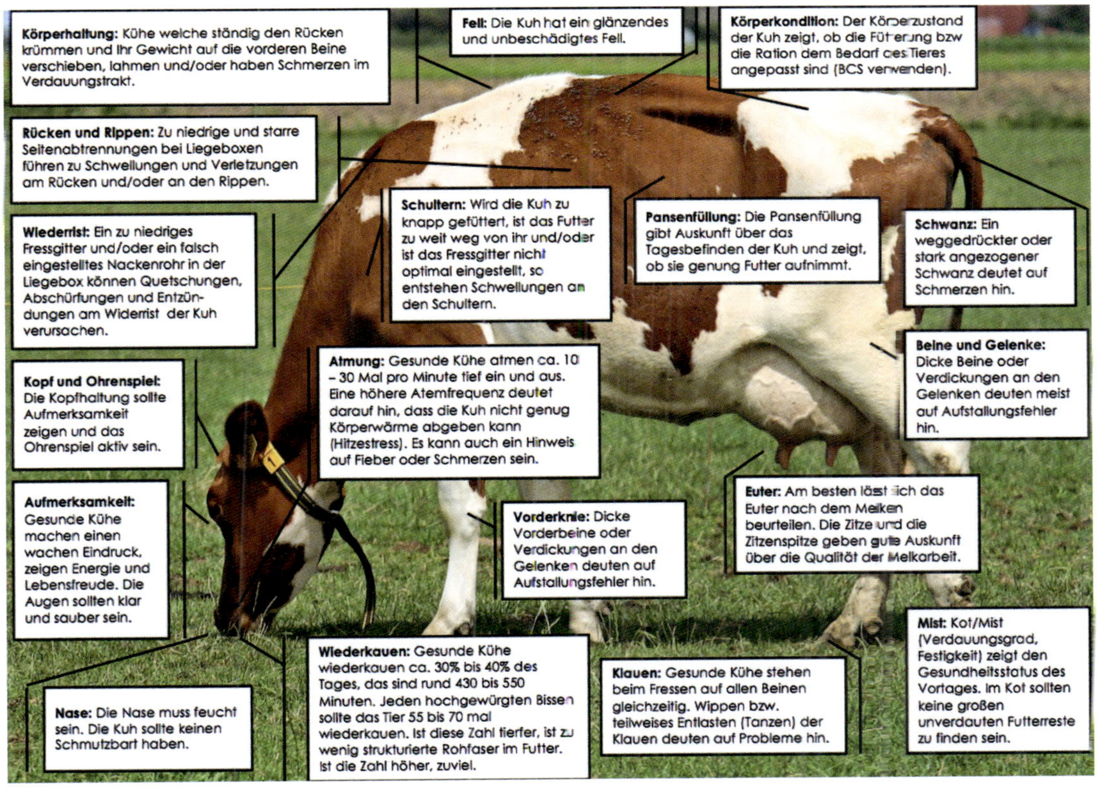

Kuhsignale und ihre Bedeutung (Quelle: Eigene Darstellung, verändert nach Manser, 2017)

### 3.2.3 Biologische Rinderfütterung

In diesem Kapitel wird bewusst auf die Fütterungsgrundlagen verzichtet und ausschließlich die Besonderheiten der biologischen Fütterung von Rindern erläutert.

**Kritisch nachgedacht: Wer hat die Kuh zum Schwein gemacht?**
In Europa frisst jede Kuh im Durchschnitt 2,5 t Kraftfutter pro Jahr. Würde dieses Getreide nicht verfüttert, sondern für die menschliche Ernährung verwendet, könnten damit fünf Personen ein Jahr lang leben. Von dem, was die Kuh aus den 2,5 t Kraftfutter für den Menschen umsetzt (Milch, Fleisch), kann aber nur eine Person ein Jahr lang leben. Somit frisst bzw. „verschwendet" eine durchschnittliche europäische Kuh Nahrung für vier Menschen. Ein Betrieb mit 50 Kühen vernichtet somit Nahrung für 200 Menschen (Ott, 2013). In Österreich werden rund 530.000 Milchkühe (Eurostat, 2018) gehalten. Würden in Österreich die Kühe ohne Kraftfutter auskommen, so könnten 2,12 Millionen Menschen zusätzlich versorgt werden. 22,9 Millionen Kühe werden in der EU (EU-28, Stand Eurostat, 2018) gehalten. Würden diese ohne Kraftfutter auskommen, dann hätten wir zusätzlich Lebensmittel für unglaubliche 91,6 Millionen Menschen. Wenn man hier in Betracht zieht, dass weltweit mehr als 800 Millionen Menschen hungern und ca. 2 Milliarden an Mangelernährung leiden (Deutsche Welthungerhilfe), bekommt das ganze System der derzeitigen Milchkuhfütterung eine ganz andere Dimension.

Im Laufe von Jahrmillionen haben sich Rinder spezialisiert, grasreiches Futter als Energie- und Nahrungsquelle zu nutzen. Mit ihrem ausgeklügelten Verdauungssystem sind Rinder in der Lage, faserreiche Futtermittel in einem Ausmaß zu nutzen, wie es sonst kein anderes Tier kann. Biologisch wirtschaftende Betriebe versuchen, in der Fütterung dieses unglaubliche Potenzial der Rinder zu nützen. Das bedeutet, sie füttern möglichst viel qualitativ hochwertiges Grundfutter.

#### Arten von Grundfutter

| Frisch | Siliert | Getrocknet |
|---|---|---|
| Grünfutter (eingefahren) | Grassilage | Heu (belüftet oder Bodentrocknung) |
| Weide | Maissilage | Stroh |
| Mais (Ganzpflanze) | GPS (Ganzpflanzensilage) | |

#### 3.2.3.1 Weide und Grünfutter

Eine kompetenzorientierte Unterrichtsvorbereitung zum Thema „Weidemanagement – Auf der Wiese wächst die Milch" steht im E-Book als Zusatzmaterial bereit.

Eine optimal genützte Weide bzw. Grünfutter hat einen Energiegehalt im Bereich von Maissilage. Auch die Eiweißgehalte liegen in ansprechenden Bereichen. Wird Grünfutter oder Weide in die Ration eingebunden, so kann aufgrund des hohen Energiegehaltes Kraftfutter eingespart werden. Darüber hinaus wirkt sich Grünfutter positiv auf die Tiergesundheit und Produktqualität aufgrund von wertvollen Fettsäuren und hohen Gehalten an Vitaminen aus.

**Weidesysteme** nach Steinwidder und Starz (2015):
- Koppelweide (Umtriebsweide)
- Kurzrasenweide (intensive Standweide)
- Portionsweide
- Almweide
- Extensive Standweide

**Koppelweide**
Bei der Koppelweide wird die gesamte Weidefläche, die genützt werden soll, in möglichst gleich große Parzellen (= Koppeln) unterteilt. Diese werden von den Rindern nacheinander mit einer kurzen Besatzzeit beweidet. In intensiven Haltungssystemen (Milchvieh) wird eine Besatzdauer von drei bis vier Tagen je Koppel angestrebt. In extensiveren Weidesystemen (Aufzucht) kann eine Verdopplung der Besatzdauer empfohlen werden. Ist die Besatzdauer länger als vier Tage, sollte eine zusätzliche Unterteilung der Koppel erfolgen, um möglichst effizient zu sein. Damit erreicht man auch bei größeren Flächen ein sauberes Abgrasen.

**Kurzrasenweide**

Die Kurzrasenweide zählt zu den intensiven Standweiden, die vor allem für Weidegunstlagen geeignet sind. Als Gunstlage für Weiden bezeichnet man Flächen, die eben bis leicht geneigt, gut mit Wasser versorgt und ausreichend gedüngt sind. Besitzen Betriebe große zusammenhängende Flächen, so werden diese als Standweide genützt. Betriebe, bei denen keine große zusammenhängende Fläche vorhanden ist, nehmen zwei bis sechs kleinere Flächen und rotieren ständig zwischen diesen Flächen. Wichtig bei der Kurzrasenweide ist, den Weidedruck möglichst hoch zu halten, damit die Aufwuchshöhe ständig im Bereich von 5 bis 6 cm liegt.

**INFO!** Praxistipp

**Betriebe mit hoher Einzeltierleistung oder begrenzter Weidefläche können durch die Stundenweide den Kraftfutterbedarf je Tier senken. Dazu müssen die Tiere einmal täglich für ein paar Stunden möglichst hungrig auf die Weide. Die Tiere sollten deshalb hungrig auf die Weide gehen, damit sie dort in der begrenzten Zeit fressen und nicht liegen.**

**Portionsweide**

Die Portionsweide ist hinsichtlich Arbeit und benötigtem Material die Weideform mit dem höchsten Aufwand. Bei jedem Austrieb wird den Tieren innerhalb des Schlages eine zusätzliche Fläche angeboten. Somit erhalten die Tiere täglich frisches Weidegras. Die Portionsweidehaltung ist in Österreich weit verbreitet und trägt auch oftmals zum schlechten Image der Weidehaltung bei, da sie oft schlecht umgesetzt wird.

Bei der Portionsweidehaltung muss die bereits abgeweidete Fläche spätestens nach vier Tagen von der Weide weggenommen werden, damit sich der Pflanzenbestand erholen kann. Oft ist das Futter am Ende der Koppel deutlich zu alt und auch zu hoch. Dadurch nimmt der Futterverlust deutlich zu und die Leistung der Tiere sinkt merklich ab. Bei richtiger Führung ist die Portionsweide zwar arbeits- und materialintensiv, aber sehr flächenproduktiv.

**Almweide**

Almweiden sind ein sehr sensibler Standort. Sie haben einen besonderen Wert für Umwelt, Tourismus, Naturschutz und Ökologie. Durch eine nachhaltige Almbewirtschaftung wird das standortbedingte Futter bestmöglich genutzt. Generell haben Almweiden ein eher niedrigeres Niveau an Nährstoffen (4 bis 5,5 MJ Nel) und auch die Verdaulichkeit ist nicht mit Gunstweiden vergleichbar. Deshalb sollte ein Auftrieb von hochleistenden Tieren gut überlegt und geplant sein.

**Extensive Standweide**

Extensive Standweiden werden über einen längeren Zeitraum oder auch über die gesamte Vegetation durchgehend besetzt. Diese Weiden sind aufgrund der uneinheitlichen Entwicklung des Pflanzenbestandes, das jahreszeitliche unregelmäßige Futterangebot und die großen Futterreste nur für extensive Haltungen (trockenstehende Kühe, Mutterkühe, extensive Mast) zu empfehlen.

**Weidestrategien**

Je nach Betriebsgegebenheiten können unterschiedliche Weidestrategien umgesetzt werden, wobei jede einzelne Weidestrategie dabei ihre individuellen Stärken und Schwächen hat. Jeder Betrieb muss daher für sich entscheiden, welche Weidestrategie am geeignetsten ist. Langfristig erfolgreich ist nur eine auf den Betrieb abgestimmte und dem Standort angepasste Strategie. Betriebe können auch mehrere Strategien am Betrieb umsetzen, z. B. indem den hochlaktierenden Kühen nur eine Stundenweide angeboten wird, damit etwas Kraftfutter eingespart werden kann, während die Kalbinnen und die Trockenstehenden auf den Ganztagsweiden gehalten werden.

Je nach möglicher täglicher Weidedauer und der praktizierten Ergänzungsfütterung im Stall können unterschiedliche Weidestrategien umgesetzt werden. Nachstehende Weidesysteme sind hier völlig isoliert dargestellt. In der Praxis gibt es jedoch fließende Übergänge zwischen diesen Systemen.

**Einteilung der Weidestrategie (nach Steinwidder)**

| | Vollweide | Ganztagsweide | Halbtagsweide | Stundenweide |
|---|---|---|---|---|
| Bedarf an arrondierten Weideflächen | Hoch | Hoch | Mittel | Gering |
| Ergänzungsfutter zur Weide | Sehr gering bzw. keine | Ja | Ja, bedeutend | Ja, sehr bedeutend |
| Möglicher Weidegrasanteil an Gesamtjahresration (% der T)[1)] | 45–60 | 30–45 | 15–30 | Bis 15 |
| Sehr hohe Einzeltierleistungen in der Praxis | Nein[2)] | Nein | Ja/nein | Ja |
| Saisonale Abkalbung | Günstig | Günstig | Nicht üblich | Nicht üblich |
| „Low-Input"-Strategie | Ja | Ja/nein | Nein | Nein |

1) Realistische Werte für Österreich je nach Klimabedingungen und Umsetzung der Strategie; 2) Bei früher Winterabkalbung höhere Leistung möglich

### 3.2.3.2 Grünfütterung im Stall

Betriebe, bei denen wenig bis kaum arrondierte Flächen für die Weide zur Verfügung stehen, können mittels Eingrasen den Rindern frisches Grünfutter anbieten und somit auch die Vorteile der Grünfütterung nutzen. Eine besondere Herausforderung ist, während der Grünfütterungsphase den Rindern ständig annähernd eine gleichbleibende Qualität vorzulegen. Darum muss bei der Grünfütterung Folgendes beachtet werden (nach Ineichen und Steinwidder):

- Schnittzeitpunkt zwischen Schossen und Ähren-Rispenschieben
- Zeitig im Frühjahr beginnen, um den zweiten Aufwuchs staffeln zu können
- Bestände, die das optimale Nutzungsstadium überschritten haben, dürfen nicht mehr als Grünfutter verfüttert werden und müssen konserviert werden
- Gezielte Düngergaben zur Lenkung der Pflanzenbestände und des Zuwachses
- Berücksichtigen, dass das Futter nicht auf allen Flächen gleich schnell wächst
- Nutzungselastische und ausgeglichene Bestände anlegen
- Möglichst trockenes und sauberes Futter einfahren (Frühling Schnittzeitpunkt am Nachmittag wenn die Felder abgetrocknet sind)
- Bei Schlechtwetterperioden Reduzierung des Grünfutteranteils und mehr Ergänzungsfutter einsetzen
- Futter nicht zu lange im Transportgerät oder in der Zwischenlagerstelle liegen lassen, um eine Nacherwärmung zu vermeiden
- Kühler Lagerort und größere Grashaufen am Futtertisch gleichmäßig verteilen
- Futter mehrmals am Tag nachschieben

**Fütterungsempfehlungen bei Grünfütterung (nach Ineichen und Steinwidder)**

Im Vergleich zur Grünfutteraufnahme auf der Weide fressen Kühe im Stall Grünfutter oft hastiger und größere Mengen in kurzer Zeit. Grünfutter ist zuckerreich und etwas strukturärmer, daher muss die Kraftfutterergänzung sorgsam erfolgen. Wenn Rinder vor der Grünfütterung bereits einen Teil des Ergänzungsgrundfutters wie Heu oder Silage erhalten, fressen sie ruhiger. Bei Laufställen ist jedenfalls auf ausreichende Fressplätze zu achten. Gutes Grünfutter hilft Kraftfutter zu sparen! Generell sollte bei hohen Grünfuttergaben das Kraftfutter vermehrt pansenschonende Komponenten wie Mais, Kleie oder Trockenschnitzel enthalten und pro Teilgabe nicht mehr als 1,5 bis 2 kg gefüttert werden.

### 3.2.3.3 Beurteilung der Köperkondition als Hilfsmittel zur Überprüfung der Fütterung (nach Steinwidder)

Der Body Condition Score (= BCS) ist ein wichtiges Hilfsmittel, um die Körperkondition der Tiere am Betrieb einschätzen zu können. Er spiegelt die Reaktion der Herde auf die derzeitige Situation wider und gibt somit eine wichtig Rückmeldung über die aktuelle Herdenbetreuung und Fütterung.

Bei der BCS-Bewertung werden an verschiedenen Körperstellen die Fettreserven der Milchkühe mittels Punktesystem bewertet und anschließend zu einer Gesamtnote zusammengefasst. Der BCS ist ein kostengünstiges Hilfsmittel, dessen Anwendung relativ schnell erlernt und umgesetzt werden kann. Auch der dafür nötige Zeitaufwand im Stall hält sich in Grenzen, denn durch ein wenig Übung kann die Vergabe der BCS-Noten für eine Kuh innerhalb von zwei Minuten abgeschlossen sein.

Die Einschätzung der Körperkondition stellt daher eine wichtige Hilfestellung für anstehende Entscheidungen oder Vorgehensweisen im Hinblick auf die Fütterung dar.

### Wie funktioniert die BCS-Beurteilung (nach LfL)

Bei der Vergabe von BCS-Noten werden bestimmte **Körperregionen der Kühe durch Betrachten und Abtasten beurteilt.** Anschließend wird das Ergebnis auf einer Skala von 1 bis 5 eingeordnet. Die Note 1 steht dabei für extrem abgemagerte Tiere. Sie besitzen keine Körperfettreserven mehr. Hochgradig verfettete Kühe bekommen die Körperkonditionsnote 5. Dabei ist es üblich, auch Viertelnoten zu vergeben, z. B. 3,75 oder 4,25. Wichtige Bereiche für die Beurteilung des BCS sind die Verbindungslinien zwischen den Dorn- und Querfortsätzen, zwischen den Hüfthöckern und zwischen den Hüft- und Sitzbeinhöckern. Außerdem werden die Fettauflagen der Dornfortsätze, der Sitz- und Hüftbeinhöcker und der Beckenausgangsgrube (Schwanzansatz) bewertet. Für die Benotung ist es wichtig, möglichst alle genannten Regionen zu berücksichtigen, da die Kühe das Fett nicht überall gleichmäßig einschmelzen bzw. ansetzen. Außerdem sollten rassenspezifische Unterschiede berücksichtigt werden.

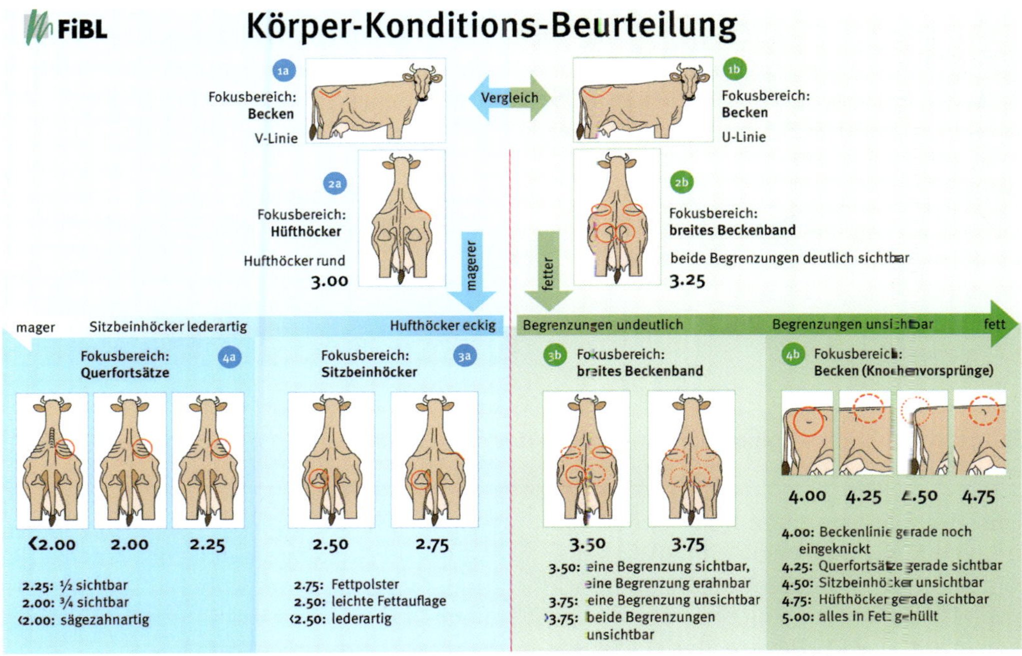

Nach der Festlegung eines BCS-Wertes diesen mit den Nachbarwerten vergleichen!

(Quelle: FiBL)

### Erläuterungen zur Körper-Konditions-Beurteilung (nach FiBL)

### Wann und warum beurteilen?

Die Körper-Konditions-Beurteilung (BCS, Body Condition Scoring) wird zur Schätzung der Energiereserven der Milchkuh eingesetzt. Die Beurteilung erfolgt einfach und schnell durch regelmäßige Ansicht und Ertasten der Körperfettauflagen an bestimmten Körperstellen. Mit diesem Managementhilfsmittel können Fütterungsfehler beim Einzeltier rasch erkannt und korrigiert werden.

Vor allem übermäßige Körperreserven, insbesondere vor der Geburt, können zu Problemen bei der Kalbung und zu Stoffwechselstörungen führen. In der Folge nehmen solche Kühe weniger Futter auf, bauen verstärkt Fett ab und können zu Ketosen neigen. Folgeerkrankungen wie Fruchtbarkeitsstörungen können auftreten.

Regelmäßige Beurteilungen während der Laktation und der Trockenstehzeit sowie Vergleiche der BCS-Werte im Zeitraum der Geburt mit jenen nach 60 Laktationstagen sind daher wichtig.

### Wie beurteilen?

Verschiedene Körperregionen werden nacheinander beurteilt. Ist ein bestimmter Punkt in seiner Ausprägung erreicht (im Text **fett**), wird der dazugehörende Wert notiert.

**1** Zuerst das Tier von der Seite betrachten und die Linie vom Sitzbeinhöcker (S) über den Trochanter-Hügel (Oberschenkelknochen, T) zum Hüfthöcker (H) beurteilen. Tiere mit einer sanften

Kurve, wie ein „U" haben BCS-Werte von 3.25 und mehr. Tiere mit einer winkeligen Kurve, wie ein „V", haben BCS-Werte von 3.00 und weniger.
**2a Tiere mit V-Linie:** Von hinten zuerst die Fettpolster über dem Hüfthöcker (H) beurteilen: Sind sie rund, ist der **BCS 3.00**. Sind sie eckig ist der BCS bei unter 3.00.
**3a** Danach die Fettauflagen auf den Sitzbeinhöckern (S) beurteilen: Bei guter Fettbedeckung liegt **BCS 2.75** vor, bei leichter Fettbedeckung beträgt der **BCS 2.50**. Sind die Sitzbeinhöcker ledrig oder ohne Fettauflage, liegt der BCS unter 2.50.
**4a** Bei Tieren ohne Fettauflage auf den Sitzbeinhöckern die Querfortsätze (Q) der Wirbelsäule beurteilen: Sie zeigen sich als Wellung vor dem Beckenband. Ist die halbe Strecke zwischen den Querfortsätzen und den Dornfortsätzen (D) als Welle sichtbar, dann ist der **BCS 2.25**. Sind drei Viertel sichtbar, ist der **BCS 2.00**. Bei sägezahnähnlichen Querfortsätzen liegt der **BCS unter 2.00**. Solche Tiere sind krankhaft abgemagert.
**2b Tiere mit U-Linie:** Die Sichtbarkeit der vorderen (B1) und hinteren (B2) Begrenzung des Beckenbandes wird beurteilt. Die vordere Begrenzung bildet die Verbindung zwischen Hüfthöckern und Dornfortsätzen der Wirbelsäule, die hintere Begrenzung des Beckenbandes verbindet Schwanzansatz und Sitzbeinhöcker. Sind beide Begrenzungen gut sichtbar, ist der **BCS 3.25**.
**3b** Ist eine Begrenzung sichtbar, die andere nur erahnbar, ist der BCS 3.50. Ist eine noch erahnbar, die andere nicht mehr sichtbar, liegt der **BCS bei 3.75**. Sind beide Begrenzungen unsichtbar, liegt der BCS bei über 4.00. Bei **BCS 4.00** ist der Trochanter (T) gerade noch sichtbar.
**4b** Bei BCS über 4.00 ist noch Folgendes zu ermitteln: Querfortsätze (Q) gerade noch sichtbar: **BCS 4.25**, Sitzbeinhöcker (S) unsichtbar: **BCS 4.50**, Hüfthöcker (H) gerade noch sichtbar: **BCS 4.75**. Der Höchstwert **BCS 5.00** ist erreicht, wenn alle Konturen in Fett gehüllt sind.

**Richtwerte:**
- Zum Kalben: maximal BCS 3.75
- Nach der Hochlaktation: mindestens BCS 2.50

Problemloser Unterschied zwischen den beiden Zeitpunkten: 0.5

**Anatomische Fixpunkte**

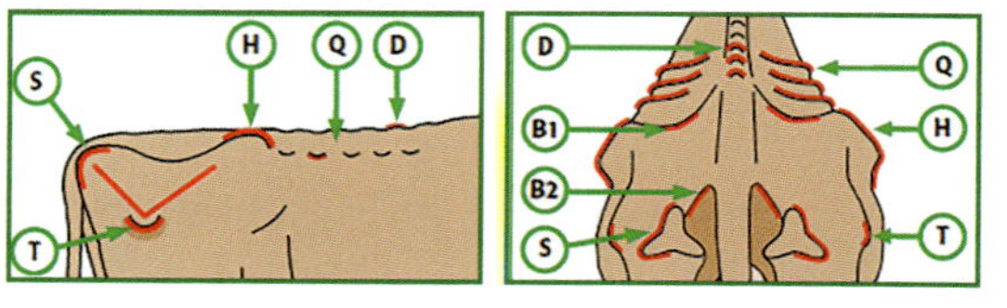


**INFO!** Körperkondition – kommen meine Kühe verfettet zur Abkalbung bzw. verlieren sie zu Laktationsbeginn zu viel Gewicht?

Bei der Abkalbung sollten Kühe und Kalbinnen eine Körperkondition von etwa 3 bis 3,50 aufweisen. Zu Laktationsbeginn darf der Abfall der Kondition nicht zu stark ausfallen (maximal –0,75 Punkte, das sind etwa 10 % des Körpergewichtes).
- Die Ursache der Verfettung liegt in einer Energieüberversorgung im letzten Laktationsdrittel und zu Beginn der Trockenstehzeit bzw. bei einer zu intensiven Aufzucht der Kalbinnen meist kombiniert mit einer zu späten Belegung. Auch lange Trockenstehzeiten erhöhen das Verfettungsrisiko.
- So genannte „Hungersterilitäten" treten häufiger bei milchbetonten Tieren auf. Ursachen dafür sind unzureichende Rationen (Menge und/oder Qualität) bzw. eine schlechte Abstimmung des Milchleistungspotenzials der Kühe auf die Gegebenheiten des Betriebes (Standortbedingungen, Management etc.).

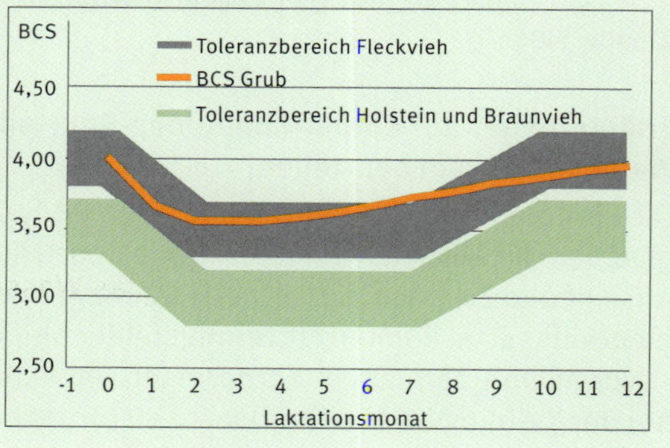


### 3.2.3.4 Kraftfuttereffizienz

Bei der Kraftfuttereffizienz wird angegeben, **wie viel Gramm Kraftfutter pro Kilogramm Milch verbraucht werden**. Energiereiche Saftfuttermittel wie Biertreber oder Pressschnitzel werden ebenfalls zum Kraftfutter gezählt. Bei geringer Milchleistung kann je Kilogramm zusätzlich gefütterter Kraftfuttertrockenmasse nur mit einer Milchleistungssteigerung von etwa 0,4 bis maximal 1 kg gerechnet werden. Erst mit höheren Milchleistungen und damit verbunden negativen Energiebilanzen kann pro Kilogramm gefüttertem Kraftfutter eine Zunahme der Milchleistung um 1 bis 2 kg (max. 2,5 kg) erzielt werden. Tagesmilchleistungen unter 18 kg erzielen nur mehr eine geringe Kraftfuttereffizienz und haben damit das größte Kraftfuttereinsparungspotenzial in einem Milchviehbetrieb.

Bei guter Grundfutterqualität und freier Futteraufnahme benötigen Kühe bei einer Milchleistung unter 16 bis 18 kg kein Kraftfutter mehr! Eine Kraftfuttereffizienz von unter 250 g sollte zumindest erreicht werden. Je niedriger dieser Wert ist, umso besser ist die Grundfutterleistung.

## 3.3 BIOLOGISCHE SCHWEINEHALTUNG

Unter den Nutztieren nimmt das Schwein in der biologischen Landwirtschaft eine besondere Stellung ein. Als **Omnivore** (= Allesfresser) konkurriert es mit dem Menschen um Nahrungsmittel, da es – abgesehen vom Raufutter (Heu, Gras, Silage) – ähnliche Nahrungsvorlieben wie der Mensch hat. Deshalb werden und wurden Schweine auf Bio-Betrieben oft als „Resteverwerter" gehalten. Gemüseabfälle, aussortiertes Obst und dergleichen können ohne Bedenken an Schweine verfüttert werden.

In Österreich werden ca. 70.000 Bio-Schweine gehalten, das entspricht nur 2,7 % der gehaltenen Schweine (Grüner Bericht, 2018). Gemessen an den Halterinnen und Haltern sind es aber deutlich über 20 %. Daran sieht man, dass viele Schweinehalter in der Bio-Landwirtschaft sehr kleine Bestände halten.

Der geringe Anteil an Bio-Schweinen lässt sich durch die aufwändigere Haltung im Vergleich zur konventionellen Erzeugung erklären. Sowohl in der Sauenhaltung als auch der Schweinemast liegen die Anforderungen an den Stallbau deutlich über jenen des Tierschutzgesetzes, das die Grundlage für konventionelle Schweinehalter darstellt.

In den nachfolgenden Kapiteln werden diese grundlegenden Unterschiede beschrieben und in Bezug zu den physiologischen Anforderungen der Schweine gesetzt.

### 3.3.1 Zuchtsauen und Ferkel

Sauen unterteilen ihren Lebensraum in verschiedene Bereiche. Egal ob im Freiland oder im Stall werden unterschiedliche Verhaltensweisen immer an definierten Orten ausgeführt. Folgende Funktionsbereiche werden unterschieden:

- **Liegen:** Schweine ruhen in Gruppen und liegen dabei eng aneinander (in kalter Umgebung) oder mit Abstand voneinander (in warmer Umgebung). Der Liegebereich wird penibel sauber gehalten. Kot und Harn werden in einiger Entfernung zum Liegebereich abgesetzt.
- **Aktivität:** Einen Großteil der täglichen Aktivität verbringen Schweine mit der Suche nach Nahrung. Gemeinsam durchstreifen die Tiere ihren Lebensraum und schnüffeln, grasen und wühlen im Boden. Wasser wird nach Möglichkeit von einer freien Oberfläche aufgenommen. Kot und Harn werden im Aktivitätsbereich abgesetzt.
- **Fressen:** In der Stallhaltung wird Futter hauptsächlich in Form von Schrot angeboten. Dazu wird ein Fressbereich gestaltet, an dem die Tiere ihr Futter ungestört von den Artgenossen aufnehmen können.

#### 3.3.1.1 Grundsätze der Stallhaltung mit Auslauf

**Wasser:** „Der Mist fällt dort an, wo das Wasser angeboten wird." So lautet eine alte Weisheit im Stallbau für Schweine. Dementsprechend muss bei jeglichen Stallplanungen berücksichtigt werden, Wasser im Aktivitätsbereich und nicht bei der Fütterung oder im Liegebereich anzubieten. Kombiniert man den Tränkebereich mit der nicht überdachten Fläche des Auslaufes, so trägt auch das Regenwasser dazu bei, den Platz rund um die Tränke feucht zu halten. Das fördert das Ausscheidungsverhalten und der Stallinnenbereich bleibt sauber.

Tränkeschalen sind zwar etwas wartungsintensiver (Verkotung), entsprechen aber dem natürlichen Trinkverhalten optimal. Zur Sicherstellung einer Frostfreiheit der Tränken gibt es mehrere Möglichkeiten, **Außenleitungen frostfrei zu halten:**

- Heizgerät zur Erwärmung des Wassers
- Beheizte Tränken bzw. Begleitheizung an/in der Leitung
- Überlauf bei offenen Gerinnen (Tröge)
- Ständige Bewegung des Wassers durch Umwälzpumpen

Eine einfache und sichere Variante stellt eine Ringleitung dar, die das Wasser über eine Umwälzpumpe in Bewegung hält. Bei der Installation ist darauf zu achten, dass Tränken verwendet werden, die in eine Ringleitung eingebunden werden können.

**Liegebereich:** Die gängige Meinung, mehr Platz sei für die Tiere jedenfalls gut, muss für den Liegebereich in Frage gestellt werden. Wird mehr Platz angeboten, als ein Tier bzw. eine Gruppe zum komfortablen Liegen benötigt, steigt das Risiko der Verschmutzung. Als Faustzahl können folgende Maße angenommen werden, sofern der Liegebereich ausschließlich zum Ruhen dient:

| Reine Liegefläche | m²/Tier |
|---|---|
| Säugende Sau | 4,50 |
| Sauen in Gruppenhaltung | 1,20 |
| Eber | 3,00 |
| Absetzferkel bis 10 kg | 0,10 |
| Absetzferkel bis 20 kg | 0,15 |
| Absetzferkel bis 30 kg | 0,20 |
| Mastschweine, Zuchtläufer bis 50 kg | 0,30 |
| Mastschweine, Zuchtläufer bis 85 kg | 0,40 |
| Mastschweine, Zuchtläufer bis 110 kg | 0,50 |
| Mastschweine, Zuchtläufer über 110 kg | › 0,50 – 1,20 |

**Auslauf:** Als wesentliches Element eines Bio-Sauenstalles erfüllt der Auslauf die Funktion des Aktivitätsbereiches. Sauen nutzen diesen Bereich, wenn er attraktiv gestaltet ist. Attraktivität zeigt sich in Zugluftfreiheit, möglichst großflächiger Überdachung (Witterungs- und Sonnenschutz), Verabreichung von Raufutter, Anbieten einer Tränkestelle etc.

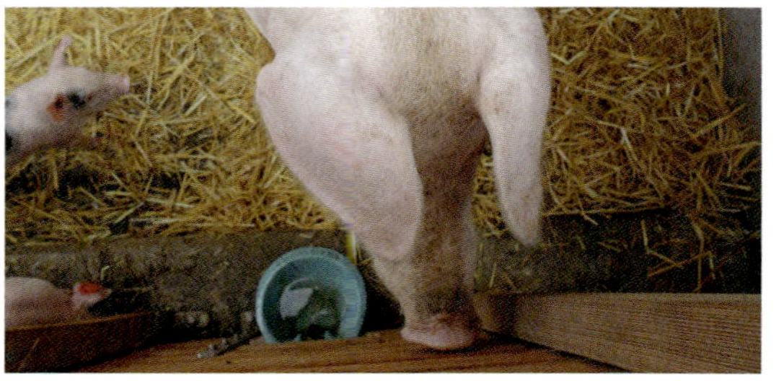

Schalenträнker als Tränksystem

Optimal angepasste Tieranzahl an die Größe des Liegebereiches

Liegebereich im Wartestall

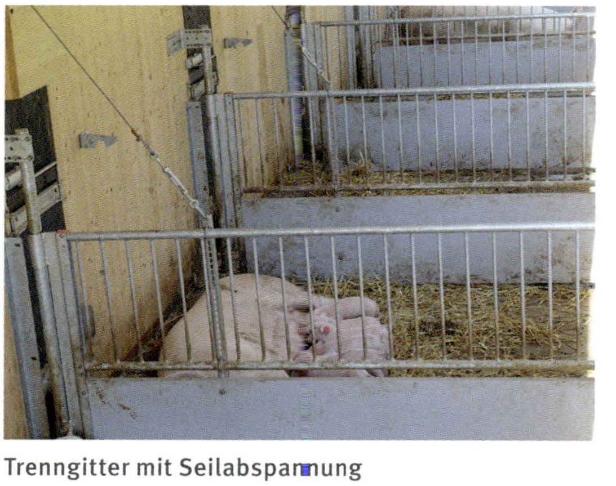

Trenngitter mit Seilabspannung

Der Auslauf ist das Schaufenster eines Bio-Schweinebetriebes. Als solches sollte er regelmäßig entmistet werden, um attraktiv für die Tiere zu sein und die Emissionen niedrig zu halten. Flächen mit hohen Betonwänden oder niedrigem Dach sowie unüberdachte Flächen im Stallinnenbereich entsprechen nicht dem Charakter eines Auslaufes, wie er in der EU VO definiert ist („Außenfläche“, „Freilandflächen“).

Damit das regelmäßige Entmisten des Auslaufes leicht fällt, ist auf einfache Technik zum Öffnen und Schließen der Trenngitter zu achten. Gitter, die sich mechanisch nach oben heben, stellen eine arbeitswirtschaftliche Erleichterung dar und funktionieren nahezu wartungsfrei. Durch die außermittige Seilabspannung heben und senken sich die Gitter beim Öffnen bzw. Schließen.

Ausläufe dürfen in der Bio-Tierhaltung teilweise überdacht sein. Eine Überdachung verhindert, dass große Mengen an Regenwasser in die Jauchegrube gelangen, und schützt die Tiere vor unkontrollierter Sonneneinstrahlung. Sonnenbrand tritt vor allem im Frühjahr auf und kann ein ernstzunehmendes Krankheitsgeschehen auslösen. „Teilweise überdacht“ (EU-VO) wird in Österreich dahingehend ausgelegt, dass 10 % der Mindestauslauffläche nicht überdacht werden dürfen.

### 3.3.1.2 Zuchtsauenhaltung im Produktionsablauf

**Wartehaltung**

**INFO!** Wartehaltung

Platzbedarf: 2,5 m² Stallfläche, 1,9 m² Auslauf pro Tier

Als Wartesauen werden **leere und trächtige Sauen** bezeichnet, die im „Wartestall" untergebracht sind. Dort werden sie je nach Betriebsgröße in stabilen oder dynamischen Gruppen gehalten. Als stabil wird eine Gruppe bezeichnet, wenn sie nur aus Sauen mit gleichem Belegungsdatum besteht. Diese Sauen werden gegen Ende der Trächtigkeit gemeinsam in den Abferkelstall umgestallt. Während der Trächtigkeit bleibt diese Gruppe stabil, es kommen weder neue Sauen dazu noch werden Sauen aus der Gruppe entfernt.

Wartesauen = leere und trächtige Sauen, die sich im Wartestall befinden.

Genau umgekehrt verhält es sich mit dynamischen Gruppen. In diesem System werden alle tragenden Sauen in einer Großbucht gemeinsam gehalten. Hochträchtige Sauen verlassen die Gruppe in Richtung Abferkelstall, frisch abgesetzte Sauen werden in die Gruppe integriert. So gibt es einen ständigen Wechsel innerhalb der Gruppe, es kann sich keine stabile Rangordnung bilden.

In dynamischen Gruppen werden alle tragenden Sauen gemeinsam in einer Großbucht gehalten.

In kleinen Beständen haben sich dynamische Gruppen bewährt, da das Zusammenhalten stabiler Gruppen mit weniger als vier Sauen schwierig ist. Stabile Gruppen werden üblicherweise für Betriebsgrößen von 40 bis 100 Sauen (bzw. ab vier bis fünf Sauen je Gruppe) empfohlen. Übersteigt die Tieranzahl eines Betriebes 100 Sauen, werden eher dynamische Großgruppen mit Abruffütterungssystemen installiert.

**Haltungsformen**

Im Wartestall wird die Haltung in erster Linie durch das Fütterungssystem bestimmt. Bei **Mahlzeitenfütterung** werden Einzelfressstände eingebaut, die den Sauen ein ungestörtes Fressen während der Fütterungszeiten ermöglichen. Diese Einzelfressstände dürfen für den Zeitraum der Fütterung abgesperrt werden, ein dauerhaftes Halten im geschlossenen Stand ist jedoch nicht möglich. Hinter den Ständen befindet sich die eingestreute Liegefläche. Die Standbreite liegt in diesem System zwischen 50 und 60 cm. Breitere Standbreiten sind in Bio-Systemen nicht erlaubt.

Einzelfressstände

Wartestall, stabile Gruppen

In großen dynamischen Gruppen wird als Fütterungssytem häufig eine **„Abrufstation"** gewählt. An dieser Fütterungseinrichtung kann immer nur ein Tier die Station betreten, die abgerufene Portion verzehren und die Station durch einen gesonderten Ausgang wieder verlassen. Einzelfütterung entspricht nicht dem Bedürfnis von Schweinen, in der Gruppe zu fressen. Dennoch werden Abruffütterungen in Großbetrieben mit gutem Erfolg eingesetzt, wobei dem Management ein hoher Stellenwert zukommt. Neben der unphysiologischen Einzeltierfütterung ist der größte Nachteil der Station für den Tierbetreuer, dass die Tiere nicht unmittelbar bei der Fütterung beobachtet werden können, sondern nur eine indirekte Überprüfung der Mahlzeiten über den Fütterungscomputer möglich ist.

Kastenstand = Eisengestell zur Einzelfütterung der tragenden Sauen. Eine dauerhafte Fixierung in diesem Stand ist verboten. In der Bio-Haltung werden nur reine Fressstände (Breite zwischen 50 und 60 cm verwendet).

**Absetzen** = Ende der Säugezeit, Ferkel werden von der Mutter getrennt und in den Ferkelaufzuchtstall verbracht.

Die Wartehaltung beginnt mit dem Absetzen und endet wenige Tage vor dem errechneten Geburtstermin. Die Trächtigkeitsdauer beträgt beim Schwein 116 Tage (ungefähr drei Monate, drei Wochen, drei Tage).

### Abferkelung

**INFO!** Abferkelung

**Platzbedarf: Platzbedarf: 7,5 m² innen, 2,5 m² Auslauf**

**Zielwerte biologische Leistungen: 13 lebend geborene, 10,5 abgesetzte, unter 20 % Saugferkelverluste**

Biologische Zuchtsauenhaltung setzt den gänzlichen Verzicht auf einschränkende Maßnahmen wie das dauerhafte Halten der Tiere in Kastenständen voraus. Im Abferkelstall wird diese Haltungsform als „freies Abferkeln" bezeichnet. Die Sauen befinden sich vor, während und nach dem Abferkeln in Einzelhaltung, können aber dort ihren Aufenthaltsort frei wählen. Als Schutzeinrichtung für die neugeborenen Ferkel dient ein Ferkelnest, in dem alle Ferkel während der ersten Lebenswochen gleichzeitig Platz finden. Dieses Nest wird beheizt (Bodenheizung, Deckelheizung) und soll Temperaturen von etwa 30 °C gewährleisten. Mit zunehmendem Alter sinkt das Wärmebedürfnis der Tiere, dem muss das Heizungssystem Rechnung tragen.

Eine funktionelle Strukturierung der Abferkelbucht ist wichtig.

### Geburt

Fünf Tage vor dem errechneten Geburtstermin werden die gewaschenen und entwurmten Sauen in die Abferkelbucht eingestallt. Sauen besitzen ein **stark ausgeprägtes vorgeburtliches Verhalten**. Etwa 24 Stunden vor der Geburt beginnen die Tiere mit Nestbauverhalten, indem sie geeignete Materialien (Stroh, Heu) im Liegebereich zu einem Nest zusammentragen. Danach kehrt Ruhe ein und die Sauen bereiten sich auf die Geburt vor. Der Milcheinschuss und das häufige Schlagen mit dem Schwanz sind Zeichen der nahenden Geburt. Deutlicher Nestbau fördert zügige Geburten und verringert die Anzahl tot geborener Ferkel.

Die Geburt selbst läuft **idealerweise ohne Beteiligung des Menschen** ab. Eingriffe in das Geburtsgeschehen beeinflussen das komplexe hormonelle Zusammenspiel. Das Hormon Oxytocin (geburtsbeschleunigend) wird durch Stress gehemmt und Adrenalin (hemmt den Geburtsablauf) gefördert. Dies kann zu verlängerten Geburten und erhöhten Totgeburtenraten führen.

Wichtiger als jede manuelle Hilfestellung durch den Menschen sind vitale Ferkel, die innerhalb von 20 Minuten nach der Geburt das Gesäuge finden und selbstständig Kolostrum (Biestmilch) aufnehmen. Diese erste Milch bringt neben der Nährstoffversorgung den Effekt einer passiven Schutzimpfung mit sich. Dabei werden Antikörper der Mutter auf die Saugferkel übertragen. Der daraus resultierende Schutz entspricht dem einer Schluckimpfung und hält über Wochen an.

**INFO!** Einzelsäugen oder Gruppensäugen

**Einzelhaltung säugender Sauen stellt ein funktionssicheres System dar. Sowohl Ferkel als auch Sauen sind einfach zu beobachten. Bei der Gruppenhaltung ferkelführender Sauen („Gruppensäugen") werden Sauen und Ferkel frühestens 14 Tage nach der Abferkelung mit mehreren Sauen gleichen Abferkeldatums in Gruppen gehalten. Ferkel und Sauen sind aufeinander geprägt und erkennen einander durch Geruch und Geräusch. Fremdsaugen kann als Komplikation vorkommen, die Funktionssicherheit im Vergleich zum Einzelsäugen ist etwas geringer. Vorteilhaft ist die Gruppierung von Sauen und Ferkel während der Säugezeit, weil dies Rangordnungskämpfe vermindert. Die Gruppensäugebucht ist einfacher gestaltet und kann billiger hergestellt werden als eine Einzelbucht. Die Ferkel beginnen im Gruppensäugen früher mit der Beifutteraufnahme und fressen auch mehr Ferkelbeifutter als in Einzelhaltung.**

### Belegung/Decken

Nach der vorgeschriebenen **Mindestsäugezeit von 40 Tagen** werden Sauen und Ferkel voneinander getrennt. Eine natürliche Entwöhnung würde deutlich länger dauern (bis zu 18 Wochen). Das abrupte Absetzen dient in erster Linie einer kontrollierten neuerlichen Brunstauslösung. Durch den Wegfall der Milchproduktion stellt sich der Körper auf eine neuerliche Trächtigkeit ein. Wenige Tage nach dem Absetzen bewirkt der Milchstau im Gesäuge die Auslösung einer Brunst.

**Rausche = Brunst:** Die Brunst tritt etwa drei bis sechs Tage nach dem Absetzen der Ferkel auf. Belegt werden Sauen in der Duldungsphase im Abstand von 12 bis 24 Stunden.

Ein Deckzentrum, wie es in der konventionellen Haltung üblich ist, wird in Bio-Stallungen nur selten installiert. Da eine dauerhafte Fixierung auch während des Deckens nicht erlaubt ist, wird üblicherweise auf das Deckzentrum verzichtet. Brünstige Sauen werden nach dem Absetzen entweder in einer Arena oder im Wartestall belegt. Als Arena werden unstrukturierte Buchten mit großzügigem Platzangebot bezeichnet, wo Sauen nach dem Absetzen neu gruppiert werden. Rangniedere Sauen können gut ausweichen, das größere Flächenangebot ermöglicht verletzungsarme Rangkämpfe.

**Arena** = unstrukturierte Bucht, eventuell in Altgebäuden untergebracht, zum Gruppieren von Sauen geeignet, großzügige Ausweichmöglichkeiten

Belegt werden Sauen entweder in einem Kastenstand oder frei, am besten in unmittelbarer Nähe zum Eber, der die Sauen stimuliert. Dazu wird er ans Trenngitter geführt, um den rauschenden Sauen möglichst nahe zu kommen, ohne selbst den Deckakt zu vollziehen. Wenn eine Sau deutlich rauscht, spricht man davon, dass die Sau „steht“. In diesem Stadium kann sie mühelos im Freien ohne Fixierung belegt werden.

Belegung ohne Fixierung der Sau

**Zeitpunkt:** Sauen werden ca. zwölf Stunden nach dem Eintritt in die Duldungsphase (Sau steht) erstmals belegt. Der Übergang von der Vorrausche (aktives Aufspringen, Unruhe) in die Hauptrausche (Duldung) muss vom Tierbetreuer erkannt werden. Nach der ersten Belegung kann im zwölf Stunden Abstand bis zum Ende der Duldung belegt werden. Mehr als zwei oder drei Belegungen während der Rausche sind jedoch nicht nötig.

Das Rauschegeschehen kann durch einfache Mittel unterstützt werden. Ein Gruppieren der Sauen nach dem Absetzen und regelmäßiger, kurzzeitiger Eberkontakt sowie ausreichende Beleuchtung (Auslauf!) fördern eine deutliche Brunst.

### Ferkelaufzucht

Nach dem Absetzen werden die Ferkel getrennt von den Sauen in spezialisierten Ferkelaufzuchtställen gehalten. Das Augenmerk liegt hierbei in erster Linie auf der Gruppengröße und der Gestaltung des Liegebereiches. Buchten für mehr als 25 Tiere sind zwar kostengünstig zu gestalten, es leidet aber die Übersichtlichkeit.

Breifutterautomat

Aufzuchtferkel sollten in den ersten Tagen rationiert gefüttert werden, um Durchfälle zu vermeiden. Dazu ist ein Tier-Fressplatz-Verhältnis von 1 : 1 notwendig. Gesetzlich vorgegeben sind pro Tier 18 cm Trogbreite. Die Erfahrung zeigt, dass etwas mehr Platz am Trog von Vorteil ist. Je nach individueller Vorliebe des Tierbetreuers werden Längströge, Querströge oder Breifutterautomaten verwendet.

Verschiebbare Rückwände ermöglichen ein angepasstes Platzangebot.

Pro Ferkel reicht nach dem Absetzen ein Liegebereich von ca. 0,1 m² aus, der Platzbedarf steigt bis zum Ende der Aufzucht auf 0,2 m².

Verschiebbare Wände oder klappbare Nestabdeckungen tragen diesem Umstand Rechnung. Je besser die Nutzung des Liegebereiches erfolgt, desto sauberer wird dieser gehalten. Verkotungen entstehen nur, wenn der Liegebereich zu groß ausgeführt ist oder dieser Bereich stickig oder zugig ist. Bei Nestabdeckungen ist immer auf genügend Belüftung der Liegekiste zu achten. Streifenvorhänge dürfen niemals bis zum Boden gehen, sonst sinkt die Luftqualität in der Kiste drastisch.

Ein geteilter Auslauf führt zum Anlegen eines Kotplatzes und erhält die Außenliegefläche sauber.

Der Auslauf kann unstrukturiert oder noch einmal unterteilt werden. Bei strukturierten Ausläufen hat sich eine Unterteilung in „Außenliegebereich" und Ausscheidungsbereich bewährt.

### 3.3.1.3 Management im Ferkelerzeugerbetrieb

**Produktionsrhythmus oder kontinuierliche Arbeitsweise**

Je nach Größe eines Bestandes werden Tiere entweder in Gruppen geführt oder kontinuierlich belegt. Bestände von weniger als 30 Tieren werden üblicherweise im kontinuierlichen System betrieben. Kontinuierlich bedeutet, dass Sauen jederzeit zur Belegung anstehen können und auch die Geburten in unregelmäßigen Abständen über das Jahr verteilt stattfinden.

Größere Bestände werden in einem **Produktionsrhythmus** (z. B. 3-Wochen-Rhythmus) geführt. Die Zahl vor dem Wochenrhythmus kennzeichnet das Intervall zwischen den jeweiligen Gruppen. So werden beim 3-Wochen-Rhythmus alle drei Wochen Sauen abgesetzt und belegt. Damit können wiederkehrende Arbeiten gut gebündelt werden und größere Ferkelgruppen zum Verkauf angeboten werden. Theoretisch lassen sich alle möglichen Wochenrhythmen umsetzen (1-, 2-, 3-, 4-,...Wochen-Rhythmus), in der österreichischen Bio-Schweinehaltung hat sich der 3-Wochenr-Rythmus als sehr praktikabel erwiesen. Er harmoniert mit dem natürlichen Reproduktionszyklus (Rausche tritt regelmäßig alle drei Wochen auf) der Sauen und ermöglicht ein einfaches Umgruppieren von umrauschenden Sauen. Diese werden einfach in die nächste Sauengruppe integriert.

Hat sich auf einem Betrieb ein Rhythmus etabliert, ergeben sich viele Vorteile beim Management der Herde. Abferkel- und Ferkelaufzuchtställe können nunmehr in einem konsequenten Rein-Raus-Verfahren bewirtschaftet werden. Dadurch können ganze Stallungen komplett geräumt und nachfolgend gereinigt werden.

Im Falle eines Neubaues muss das Stallkonzept mit dem Rhythmus abgestimmt werden. Als Faustregel gilt: Für jede Sauengruppe muss ein Stall(abteil) vorgesehen werden. Zusätzlich muss an eine Rangierfläche gedacht werden, so dass die Anzahl der Ställe die Anzahl der Gruppen um 1 übersteigt. Im 3-Wochen-Rhythmus werden acht Sauengruppen geführt. Ein Betrieb mit 40 Zuchtsauen hält also acht Gruppen mit jeweils fünf Sauen. Für diese Gruppen benötigt er 3 Abferkelställe (15 Plätze) und fünf Warteställe (25 Plätze). Zusätzlich muss ein weiterer Rangierplatz für fünf Sauen zur Verfügung gestellt werden, der beispielsweise als Arena ausgeführt sein könnte.

Damit der gewählte Rhythmus konsequent umgesetzt werden kann, ist das Einhalten des vorgegebenen Absetzintervalls (in unserem Beispiel drei Wochen) notwendig. Es werden also alle drei Wochen am gleichen Wochentag fünf Sauen einer Gruppe abgesetzt. Durch Variationen beim Absetz-Rausche-Intervall bzw. unterschiedlich lange Trächtigkeitsdauer kann es manchmal vorkommen, dass einzelne Sauen etwas länger bzw. etwas kürzer säugen als der Rest der Gruppe.

**Maßnahmen rund um das Abferkeln**

Am Bio-Betrieb sind bestimmte Managementmaßnahmen unumgänglich, andere wiederum sogar verboten:

- **Eisengabe:** Der tägliche Bedarf an Eisen liegt in etwa bei 10 mg pro Ferkel. Durch die Muttermilch nehmen Ferkel täglich nur ca. 1 mg Eisen auf. Das entstehende Eisendefizit muss vom Tierhalter ausgeglichen werden. Üblicherweise erfolgt die Eisengabe über Verabreichung von eisenhältigen Injektionslösungen. Eisen ist in diesen Präparaten zur besseren Verfügbarkeit an ein hochmolekulares Kohlenhydrat (Dextran) gebunden. In dieser Form ist Eisen nur als Injektionspräparat (= Arzneimittel) zugelassen. Oral einzugebende Eisenpasten dürfen im Bio-Betrieb nicht eingesetzt werden, wenn sie Eisendextran enthalten. Als Futtermittelzusatzstoff ist Dextran in der EU-Bio-VO nicht zugelassen.

Wird der Eisenbedarf der Ferkel nicht gedeckt, leiden die Tiere an Eisenmangelanämie. Dieses Krankheitsbild äußert sich optisch durch eine weiß-gelbe Hautfarbe der betroffenen Ferkel. Zudem sind solche Ferkel im Wachstum gehemmt und krankheitsanfälliger (z. B. erhöhte Durchfallneigung).

Im Freiland aufgezogene Ferkel wühlen von Anfang an im Erdboden und nehmen so Eisen über die Nahrung auf. Ob diese Aufnahme ausreichend ist, muss der Tierbetreuer selbst entscheiden. Unter Stallhaltungsbedingungen wird eine zweimalige Injektion (dritter Lebenstag, 14. Lebenstag) empfohlen.

- **Ferkel versetzen**: Wenn Sauen gleichzeitig abferkeln, können innerhalb der ersten 24 Lebensstunden überzählige Ferkel von einer Sau zu einer anderen mit weniger Ferkel versetzt werden. Dieser „Wurfausgleich" soll ein möglichst gleichmäßiges Wachstum aller Ferkel ermöglichen. Wichtig ist, dass die versetzten Ferkel bereits Biestmilch der eigenen Mutter getrunken haben. Nur so können sie den Stress des Versetzens gut kompensieren.
- **Schwanz kupieren**: Diese Maßnahme wird auf konventionellen Betrieben häufig durchgeführt, um dem Problem des Schwanzbeißens in der Mast vorzubeugen. Auf Bio-Betrieben ist das Kupieren des Schwanzes verboten und kann nur in Ausnahmefällen behördlich genehmigt werden.
- **Zähne schleifen**: Zur Vermeidung von Verletzungen während des Säugens ist das Abschleifen der Eckzähne konventionell weit verbreitet. Im Bio-Betrieb gilt ein Verbot, auch hier kann nur die Behörde Ausnahmen genehmigen.
- **Impfungen**: Grundsätzlich sind sämtliche zugelassenen Impfstoffe am Bio-Betrieb einsetzbar. Für Ferkel sind Impfstoffe gegen Mykoplasmen und Circoviren weit verbreitet und werden bei Ferkelproduzenten verwendet, um die Ferkel gegen eventuell auftretende Erkrankungen in der Mast zu schützen. Geschlossene Betriebe, die die Ferkel selbst mästen, können bei gutem Gesundheitsstatus auf diese Impfungen verzichten. Jegliche Impfmaßnahmen müssen mit dem Betreuungstierarzt abgestimmt werden.
- **Kastration**: Derzeit (Stand 2019) werden Bio-Ferkel unter Narkose kastriert. Der Eingriff erfolgt nach einer wirksamen Betäubung mittels Injektion, die eine Schmerzausschaltung bei der Kastration gewährleistet. Europaweit werden auch für die konventionelle Schweinehaltung Alternativen zur herkömmlichen Kastration diskutiert. Zusätzlich zur Narkose wird ein Schmerzmittel verabreicht, um den Wundschmerz nach Abklingen der Narkose zu behandeln.

#### 3.3.1.4 Fütterung von Sauen und Ferkel

Schweine sind **Monogastrier**, d. h., sie besitzen im Gegensatz zum Rind nur einen Magen. Daraus ergibt sich, dass Schweine in erster Linie Konzentratverzehrer sind und Raufutter nur sehr begrenzt zur Nährstoffgewinnung nutzen können. In der biologischen Schweinehaltung wird großer Wert auf die Vielgestaltigkeit der Rationen gelegt. Betriebseigene Futtermittel wie Getreide und Leguminosen können für Schweinerationen gut verwendet werden. Presskuchen aus Ölfrüchten bessern den Rohproteingehalt auf. Extraktionsschrote sind in der biologischen Landwirtschaft verboten.

Aufzuchtferkel und säugende Sauen stellen die höchsten Anforderungen an die Rationsgestaltung, sowohl hinsichtlich der Verdaulichkeit als auch der Höhe der Eiweißversorgung. Werden Tiere unter Bedarf versorgt, sind Leistungseinbußen und Gesundheitsprobleme die Folge. Futteruntersuchungen der betriebseigenen Futtermittel sowie regelmäßige Rationsberechnungen werden empfohlen.

Für jeden Bio-Schweinezüchter sind mindestens drei Futtersorten vorrätig zu halten. **Tragend- und Säugefutter** für die Zuchtsauen unterscheiden sich im Energie- und Eiweißgehalt. **Ferkelaufzuchtfutter** deckt den Bedarf der wachsenden Ferkel. Als **Ferkelbeifutter** während der Säugezeit können spezielle Ferkelstarter verwendet werden, aber auch das Säugefutter der Sauen entspricht annähernd dem Bedarf der säugenden Ferkel.

**Beispielrationen für tragende Sauen** (Quelle: Bioschweine-Fütterungsbroschüre, Bio-Austria)

| Komponenten in % der Mischung | Beispiel 1 | Beispiel 2 | Beispiel 3 | Beispiel 4 |
|---|---|---|---|---|
| Gerste | 70 | 72 | 38,5 | 40 |
| Triticale | - | - | - | 36 |
| Hafer | - | - | 38,5 | - |
| Ackerbohnen | - | 20 | 10 | - |
| Erbsen | 19 | - | 10 | 13 |
| Graspellets | - | 5 | - | - |
| Weizenkleie | - | - | - | 5 |
| Biertreber | 8 | - | - | - |
| Sojakuchen dampferhitzt | - | - | - | 3 |
| Mineralfutter (Ca/P/Na = 20/2/5) | 3 | 3 | 3 | 3 |
| Umsetzbare Energie (MJ) | 12,0 | 11,9 | 11,7 | 12,5 |
| Rohprotein (g) | 120 | 124 | 120 | 129 |
| Lysin (g) | 6 | 6,2 | 5,9 | 5,3 |

**Beispielrationen für säugende Sauen** (Quelle: Bioschweine-Fütterungsbroschüre, Bio-Austria)

| Komponenten in % der Mischung | Beispiel 1 | Beispiel 2 | Beispiel 3 |
|---|---|---|---|
| Gerste | 16 | 19,5 | 30 |
| Weizen | 40 | 20 | - |
| Triticale | - | - | 25,5 |
| Mais | - | 20 | - |
| Ackerbohnen | 15 | 10 | 10 |
| Erbsen | 15 | 15 | 10 |
| Sojakuchen dampferhitzt | - | 5 | - |
| Sojabohnen dampferhitzt | 5 | - | 13 |
| Magermilchpulver | 5 | 6 | - |
| Sonnenblumenkuchen, teilentsch. | - | - | 8 |
| Sonnenblumenöl | - | 0,5 | - |
| Mineralfutter | 4 | 4 | 3,5 |
| Umsetzbare Energie (MJ) | 13,0 | 13,0 | 13,2 |
| Rohprotein (g) | 160 | 150 | 180 |
| Lysin (g) | 9,0 | 8,6 | 9,1 |

In der Säugezeit werden Sauen am besten ad libitum (= uneingeschränkt) versorgt. Futteraufnahmen von bis zu 10 kg Schrot pro Tag und Sau sind möglich. Umgelegt auf den Energiebedarf sind mindestens 100 MJ/UE pro Tag zuzuführen. Unterversorgte Sauen säugen sich stark ab, d. h., sie verlieren stark an Körpergewicht. Der Körpermasseverlust kann in weiterer Folge zu verzögertem Rauscheverhalten mit kleinen Würfen in der nächsten Laktation führen.

Verschmutzte Tröge vermindern die Futteraufnahme

**Ad libitum** = uneingeschränkte Fütterung, die Tiere entscheiden über die aufgenommene Futtermenge. Rationierte Fütterung = Gegensatz zu ad libitum. Wird für tragende Sauen und Aufzuchtferkel in der ersten Absetzwoche empfohlen. Voraussetzung ist ein Tier-Fressplatz-Verhältnis von 1 : 1

Trockenfütterung hat aus hygienischer Sicht große Vorteile, da nicht verzehrtes Futter im Trog bleiben kann, solange es nicht mit Wasser in Berührung kommt. Breifutter stimuliert die Futteraufnahmen, erfordert aber ein hohes Maß an Hygienebewusstsein. Ein Reinigen des Troges bei breiiger Fütterung ist notwendig, wenn Tiere ihre Mahlzeit nicht zur Gänze ausfressen.

Ferkelbeifutter muss schmackhaft sein und sollte so nahe wie möglich am Trog der Sau angeboten werden. So lernen Ferkel frühzeitig die Festfutteraufnahme und werden optimal auf das Absetzen vorbereitet. Frische Futtervorlage, am besten mehrmals täglich, stimuliert die Futteraufnahme und verhindert den Verderb der hochverdaulichen Futtermittel.

### 3.3.1.5 Tiergesundheit bei Zuchtsauen und Ferkeln

Die wichtigste Voraussetzung für hohe Leistungen von Sauen und Ferkeln ist eine optimale Tiergesundheit. Nur gesunde Tiere können ihr genetisch festgelegtes Leistungspotenzial abrufen. Tiergesundheit lässt sich nicht durch Einzelmaßnahmen sicherstellen, sondern ist ein Produkt des komplexen Zusammenspieles der Einzelparameter Fütterung, Haltung, Zucht und Management.

**Wenn Tiere krank werden ...**

Auch unter besten Haltungsbedingungen werden Tiere krank und müssen dann unmittelbar behandelt werden. Die EU-Bio-Verordnung sieht vor, dass Arzneimittel zur Behandlung in erster Linie aus der Gruppe der Homöopathika, Phytotherapeutika oder Spurenelemente kommen. Erst dann soll zu chemisch-synthetischen Arzneimitteln gegriffen werden. Tatsache ist, dass viele Tierärzte und Tierärztinnen schulmedizinisch ausgebildet sind und vornehmlich Erfahrungen in diesem Bereich besitzen. Werden chemisch-synthetische allopathische Arzneimittel angewendet, ist die gesetzliche Wartezeit zu verdoppeln. Zuchtsauen dürfen im Laufe eines Jahres maximal dreimal mit solchen Mitteln behandelt werden, ansonsten verlieren sie den Bio-Status und müssten eine neuerliche Umstellung auf Bio durchlaufen. Bei Ferkeln und Mastschweinen gilt dies bereits ab der zweiten Behandlung. **Diese Einschränkung darf niemals dazu führen, dass kranke Tiere unzureichend oder nicht versorgt werden!**

**Phytotherapeutika** = pflanzliche Arzneimittel

**Allopathisch** = Gegenteil von homöopathisch. Darunter fallen chemisch-synthetische Arzneimittel und Phytotherapeutika

**Chemisch-synthetisch** = allopathische Arzneimittel, ausgenommen Phytotherapeutika

**Wartezeit** = Zeit, die zwischen der Verabreichung eines chemisch-synthetischen Arzneimittels und der Nutzung für Lebensmittelzwecke verstreichen muss.

**INFO!** Ausnahmen

**Eisengabe bei Ferkeln, Medikamente zur Kastration, Impfstoffe und Entwurmungsmittel zählen nicht als „Behandlung" und schränken eine allenfalls nötige Verabreichung eines chemisch-synthetischen Arzneimittels nicht ein.**

Grundsätzlich dürfen alle in Österreich zugelassenen Tierarzneimittel auch am Bio-Betrieb eingesetzt werden. Derzeit ist von dieser Regelung nur Improvac® (= Impfung gegen Ebergeruch) ausgenommen.

**Typische Krankheiten im Schweinezuchtbetrieb**

**INFO!** Ferkelkrankheiten

**Frühdurchfall, Kokzidiose, Absetzdurchfall**

**Durchfall**

Ferkel neigen während ihrer Entwicklung zu Durchfallerkrankungen. Diese sind je nach Lebensalter von unterschiedlichen Keimen verursacht. Tritt Durchfall bereits in den ersten Lebensstunden auf, spricht man von Frühdurchfall. Derart erkrankte Ferkel verlieren die Sauglust, trocknen rasch aus und verenden. Ursächlich beteiligt sind bakterielle Erreger wie Escherichia coli und Clostridien. Vorbeugen kann man diesen Durchfällen durch rasche Biestmilchaufnahme der Ferkel, gute Hygiene im Abferkelstall und rechtzeitige Eingliederung zugekaufter Tiere (Jungsauen), um eine ausreichende Anpassung des Immunsystems zu ermöglichen. Symptomatisch können erkrankten Ferkeln Elektrolyttränken angeboten werden, eine antibiotische Therapie ist aussichtsreich, wenn sie frühzeitig erfolgt.

**Kokzidien:** Einzellige Parasiten schädigen bei zwei bis vier Wochen alten Ferkeln die Darmschleimhaut. Gelblicher, pastöser Durchfall ist die Folge. Die Ferkel kümmern, sterben, aber üblicherweise nicht. Antibiotika wirken gegen diesen Erreger NICHT! Gut gereinigte Abferkelställe und regelmäßige Entmistung vermindern das Erkrankungsrisiko. Therapien gegen Kokzidien sind wirkungsvoll, ziehen aber eine Wartezeit von ca. 140 Tagen nach sich!

**Absetzdurchfall:** Die Umstellung von flüssiger Nahrung (Milch) auf festes Futter (Getreideschrot) mündet häufig in Verdauungsstörungen und Durchfallerkrankungen. Da sich die Verdauungsenzyme zur Spaltung von Milch von getreidespaltenden Enzymen unterscheiden, muss die Säugezeit dazu genutzt werden, Ferkel an Festfutter zu „gewöhnen". Das gelingt am besten, wenn frühzeitig hochwertiges Ferkelbeifutter angeboten wird.

Nach dem Absetzen ist Stress unbedingt zu vermeiden. Ein Wechsel der Futterration wirkt sich ebenso ungünstig aus wie eine Neugruppierung, die Veränderung der Tränke- oder Futterstellen etc. Rationierte Fütterung kann dazu beitragen, dass Ferkel über den Tag verteilt nur kleine Mengen an Futter aufnehmen und das Verdauungssystem nicht überfordert wird. Ansonsten vermehren sich Schadkeime im Darm unkontrolliert (hauptsächlich E. coli) und verursachen wässrigen Durchfall, der auch zum Tod der Tiere führen kann. Antibiotische Behandlungen können im Krankheitsfall helfen, lösen aber das Problem „Absetzdurchfall" nur bedingt. Optimierungen im Management sind nötig, um dieses Problem langfristig in den Griff zu bekommen.

**INFO!** Sauenkrankheiten

**MMA, Erkrankungen der Atemwege, Rotlauf, Lahmheit**

**MMA – „Milchfieber"**

MMA steht für die drei Wörter Mastitis (Gesäugeentzündung), Metritis (Gebärmutterentzündung) und Agalaktie (Milchlosigkeit). Sauen, die an MMA erkranken, zeigen Fieber, mangelnde Fresslust, Scheidenausfluss und gerötetes Gesäuge. Die Ferkel werden unruhig, da sie zu wenig Milch erhalten. Das anhaltende Betteln um Milch führt dazu, dass sich die Sau auf ihr Gesäuge legt und die Milchabgabe komplett verweigert. Häufig entsteht MMA nach manueller Geburtshilfe, in zu warmen Ställen, durch mangelnde Wasserversorgung oder bei abruptem Futterwechsel. Wird Milchfieber rechtzeitig erkannt, erholen sich die Sauen nach fachgerechter Behandlung gut.

**Rotlauf**

Rotlauf wird durch Bakterien verursacht und tritt vermehrt in der Übergangszeit (kalt/warm oder umgekehrt) auf. Charakteristisch sind hohes Fieber und rechteckige, erhabene, briefmarkengroße Hautveränderungen. Bei antibiotischer Behandlung verschwinden die Symptome rasch. Unbehandelter Rotlauf führt bei Zuchtsauen zu Herz- oder Gelenkserkrankungen, die auch den Tod der Tiere verursachen können.

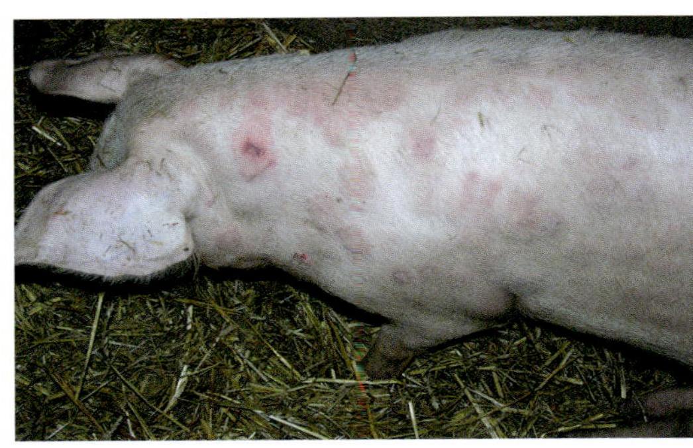

Aufgrund des Impfschutzes tritt Rotlauf seltener bei Zuchtsauen, sondern häufiger bei Mastsauen auf, die üblicherweise nicht geimpft werden.

Da fast alle Zuchtsauen in Österreich gegen Rotlauf geimpft werden, tritt die Erkrankung in Zuchtbetrieben selten auf. Mastschweine sind häufiger betroffen, diese werden üblicherweise nicht geimpft.

**Atemwegserkrankungen, Lahmheiten**

Diese beiden Krankheitskomplexe treten in Zuchtbetrieben immer wieder auf. Bei Husten/Lungenentzündung gibt es viele Verursacher. Im Einzelfall ist immer ein Tierarzt zu Rate zu ziehen, da das klinische Erscheinungsbild alleine zu keiner Diagnose berechtigt. Lahmheiten werden häufig unterschätzt, spielen aber vor allem bei der freien Abferkelung eine große Rolle. Lahme Sauen bleiben länger liegen, verkoten den Liegebereich und reagieren langsamer auf Ferkelschreie (Erdrückungsgefahr!).

### 3.3.2 Mastschweine

In der österreichischen Bio-Betriebslandschaft sind sowohl reine Mastbetriebe als auch kombinierte Betriebe zu finden. Der Vorteil eines geschlossenen (= kombinierten) Betriebes liegt in erster Linie im Gesundheitsmanagement. Solche Betriebe wissen über den Gesundheitsstatus der Ferkel deutlich besser Bescheid als reine Mäster, die auf ein funktionierendes Gesundheitsmanagement des Herkunftsbetriebes vertrauen müssen.

**Geschlossener Betrieb:** Wird auch als kombinierter Betrieb bezeichnet; Ferkelerzeugung und Mast finden auf einem Betrieb statt. Im Gegensatz dazu beziehen reine Mastbetriebe Ferkel aus einem oder mehreren Ferkelerzeugerbetrieben.

### 3.3.2.1 Haltung

Die Variabilität der Haltungssysteme auf österreichischen Bio-Mastbetrieben ist groß. Von der Kleingruppe (unter zehn Mastschweine) bis zum stallweisen Rein-Raus (bis zu 500 Mastschweine) sind alle Varianten vertreten. Ganz allgemein gilt: Je kleiner die Gruppen, desto einfacher gestaltet sich die Tierkontrolle, desto teurer wird aber auch der Mastplatz.

Ferkel werden mit ca. 30 kg in die Mast eingestallt. Man unterscheidet Ställe, die eine Bucht für die gesamte Mastdauer (130 bis 150 Tage) vorsehen, und solche, bei denen die Mastschweine mit zunehmendem Gewicht die Bucht wechseln. Anders als in der Ferkelaufzucht gelten die Mindestflächen für definierte Gewichtsbereiche (siehe Kapitel 3.3.1.1 Grundsätze der Stallhaltung mit Auslauf). Demnach ergeben sich mehrere stallbauliche Möglichkeiten:

- Buchtengröße bleibt gleich, Anzahl der Tiere ändert sich, damit die Platzvorgaben eingehalten werden
- Anzahl der Tiere bleibt gleich, Stallbereiche werden vergrößert und „wachsen" mit den Tieren mit.
- Anzahl der Tiere und Buchtengröße bleiben gleich. Tiere haben am Anfang „zu viel" Platz.

Die in der Ferkelerzeugung geltenden Grundsätze für Stall und Auslauf gelten auch für Mastbetriebe. Der Unterschied zur Sauenhaltung oder Ferkelaufzucht liegt in dem starken Wachstum der Mastschweine (30 bis 130 kg). Dementsprechend ist es herausfordernd, die unterschiedlichen Platzansprüche optimal zu befriedigen. Dabei geht es vor allem um den Liegebereich, dessen Größe sich zwischen 30 kg (ca. 0,2 m²) und 130 kg (ca. 0,6 m²) deutlich ändert. „Mitwachsende Liegekisten" können diese Unterschiede gut ausgleichen und erfreuen sich wachsender Beliebtheit.

Der Wärmeanspruch nimmt mit zunehmendem Gewicht der Tiere ab. Eine „Kiste" ist nur bei Außenklimaställen oder unbeheizten Altstallungen für die Vormast (bis max. 80 kg) nötig. Danach kann die Temperatursteuerung über die eingestreute Strohmenge erfolgen. Mastschweine graben sich bei Kälte im Stroh ein und legen sich dicht aneinander. Durch die äußere Fettabdeckung sind die Tiere gut gegen Kälte geschützt.

Haltung in der Großgruppe

Haltung in der Kleingruppe

### 3.3.2.2 Fütterung

Schweine sind Allesfresser und somit bestens geeignet, unterschiedliche Futtermittel zu verwerten. Neben Getreide und Körnerleguminosen als Hauptbestandteil können Rationen für Mastschweine auch Abfälle aus der Lebensmittelherstellung sowie Obst, Gemüse und Raufutter enthalten. Bei allen „Abfällen" ist unbedingt auf hygienische Unbedenklichkeit zu achten.

**Beispielrationen für Mastschweine** (Quelle: Bioschweine-Fütterungsbroschüre, Bio-Austria)

| Komponenten in % der Mischung | Beispiel 1 | | Beispiel 2 | | Beispiel 3 | | Beispiel 4 |
|---|---|---|---|---|---|---|---|
| | Anfangs-mast | End-mast | Anfangs-mast | End-mast | Anfangs-mast | End-mast | Universal-mast |
| Gerste | 22,5 | 47,5 | 22,5 | 42,5 | 20,5 | 20,5 | 26,5 |
| Weizen | 35 | 25 | 15 | - | - | - | - |
| Triticale/Roggen | - | - | 20 | 25 | 20 | 20 | 21 |
| Mais | - | - | - | - | 22 | 22 | 15 |
| Ackerbohnen | 10 | 10 | - | - | 9 | 15 | 15 |
| Erbsen | 10 | 10 | 20 | 20 | 9 | 15 | 10 |
| Sojakuchen dampferhitzt | 15 | 5 | 15 | 5 | 10 | 5 | - |
| Sojabohnen dampferhitzt | - | - | - | - | - | - | 5 |
| Magermilchpulver | 5 | - | 5 | - | 7 | - | 5 |
| Grascobs | - | - | - | 5 | - | - | - |
| Mineralfutter (Ca/P/Na = 20/3/5) | 2,5 | 2,5 | 2,5 | 2,5 | 2,5 | 2,5 | 2,5 |
| **Umsetzbare Energie (MJ)** | **13,0** | **12,6** | **13,1** | **12,5** | **13,1** | **12,9** | **13,0** |
| Rohprotein (g) | 180 | 140 | 175 | 135 | 172 | 155 | 150 |
| Lysin (g) | 10,2 | 7,5 | 10,0 | 7,0 | 9,0 | 7,7 | 8,5 |

Anfangsmast: 30–70 kg Lebendmasse, Endmast: 70–120 kg Lebendmasse

**INFO!** Keine Essensreste

Essensreste („Sautrank“) dürfen prinzipiell nicht an Schweine verfüttert werden, um die Verschleppung von Krankheiten bzw. Tierseuchen zu verhindern!

**Fütterung im zeitlichen Verlauf**

Das Ziel der Schweinemast besteht in einer möglichst effizienten Umsetzung von Futterinhaltsstoffen in Muskeleiweiß. Dazu müssen sowohl Energie als auch Aminosäuren zur Verfügung gestellt werden. Der relative **Eiweißbedarf** sinkt während der Mastperiode. Junge Tiere benötigen also im Verhältnis mehr und hochwertigeres Eiweiß als Endmasttiere.

Deshalb macht es Sinn, in der Vormast bis ca. 70 kg hochwertige Eiweißkomponenten (Bio-Sojakuchen, Bio-Kartoffeleiweiß bzw. Futterhefe) einzusetzen und diese in der Endmast zu begrenzen. Gleiches gilt für die Futtervorlage: In der Vormast können Mastschweine ad libitum versorgt werden, gegen Ende der Mast wirkt eine Rationierung auf ca. 35 MJ/UE der Verfettung entgegen. Gesteigerte Energiezufuhr in der Endmast bewirkt eine vermehrte Einlagerung von Fett. Überschüssiges Eiweiß muss in der Leber abgebaut und über den Harn ausgeschieden werden. Tiere mit fleischreicher Genetik (Kreuzungen mit Pietrain) können mehr Eiweiß umsetzen und neigen weniger zur Verfettung als Rassen mit höherem Fettgehalt (Duroc, Schwäbisch Hall).

**Raufutter** (Heu, Silagen) muss allen Tieren täglich frisch zur Verfügung gestellt werden. Es stellt eine gute Möglichkeit dar, den Energiegehalt einer Ration zu begrenzen, da Raufutter kaum nennenswerte Mengen an verfügbarer Energie und Protein enthält. Gerade für Betriebe mit Direktvermarktung ist aber zu beachten, dass Raufutter das Fettsäuremuster im Lebensmittel beeinflusst!

Bei der Herstellung von Dauerwaren (Rohwürste, Speck etc.) kann der unbegrenzte Einsatz von Raufutter die Haltbarkeit der Produkte und deren Fettqualität und -farbe negativ beeinflussen. Gleiches gilt für den Einsatz von Mais (CCM, Ganzkornsilage, Trockenmais), denn auch hier kommt es zur Beeinflussung der Fettstabilität und -farbe.

Im Gegensatz dazu bewirkt die Fütterung von **Getreide** (im Speziellen Roggen) eine Festigung des Fettes und eine gute Stabilität der Produkte. Bei Roggen ist darauf zu achten, dass die Qualität des Getreides einwandfrei ist und keine Verpilzung besteht (Mutterkorn!). Zudem kann die Schmackhaftigkeit der Gesamtration leiden, wenn der Roggenanteil 50 % in der Endmast deutlich übersteigt.

### 3.3.2.3 Bezahlung/Preismaske

Auch in der Bio-Schweinehaltung wird der Schlachtkörper nach Fleischmaß und Speckmaß bewertet und bezahlt. Aus den beiden Zahlen berechnet sich der Magerfleischanteil (= MFA). Je nach Höhe dieses Wertes werden zum Basispreis Zu- oder Abschläge ermittelt.

MFA = Magerfleischanteil: berechnet sich aus einer Schätzformel, die Fleischmaß und Speckmaß miteinbezieht, stellt die Bezahlungsgrundlage für Mastschweine dar.

Derzeit werden Mastschweine bis zu einem Schlachtgewicht von 130 kg ohne Abschläge bezahlt. Bei schwereren Tieren wird nur noch der Preis für Zuchtsauen ausbezahlt. Die Verwendung einer Waage im Betrieb ist auch schon bei kleineren Beständen sinnvoll, um Ausreißer nach oben bzw. unten zu vermeiden.

Ferkelpreis und Mastschweinepreis sind in der Bio-Schweinehaltung aneinander gekoppelt. Der so genannte Ferkelfaktor wird in Abstimmung zwischen Züchtern und Mästern festgelegt und stellt sicher, dass Preisschwankungen beide Parteien gleichermaßen betreffen. Steigt also der Preis für Mastschweine, wird der Ferkelpreis automatisch angeglichen.

### 3.3.2.4 Tiergesundheit bei Mastschweinen

In der Schweinemast hängt die Tiergesundheit neben den bekannten Einflussfaktoren (Haltung, Fütterung, Management) ganz stark vom Gesundheitsstatus der Ferkel des Herkunftsbetriebes ab. Geschlossene Betriebe haben diesbezüglich einen Vorteil, da es kaum eine Beeinflussung von außen gibt. Reine Mastbetriebe müssen ganz besonders auf den Gesundheitsstatus des Herkunftsbetriebes achten. Ferkelbezug von mehreren Zuchtbetrieben sollte nach Möglichkeit vermieden werden, da dadurch gesundheitliche Probleme vorprogrammiert sind.

Werden Ferkel gesund in ein gut funktionierendes Stallsystem eingestellt, kommen viele Partien ohne gesundheitliche Probleme durch die Mast. Dementsprechend ist die Verabreichung von Medikamenten (welcher Art auch immer) nicht nötig.

**INFO!** Krankheiten

Folgende Erkrankungen spielen auf Bio-Betrieben eine bedeutende Rolle:
- Endoparasitosen (Spulwürmer)
- Ektoparasitosen (Räude)
- Rotlauf
- Durchfallerkrankungen
- Atemwegserkrankungen

**Parasiten:** Die Auswirkungen von parasitären Erkrankungen werden generell unterschätzt. Da die Tiere dabei nicht augenscheinlich krank sein müssen, werden Parasitosen häufig übersehen. Durch den Befall mit Parasiten auf der Haut (Räude) oder im Darm (Spulwürmer) nimmt die Leistung der betroffenen Tiere ab, die Futterverwertung verschlechtert sich und teilweise sind Beanstandungen des Schlachtkörpers die Folge.

Rotlauf, Durchfall und Atemwegserkrankungen wurden bereits im Kapitel 3.3.1.5 Tiergesundheit bei Zuchtsauen und Ferkeln behandelt und können dort nachgelesen werden.

So wie bei allen anderen Erkrankungen wird auch bei Parasitosen der Tierarzt bzw. die Tierärztin als erste Ansprechperson einen Behandlungsplan ausarbeiten, der nicht nur eine medikamentöse Behandlung vorsieht, sondern auch Managementfaktoren miteinbeziehen muss (Förderung von Rein-Raus, regelmäßige Reinigung, evtl. Desinfektionsmaßnahmen).

**Krankenbuchten**

Kranke Tiere sind von der Gruppe abzusondern und in Krankenbuchten zu halten. In diesen Buchten müssen der eingestreute Liegebereich sowie der Futterplatz und die Tränkestelle besonders einfach zu erreichen sein. Krankenbuchten sollten mindestens 5 m² groß sein und müssen über keinen Auslauf verfügen. Wichtig ist auch, dass diese Buchten im Betrieb so angeordnet sind, dass eine optimale Betreuung möglich ist.

## 3.4 BIOLOGISCHE GEFLÜGELHALTUNG

### 3.4.1 Biologische Geflügelzucht

Geflügel war einst in großer Artenvielfalt und mit vielen Rassen auf den Höfen vertreten. Heute werden Geflügel nur mehr auf wenigen Höfen gezüchtet und vermehrt. Wenn, dann sind dies eher Hobbyhaltungsbestände, spezielle Rassen oder kleine Direktvermarkter. Die großen Geflügelställe werden mit Tieren aus entsprechenden Zuchtkonzepten für Hybridrassen bestückt. Auch die langsam wachsenden Mastgeflügelrassen wie das Wildhendl, die KellyBronze®-Puten oder die klassischen Freiland-Legehennen (aktuell vor allem Lohmann Brown oder Lohmann Sandy) sind den Hybridzüchtungen zuzuordnen. Die große Mehrheit der heute gehaltenen Legehennen und Mastgeflügel gehen auf drei riesige weltweit agierende Zuchtunternehmen zurück. Entsprechend gering ist deren genetische Vielfalt und entsprechend groß ist unsere Abhängigkeit von diesen wenigen Akteuren am Weltmarkt.

Früher gab es auch viele regionaltypische Geflügelrassen. Sie waren meist Vertreter sogenannter Zweinutzungstypen. Damit ist gemeint, dass sie immer sowohl für die Eierproduktion als auch wegen ihres Fleisches gehalten wurden. Wenige sind heute noch bekannt und verbreitet. In Österreich sind dies die beiden Legehennenrassen „Altsteirer“ und „Sulmtaler“ Hühner. Letztere sind vor allem wegen ihrer Fleischqualität heute noch als Kaiserhuhn bekannt. Ihre Legeleistung liegt aber mit ca. 70 bis 90 Eiern pro Jahr niedriger als die der neuen Hybridrassen und schwankt auch noch stärker im Jahresverlauf. Dafür legen die Hennen viele Jahre lang regelmäßig ihre Eier. Beide regionale Rassen sind auch im Rasseerhaltungsprogramm für gefährdete Haustierrassen des Vereins ARCHE AUSTRIA vertreten. Die ARCHE AUSTRIA hat auch von Puten, Enten, Gänsen und Tauben typische alte österreichische Rassen im Programm.

Näheres zu alten österreichischen Geflügelrassen unter www.arche-austria.at

Geflügel stellt spezielle Anforderungen an seine Umgebung, wenn auch erfolgreiche Fortpflanzung geplant ist. So sollte die **separierte Haltung von Kleinfamilien** (ein Männchen und mehrere Weibchen bei Hühnern und Puten bzw. paarweise bei Wassergeflügel) möglich sein. Speziell Wassergeflügel braucht für eine erfolgreiche Begattung Zugang zu einer Schwimm- bzw. Bademöglichkeit, da der Tretakt vor allem bei Gänsen nur unter Wasser stattfinden kann. Die Brut im Kunstbrutapparat erzeugt oftmals höhere Schlupfraten, umso schwieriger ist aber die elternlose Aufzucht, in der oftmals die erhöhten Schlupfraten wieder ausfallen.

An die **Geflügelzucht** stellt die biologische Landwirtschaft eigene **Ansprüche**:

- Die Tiere sollen nicht die höchsten Leistungen um jeden Preis bringen. Sie sollen vielmehr robust sein und mit entsprechender Genügsamkeit in Bezug auf Futterinhaltsstoffe und Haltungsform unter den Bedingungen des Bio-Landbaus gleichmäßig zufriedenstellende Leistungen erbringen.
- Gesundheit und Lebensdauer kommen vor Leistungsspitzen.
- Die Skelettentwicklung soll passend zum Fleischansatz erfolgen.
- Artgemäße Verhaltensmuster ohne Verstümmelungsnotwendigkeiten am Tier (Schnabelkürzen, Zehenkürzen etc.) sind selbstverständlich.

Die Elterntierhaltung erfolgt in Österreich seit ungefähr 2015 ausschließlich in biologischen Betrieben.

Bei Mastgeflügel ist das Charakteristikum langsam wachsend (dafür sind in der EU-Bio-Verordnung entsprechende maximale Tageszunahmen für die jeweiligen Geflügelarten definiert) ein entscheidendes Rassen- bzw. Zuchtlinienmerkmal, um für die Eignung als Bio-Rasse überhaupt in Frage zu kommen. Das Bio-Wildhendl oder die KellyBronze®-Pute wären solche Rassen. Werden stattdessen klassische schnellwachsende Hybride verwendet, müssen Mindestschlachtalter eingehalten werden, die im Normalfall nicht wirtschaftlich sind. Daher haben sich eben obengenannte „Bio-Wildhendl“ (Hybride aus langsamer wachsenden Linien, z. B. Mutter JA 57 aus dem Zuchthaus Hubbard) auch im Bio-Landbau des deutschsprachigen Raumes als Masthuhn durchgesetzt. Gemästet werden dabei beide Geschlechter in gemischten Herden.

### 3.4.2 Biologische Geflügelhaltung

Bio-Geflügelhaltung ist von **zwei fast konträren Entwicklungen** geprägt:

- Einerseits sind gerade im Bio-Landbau auf vielen Höfen Legehennen und auch Mastgeflügel, Puten oder Gänse saisonal für die Selbstversorgung und Direktvermarktung zu finden.
- Andererseits ist auch im Bio-Landbau der Trend hin zu großen Einheiten im Geflügelbereich voll vertreten. Dennoch liegt die durchschnittliche Bestandesgröße bei ca. einem Viertel der typischen konventionellen Stallgrößen.

Die für die Geflügelbranche übliche gewerbliche Tierhaltung ohne Futter- und Düngefläche gibt es im Bio-Landbau nicht. Mindestens die notwendigen Auslaufflächen muss der Bio-Geflügelbetrieb jedenfalls besitzen.

Da Bio-Tierhaltung laut EU-Bio-Verordnung jedenfalls flächengebunden sein muss, ist für zu geringe Eigenflächen ein Wirtschaftsdüngervertrag mit anderen Bio-Betrieben abzuschließen. Die EU-Bio-Verordnung legt aber gleichzeitig einerseits maximale Größen für Stalleinheiten fest, andererseits in der Mastgeflügelhaltung, dass maximal zwei Einheiten je 4800 Plätze bei Mast- und Junghühnern auf einem Betrieb erlaubt sind. Außerdem dürfen insgesamt für die Fleischproduktion maximal 1600 m² Stallfläche verwendet werden.

Die EU-Bio-Verordnung gibt genaue Tierbesatzrichtlinien für den jeweiligen Stall vor. Meist ist eine maximale Anzahl von Tieren/m² erlaubt. Für Mastgeflügel sind dazu auch noch maximale Lebendgewicht-Beschränkungen festgelegt.

Den größten Unterschied zu konventionellen Haltungssystemen stellt aber in jedem Bio-Geflügelbetrieb der **Auslauf** dar. Er ist entscheidend in der Auswahl von Gebäuden oder Grundstücken für den Stallbau. Erst wenn die Frage der Auslaufmöglichkeit geklärt ist, können Geflügelart und Produktionsstufe (Elterntiere, Aufzucht, Mast, Legehennen etc.), Stallgröße und Tieranzahl darauf abgestimmt werden.

Viele Altgebäude scheitern in der Nutzung als Geflügelstall in der (einfachen) Nutzung von Auslaufflächen im Anschluss. Ausnahmen davon gibt es nur bei Elterntierherden (kein Grünauslauf, überdachter Außenscharraum) und in der ersten Kükenphase in der Aufzucht von Mastgeflügel und Legehennen. Für die erste Aufzuchtphase ist in Österreich erst ab dem 28. Tag Auslauf notwendig und dann jedenfalls, wenn der physiologische Zustand und Gesundheitsstatus der Tiere, der Bodenzustand und die Witterung es erlauben. Dies zu beurteilen, liegt im Großen und Ganzen im Ermessen des Tierhalters bzw. der Tierhalterin.

### Legehennen

Bio-Legehennen werden **in Bodenhaltungssystemen mit Außenscharrraum und Grünauslauf** gehalten. In vielen größeren Ställen ist ein mehr-etagiges Volierensystem installiert, das die nutzbare Stallfläche erhöht. Damit können je m² Stallbodenfläche mehr Hennen gehalten werden. Grundsätzlich gibt die EU-Bio-Verordnung vor, dass je Stalleinheit maximal 3000 Legehennen gehalten werden dürfen. Dies gilt auch für Elterntierbetriebe, wobei hier die Hähne mitgerechnet werden. Die Eiervermarkter in Österreich wünschen sich zunehmend aber im Sinne der Effizienz, dass mindestens zwei 3000er-Einheiten je Betrieb geführt werden.

Als zweiter Trend entwickeln sich viele **Eigenversorgungs- und Direktvermarktungsbetriebe mit kleineren Herden**. Oftmals werden hier auch Mobilställe in Eigenbau, vermehrt auch in professioneller Ausführung verwendet. Der Vorteil ist die zumindest theoretisch bessere Auslaufnutzung ohne Überweidungsproblem. Praktisch ist die Bewegung der Ställe mühsam und erfolgt oftmals zu wenig oft. Damit überwiegt aber schnell der gravierende Nachteil der Arbeitswirtschaft und der dezentralen Lage. Alles an Futter, Wasser und Einstreu muss hingeschafft und alles an Exkrementen und die Eier müssen regelmäßig abgeholt werden. Dennoch ist bei effizienter Organisation und aus Sicht der Tiere der Mobilstall jedenfalls zu befürworten.

Nicht zu unterschätzen ist auch die Wirkung auf die Konsumentinnen und Konsumenten und die damit verbundene tägliche Werbung und Imagepflege. Voraussetzung dafür ist aber immer ein gepflegter Auslauf, der auch gerne angenommen wird.

### Junghennenaufzucht

Hierbei werden meist in einem zweistufigen Verfahren die Küken zuerst sechs Wochen in Bodenhaltung ohne Auslauf aufgezogen und dann an einen weiteren Junghennenaufzuchtbetrieb weitergereicht. In diesem werden die Tiere in 4800er-Einheiten mit Außenscharrraum und Auslauf gehalten und in den meisten Fällen bereits an die Volierenhaltung gewöhnt. Je besser die Junghennenaufzucht auf das Haltungssystem der späteren Legehennenbetriebe abgestimmt ist, desto geringer fällt der Umstellungsstress aus und desto fitter und problemloser ist die Legehennenherde.

### Initiative „Bruderhahn“

Eine besondere Form der Aufzucht stellt die Aufzucht der männlichen Geschwister der Legehennen dar. Da dies aus ethischen Gründen und nicht vorrangig zur Fleischproduktion passiert, ist die Hahnenmast auch der falsche Ausdruck. In Österreich hat diese flächendeckende Initiative den Namen „Bruderhahn“ bekommen, erste ähnliche Aufzuchtmodelle sind auch in Deutschland zu finden. Jedenfalls werden die Hähne ca. zehn Wochen bis zu einem Schlachtgewicht von ca. 1 kg aufgezogen und danach als halbes und ganzes Brathuhn („Single-Hendl“) angeboten

Nähere Informationen zu den „Bruderhähnen“ erhältst du im Video „Vom Ei zum Küken zum Huhn“ des Vereins Land schafft Leben!

E-Book+

bzw. ein Großteil der Schlachtkörper für Verarbeitungsfleisch zerlegt. Die Konsumentinnen und Konsumenten sowie Handelsketten gehen diesen teuren Weg aber dennoch mit. Die dadurch gestiegenen Eierpreise subventionieren die Aufzuchtkosten.

E-Book+

### Masthühner

Masthühner werden mit wenigen Ausnahmen in 4800er-Einheiten gehalten. Normalerweise hat ein Betrieb eine oder zwei solcher Einheiten und betreibt sie im Rein-Raus-System. Das heißt, dass die Eintagesküken eingestallt werden und im selben Stall zu Ende gemästet werden. Masthühner leben im Normalfall ca. 48 bis 56 Tage und erreichen Tageszunahmen von knapp unter 40 g. Dies ist die Voraussetzung, dass die eingesetzten Rassen als langsam wachsend gelten und damit das laut EU-Bio-Verordnung sonst relevante Mindestschlachtalter von 81 Tagen nicht gilt. Dafür werden in Österreich die robuste Hennenlinie JA 57 mit verschiedenen langsam wachsenden Hähnen angepaart (z. B. Coloryield). Daraus entstehen dann die meist braungefiederten sogenannten Bio-Wildhendl.

Meist werden die Tiere zweiphasig gefüttert. Nur einzelne Betriebe mischen das Futter selber, der Großteil arbeitet mit fertigen Futtermischungen aus dem Mischfutterwerk. Echte Lohnmast ist aber in den wenigsten Bertrieben zu finden. Die sogenannten Kopfbetriebe geben aber Kükenherkunft, Einstellzeitpunkt und Schlachttermin vor. Gleichzeitig kann sich der Betriebsleiter bzw. die Betriebsleiterin aber mit einem Jahresproduktionsplan gut stressige Zeiten organisieren und freie Wochen für Urlaub und Erholung nutzen.

### Mastputen

Was die heimische Putenmast auszeichnet und worin die Knackpunkte liegen erfährst du in den Videoclips von „Land schafft Leben“!

Bei den Mastputen wird in Österreich überwiegend mit den **klassischen weißen Masthybriden** gearbeitet. Nur wenige Betriebe und Projekte verwenden die KellyBronze®-Pute als Vertreter der langsam wachsenden Rassen. Puten lassen in der mehrstufigen Mast eine Altgebäudeverwertung gut zu. Sie sind einfach zu halten und stellen wenige Anforderungen an das Stallgebäude. Umso mehr braucht es viel Wissen und ein gutes Management, um mit Bio-Puten auch Geld verdienen zu können.

Gefüttert werden sie mit einer fünfphasigen Ration, wobei die erste Kükenphase sehr herausfordernd im Hinblick auf die optimale Eiweißversorgung ist. In der Endmast fressen die Tiere viel Menge, ihre Anforderung an das Futter ist aber gering.

### Mast- und Legeelterntiere

Sieh dir dazu das Video „Vom Ei zum Küken zum Huhn“ des Vereins Land schafft Leben an, in dem du mehr zu den Elterntieren, der Brüterei und der Junghennenaufzucht erfährst.

Diese sind spezielle Legehennenherden mit entsprechenden Rassetieren und sowohl weiblichen als auch männlichen Tieren, meist im Verhältnis 10 : 1. Besonders ist, dass die Ställe nach aktuell gültigem Recht in Österreich keinen Grünauslauf haben dürfen, ein erweiterter Außenscharrraum muss den Tieren aber jederzeit zur Verfügung stehen. Außerdem müssen in solchen Einheiten eigene Fütterungslinien für die männlichen Tiere installiert werden. Die Eier werden einmal wöchentlich abgeholt und nach einer entsprechenden Prüfung auf Befruchtung in Brutapparaten ausgebrütet.

### Mastenten

Dafür wurde in Österreich in den letzten Jahren ein europaweit, wenn nicht weltweit einzigartiges Vorzeigeprojekt geschaffen. Um die Inlandsversorgung generell zu verbessern, speziell aber die Bio-Entenproduktion zu etablieren, wurde erstmals eine Produktionssparte für Bio-Enten in großem Stil entwickelt.

Das Wachstum und die Futterverwertung dieser Pekingenten in gemischtgeschlechtlichen Herden übertreffen alle Erwartungen. Aber auch die Fleischqualität und die vielseitige Verwendbarkeit überzeugen die Kunden.

Die Tiere **entstammen einer eigenen Bio-Elterntierherde aus Österreich** und werden in Bodenhaltungsställen wie Masthühner gehalten. Sie brauchen verstärkt Tränkemöglichkeiten und Becken zum Ausspülen der Schnäbel. Die Enten nutzen den Grünauslauf extrem gerne und verwerten den Aufwuchs sehr gut. Die Einstreu trocken zu halten und die großen Strohmengen täglich in den Stall zu bekommen, sind die Herausforderungen, vor denen die Halter und Halterinnen stehen.

**(Weide-)Gänse**

Weideganshaltung hat sich in gewissen Gegenden Österreichs zu einer namhaften regionalen Bedeutung entwickelt. Während vor 20 Jahren Gänsehaltung auf österreichischen Höfen praktisch ausgestorben war, haben ein paar findige Mühlviertler Bauern die sogenannte Geflügel-Kuh für die Verwertung ihrer Wiesen wiederentdeckt. Aus einem kleinen Regionalprojekt ist ein österreichweit verbreitetes Haltungssystem geworden.

Die Tiere werden **meist saisonal** halten. Die **Aufzucht** erfolgt **dezentral** auf den Höfen, wobei die Gössel als Eintagesküken, die während der ersten paar Wochen sehr wärmebedürftig sind, auf den Hof kommen. Ab dem Zeitpunkt der Befiederung sind sie aber äußerst robust. Nur Fuchs und Mader zwingen viele Betriebsleiter bzw. -leiterinnen, die Tiere über Nacht doch in den Stall zu bringen. Sind die Gänse von klein auf an einen Stromzaun gewöhnt, sind die Tiere mit einem oder zwei Litzen einfach gehalten.

Wenn das Weidefutterangebot ausreichend ist, muss nach dem Aufzuchtende kein Zusatzfutter gefüttert werden. Für entsprechende Schlachtgewichte und eine gute Fettabdeckung wird aber in den letzten Wochen vor der Schlachtung gerne Hafer oder Getreideschrot in kleinen Mengen direkt auf den Boden zugefüttert. Bade- und Schwimmmöglichkeiten müssen die Tiere nicht haben, sehr wohl aber ausreichend Tränker mit entsprechendem Wasserstand von mindestens 10 cm und eine regelmäßige Reinigung dieser. Für das Aufstellen von Rasensprengern an heißen Tagen sind die Tiere aber sehr dankbar.

### 3.4.3 Biologische Geflügelfütterung

Geflügel ist als Monogastrier jedenfalls **auf konzentriertes Futter wie Körner und Samen angewiesen.** Gleichzeitig sind Hühnervögel Allesfresser und nehmen in freier Wildbahn jedenfalls auch tierisches Eiweiß auf. Außerdem darf die Grundfutteraufnahme von Geflügel nicht unterschätzt werden.

Besonders sichtbar wird deren Potenzial, Grundfutter zu verwerten, bei Weidegänsen und anderen Wassergeflügel in Freilandhaltung. Bei der Schlachtung oder Sektion von Tieren sind oft beachtliche Mengen an Gräsern oder Stroh in den Kröpfen und Mägen der Tiere zu finden. Daher ist auch in der EU-Bio-Verordnung festgelegt, dass Geflügel täglich mit frischem, getrocknetem oder siliertem Raufutter gefüttert werden muss.

Grundsätzlich setzt sich die **Ration von Geflügel** vereinfacht dargestellt folgendermaßen zusammen:

- 70 % Energiekomponenten
- 25 % Eiweißkomponenten
- 5 % Mineralstoffen

Ständig verfügbares frisches Wasser und entsprechende Einstreu sind daneben als selbstverständliche Grundlage artgerechter Fütterung und Haltung zu verstehen.

**Wasser**

Tränkewasser **muss** wirklich **24 Stunden am Tag uneingeschränkt zur Verfügung stehen.** Oftmals kann schlechte Futteraufnahme oder mindere Leistung auf eine nicht funktionierende Wasserversorgung oder schlechte Wasserqualität hinweisen. Besonders muss auf Verkeimung der Leitungen und Vorratsbehälter beachtet werden. Im Sommer müssen Cup- und Stülptränken (mehrmals) täglich grundgereinigt werden. Besonders Wassergeflügel verschmutzen die Tränker stark.

Der Zugang zu freier Wasseroberfläche ist für Wassergeflügel in der EU-Bioverordnung vorgesehen. In Österreich wird zur Erfüllung dieser Richtlinie auch aufgrund mangelnder Hygienemöglichkeiten in echten Schwimmmöglichkeiten festgelegt, dass Tränker mit entsprechender Wassertiefe diese Regel erfüllen. Für Wassergeflügel ist demnach von Experten hauptsächlich die regelmäßige Spülung der Schnäbel als artgerecht eingestuft, weniger die Möglichkeit der Bade- und Schwimmmöglichkeit. Weidegänse sind aber beispielsweise über das Angebot eines Rasensprengers mit Zeitschaltuhr an heißen Tagen oftmals sehr erfreut. Badebecken hingegen bringen auch in kleinsten Beständen sehr hohe Salmonellen- und Keiminfektionsraten. Vermeintlich artgerechte Haltungselemente sollen aber keinen erhöhten Medikamentenbedarf erfordern.

### Energiekomponenten

Als Energiekomponenten stehen im Bio-Landbau eine Vielzahl von Getreidearten und Körnern zur Verfügung. Da auch die Fruchtfolgen bunter sind, ist die Zusammensetzung der Rationen im Normalfall ebenfalls deutlich vielfältiger.

**Mais und Weizen** sind klarerweise die Standardkomponenten. Weniger sensible Geflügel wie Masthühner oder Puten in der Endmast oder extensivere Weidegänse fressen jedenfalls daneben auch **Triticale, Roggen oder Hafer.** Auch Legehennen sind grundsätzlich wenig wählerisch. Roggen und Triticale sind aber in höheren Anteilen in der Ration als 5 % laut Erfahrungen aus der Praxis für Verdauungsprobleme verantwortlich, die sich in dünnem Kot äußern.

Weniger relevant, aber erwähnenswert sind als Energiekomponenten noch die **Kartoffeln,** welche hauptsächlich in kleinen Herden angewandt werden, vor allem wenn sie als Nebenprodukt des Speisekartoffelanbaus anfallen.

Weiters wird in Eigenmischungsbetrieben als Energiekomponente auch noch **Hirse** in all ihrer Vielfältigkeit (Sorghum, Rispen- oder Braunhirse etc.) erfolgreich eingesetzt. Braunhirse hat besonders interessante Aminosäuremuster, die auch in der Eiweißversorgung spannend werden können.

### Eiweißkomponenten

Die Eiweißversorgung der Tiere stellt im Bio-Landbau die große Herausforderung in der Fütterung dar. Besonders die Ausstattung des Futters mit den erstlimitierenden Aminosäuren Methionin und Lysin ist besonders zu beachten.

Als Eiweißkomponente ist im Bio-Landbau jedenfalls der **biologische Sojapresskuchen** in Verwendung. Da dieser in der Vergangenheit oftmals aus wenig vertrauenswürdigen Quellen kam, wurde in Österreich nach und nach eine pflanzliche Produktion und ein regionales Netzwerk aus Pressen und Toastmöglichkeiten aufgebaut. Heute kann ein Großteil des Bedarfs aus inländischer Ware gedeckt werden. Ergänzend dazu werden in Geflügelrationen aber auch gerne Ackerbohnen und Erbsen für die Grundeiweißversorgung eingesetzt, auch weil dies die vielfältige Fruchtfolge so hergibt. Nur Wickensamen und Platterbsen werden von Geflügel nicht gerne gefressen.

**Peluschkentypen bei den Erbsen** (auch Wintererbsen) werden sowohl in Lege- als auch in Mastgeflügelrationen mit Anteilen von 5 bis 10 % erfolgreich eingesetzt. Ein gewisser Gewöhnungseffekt kann durch langsames Steigern der Anteile in der Ration erreicht werden. Außerdem können die weniger attraktiven Bitterstoffe durch besonders schmackhafte Komponenten (Kürbiskernkuchen, Magermilchpulver, Bierhefe) überdeckt werden. Wenn möglich sollten Endmasttiere und weniger leistungsorientierte Herden.

Eiweißkomponenten werden abgestimmt auf die Verdaulichkeit, aber auch in Bezug auf die Wertigkeit in mehrere Kategorien eingeteilt. Während die erste Kategorie der minderwertigen Komponenten nur für ausgewählte Kategorien von Geflügeln verwendbar sind, können mittelwertige, hochwertige und besonders höchstwertige Komponenten in allen Rationen, besonders in den höchstanspruchsvollen Kükenrationen verwendet werden. In den höchstwertigen Komponenten liegt letztendlich auch die größte Differenz zwischen Angebot und Bedarf in biologischer Qualität. Genau diese dürfen laut EU-Bio-Verordnung noch maximal zu 5 % in der Ration konventionell eingesetzt werden, sofern diese in Bio-Qualität nicht verfügbar sind.

Unausgewogene Eiweißversorgung äußert sich in erster Linie in schlechteren Leistungen (als es die genetische Anlage ermöglichen würde). Zuwachsleistungen liegen dann schnell hinter den Erwartungen, die Legeleistung bricht dramatisch ein, außerdem sind die Eigewichte geringer. Stärkerer Eiweißmangel, meist in Kombination mit anderen Stressfaktoren, löst die klassischen Verhaltensstörungen Kannibalismus und Federpicken bzw. Federfressen aus. Rationsumstellungen können dann schnell Abhilfe schaffen. In inhomogenen Mischungen mit gröberen und feineren Anteilen kann alleine die Entmischung oder die starke Selektion der Tiere eine Unterversorgung erzeugen.

### Mineralfutter

Mineralfutter ist der dritte wichtige Bestandteil einer ausgewogenen Ration. Grundsätzlich arbeiten dabei viele Betriebe mit fertigen Mischungen. Hauptbestandteile sind Kalk (Calcium),

Phosphor, Natrium und Spurenelemente. In Legehennenrationen wird gerne Futterkalk ergänzend eingesetzt, außerdem wird meist Muschelgrit als strukturierter Kalk zur freien Entnahme zusätzlich angeboten. Bei Mastgeflügel erfolgt bei Mineralstoffmangel oftmals die Skelettentwicklung zu langsam. Bei Legehennen ist es vor allem die Eierschalenqualität, aber auch die Körpermasse und die Legeleistung generell, die unter schlechter Mineralstoffversorgung leiden. Verhaltensauffälligkeiten wie Kannibalismus und Federpicken können oftmals auf nicht ausgewogene Mineralstoffversorgung hindeuten. Häufig kann schon die Beigabe von Viehsalz zum Tränkewasser Verbesserung bringen.

## 3.5 BIOLOGISCHE HALTUNG VON KLEINWIEDERKÄUERN

Schafe und Ziegen werden als „Kleine Wiederkäuer" bezeichnet. Als wilde und scheue Tiere lebten sie in kleinen Herden in gebirgigen und reich strukturierten Regionen im euro-asiatischen Bereich. Sie sind – nach dem Hund – die ältesten domestizierten Nutztiere des Menschen und begleiteten seine Sesshaftwerdung. Vor rund 10.000 Jahren wurden sie in Mesopotamien zum Haustier. Schafe und Ziegen kommen in fast allen Ländern, Klimazonen und Nutzungsrichtungen in Hunderten von verschiedenen angepassten Rassen vor.

Eine kompetenzorientierte Unterrichtsvorbereitung zum Thema Ziegenhaltung am Bio-Betrieb steht im E-Book als Zusatzmaterial bereit.

Die **Wolle** war und ist in vielen Ländern **das wichtigste Produkt der Schafhaltung**, gefolgt von Fleisch und Milch. Rund 90 % der **Ziegen** werden in Entwicklungsländern gehalten und gelten als „Kuh des armen Mannes". **Lammfleisch** ist **das wichtigste Produkt**, Wolle hat kaum mehr Bedeutung und die Schur ist eher ein Kostenfaktor. Im Gegensatz dazu haben die südafrikanischen Burenziegen in den letzten zwei Jahrzehnten an Bedeutung gewonnen, die auf Fleischleistung gezüchtet wurden. Trotz oder wegen ihres Images als Gehölzschädling werden Ziegen heute vielfach in der Landschaftspflege zur Gehölzkontrolle eingesetzt.

Schafherde (Quelle: Ökologix, Wikimedia CC 3.0)

Im Bio-Landbau ist die Produktion von Milch und Milchprodukten verbreitet. Auch wenn Schafe und Ziegen in Österreich nicht zu den wichtigsten Nutztierarten gehören, so können sie für den Einzelbetrieb, der diese Tiere hält, die betriebliche Grundlage darstellen.

### 3.5.1 Warum werden Schafe und Ziegen am Bio-Betrieb gehalten?

Schafe und Ziegen gehören zu den ältesten Nutztieren. Wie andere Nutztiere auch liefern Schafe und Ziegen vor allem wertvolle Lebensmittel. Je nach Kultur und Region stehen dabei Fleisch oder Milch im Mittelpunkt.

Besonders in muslimischen Gesellschaften sind Schaf- und Ziegenprodukte sehr beliebt. Praktisch konkurrenzlos sind Schafe in der Wollproduktion. Die Fasern von bestimmten Ziegenrassen (z. B. Mohair, Kashmir, Ziegenhaarteppiche), Leder und Felle (z. B. Lammfell, Persianer) sind weitere wichtige und wertvolle Non-Food-Produkte der kleinen Wiederkäuer.

Die Produktion von Lebensmitteln und tierischen Rohstoffen steht in der Schaf- und Ziegenhaltung im Vordergrund. Daneben erbringen Schafe und Ziegen auch immaterielle und innerbetriebliche Leistungen.

#### Welche Produkte und Leistungen liefern Schafe und Ziegen?

| Lebensmittel | Rohstoffe | Immaterielle Leistungen | Innerbetriebliche Leistungen |
|---|---|---|---|
| Fleisch | Wolle | Therapie | Dünger |
| Milch | Felle | Erholung | Resteverwertung |
| | Haare | Landschaftspflege | Schädlingsbekämpfung |
| | Knochen | Transport | |
| | | Religion | |
| | | Schutz | |

In Europa spielen Schafe, aber auch Ziegen die zentrale Rolle in der Biotop- und Landschaftspflege. Sie verhindern durch ihren Verbiss die Verbuschung und Vergrasung.

Besonders Schafe, aber auch Ziegen haben bis heute eine große religiöse Bedeutung als Opfertier. Dieses gilt besonders für muslimische, jüdische, aber auch christliche Feste (Osterlamm).

Als weitere immaterielle Leistungen sind die Therapie und Erholung zu nennen, z. B. in der Arbeit mit Menschen mit Beeinträchtigungen. Dabei sind Schafe und Ziegen sehr geeignet, da sie im Vergleich zu anderen Nutztieren eher ungefährlich sind. Außerdem sind Lämmer und Zicklein besonders für Kleinkinder die beliebtesten Nutztiere (kuschelig, niedlich, Kindchenschema). Streichelzoos, Bauernhöfe mit Familienattraktivitäten oder Hofläden halten in der Regel einige Ziegen zur Freude der Kinder und auch der Erwachsenen.

**Welche Rolle hat die Schaf- und Ziegenhaltung im Bio-Landbau?**
Die gute fachliche Praxis der biologischen Schaf- und Ziegenhaltung geht über die Standards der konventionellen Haltung dieser Tiere hinaus. So wird bewusst auf bestimmte Haltungsverfahren, Futtermittel und Futtermittelzusatzstoffe, Betriebsmittel und züchterische Maßnahmen verzichtet, die für die konventionelle Tierhaltung erlaubt sind. Tiergerechtheit und Tiergesundheit werden Bedingungen für Höchstleistungen von Milch und Fleisch vorgezogen. Vergleichsweise geringere Leistungen der Tiere und ein höherer Aufwand werden dafür in Kauf genommen.

## 3.5.2 Verhalten von Kleinwiederkäuern

### 3.5.2.1 Warum sollten wir wissen, wie sich Schafe und Ziegen verhalten?

Schafe und Ziegen unterscheiden sich in ihrem Verhalten sehr deutlich. Das Wissen um das Verhalten und die Unterschiede zwischen Schafen und Ziegen hilft, eine leistungsfähige, gesunde und tiergerechte Haltung zu gewährleisten.

Jedes Tier hat arteigene und individuelle Bedürfnisse und Verhaltensweisen, die angeboren oder erlernt wurden. Diese dienen den Tieren zur Fortpflanzung, Ernährung, sozialen Einbindung, Leistungsfähigkeit und Gesundheit.

**HINWEIS!** Gesunde Tiere

**In der biologischen Tierhaltung wird davon ausgegangen, dass ein Tier, das seine artspezifischen und individuellen Bedürfnisse befriedigen kann, gesund und leistungsfähig ist.**

Unsere Hausschafe und Hausziegen zeigen praktisch noch das gesamte Verhaltensrepertoire ihrer wilden Vorfahren. Deren Bedürfnisse und Verhalten sollten Maßstab für eine tiergerechte Haltung sein.

Nicht nur ein angepasster Körperbau und die Physiologie des Tieres, sondern auch die Möglichkeiten der Ausübung der angeborenen und erlernten Verhaltensweisen werden als wichtig für die physische und psychische Gesundheit von Nutztieren angesehen. Dieses wird allgemein als Wohlbefinden bezeichnet, welches erreicht wird, wenn das Tier in Harmonie mit sich und seiner Umwelt steht.

Das arttypische Futter-/Wasseraufnahmeverhalten, Ausscheideverhalten, Ruhe- und Liegeverhalten, Sexualverhalten, soziale Verhalten und das Bewegungsverhalten sollen nach den Vorstellungen des Bio-Landbaus soweit es geht ermöglicht werden. Deswegen sind je nach Tierart bzw. Tiergruppe Kotplätze, der Natursprung zur Fortpflanzung, die Weidehaltung, große Stallflächen zum freien Bewegen, die Möglichkeit der Futterselektion und Möglichkeiten des Spielens wichtige Aspekte in der biologischen Schaf- und Ziegenhaltung.

Dem Menschen kommt eine besondere Rolle in der tiergerechten Haltung zu. Auch die besten Haltungsbedingungen sind nicht ausreichend, wenn der Betreuer bzw. die Betreuerin der Tiere weder über die für die Tierhaltung notwendigen Kenntnisse noch über die nötigen Fähigkeiten verfügt. Eine gute Tierbetreuung zeichnet sich durch eine harmonische Beziehung (Zuwendung, ruhiger Umgang, Reden mit den Tieren, Striegeln etc.) zwischen den Tierbetreuern und -betreuerinnen und den Nutztieren aus.

Anhand der Verhaltensweisen von Schafen und Ziegen kann die Haltung, Fütterung und Zucht optimal abgestimmt werden. Der Stall (Liege- und Bewegungsflächen), die Auslaufflächen, die Weide, die Fütterung und der Melkstand müssen nach biologischen Gesichtspunkten auf die Tiere abgestimmt werden!

### 3.5.2.2 Der natürliche Lebensraum

Als Lebensraum mögen Schafe und Ziegen am liebsten **trockene, bewaldete oder zumindest verbuschte und gebirgige Landschaften.** Die Ziegen bevorzugen dabei höhere Lagen als Schafe. Freilebende Ziegenrassen sind sehr geländegängig und leben im Sommer häufig oberhalb der Baumgrenze über 1.500 m Höhe.

Freilebende Schafrassen halten sich eher in den bewaldeten Lagen zwischen 500 und 1.000 m über dem Meeresspiegel auf. Gemischte Herden aus Schafen und Ziegen sind deswegen in der freien Wildbahn unüblich. Im Jahresverlauf werden je nach Witterung und Futterangebot aber unterschiedliche Höhenlagen genutzt. Im Winter kommen Ziegen bis in die Tallagen herunter.

Im Vergleich zu anderen Wildtieren sind Schafe und Ziegen eher **standorttreu**. Ziegen lieben Ruheplätze mit Überblick. Gerne legen sie sich auf einem harten Untergrund, der ihnen nichts ausmacht, an eine exponierte Stelle im Gelände.

#### Klima

Schafe und Ziegen sind sehr **anpassungsfähig und in fast allen Klimazonen der Erde anzutreffen.** Von den Nordpolarregionen bis zu den feuchten Regenwäldern und den heißen Wüsten. Sie leben in Hochlagen oder in sumpfigen Gebieten. Für jede Witterung und Höhenlage gibt es angepasste Rassen. Deswegen ist es gar nicht so leicht, anzugeben, welche Witterung Schafe und Ziegen eigentlich bevorzugen.

Schafe und Ziegen fühlen sich auch bei leichten Minusgraden noch wohl. (Quelle: Pixabay)

Als **Wiederkäuer** mit einer hohen Wärmeabgabe wegen der bakteriellen Verdauung macht ihnen Kälte nicht viel aus. Auch bei –10 °C und trockener, ruhiger Luft fühlen sich Schafe und Ziegen noch wohl. Wenn es noch kälter ist, suchen auch Ziegen und Schafe einen windgeschützten Ort auf.

Eindeutig feststellbar ist jedoch, dass Schafe und besonders Ziegen feucht-kalte sowie schwül-warme Witterung nicht gerne mögen.

**Regen** mögen Ziegen nicht besonders. Wenn es regnet, auch unter eher warmen Temperaturen, hören sie mit dem Fressen auf und stellen sich unter. Schafe sind etwas weniger empfindlich und hören erst bei heftigerem Regen mit dem Fressen auf und schützen sich z. B., indem sie sich eng mit den Köpfen zur Mitte zusammenstellen.

**Hitze** macht den Ziegen weniger aus als Schafen. Sie fühlen sich bei 25 bis 30 °C und trockener Luft sehr wohl. Hier wird es für Schafe schon unangenehm, besonders für Wolle tragende Tiere. Über 30 °C wird es aber auch für Ziegen unangenehm und ihr Wohlbefinden nimmt ab.

### 3.5.2.3 Sozialverhalten

Schafe und Ziegen sind **sozial lebende Tiere.** Allein gehaltene Schafe kümmern. Wildziegen und Wildschafe leben in kleinen Rudeln, die aus Muttertieren mit ihren Jungtieren bestehen. Die Herden sind in der Regel matrilinear, das heißt, alle Mitglieder einer Herde sind mütterlicherseits miteinander verwandt.

Die **Familienverbände von Ziegen** sind mit sechs bis acht Tieren **etwas kleiner als die der Schafe** (zehn bis 30 Tiere). Wildziegen und Wildschafe (Mufflons) schließen sich gelegentlich zu größeren Herden zusammen, zum Beispiel im Winter. Selten bilden aber mehr als 20 bis 30 Tiere eine solche zeitlich begrenzte Gemeinschaft. Bei Wildziegen können es auch mal bis zu 100 Tiere sein. Lässt man größere Schafherden in einem großen Gebiet alleine, teilen sie sich in Kleingruppen auf. Jede Teilgruppe beansprucht dabei ein eigenes „home range". Der Herdenverband von Ziegen ist lockerer als der der Schafe, die Beziehung zwischen den Ziegen einer Teilgruppe kann aber sehr intensiv sein.

Im Stall liegen Ziegen, die sich mögen, zusammen und sie pflegen sich gegenseitig. **Ziegen zeigen stärker individuelle Züge als Schafe,** auch wenn immer ein Herdenverband angestrebt wird. Einzeltiere gehen gerne einmal auf Entdeckungsreise (scheinbar wichtigster Trieb: „Wie ist das Futter auf der anderen Seite des Zauns?"). Sie entfernen sich aber selten weit von ihrer Herde.

In der Natur verlassen die Jungböcke erst im Alter von etwa zwei Jahren die Herde, obwohl sie bereits mit acht bis neun Lebensmonaten geschlechtsreif sind. Böcke bilden dann Kleinrudel. Im höheren Alter werden sie auch zu Einzelgängern. Nur zur Paarungszeit kommen sie wieder mit den Weibchen zusammen.

Wildziegen und Wildschafe (Mufflons) schließen sich gelegentlich zu größeren Herden zusammen. (Quelle: Pixabay)

In der **Deckzeit** kann es zu Kämpfen unter den männlichen Tieren kommen. Bei dem Kampf nehmen Schafböcke bis zu 20 m Anlauf und stoßen mit einem Sprung zusammen. Bei dieser Kampfart gewinnt in der Regel das schwerere, ältere Tier. Ziegenböcke stellen sich zum Kampf auf die beiden Hinterbeine und stoßen mit den Köpfen zusammen. Auch das Kopf-an-Kopf-Schieben ist ein Kampfverhalten. Je mehr die Ohren aufgestellt sind, umso aggressiver ist die Auseinandersetzung von Böcken. Dieses wird mehrmals wiederholt, bis einer aufgibt.

Schon die Kleinsten üben für Rangkämpfe. (Quelle: Jamain, CC BY-SA 3.0)

Bei Ziegen kann es auch vorkommen, dass mehrere Böcke einen anderen bekämpfen. Auch weibliche Schafe und Ziegen kämpfen, wenn auch nicht so heftig wie die Böcke. Die Kämpfe zwischen unterschiedlichen Tieren dienen dem **Festlegen der Rangordnung**. Die Rangordnung einer Herde ist für den Ortswechsel und für die Reproduktion wichtig. Ist der Rang der Tiere einmal durch Rangkämpfe festgelegt, werden Kämpfe zwischen den Tieren selten. Eine Ausnahme bilden dabei große, von Menschen gehaltene Herden. Da Schafe und Ziegen nicht mehr als 20 Herdenmitglieder zuverlässig identifizieren können, sind Rangordnungen in Herden, die mehr als 20 Tiere umfassen, nicht klar ausgeprägt.

Ziegen sind sehr neugierig und verspielt. (Quelle: Pixabay)

Aufgrund der häufigen Kämpfe in gemischten Herden sollte eine Herde aus einer Rasse oder zumindest aus konstitutionell ähnlichen Rassen bestehen. Das trifft sowohl für Schafe als auch für Ziegen zu.

Männliche Tiere haben immer einen höheren Rang als weibliche Tiere, egal wie der konstitutionelle Unterschied ist. In Herden mit verschiedenen Rassen unterschiedlicher Konstitution (z. B. leichte und schwere Rassen) ist in der Regel die Rasse mit den schwereren Böcken dominierend. Nur bei Zwang (verkleinerter Lebensraum, Portionsweide, Pferch, Stall) mischen sich die Rassen solcher Herden. Deswegen kommt es in gemischten Herden mit mehreren Böcken sehr unterschiedlicher Rassen permanent zu Kämpfen.

### 3.5.2.4 Fortpflanzungsverhalten

Die **Paarungszeit** für Schafe und Ziegen liegt **zwischen Oktober und November**, wenn die Tage kürzer werden (Lichtprogramme können den gleichen Effekt hervorrufen). Ziegen sind generell saisonal (d. h., sie werden nur zu einer bestimmten Zeit im Jahr brünstig) und nur wenige Schafrassen asaisonal (d. h., sie können jederzeit im Jahr brünstig werden). Auch diese haben aber im Herbst die Hauptbrunst. Die Brunst kann durch Böcke, aber auch durch andere brünstige Weibchen stimuliert werden und ist weitgehend herdensynchron. Ziegenböcke haben in der Deckzeit einen deutlichen Bockgeruch, Schafböcke nicht.

18 bis 23 Tage nach der Zulassung eines oder mehrerer Böcke zur Herde werden mehr als die Hälfte der weiblichen Tiere befruchtet. Die eigene Rasse wird bevorzugt, das Alter spielt keine Rolle. Werden Böcke ohne weibliche Tiere aufgezogen und gehalten, sind homosexuelle Verhaltensweisen ausgeprägt.

Für erfahrene Schaf- und Ziegenhalter bzw. -halterinnen ist die **Brunst** in der Regel erkennbar. Die weiblichen Tiere sind unruhig, wedeln mit dem Schwanz, gruppieren sich („Harem") und meckern mehr. Ist ein Bock in der Nähe, halten sich brünstige Schafe in der Nähe auf und versuchen andere wegzudrängen. Die Hochbrunst, wenn die weiblichen Schafe duldungsbereit sind für die Begattung, ist aber nicht eindeutig festzustellen. Böcke erkennen die Hochbrunst eindeutig durch Geruch und Verhalten der weiblichen Schafe. Der Urin von weiblichen Schafen wird gerochen. Ein voll deckbereiter Bock versucht in 20 Minuten mehrere Aufsprünge auf ein brünstiges Weibchen. Ein Bock kann bis zu sechs Weibchen pro Tag decken, ohne überfordert zu sein. Dabei kommt es zu bis zu 40 Deckakten pro Tag. Ein duldungsbereites Weibchen lässt bis zu 15 Begattungen zu (normal sind rund sieben). Die Befruchtung erfolgt in der Hochbrunst, in der das weibliche Tier für die Begattung bereit ist. Sie hält rund 30 Stunden an, unterscheidet sich aber je nach Rasse, Alter, Jahreszeit, bereits erfolgten Deckakten und allgemeinen Umweltbedingungen. Bis zu zehn Begattungsversuche sind normal, bevor es zu einer erfolgreichen Begattung kommt. Ein Bock deckt nie nicht-brünstige Weibchen, sofern diese sich frei bewegen können.

Der stärkste Bock deckt die Mehrzahl der brünstigen Weibchen. Erst bei über 50 Tieren kommt ein Bock an seine Leistungsgrenze und andere Böcke können ebenfalls decken. Ihr Befruchtungsanteil ist aber immer niedriger.

Die **Trächtigkeit** von Schafen und Ziegen ist gleich lang und beträgt **rund 150 Tage**. Bei wilden Schafen und Ziegen werden die Lämmer von März bis April geboren. Die Mufflons haben gewöhnlich nur ein Lamm, die Ziegen zwischen ein und zwei.

Bereits zwölf Stunden vor der eigenen Geburt zeigen Muttertiere durch Beschnuppern und auch Belecken bereits Interesse an Neugeborenen anderer Muttertiere. Kurz vor der Geburt werden die Muttertiere unruhig, legen sich häufiger hin, scharren in der Streu und rufen bereits den Lämmerlockruf. Manche Muttertiere zeigen dagegen keine Anzeichen einer anstehenden Geburt, erst die geplatzte Fruchtblase deutet darauf hin.

Die **Geburt** findet in Ruhezeiten, vorwiegend am Tage statt (Morgendämmerung, Spätnachmittag bis früher Abend). Zur Geburt sondert sich das Muttertier von der Herde ab und sucht eine ruhige Stelle in der Nähe eines größeren Gegenstandes bzw. eine Ecke im Stall auf, aber immer in Sichtweite der Herde (Ablammbuchten im Stall).

Stress vor der Geburt sollte vermieden werden, da dieser wehenhemmend wirkt und häufigere Geburtshilfe erfordert.

Die Geburt erfolgt in der Regel im Liegen und dauert rund eineinhalb Stunden. Ein Zwillingslamm kommt selten später als 45 Minuten nach dem erstgeborenen Lamm. Wenige Minuten nach der Geburt steht das Muttertier auf, leckt das Lamm trocken und ruft dabei (tiefer gurgelnder Lämmer-Lockruf). Dem Erstgeborenen wird zunächst mehr Aufmerksamkeit geschenkt, später dem kräftigeren und aktiveren. Lebensschwache Schaflämmer erfahren wenig bis keine Aufmerksamkeit. Muttertiere sind während und unmittelbar nach der Geburt sehr aggressiv und stoßen auch Herdenmitglieder weg. Bei Ziegen ist das Nackenhaar aufgestellt. Diese ersten Stunden sind entscheidend für die Bindung von Mutter und Lamm.

Zwillingslämmer kommen ca. in einem Abstand von 45 Minuten zur Welt. (Quelle: Pixabay)

Bereits wenige Minuten nach der Geburt versucht das Lamm aufzustehen und schafft das normalerweise bereits nach 15 bis 20 Minuten (Ziegenlämmer etwas früher). Dann wird sofort das Euter gesucht, um die erste Kolostralmilch aufzunehmen. Dabei kann eine erfahrene Mutter helfen, indem sie das hintere Bein zur Seite stellt oder auch das Lamm zum Euter lenkt. Das Lamm steht beim Saugen mit dem Hinterteil zum Kopf der Mutter, damit diese dort riechen kann. Das Schwanzwedeln der Lämmer scheint Duftstoffe zur Mutter zu wedeln.

### 3.5.2.5 Mutter-Kind-Beziehung

Die Mutter-Kind-Beziehung spielt **eine wichtige Rolle in der physischen und psychischen Entwicklung** von Säugetieren. Das Ablecken der Lämmer durch das Muttertier sowie die ersten Saugversuche der Lämmer lassen bereits in den ersten Stunden nach der Geburt eine feste Bindung entstehen. Schon nach acht Stunden ist das Muttertier in der Lage, seine Lämmer am Geruch zu erkennen. Es weist fremde Lämmer zurück. Nach drei bis fünf Tagen können die Lämmer ihre Mutter optisch erkennen, nach vier Wochen akustisch. In der ersten Woche duldet die Mutter die häufigen

Saugversuche der Lämmer. Die Ruheperioden werden mit Körperkontakt miteinander verbracht. Frühzeitig bilden die Lämmer Gruppen und tollen herum. Entfernen sie sich für zu lange Zeit, dann begibt sich die Mutter zu der Gruppe und ruft ihre Lämmer zum Trinken.

Nach ca. zwei bis drei Wochen kümmert sich die Mutter immer weniger um ihre Lämmer, so dass die Bindung von diesem Zeitpunkt an von den Lämmern aufrechterhalten wird. Nach dem Weideaustrieb verringert sich die Anzahl der Saugphasen deutlich.

Trotzdem verbleiben die **Lämmer in den ersten ein bis zwei Wochen bei dem Muttertier.** Sie lernen das Weiden und das selektive Fressen, indem sie der Mutter stets mit einem maximalen Abstand von 1 m folgen und dadurch das Verhalten der Mutter imitieren. Erst nach der Gewöhnung an die Weide und dem Erlernen des Weidens begeben sich die Lämmer wieder häufiger in ihre Gruppen. Weiterhin kommen die Lämmer zum Saugen zu ihrer Mutter. Der Säugevorgang dient hierbei nicht nur der Sättigung des Lammes, sondern auch zur Beruhigung nach Stresssituationen.

Ziegen legen ihre Jungen in den ersten Wochen ab und kommen mehrmals pro Tag zum Säugen zurück. (Quelle: Pixabay)

**Nach vollständiger Entwöhnung** der Lämmer besteht **weiterhin eine feste Bindung zwischen der Mutter und den weiblichen Lämmern**. Diese Bindung bleibt sogar bestehen, wenn die Lämmer über mehrere Monate von dem Muttertier getrennt werden. Nach anschließender Zusammenführung verbringen Mutter und Töchter weiterhin viel Zeit miteinander. Durch die natürliche Aufzucht findet eine problemlose Eingliederung der Jungtiere in die Herde statt.

**INFO!** Rangkämpfe verringern

Häufig können Rangkämpfe durch das Hineinwachsen der Nachzucht in die Herde vermieden werden. Herden mit natürlicher Aufzucht stellen durch ihre lebenslänglich bestehende Mutter-Kind-Beziehung eine harmonische Einheit dar.

Das Hören und Sehen dient vor allem der Lokalisation der Lämmer, der Geruch der eindeutigen Identifikation. Bereits wenige Stunden nach der Geburt erkennt ein Muttertier sein Lamm eindeutig. Die Prägung des Lammes dauert etwas länger. In den ersten drei Lebenstagen werden auch andere Mütter als die eigene akzeptiert. Schaflämmer akzeptieren auch Ziegen als Mutter, umgekehrt ist es schwieriger und weniger ratsam. Das Lamm ist nach sieben Lebenstagen in der Lage, die eigene oder Leihmutter eindeutig durch Laute und Geruch zu erkennen und folgt dieser.

Nach dem Trinken legt sich das Ziegenlamm in eine ruhige, geschützte Ecke (z. B. Lämmerschlupf), die Mutter läuft mit der Herde. Dieses **„Rehkitz-Verhalten"** ist **typisch für Ziegen**. Die Ignoranz der Ziegenmutter gegenüber ihrem Lamm, das sich versteckt, ist keine mangelnde Mütterlichkeit und auch kein Zeichen für ein lebensschwaches Lamm. In der Natur würde das Ziegenlamm zu viel Energie für das Folgen der Mutter benötigen. Die Mutter kann so fressen und trinken, ohne auf das langsame und wehrlose Lamm achten zu müssen. Die Mutter kommt fünf bis sieben Mal täglich in die Nähe des Verstecks (5 m Abstand) zu dem Platz, wo das Lamm liegt (in der Nähe der Geburt), und ruft es (dumpfes, unterdrücktes Meckern). Dann kommt das Ziegenlamm, trinkt rund 30 Minuten, bis sich beide wieder bis zum nächsten Trinken trennen.

**Nach zwei Wochen bilden die Ziegenlämmer** einer Herde **„Kindergärten"**, spielen und ruhen zusammen. **Erst ab sechs Wochen folgt das Lamm häufiger der Mutter** und kopiert immer mehr das Verhalten der erwachsenen Tiere. Eine dauerhafte Trennung von Mutter und Lamm später als fünf Tage nach der Geburt (Kolostrumphase) ist mit einem erheblichen Trennungsschmerz verbunden. Lautes Rufen beider Tiere begleitet den Schmerz. Bei Ziegen ist das ein sehr menschenähnlicher Laut. Bis zur Entwöhnung leiden die Lämmer, trinken nicht mehr richtig und nehmen ab. Die Leistungen der Muttertiere gehen ebenfalls zurück.

Bei **Schafen** ist es etwas anders. In den ersten Lebenswochen kann das Lamm jederzeit trinken. Zwillingslämmer können einzeln kommen. Ein bis zwei Wochen nach der Geburt werden Zwillingslämmer nur noch gemeinsam ans Euter gelassen. Dabei hat jedes Lamm seine präferierte Euterhälfte. Hungrige Lämmer müssen ihre nicht-hungrigen Geschwister zum Trinken motivieren, um selber etwas zu bekommen. In den ersten sechs bis acht Wochen trinken die Lämmer 15- bis 20-mal pro Tag, vorwiegend tagsüber. Danach beschränkt die Mutter die Anzahl der Tränken auf zunächst sechs- und ab drei Monaten auf viermal pro Tag. Die Milchabgabe wird durch heftiges Stoßen mit dem Kopf gegen das Euter stimuliert. In frei lebenden Herden dauert die Säugezeit etwa sechs Monate. Danach bleiben die Muttertiere nicht mehr stehen, wenn die Lämmer kommen, und treten diese vom Euter weg. Durch solch ein Verhalten der Mutter ist ein Lamm nach zwei Wochen natürlich abgesetzt. Dieses natürliche Absetzen geschieht üblicherweise vor der Deckzeit im Herbst. In der extensiven Schafhaltung (z.B. Hüte- und Koppelschafhaltung) bleiben die Lämmer daher bis zu einem Alter von drei bis vier Monaten bei der Mutter. Auf Betrieben mit intensiver Lämmerproduktion werden die Lämmer bereits nach ca. 7 Wochen (vgl. 45 Tage Mindesttränkedauer mit Muttermilch oder natürlicher Milch, siehe Kapitel 3.5.4.3) mit einem Mindestgewicht von ca. 16 Kilo abgesetzt. Ziel dabei ist es, mit Hilfe dieser Frühentwöhnung die Zwischenlammzeit zu verkürzen und 1,5 Lammungen/Mutterschaf und Jahr zu erreichen.

Die **Lämmer von Schafen folgen der Mutter bereits nach zwei Lebenstagen**. Schnell schließen sie sich zu „Lämmer-Kindergärten“ zusammen, wo gemeinsam gespielt wird. Das Spielen umfasst kämpfen, decken, rennen und klettern. Erwachsene Schafe spielen nicht, auch nicht mit ihren Nachkommen. Ziegen zeigen ein gewisses Spielverhalten, aber auch nicht sehr ausgeprägt.

### 3.5.2.6 Fress- und Trinkverhalten

Schafe und Ziegen sind als Wiederkäuer **reine Pflanzenfresser.** Sie sind anspruchslos, aber auch wählerisch. Ihr Futterpflanzenspektrum reicht von Gräsern, Kräutern, Farnen und Moosen über Knospen, Blätter, Zweige und Rinde von Gehölzen, Kastanien, Eicheln, Bucheckern bis zu Feldfrüchten. Abwechslungsreiche Landschaften mit Laub- und Mischwäldern der Mittelgebirgslagen mit einem parkartigen Charakter, mit Felshängen oder steinigem Untergrund bi den deswegen den bevorzugten Lebensraum dieser Tiere.

Die Futteraufnahme von Gehölzen wird als Äsen, die Nutzung von Gräsern und Kräutern als Grasen bezeichnet.

**INFO!** Tanninreiche Futtermittel

**Die Ziegen können die tanninreichen Futtermittel wie Laub, Nadelgehölze und Baumrinde besser verwerten als Schafe. Bis zu 60 % ihrer Ernährung kann aus diesen Futtermitteln bestehen. Schafe würden nicht mehr als 20 % davon fressen, wenn sie nicht müssen. Schafe mögen Nadelgehölze überhaupt nicht. Durch diese Abneigung sind z. B. die Wacholderheiden entstanden, da auf Schafflächen diese Gehölze nicht beäst wurden.**

Mit der gespaltenen Oberlippe können Schafe und Ziegen auch kleine, bedornte oder bodennahe Pflanzenteile ganz gezielt aufnehmen. Dieses kann z. B. die Kuh nicht, die ein Flotzmaul hat. Mit den Schneidezähnen werden die Pflanzenteile gegen die harte zahnlose Dentalplatte gepresst und dann mit einem Ruck nach vorne abgerissen. Ziegen haben eine besondere Eigenart der Aufnahme von Gehölzfutter. Um an höher gelegene schmackhafte Gehölzteile zu kommen, klettern Ziegen auch auf Bäume oder stellen sich auf ihre Hinterbeine, um diese zu erreichen. Diese als **fakultative Bipedie** (frei übersetzt „ab und zu auf zwei Beinen stehend“) bezeichnete Futteraufnahme ist ziegentypisch und wird von keiner anderen Nutztierart praktiziert. Wenn sich also eine Hausziege nach ihrem Futter streckt, dann ist dieses nicht als Hunger, sondern als arteigenes Verhalten zu bezeichnen.

**INFO!** Geschmacksrichtungen

**Ziegen sind sehr wählerisch in ihrer Futterwahl. Sie können vier Geschmacksrichtungen unterscheiden: salzig, bitter, süß und scharf. Das können Rinder und Schafe nicht. Ziegen mögen keine Pflanzen, die stark riechen oder scharf schmecken. Das sind in der Regel Pflanzen mit ätherischen Inhaltsstoffen wie Oregano oder Schafgarbe. Hier sind die Schafe nicht so wählerisch, auch wenn sie nicht alles fressen. Wenn reichlich Futter verfügbar ist, dann werden bevorzugt die saftigen und gehaltvollen Pflanzenteile aufgenommen. Blüten, Samenstände und saftige Blätter sind beliebt.**

Das Sehvermögen ist für die Futterwahl von geringer Bedeutung.

Ziegen haben einen ausgeprägten Geschmackssinn.

Mit der gespaltenen Oberlippe können Schafe und Ziegen auch kleine, bedornte oder bodennahe Pflanzenteile ganz gezielt aufnehmen. (Quelle: beide Pixabay)

Schafe und Ziegen sind **tagaktiv**. Die Futteraufnahme findet meistens synchron statt. Kurz vor Sonnenaufgang wird das Grasen oder Äsen angefangen. Auf der Weide beträgt die Futteraufnahme rund neun bis zwölf Stunden, die in rund sechs Perioden aufgeteilt ist. Je kürzer der Tag ist, umso mehr Zeit wird relativ mit der Futteraufnahme verbracht. Im Stall wird bei Dunkelheit fast genauso viel Futter verzehrt wie bei Licht. Raufenfütterung statt Weidegang reduziert die Futteraufnahme auf fünf Stunden, die aber in rund zehn Mahlzeiten aufgenommen wird. Dabei wird das Futter nur grob zerkleinert und dann heruntergeschluckt.

Nach einer Mahlzeit legen sich die Tiere hin. Rund 30 Minuten später beginnen sie mit dem Wiederkäuen, das rund 20 bis 25 Minuten anhält. Jeder Bissen benötigt rund 50 Kauschläge, was rund eine Minute dauert.

Nach der Schur wird plötzlich mehr und in der Deckzeit weniger Futter als üblich aufgenommen. Schafe und Ziegen mit Zwillingen grasen rund eine Stunde länger als solche mit Einlingen. Kraftfuttergaben reduzieren die Zeit für die Raufutteraufnahme. Im Vergleich zu Rindern schlingen Ziegen und Schafe ihr Futter in der Regel nicht hinunter. Fremdkörper stellen nur in Ausnahmen eine Gefahr dar.

Schafe grasen am liebsten in niedriger Vegetation, Ziegen gerne im Gebüsch. Sie sind immer am Suchen und zertreten dabei viel potenzielles Futter.

Das **Grasfressen und** die **Futterpflanzenwahl** sind **angelernt**. Bereits in den ersten Lebenstagen probieren Lämmer Halme, Blätter und Blüten. Sie kauen darauf herum, schlucken sie aber nicht ab. Das tatsächliche Fressen beginnt erst mit rund vier bis sechs Wochen. Neue Tiere und Jährlinge lernen von den bereits länger in der Herde lebenden Tieren. Wenn Tiere aus verschiedenen Herden kommen, dauert es rund zwei Wochen, bis alle Tiere ein gleiches Fressverhalten zeigen.

Für die Verdauung brauchen Schafe und Ziegen gutes Tränkewasser. Sie haben eine empfindliche Oberlippe und trinken aus ruhigen Wasserstellen. Sie senken ihr Maul mit fast geschlossenen Lippen in das Wasser und saugen dann kräftig. Dabei sind sie sehr empfindlich, was die Wasserqualität betrifft. Abgestandenes, zu kaltes, verschmutztes oder geschmacklich verändertes Wasser wird nur in der Not aufgenommen.

Das in den Tränkern gebotene Wasser sollte die beste Wasserqualität aufweisen. (Quelle: IGN)

Schafe und Ziegen scheiden kleine Pillen oder Kotballen aus. Das geschieht rund zehn- bis 15-mal am Tag. Je nach Alter, Leistungsstand und Futterqualität werden täglich rund 500 g Kot abgegeben. Dieses geschieht überwiegend (zu 75 %) in der Nacht und deswegen vorwiegend an den Ruheplätzen.

### 3.5.2.7 Aktivitäts- und Ruheverhalten

Schafe sind in ihrem Aktivitätsverhalten **den Rindern sehr ähnlich**. Als erwachsene Tiere beschäftigen sie sich die meiste Zeit des Tages mit der Futteraufnahme, dem Ruhen oder Wiederkäuen. Während der Paarungszeit kommt das Fortpflanzungsverhalten hinzu. Sie sind aufmerksam, wenn Hunde innerhalb oder außerhalb der Weide auftauchen, und dann fluchtbereit. Bei Gefahr stampfen sie mit einem Vorderfuß auf und stellen sich zusammen.

**Schaflämmer** sind **wesentlich aktiver als erwachsene Schafe**. Sie spielen untereinander oder alleine, klettern oder springen herum. Erst mit sechs Monaten haben sie sich an das etwas phlegmatische Verhalten erwachsener Schafe angepasst. Im Vergleich zu Schafen und Rindern sind Ziegen sehr aktive Tiere. **Ziegenlämmer** klettern sehr gerne, gehen alleine oder mit anderen auf Entdeckungen oder spielen mit anderen Lämmern und auch den erwachsenen Ziegen. Auch erwachsene Ziegen klettern gerne. Immer wieder schauen sie, ob es etwas gibt, was sie interessiert. Sie sind sehr aufmerksam und beobachten alles, was innerhalb, aber auch außerhalb ihrer Weide geschieht. Sie reagieren auf Neues mit Interesse, aber auch Vorsicht, z. B. wenn andere Tiere wie Pferde, Hunde oder auch Vögel auftauchen. Sie sind schreckhafter als Schafe und reagieren bei Gefahr mit einem Schnaufen (wie Niesen) und Stampfen mit einem Vorderbein. Sie sind immer fluchtbereit, dabei wird weniger eine abwehrbereite stehende Gruppe wie bei den Schafen als vielmehr eine allgemeine individuelle oder gemeinsame Flucht angestrebt.

Wann sich Schafe und Ziegen ausruhen, hängt von der Tageslänge, der Witterung und der Futterversorgung ab. Im Sommer ruhen sie das erste Mal rund zwei Stunden nach Tagesbeginn. Eine weitere ausgedehnte Ruhezeit ist um Mittag. Am Nachmittag kommt es noch zu einzelnen Ruhephasen. Die längste Ruhephase ist in der Nacht, die rund eine Stunde nach Sonnenuntergang bis zum Morgengrauen dauert und nicht freiwillig unterbrochen wird. Im Winter gibt es im Stall tagsüber nur zwei Ruheperioden, eine am Vormittag und eine am späten Mittag. Um Mitternacht wird die Nachtruhe zur Futteraufnahme unterbrochen.

Ziegen sind aktiver als Schafe oder Rinder, aber auch für sie sind Ruhezeiten wichtig. (Quelle: Kokin, CC BY-SA 3.0)

Wiederkäuer schlafen nicht so wie einmägige Tiere, sie dösen eher und sind sofort wach, wenn sie gestört werden. Sie können sich auch nicht vollständig hinlegen, sondern liegen eher auf ihren Beinen, da ansonsten die Gase aus dem Pansen nicht entweichen könnten und das Wiederkäuen schwierig wäre.

**Schafe** und besonders Ziegen lieben übersichtliche, trocke**ne und weiche Plätze zum Ruhen. Ziegen** können aber auch **mit einer harten Unterlage** wie Steinen oder Beton ruhen, was sicher mit ihrer Stammesgeschichte als Bergtier zu tun hat. Der Ruheplatz wird genau inspiziert, bevor es zum Abliegen kommt.

Das **Abliegeverhalten** von Schafen und Ziegen ähnelt dem **von Kühen**. Sie senken den Kopf, knicken die Vorderbeine ein, gehen auf die Karpalgelenke (= Gelenk am Vorderbein, das fälschlicherweise häufig als Knie bezeichnen wird). Dann tritt das Hinterbeinpaar einen Schritt nach vorne und das Tier lässt sich auf die Hinterhand fallen. Die Hinterbeine werden dicht unter den Körper gezogen. Die Vorderbeine sind angewinkelt, so dass das Tier darauf ruhen kann.

Üblicherweise liegen Schafe und Ziegen seitlich auf Brust und Bauch. Nur gelegentlich und kurzfristig liegen sie auch mit ausgestreckten Beinen. Zum Aufstehen wird eine aufrechte Lage eingenommen, der Kopf nach vorne gestreckt und mit einem Ruck zuerst hinten und dann vorne aufgestanden. Dann strecken sich die Tiere erst einmal, wobei der Rücken gewölbt wird. Häufig kommt es dabei zu einem Abkoten oder Harnen.

Schafe und vor allem Ziegen betreiben **intensive Körperpflege**, Ziegen dabei nicht nur an sich selber, sondern auch an ihren eng verwandten Herdenmitgliedern. Schafe betreiben die soziale Körperpflege nicht. Erreichbare Körperteile werden mit den Zähnen und Lippen beknabbert. Die Hinterbeine kratzen den Kopf und den Hals. Nicht erreichbare Teile werden gescheuert. Scheuermöglichkeiten wie Baumstämme oder Steine werden intensiv aufgesucht.

### 3.5.3 Schaf- und Ziegenställe im Bio-Landbau

Für die Schaf- und Ziegenhaltung werden ein **Stall und Weiden** benötigt. Die Ausstattung und Technik richten sich dabei nach den finanziellen Möglichkeiten, der Funktion der Tierhaltung und den Umweltbedingungen.

Für die Schaf- und Ziegenhaltung werden **in der Regel Altgebäude** (z. B. ehemalige Rinderställe, Schuppen) verwendet. Damit können die Gebäudekosten niedrig gehalten werden. Neubauten für diese Tiere sind eher selten, kommen aber besonders für größere Bestände und z. B. in Naturschutzgebieten auch vor.

Bei einem **Neubau** sollte darauf geachtet werden, dass er **in der Nähe der Weiden** liegt, damit der Arbeitsaufwand für die Tiere nicht unnötig erhöht wird. Der Stall sollte eine Ost-West-Ausrichtung haben, dann kann im Winter auf der Südseite ein sonniger Auslauf angeboten werden. Wichtig ist, dass der Stall auch mit dem Traktor befahrbar ist und wenig bauliche Hindernisse das Fahren – z. B. beim Entmisten oder Füttern – behindern.

Da üblicherweise **Tiefstreuställe** verwendet werden, kann die Mistmatratze im Laufe des Winters auf rund 1 m anwachsen. Auch dann muss genügend Luftraum für die Tiere, für den Menschen und ein Fahrzeug verfügbar sein. Zur Bruttonutzfläche für die Tiere kommen noch Lagerräume für Geräte, Futter, Einstreu und Mist hinzu.

Ein Schaf- bzw. Ziegenstall unterteilt sich in verschiedene **Funktionsbereiche**:

- **Der Bereich für die Tiere**: Hier ruhen, laufen und fressen die Tiere. Dieser Bereich macht ungefähr zwei Drittel der Stallgrundfläche aus. Schafe in Wolle benötigen ungefähr 20 bis 30 % mehr Platz als geschorene Schafe. Ziegen benötigen eine größere Komfortzone als Schafe. Ihnen sollte eigentlich mehr Platz als Schafen angeboten werden, insbesondere wenn sie Hörner tragen. Zu diesem Bereich gehören auch die Ablammbuchten, die für die Geburtssaison sinnvoll sind. Es handelt sich hierbei in der Regel um mobile Kojen, die im Stall aufgestellt werden.
- **Der Bereich für die Tierversorgung**: Der Tierversorgung dient vor allem der Futtergang: Dieser Bereich macht rund ein Sechstel der Stallfläche aus. Falls es sich um einen Offenfrontstall handelt, reicht ein planbefestigter Boden ohne Wände und Dach.
- **Der Bereich für die Lagerung von Material und die Zwischenlagerung für das tägliche Futter und die Einstreu**: Dieser Bereich macht ebenfalls rund ein Sechstel der Stallfläche aus.
- **Der Bereich für die Lagerung von Einstreu und Futter**: Dieser Bereich muss nicht direkt zum Stall gehören. Futter und Stroh können auf dem Dachboden des Stalles, z. B. über Tieren, in anderen Gebäuden oder auch draußen gelagert werden. Wird Heu gefüttert, so sind pro Schaf bzw. Ziege inklusive Nachzucht 3,5 m³ Lagerfläche erforderlich. Bei Rundballen reduziert sich der Platzbedarf auf rund die Hälfte. Für Einstreu muss pro Ziege bzw. Schaf ein zusätzlicher Lagerraumbedarf von rund 30 % veranschlagt werden. Diese Werte berücksichtigen die Leer- und Arbeitsräume zwischen den Ballen (+ 30 %).
- **Lagerung von Mist und Ähnlichem**: Gemistet wird in der Regel nur einmal im Jahr im Sommer. Eine kleine, eventuell überdachte Mistplatte mit Jaucherinne für Futterreste und Ähnliches reicht aus. Pro Schaf bzw. Ziege sollte ein Platz von 0,2 m² vorgesehen werden.
- **Auslauf**: Zum Stall ist im Bio-Landbau auch der nicht überdachte, aber planbefestigte Auslauf zu zählen. Dieser muss mindestens 2,5 m² pro Schaf bzw. Ziege und 0,5 m² pro Lamm umfassen. Der Auslauf sollte direkt am Stall liegen und durch Stalltore direkt erreichbar sein.
- **Spezialräume**: Melkplätze, Milchlager- und Verarbeitungsräume, Schlachträume sowie Verkaufsräume können zum Raumbedarf für die Schaf- und Ziegenhaltung hinzukommen. Wenn nicht auf abgeschriebene Altställe zurückgegriffen werden kann, müssen Gebäudekosten für die Schaf- und Ziegenhaltung angesetzt werden.

Egal ob alt oder neu, Schaf- und Ziegenställe müssen tier- und umweltgerecht sowie finanzierbar und arbeitswirtschaftlich sein. Für alle Ställe gilt, dass der gesamte Stallbereich befahrbar, eben und – sickerwassergeschützt – planbefestigt sein sollte.

**Kaltställe** reichen für die Haltung von Schafen und Ziegen aus, auch im tiefen Winter.

**Offenfrontställe** aus unbehandeltem Holz, die einen festen Unterboden haben und nicht zugig sind, sind kostengünstig und für die extensive Haltung von Schafen und auch Ziegen ausreichend. Werden Schafe und Ziege gemolken, ist ein Offenfrontstall ebenfalls tiergerecht. Dieses wirkt sich jedoch negativ auf die Milchleistung aus. Hier bieten sich geschlossene Bauhüllen mit einem Auslauf eher an. Diese sind jedoch etwas teurer.

**Warmställe mit dicken Mauern** können für die Schaf- und Ziegenhaltung auch genutzt werden. Hierbei ist jedoch wichtig, dass die Frischluftzufuhr gewährleistet ist und die Wände nicht feucht sind, keinen Farb- oder Schutzanstrich haben, die von den Tieren abgenagt werden können, und dass die Baumaterialien nicht schädlich sind für die Gesundheit der Tiere und des Tierhalters bzw. der Tierhalterin sowie für die Produktqualität.

**Strukturierte Ställe** teilen den Lebensbereich der Tiere in verschiedene Bereiche. Das macht den Stall jedoch für den Schafhalter bzw. die -halterin unübersichtlicher und erschwert die Arbeit im Stall (Ausmistung, Einstreuen).

**Schafe benötigen nicht unbedingt strukturierte Ställe, für Ziegen sind sie jedoch sehr sinnvoll.** Grundsätzlich sollten für beide Tierarten zur Lammung Strukturen im Stall vorhanden sein. Auch lammende Schafe sondern sich dann gerne von der Herde ab und suchen geschützte Stellen im Stall auf. Einfache Strukturierung kann schon durch Futterraufen im Stall, einfache Abtrenngitter oder Gangraufen geschaffen werden. Diese Strukturelemente müssen sich zum Entmisten leicht entfernen lassen, dürfen kein Verletzungsrisiko besonders für Lämmer darstellen und die Übersichtlichkeit für den Tierhalter bzw. die Tierhalterin nicht allzu sehr einschränken.

**Ziegen** sind sehr individualistische und aktive Tiere. Sie lieben das Klettern und haben gerne einen Überblick. Besonders in der Winterzeit können Rangauseinandersetzungen in engen und wenig strukturierten Ställen zu Verletzungen führen, besonders, wenn horntragende Tiere in der Gruppe sind. Deswegen bietet es sich an, **Versteck- und Klettermöglichkeiten im Stall anzubieten**. Diese können zum einen Futterraufen sein. Wenn diese mitten im Stall stehen, können die Tiere diese als Schutz benutzen (darunterliegen, aus dem Sichtkreis von ranghöheren Tieren gehen).

Als sehr sinnvoll haben sich Liegenischen erwiesen. Hier können die Tiere klettern, ungestört ruhen und sich einen Überblick verschaffen. Diese Liegenischen müssen so gebaut sein, dass sie sich zum Ausmisten leicht entfernen lassen, die Tiergewichte aushalten (bei nur 20 Ziegen kann 1 t Gewicht schnell erreicht werden), sich leicht reinigen lassen (Roste oder Einstreu) und mehrere Auf- und Abgänge haben, damit sich Tiere aus dem Weg gehen können.

### 3.5.3.1 Licht und Luft in Schaf- und Ziegenställen

Wenn Fleischschafe gehalten werden, sollte der Stall als Offenfrontstall ausgelegt sein. Damit ist immer genügend Licht für die Tiere vorhanden. Auch der Tierhalter bzw. die Tierhalterin kann die Tiere dann gut beobachten. Wird ein Warmstall verwendet, kann eine zusätzliche künstliche Beleuchtung notwendig sein. Außerhalb der Ruhezeit sollten mindestens 40 Lux Lichtstärke in allen Bereichen des Stalles vorhanden sein, wo das Tier läuft und frisst. Der Stall sollte so hell sein, dass eine Tageszeitung gelesen werden könnte. Die Fensterfläche sollte 10 bis 20 % – jedoch nicht weniger als 5 % (bei Haltung ohne Auslauf und/oder Weide: mindestens 8 %) – der Stallgrundfläche betragen.

Im Winter kann **Tageslicht** auch durch **Lampen** – Neonröhren oder Energiesparlampen – ergänzt werden. Alle elektrischen Anlagen sollten für Feuchträume ausgelegt sein. Die Lampen und die Kabel müssen so angebracht sein, dass sie von den Tieren nicht erreicht werden können, auch dann nicht, wenn sie ausbrechen.

**Lüftung** ist wichtig für die Tiergesundheit, die Temperaturregelung, den Gebäudeschutz und den Arbeitsschutz. Feuchte, staubige und belastete Luft muss abgeführt und Frischluft in den Stall hineingeführt werden. Im Sommer wird über die Lüftung Wärme abgeführt. Die optimale Temperatur für Schafe und Ziegen liegt bei 10 bis 16 °C. Der Bereich für Lämmer kann wärmer sein (20 °C). Die Luftfeuchtigkeit sollte 80 % nicht über- und 50 % nicht unterschreiten. Schaf- und Ziegenställe sollten deswegen hoch, aber nicht zugig sein, damit die Luft zirkulieren kann. Türlüftung ist aus diesem Grund nur bedingt für die Lüftung geeignet (Luftzug nie mehr als 0,3 m pro Sekunde). Üblich sind Schwerkraftlüftungssysteme wie eine Trauf-First-Lüftung oder die Unterdach-First-Lüftung. Hierfür muss die Dachneigung rund 15° betragen, damit die warme Innenluft über den First hinauskann und dabei frische Außenluft über die Traufe in den Stall hereinzieht. Die Lüftung muss so gestaltet sein, dass hereinkommende kalte Austauschluft nicht in den Liege- oder Fressbereich der Tiere sinkt. Der Luftstrom im Tierbereich sollte nicht mehr als 1 m pro Sekunde betragen.

Bei Offenfrontställen oder großen offenen Wandbereichen sind Windschutznetze oder „space boards“ sinnvoll. Diese sollten nicht bis in den Tierbereich reichen, damit sie nicht zerstört werden.

### 3.5.3.2 Absperrungen in Schaf- und Ziegenställen

Das Wichtigste im Stall ist die Absperrung der Tiere von Bereichen, die sie nicht nutzen sollen. In der Regel reichen Horden aus Holz oder verzinktem Metall. Bei Schafen ist eine Höhe von 90 cm ausreichend, für Ziegen ist eine Höhe von 120 cm besser. Die Leisten der Horden müssen so eng sein, dass die Tiere nicht hindurch können. Senkrechte Leisten verhindern, dass die Tiere die Horden als Klettergerüst benutzen. Es muss darauf geachtet werden, dass sich die Tiere mit ihren Beinen oder mit dem Kopf nicht an der Horde verklemmen können. Das ist besonders bei Ziegen wichtig.

Variabel einsetzbare Steckhorden aus verzinktem Eisen für Absperrungen hin zu Ablammbuchten für Schafe und Ziegen. (Quelle: Wolf)

Die Abtrennung sollte so weit es geht mobil sein, damit der Stall – je nach Tiergruppenzusammensetzung – in unterschiedliche Abteile aufgeteilt werden kann. Mobile Horden sind auch praktisch bei Tiefstreuställen, da sie mit der Mistmatte mitwachsen können (auf dem Mist stehen). Sie lassen sich abbauen für die Zeit, wo keine Tiere im Stall sind. Dann steht der Stall für andere Nutzungen zur Verfügung.

### 3.5.3.3 Stalltechnik für die Fütterung und Tränke in Schaf- und Ziegenställen

Jedes Tier hat jederzeit Zugang zu Futter und zu Wasser. Das **Tier-Fressplatz-Verhältnis** ist also **1 : 1**. Damit alle Tiere gleichzeitig fressen können, sind 40 cm Fressplatzbreite notwendig, besonders wenn es sich um bewollte Schafe handelt. Da der Platzanspruch im Stall für Schafe und Ziegen im Bio-Landbau bei 1,5 m² pro erwachsenes Tier liegt, können ungünstige Längen-Breiten-Verhältnisse entstehen. Zum Beispiel müsste bei 100 Mutterschafen der Stall mindestens 150 m² groß sein (ohne Auslauf) und die Futterplätze müssten sich über eine Länge von 40 m erstrecken. Damit hätte der Stall ein Maß von 40 x 4 m, was sehr ungünstig ist. An mehreren Seiten des Stalles angebrachte Futterraufen oder Gangraufen können den Stallraum strukturieren und für ein besseres Längen-Breitenverhältnis sorgen. Sind diese Raufen außerhalb der Kojen, können sie leicht befüllt und gereinigt werden. Am besten sind Fressgitter mit schrägen Stangen.

Für Lämmer ist die Hälfte an Fressplatzbreite ausreichend, sie müssen das Futter ohne chancenlosen Konkurrenzkampf mit den erwachsenen Tieren erreichen können. Es bietet sich ein Lämmerschlupf an, wo Raufutter bester Qualität für die Lämmer getrennt von den erwachsenen Schafen angeboten wird. Es gibt hierfür spezielle Horden. Auch der Eigenbau ist möglich. Hier können die Lämmer auch ihr Kraftfutter bekommen.

Ein Futtertisch, wie wir ihn für Rinder kennen, ist für Schafe und Ziegen selten. In der Regel werden die Tiere auf Tiefstreu gehalten und stehen auch beim Fressen auf der Einstreumatte. Diese wächst im Laufe des Winters von 10 cm auf über 1 m an. Ein Futtertisch muss deswegen mit der Mistmatte „mitwachsen" oder die Tiere müssen auf einer nicht eingestreuten Fläche stehen, die nicht anwächst. Am besten sind Raufen, bei denen die Tiere ihren Kopf durch ein Gitter oder Loch stecken müssen, um an das Futter zu gelangen.

Ziegen sind nicht so breit wie Schafe, haben jedoch Hörner, womit sie sich gegenseitig verletzen können, wenn sie zu dicht zusammenstehen. Daher sind für behornte Tiere **Palisaden-Fressgitter** besser. Diese können mit einer Selbstfangvorrichtung versehen werden. Die Palisaden sollten so geformt sein, dass die Tiere von oben mit dem Kopf hineinkönnen, sich dieses aber nach unten verengt. So können sie beim Fressen den Kopf nicht herausziehen und dabei Futter mitnehmen bzw. den Spalt zum Durchsteigen benutzen. Dies reduziert Futterverluste und Ausbruch.

Für Ziegen kann das Futter ruhig etwas erhöht angeboten werden. Sie stehen gerne auf den Hinterbeinen, um an das Futter zu kommen. Verbreitet sind **Futterraufen** (in der Regel für Rundballen), die im Stall der Tiere stehen. Die traditionelle Raufe ist am kostengünstigsten, aber auch am arbeitsaufwendigsten. Durch Rundballenraufen, die mit dem Frontlader beladen werden, kann der Arbeitsaufwand um die Hälfte reduziert werden. Es gibt verschiedene Bauarten. Diese verursachen jedoch hohe Futterverluste, da die Tiere das Heu oder die Silage herausrupfen können. Diese sind z. B. Rundballenraufen oder Dreiecksraufen, die im Tiefstreustall stehen. Wichtig ist bei Raufen, dass Lämmer bei der Fütterung nicht erdrückt werden. Dies geschieht leicht, wenn eine große Unruhe und Bewegung in der Herde ist und ein Lamm bereits den Kopf durch das Gitter gesteckt hat. Hier kommt es schnell zum Genickbruch. Offene Rundraufen ermöglichen das schnelle Herausziehen des Kopfes.

Raufen werden gerne in Schaf- und Ziegenställen angeboten, um mehr Fressplätze zur Verfügung zu stellen. (Quelle: Karin Aschauer)

Das **gequetschte oder pelletierte Kraftfutter** sollte nicht auf dem Boden angeboten werden, wie es bei Kühen häufig der Fall ist. Raufutterraufen eignen sich nur, wenn sie einen dichten Unterboden haben, durch den das Kraftfutter nicht durchfallen kann. Wenn dies nicht gegeben ist, müssen Tröge in den Stall gestellt oder am Fressgitter angebracht werden. Wichtig ist, dass sie nicht verunreinigt (Kot, Urin) werden können. Regenrinnen mit einer einfachen, aber stabilen Aufhängung außerhalb des Fressgitters eignen sich sehr gut und sind relativ kostengünstig. Die Kraftfuttertröge müssen sich leicht reinigen lassen.

Mineralfutter sollte entweder im Kraftfutter oder durch Lecksteine gegeben werden. Mineralblöcke können an die Wand angeschraubt oder in Schalen angeboten werden

Schafe und Ziegen benötigen **stets frisches Wasser in Trinkqualität.** Dies gilt auch für Jungtiere. Offene Tränken (Eimer, Bottiche) sind im Stall nur bedingt geeignet. Lämmer können hier ertrinken, das Wasser ist schnell verschmutzt (Kot, Urin, Spreu, Futterreste). Gut geeignet sind Schwimmertränken, wogegen Ventiltränken wie für Rinder nicht empfohlen werden können. Die Tränken müssen so angebracht werden, dass alle Tiere diese gut erreichen können und sie ebenfalls nicht verschmutzt werden können. Ebenfalls muss daran gedacht werden, dass die Mistmatratze in einem Tiefstreustall während des Winters um 1 m wachsen kann. Eventuell ist den Lämmern in einem Lämmerschlupf gesondert Wasser zu geben.

### 3.5.3.4 Stalleinrichtungen in Schaf- und Ziegenställen

Die Lämmer spielen gerne. Damit die Mütter beim Ruhen oder Fressen nicht gestört werden, sollten Spielgeräte vorhanden sein. Besonders für Ziegenlämmer ist dies wichtig. Spielgeräte können Holzklötze, Eimer, Bälle oder Wippen sein.

Auch für den Bock ist ein besonderer Stall erforderlich. Er ist normalerweise nur zur Deckzeit in der Herde der Muttertiere. Der Bockstall muss ausbruchsicher sein.

Für die Lammsaison, aber auch für die Quarantäne von kranken oder zugekauften Tieren, sind **Buchten für die Einzelhaltung** vorzusehen. Hierfür eignen sich auch mobile Horden, die in einem gesonderten Stallteil aufgebaut werden können.

Die Buchten sollten in Sicht- und Rufweite der Herde, aber ohne direkte oder indirekte Kontaktmöglichkeiten aufgebaut sein. So können die abgesonderten Tiere ohne Stress durch Herdentrennung, zeitlich befristet unter besonderen Hygienebedingungen und mit individueller Betreuung gehalten werden.

In jeden Stall gehört ein Raum für das Kraftfutter, ein Raum für Geräte und eventuell ein Raum mit einem Schreibtisch und einem Medikamentenschrank. Diese Räume müssen für Tiere, aber auch unbefugte Personen unzugänglich sein.

### 3.5.3.5 Auslauf in der Schaf- und Ziegenhaltung

Auch wenn es bei sommerlichem Weidegang nicht vorgeschrieben ist, sollte jeder Stall für Schafe und Ziegen einen Auslauf haben. Besonders im Winter ist dies wichtig für die Gesundheit der Tiere. Der Auslauf sollte über verschließbare Tore vom Stall aus erreichbar sein. Dabei ist darauf zu achten, dass die Tore durch wachsende Mistmatratzen nicht blockiert werden. Ein Regenschutz über dem Auslauf ist nicht notwendig. Der Auslauf sollte planbefestigt sein, damit bei Regen Kot und Urin nicht ins Grundwasser gelangen oder die Fläche matschig wird.

Eine Wasserrinne muss direkt in die Jauchegrube führen, da sie belastetes Wasser führt, das nicht in Gräben oder Grundwasser gehört. Der Auslauf sollte ebenfalls leicht gereinigt werden können. Beton lässt sich gut abschieben bzw. kehren. Gerade im Winter ist rauer Beton gut für den Klauenabrieb der Tiere. Der Auslauf sollte durch mobile Horden eingefasst sein, damit ein leichtes Reinigen auch mit einem Traktor mit Mistschieber möglich ist

#### 3.5.3.6 Melkstände in der Schaf- und Ziegenhaltung

Der Melkstand und die Melktechnik sind an die Herdengröße und die finanziellen Möglichkeiten angepasst. Mit der Hand wird nur noch auf sehr wenigen Betrieben gemolken (maximal 20 Schafe und/oder Ziegen). Verunreinigungen der Milch, aber auch die hohe Arbeitsbelastung sprechen gegen das Handmelken. Die Melkanlage ist deswegen auch im Bio-Landbau üblich. Es gibt verschiedene **technische Varianten von Melkanlagen**:

- **Eimermelkanlage:** Sie wird vereinzelt noch in kleineren Beständen, auf Alpen oder teilweise bei kleinen Weidemelkanlagen angetroffen. Sie ist zwar euterschonend, aber problematisch in der Arbeitsqualität. Besonders volle Kannen sind schwer und müssen bis zum Milchtank getragen werden.
- **Rohrmelkanlage:** Sie ist eine Weiterentwicklung der Eimermelkanlage. Die Milch wird nicht in Eimer gemolken, sondern durch ein Milchrohr in den Milchtank befördert. So müssen nur noch die Melkgeschirre von Tier zu Tier getragen werden. Diese Systeme sind in der Schaf- und Ziegenhaltung unüblich.
- **Melkstand:** Laufställe verfügen über einen Melkstand, d. h. ein abgeschlossenen und verschließbaren Gebäudeteil des Laufstalles, in dem die Melkanlage fest eingebaut ist. Die zu melkenden Tiere kommen in Gruppen in diesen Melkstand. Der Melkstand ist häufig erhöht (Melktisch). Schafe und Ziegen müssen hier hinaufklettern. Es gibt auch Melkstände, in dem der Melker bzw. die Melkerin wie bei Kuhmelkständen in einer Grube steht. Dadurch kann das Melkgeschirr ohne Bücken am Euter angesetzt werden. Moderne Varianten arbeiten halbautomatisch, nur noch das Ansetzen ist notwendig. Verbreitet sind bei Schafen und Ziegen Side-by-Side-Melkstände. Hier werden die Tiere von hinten gemolken.
- **Melkkarussell:** Bei größeren Beständen kommt das arbeitswirtschaftlich günstige Melkkarussell zum Einsatz. Die eigentliche Melkanlage dreht sich karussellartig um eine mittig angeordnete Grube. Die Tiere betreten und verlassen an einer Stelle den Melkstand. Der Umlauf dauert so lange wie das Melken, rund zehn bis 15 Minuten.

### 3.5.4 Bestimmungen der EU-Bio-Verordnung, Nationale Leitlinie, Bio-Austria-Richtlinie, Bundestierschutzgesetz

#### 3.5.4.1 Stallungen und Auslaufflächen

Natürliches Stehen, bequemes Abliegen, Umdrehen, Putzen, Einnehmen aller natürlichen Stellungen, Ausführung aller natürlicher Bewegungen müssen gewährleitet sein, um Komfort und Wohlbefinden der Schafe und Ziegen zu gewährleisten. Es gilt die jeweils strengere Regelung aus der Tierhaltungsverordnung oder der EU-Bio-Verordnung:

**Mindeststall- bzw. Auslauffläche bei Gruppenhaltung**

| Mindeststallfläche (den Tieren zur Verfügung stehende Nettofläche) | Mindestauslauffläche |
|---|---|
| 1,50 m² pro Schaf/Ziege, Widder | 2,50 m² pro Schaf/Ziege, Widder |
| 3,00 m² pro Bock | 2,50 m² pro Bock |
| 0,35 m² pro Lamm/Kitz | 0,50 m² pro Lamm oder Kitz |
| 0,50 m² pro Tier, Lamm oder Kitz bis 6 Monate, nach der Trennung vom Muttertier | 0,50 m² pro Lamm oder Kitz |
| 0,60 m² pro Schaf/Ziege über 6–12 Monate, nach der Trennung vom Muttertier | 1,25 m² pro Jungschaf/Jungziege |

In Ausnahmefällen dürfen Tiere in Einzelbuchten gehalten werden. Die Tierhaltungsverordnung schreibt hier bei Schafen größere Stallflächen pro Tier vor als die EU-Bio-Verordnung.

**Mindeststall- bzw. Auslaufflächen bei Haltung in Einzelbuchten**

| Mindeststallfläche | Mindestauslauffläche |
|---|---|
| 2,00 m² pro 1,85 m² Mutterschaf/Ziege mit einem Lamm/Kitz<br>2,30 m² pro 2,20 m² Mutterschaf/Ziege mit zwei Lämmern/Kitzen | Kein Auslauf während der Ablammung erforderlich |
| 3,00 m² pro Widder oder Bock | 2,50 m² pro Widder oder Bock |

Die Tierhaltungsverordnung regelt die Fressplatzbreite in Gruppenhaltungssystemen:

| Tierkategorie | Fressplatzbreite |
|---|---|
| Mutterschaf auch mit Lämmern bzw. Mutterziege auch mit Kitzen | 40 cm pro Tier |
| Lämmer/Kitze, Ziegen/Schafe bis 6 Monate (ohne Muttertier) | 20 cm pro Tier |
| Schafe/Ziegen über 6 Monate bis 12 Monate | 30 cm pro Tier |
| Widder | 50 cm pro Tier |

Werden Schafe oder Ziegen in Gruppen rationiert oder unter zeitlich begrenzter Futtervorlage gefüttert, muss für jedes Tier ein Fressplatz zur Verfügung stehen. Werden Schafe oder Ziegen in Gruppenhaltung ad libitum bei ganztägiger Futtervorlage gefüttert, darf ein Tier-Fressplatz-Verhältnis von 1,5 : 1 bei Ziegen und 2,5 : 1 bei Schafen nicht überschritten werden.

### 3.5.4.2 Haltungssystem, Bodenbeschaffenheit und Stallklima in Bio-Schaf- und Bio-Ziegenställen

Anbindehaltung ist grundsätzlich verboten. Die Tiere sind **in Gruppen** zu halten. Das Anbinden im Zuge von Pflegemaßnahmen, Tierschauen und sonstigen Veranstaltungen ist erlaubt. Lämmer bzw. Kitze und Jungschafe bzw. Jungziegen dürfen nicht in Einzelbuchten gehalten werden. Ausnahmen von der Gruppenhaltung sind zeitlich begrenzt für Einzeltiere aus Sicherheits-, Tierschutz- oder tierärztlichen Gründen möglich z. B. für Widder oder gebärende Schafe. In Einzelbuchten ist für die Tiere Sichtkontakt zur Herde vorgeschrieben. Die Haltung in Einzelbuchten zum Zwecke von Einzeltierbehandlungen sollte ebenfalls immer mit Sicht- und Hörkontakt zu anderen Herdenmitgliedern durchgeführt werden.

Die **Hälfte der Mindeststallfläche** muss **planbefestigt** sein. Diese Flächen müssen rutschsicher sein. Eine bequeme, saubere, trockene Liege-/Ruhefläche von ausreichender Größe mit trockener Einstreu muss vorhanden sein. Der Liegebereich muss mindestens ein Drittel der Mindeststallfläche betragen.

In geschlossenen Ställen müssen natürliche oder mechanische **Lüftungsanlagen** vorhanden sein. Es muss für einen dauernden und ausreichenden Luftwechsel gesorgt werden, ohne dass im Tierbereich Zugluft entsteht. Die Fensterfläche beträgt mindestens 3 % der Stallbodenfläche. Im Tierbereich ist über mindestens acht Stunden pro Tag eine Lichtstärke von mindestens 40 Lux zu gewährleisten.

### 3.5.4.3 Verfütterung von Milch an Schafe und Ziegen

Junge Säugetiere werden in der Tränkezeit mit Muttermilch oder natürlicher Bio-Milch gefüttert. Die Milch darf gesiebt, thermisch behandelt, entfettet oder getrocknet sein. Die **Tränkezeit** dauert bei Schafen und Ziegen **45 Tage**. Während der Mindesttränkezeit darf kein Bio-Milchaustauscher verfüttert werden.

### 3.5.4.4 Weide und Auslauf von Schafen und Ziegen

Schafe und Ziegen müssen Zugang zu Freigelände, während der Vegetationsperiode zu Weideland, haben, wann immer die Umstände dies gestatten. In keinem Fall werden bei Tieren mit einem Lebenszyklus von mehr als einem Jahr **180 Auslauftage**, verteilt über das Jahr, unterschritten. Ein Auslauf ins Freie ist unter den genannten Voraussetzungen auch im Winter möglich. Für alle Betriebe, die ihren Ziegen keine Weidehaltung anbieten können, muss der Auslauf so gestaltet sein, dass er von den Ziegen angenommen wird und für alle Tiere jederzeit zugänglich ist. Die Zugänglichkeit ist durch genügend und ausreichend große Ausgänge sicherzustellen. Um den Auslauf für die Ziegen attraktiv zu gestalten, muss er mit Einrichtungen wie Klettergelegenheiten, Wetterschutz, Bürsten oder Futterraufen ausgestattet werden. Ausläufe können teilweise überdacht sein. Wenn erforderlich, ist der Auslauf mit Einrichtungen zum Schutz vor Regen, Sonne, Kälte und Hitze auszustatten.

### 3.5.4.5 Betreuung von Schafen und Ziegen

Die Klauenpflege bei Schafen und Ziegen ist regelmäßig und sachkundig nach Bedarf und Hornzustand auszuführen. Schafe müssen, soweit dies rassebedingt erforderlich ist, mindestens einmal jährlich geschoren werden.

### 3.5.4.6 Zukauf von Schafen und Ziegen

Grundsätzlich sind Bio-Tiere zuzukaufen. Lämmer und Kitze für die Mast müssen Bio-Tiere sein. Lämmer und Kitze für die Zucht dürfen konventionell zugekauft werden, sofern keine Bio-Tiere zur Verfügung stehen. Sie sind jedoch beim Zukauf nicht älter als 60 Tage. Aus gesundheitlichen Gründen kann diese Frist bei Fleischschafen bzw. Fleischziegen um 30 Tage verlängert werden.

Ebenfalls zugekauft werden dürfen Jungtiere für die Bestandesergänzung, wenn sie noch nicht geworfen haben, im Umfang von 20 % des Bestandes an Tieren, die älter als sechs Monate sind. Der Prozentsatz kann bei Rassenumstellung, bei Aufbau eines neuen Betriebszweiges oder bei erheblicher Bestandesausweitung auf 40 % erhöht werden. Dies muss jedoch der zuständige Kontrollverband genehmigen.

Männliche Zuchttiere dürfen ohne Einschränkung konventionell zugekauft werden. Beim Zukauf gefährdeter Tierrassen können auch konventionelle Muttertiere zugekauft werden. Ein Zuchtbuchauszug oder eine Bestätigung des Zuchtverbandes muss vorliegen. Der Zukauf ist im Vorhinein vom zuständigen Kontrollverband zu genehmigen.

### 3.5.4.7 Zulässige Eingriffe gemäß Tierschutzgesetz

**Enthornung von Kitzen**

Das Enthornen von Kitzen auf einem überwiegend auf Milchproduktion ausgerichteten Betrieb ist unter folgenden Voraussetzungen zulässig:

- Bis zu einem Alter von vier Wochen
- Der Eingriff wird von einem Tierarzt durchgeführt.
- Nach wirksamer Betäubung und mit post-operativer Schmerzbehandlung

**Schwanzkupieren bei Schafen**

Das Schwanzkupieren bei Schafen ist nur erlaubt, wenn eine tierärztliche Bestätigung über die betriebliche Notwendigkeit vorliegt. Beim Kupieren wird ein Gerät eingesetzt, das scharf schneidet und gleichzeitig verödet.

Wer darf Schwänze kupieren?

- Sachkundige Person: bei Lämmern, die nicht älter als sieben Tage sind und mit wirksamer Schmerzbehandlung, die auch postoperativ wirkt.
- Tierarzt bzw. Tierärztin: auch ältere Lämmer nach wirksamer Betäubung und anschließender Verwendung schmerzlindernder Mittel

Wie viel darf entfernt werden?

- Höchstens ein Drittel des Schwanzes
- Bei weiblichen Zuchttieren höchstens die Hälfte des Schwanzes, wenn der Tierarzt die Notwendigkeit bestätigt

**Kastration**

Diese darf bei Ziegen und Schafen nur von einem Tierarzt oder Viehschneider nach wirksamer Betäubung und mit postoperativ wirksamer Schmerzbehandlung durchgeführt werden.

## 3.6 BIOLOGISCHE BIENENHALTUNG

Gründungsvater der Bio-Imkerei ist Rudolf Steiner mit seinen landwirtschaftlichen Vorträgen von 1924. Der Durchbruch gelang der Bio-Imkerei allerdings erst mit der Einschleppung der Varroamilbe aus Asien und deren Bekämpfung mit rückstandsbildenden Medikamenten, die bis in die Gegenwart in den Produkten, wie etwa in Wachs, zu finden sind – hier galt es eine andere, natürliche Behandlungsmethode zu entwickeln.

Zusätzlich sind noch folgende Aspekte in die Bio-Imkerei eingeflossen:

- Bienengemäßes Handeln
- Behandlungsmittellose Varroabekämpfung
- Verwendung von natürlichen Materialien

Honigbienen (Quelle: PollyDot, Pixabay)

Eine kompetenzorientierte Unterrichtsvorbereitung zum Thema „Varroamilbe – der größte Feind der Honigbiene“ in der Bio-Bienenhaltung steht im E-Book als Zusatzmaterial bereit.

### 3.6.1 Was versteht man unter Bio-Imkerei?

Für die Produktion von Honig mit Bienen hat man strenge Auflagen zu erfüllen, die sich am Bienenwohl und an der Rückstandsfreiheit der Produkte orientieren, soweit man einen Einfluss darauf nehmen kann. Die Einhaltung der Richtlinien wird von einer unabhängigen Kontrollstelle jährlich streng überprüft. Als freiwilliges Mitglied eines Bio-Verbandes muss der Bio-Imker bzw. die Bio-Imkerin noch strengere Vorschriften einhalten, als es die EU-Bio-Verordnung vorschreibt.

Die biologische Imkerei ist eine spezielle Betriebsweise, bei der der Mensch unter Berücksichtigung besonderer Regelungen mit der Biene arbeitet. Es gibt dazu genaue und strenge Vorgaben vonseiten der Gesetzgebung, die einzuhalten sind. Diese Einhaltung wird auch von eigenen Kontrollfirmen, mit denen der Imker bzw. die Imkerin einen Kontrollvertrag abschließen muss, überprüft und dokumentiert. „Biologisch Imkern“ bedeutet aber auch, die Grundprinzipien des biologischen Landbaues zu berücksichtigen. Das heißt, der Imker bzw. die Imkerin achtet darauf, wie sein bzw. ihr Handeln die Natur beeinflusst.

Im biologischen Landbau gibt es **drei Säulen**, die es zu schützen gilt:

- Schutz von Luft, Wasser und Boden
- Schutz des Konsumenten/der Konsumentin
- Tierschutz

Überträgt man das auf die Bio-Imkerei, so heißt das: Der Imker bzw. die Imkerin hält sich an nachvollziehbare und kontrollierte Standards, die von der EU festgelegt und bestenfalls noch von Bio-Verbänden in ihren Richtlinien verschärft wurden. Zum Schutz der Konsumentinnen und Konsumenten werden diese Standards auch von unabhängigen Stellen jährlich überprüft (Bio-Kontrolle).

Diese Vorgaben wirken sich auf viele Bereiche der Bio-Imkerei aus: Es sind umweltverträgliche Materialien und keine Kunststoffbienenstöcke sowie Bio-Honig oder Bio- Zucker zur Futterergänzung zu verwenden. Bei Krankheiten sind nur Substanzen, Methoden oder Medikamente erlaubt, die ausdrücklich für Bio-Imkereien zugelassen sind und unsere Endprodukte nicht belasten. Es ist verboten, der Königin die Flügel abzuschneiden, um sie am Schwärmen zu hindern. Alle ergriffenen Maßnahmen zur Pflege der Bienenvölker und zur Produktgewinnung und -verarbeitung müssen nachvollziehbar sein und dokumentiert werden.

Die Richtlinien der EU (EU-Bio-Verordnung) sind Mindeststandards, mit denen sich viele Imker und Imkerinnen nicht zufriedengeben. Sie stellen noch höhere Ansprüche an eine Bio-Imkerei, sei es als Mitglied in einem Bio-Verband oder als Privatperson. Aber allen gemeinsam ist, dass der Imker bzw. die Imkerin seine bzw. ihre Imkerei und seine bzw. ihre Produkte nur dann mit „bio“ in Verbindung bringen darf, wenn der Imkerei-Betrieb von einer Bio-Kontrollstelle mit einem Bio-Zertifikat versehen wird.

Bio-Imker und Imkerinnen müssen sich ausnahmslos an folgende Vorschriften halten:

- Bienenzuchtgesetz
- Honigverordnung
- Hygienevorschriften
- Fertigpackungsverordnung
- Arzneimittelgesetz
- Etikettierverordnung
- EU-Bio-Verordnung
- EU-Bio-Durchführungsverordnung

Richtig interessant wurde die Bio-Imkerei in den 1980er-Jahren, als die Varroamilbe aus Asien eingeschleppt und zur Bekämpfung Akarizide eingesetzt wurden. Diese Mittel wirken zwar im Kampf gegen die Milbe, haben aber den enormen Nachteil, dass sie Rückstände im Wachs und in Propolis hinterlassen. Diese Mittel reichern sich so stark an, dass man in Europa noch vor kurzer Zeit fast kein rückstandsfreies Bienenwachs im Handel erhalten konnte.

Die Bio-Richtlinien der Bienenhaltung steuerten dem in weiterer Folge entgegen, verboten diese Substanzen und führten eine verpflichtende Wachsuntersuchung ein. Wenn dabei keine Rückstände nachgewiesen werden, dürfen die Imkereiprodukte als Bio-Ware deklariert werden.

**INFO!** Können Bienen dazu gebracht werden, dass sie nur Agrarflächen von Bio-Bauern und Bio-Bäuerinnen anfliegen?

Nein, das geht leider nicht. Bienen fliegen Gebiete im Radius von 3 bis 4 km ab, dabei werden sie nicht nur ökologisch bewirtschaftete Flächen antreffen. Wohl kann der Bio-Imker bzw. die Bio-Imkerin durch die Standortwahl die Beeinträchtigung durch Umweltbelastungen reduzieren, aber diese sind über unseren ganzen Kontinent verstreut. Spritzmittel verteilen sich mit Wind und Regen über weite Gebiete. Deshalb ist Umweltschutz ein weltweites Aufgabengebiet und Bio-Imker und Bio-Imkerinnen tragen einen Teil dazu bei.

Die konventionelle Imkerei hat sich aufgrund der aussichtslosen Situation in Bezug auf die Resistenzbildung der Varroamilbe und der Rückstandsproblematik entschlossen, vor allem im Bereich der Varroabekämpfung die Methoden der Bio-Imkerei großteils zu übernehmen.

Da man den überall verbreiteten Umweltbelastungen aber nicht auskommt, beziehen sich die Richtlinien der Bio-Imkerei auf die eingeschränkten Einflussmöglichkeiten der Imker und Imkerinnen:

- Wie halten sie die Bienen?
- Wie behandeln sie die Bienen im Falle von Krankheiten?
- Wie ernten sie denn Honig?
- Wie lagern und verarbeiten sie den Honig?
- Wie nachvollziehbar ist die Produktion und Verarbeitung?

Die Formulierung „Honig aus biologischer Betriebsweise“ auf dem Etikett ist daher passender, auch wenn sich der Begriff „Bio-Honig“ stark eingeprägt hat!

### 3.6.2 Grundsätze der biologischen Bienenhaltung

Die Grundsätze des Bio-Landbaus und der biologischen Tierhaltung gelten sinngemäß auch für die biologische Bienenhaltung und die Verarbeitung von Imkereiprodukten. Demnach ist für die **Haltung, Fütterung** und **Zucht** der Honigbienen den spezifischen Bedürfnissen der Art Rechnung zu tragen.

Im Interesse einer möglichst natürlichen und nachhaltigen Imkerei haben auch die Vorbeugung von Krankheiten, die Verwendung natürlicher Materialien und Hilfsstoffe sowie die Schließung der Betriebskreisläufe einen hohen Stellenwert.

Die **Gesamtbetrieblichkeit** legt als einen der Grundsätze des Bio-Landbaus nahe, dass auf einem Bio-Betrieb auch die Bienen biologisch gehalten werden. Auf vielen Landwirtschaftsbetrieben hält aber nicht der Landwirt bzw. die Landwirtin die Bienen, sondern ein Verwandter, Bekannter oder eine Pächterin. So kommt es, dass die Imkerei entgegen dem Grundsatz des Bio-Landbaus seit jeher getrennt vom Landwirtschaftsbetrieb biologisch oder konventionell geführt werden kann.

**INFO!** Prinzipien für die Bio-Imkerei

Aus den Grundsätzen zur Bio-Landwirtschaft lassen sich folgende Prinzipien ableiten:
- Haltung standortangepasster robuster Rassen
- Zucht und Vermehrung durch Schwarmprozess und Naturwabenbau
- Selektion der Völker nach Vitalität
- Überwinterung mit umfangreichen Honig- und Pollenvorräten
- Zufütterung mit eigenem Honig und Futter in biologischer Qualität
- Anwendung bienenfreundlicher Haltungspraktiken
- Optimierung der vorbeugenden Maßnahmen zur Krankheits- und Schädlingsregulierung
- Direkte Krankheitsregulierung nur mit natürlichen Wirkstoffen
- Verwendung natürlicher Materialien für den Bau der Bienenstöcke
- Hohe Betriebshygiene
- Eigenes Wachs von hoher Qualität
- Kontrolle auf Rückstände (vor allem aus der Imkerei)

### 3.6.3 Verhalten und Ansprüche der Bienen: Was machen sie? Was wollen sie?

Das Bienenvolk stellt einen eigenen Organismus dar. Es befinden sich **bis zu 60.000 Arbeiterbienen, etwa 1.000 Drohnen** und im Normalfall **eine Königin** in einem gesunden Sommer-Bienenvolk. Die Überwinterung geschieht in einer kleineren Gruppe von 5.000 bis 10.000 Bienen und der Bienenkönigin. Drohnen werden in den Wintermonaten nicht im Volk geduldet, da ihre einzige Aufgabe die Befruchtung einer neuen Königin ist und dies geschieht nur im Frühling oder Sommer.

Ein Bienenvolk kann nur in der **Gemeinschaft** überleben – alle drei Bienenwesen, die Arbeiterinnen, die Drohnen und die Königin sind voneinander abhängig:
- Die Arbeiterinnen sorgen für die Nahrungsbereitstellung, die Wärmeerzeugung und für die Bereitstellung von Wachs für die Wabenerzeugung,
- die Drohnen befruchten junge Königinnen und
- die Königin legt täglich tausende Eier und sorgt somit für Nachwuchs.

Die Bienen in einem Bienenvolk sind aufeinander abgestimmt und passen ihre Tätigkeiten den anderen Bienen im Volk an:
- Finden die Arbeiterinnen wenig Nahrung in Form von Nektar, Pollen oder Honigtau, reduziert die Königin sofort die Eilagetätigkeit.
- Sind sehr viele Drohnen in einem Bienenvolk ausgeschlüpft, ist die Wahrscheinlichkeit größer, dass die Königin die Eilage beendet, eine neue, junge Königin heranreift und die „alte“ Königin in Form eines Schwarmes das Muttervolk verlässt.
- Fühlt sich ein Bienenvolk nicht wohl, da es zu kalt im Volk ist oder ein zu hoher Varroadruck besteht, reduziert die Königin ebenfalls die Eilegetätigkeit und die Völker werden schwächer. In solchen Fällen sterben Völker meistens gänzlich ab.
- Die Arbeiterinnen produzieren im Frühling und Sommer Bienenwachs, welches sie zum Wabenbauen benötigen. Ist kein Platz zum Wabenbauen vorhanden, wird sich das Bienenvolk teilen, es kommt wiederum zum Schwarm.
- Können die Arbeiterbienen natürlich, ohne Vorgabe einer Wachsmittelwand, eine Wabe bauen, legen sie immer zuerst eine Drohnenwabe an. Somit sichern sie das Überleben des Volkes beim Verlust der Königin, da eine neue begattet werden kann.
- Im Bienenvolk herrscht immer eine gleichbleibende Temperatur zwischen 34 und 36 °C. Wird es zu kalt, beginnen die Bienen mit dem Zittern der Flügelmuskeln und erzeugen somit Wärme. Wird es zu warm, sammeln die Arbeiterinnen vermehrt Wasser und versprühen dieses im Inneren des Stockes. Durch die Verdunstung des Wassers wird der Innenraum gekühlt.
- Befinden sich in den Wintermonaten Drohnen im Bienenvolk, so ist irgendetwas nicht in Ordnung. Entweder das Volk ist weisellos und besitzt somit keine Königin oder die vorhandene Königin ist alt, krank oder schwach und legt daher weniger Eier oder die vorhandene Königin ist im Herbst nicht mehr begattet worden. Die Bienen heben sich die Drohnen als Sicherheit auf.
- Dringt zum Beispiel eine Maus in das Innere eines Volkes ein, um sich Honig oder Wachs zu holen, wird der Eindringling von den Bienen durch Stiche getötet. Da die Maus zu schwer ist, um sie aus dem Volk zu transportieren und diese bei einer gewissen Wärme verwesen würde, überziehen die Arbeiterinnen die Maus komplett mit Propolis, konservieren somit den Eindringling und sichern wiederum das Überleben des Bienenvolkes.

Wie werden nie wissen, wie Bienen denken und fühlen, wir sehen es aber an ihrem Gedeihen bzw. an ihrem bienengemäßen Verhalten, ob es ihnen gut geht.

### 3.6.4 Die Beziehung zwischen Mensch und Bienen

Es braucht große Liebe und viel Verständnis den Bienen gegenüber, um ein erfolgreicher Imker bzw. eine erfolgreiche Imkerin zu sein. Die persönliche Einstellung zu den Bienen ist ein wichtiger Faktor für die Arbeit mit den Bienen. Als Imker und Imkerin muss man die Bienen pflegen, behüten und sich das ganze Jahr hindurch mit ihnen beschäftigen. Die Bienen brauchen immer unsere Hilfe.

**INFO!** Bienen dürfen stechen!

**Bienen, die sich bei einem Eingriff in den Bienenorganismus nicht wehren, sind früher oder später verloren. Durch einen ruhigen, nicht hektischen Umgang mit den Völkern bleiben auch die Bienen ruhig. Meistens ist der Mensch selber daran schuld, dass er gestochen wurde. Erfahrene Imker und Imkerinnen arbeiten oft ohne Schutzbekleidung und werden trotzdem sehr selten gestochen. Ein allzu aggressives Volk verdirbt aber die Freude und die Lust an der Arbeit, der Imker bzw. die Imkerin wird verängstigt und ein solches Volk kann auch Probleme mit der Nachbarschaft bringen.**

**Am Verhalten der Bienen** kann man **ihren inneren Zustand ablesen**. Allein daran, welche Flugbewegungen die Bienen zeigen, kann man unterscheiden, ob Bienen nur neugierig sind oder gereizt. Wichtig ist, dass der Imker bzw. die Imkerin dabei ruhig bleibt. Jeder und jede, der bzw. die mit Bienen arbeitet, sollte sich für die Fluglochbeobachtung Zeit nehmen – sie sagt in kurzer Zeit oft mehr aus als ein geöffnetes Bienenvolk.

Bienen verhalten sich **wetterabhängig**, so wie auch der Mensch auf Wettereinflüsse unterschiedlich reagiert. Man sollte die Wetterbedingungen berücksichtigen, bevor man zu arbeiten beginnt. Vor einem Gewitter werden die Bienen sicher nervöser und angriffslustiger sein als bei vollem Sonnenschein. Die Bienen zeigen am Verhalten oft schon Stunden zuvor einen Wetterumsturz an.

Bienen haben eine feine Nase und **erkennen Personen am Geruch**. Bienenstandsfremde Zuschauer werden oft häufiger von Bienen belästigt als der eigene Imker bzw. die Imkerin. Bienen reagieren meist unangenehm auf chemische Gerüche wie Benzin, Lacke, Rasierwasser, Deodorant oder Parfum.

Eingriffe, wann immer sie notwendig sind, sind so kurz wie möglich zu halten. Man sollte vorher überlegen, was zu tun ist. Das Brutnest sollte nicht aus Neugierde auseinandergerissen werden. Bienen halten zwar viel aus, doch jede Art von Stress schwächt das Volk

Beim Auffüttern mit Zuckerwasser oder Honig darf nichts verschüttet werden. Bei der Ernte dürfen keine Waagen oder honigverschmierten Gerätschaften herumliegen, das kann eine große Räuberei unter den Bienen auslösen.

## 3.7 NATURGEMÄSSE TIERBEHANDLUNG AM BIO-BETRIEB

Die Gesundheit der Tiere zu fördern und zu erhalten, ist eine der wesentlichen Aufgaben am Bio-Betrieb. Maßnahmen wie die tiergerechte Haltung und Fütterung, eine optimale Betreuung des Bestandes sowie die für den Betrieb passende Zucht sind wichtig, um Krankheiten der Tiere vorzubeugen. Am biologisch wirtschaftenden Betrieb muss das **Hauptaugenmerk auf der Vorbeugung und Vorsorge** liegen. Tritt dennoch der Fall ein, dass ein Tier erkrankt, so sollte grundsätzlich den alternativmedizinischen Methoden der Vorrang gegeben werden. Dennoch kann auch am Bio-Betrieb – vor allem in Akut- oder Notsituationen – manchmal nicht auf die Schulmedizin bei der Tierbehandlung verzichtet werden. Systematische und vorbeugende Eingriffe wie Zähneschleifen, Schwänzekupieren beim Schwein oder das Stutzen der Schnäbel beim Huhn sind generell verboten.

**Behandlung und Vorbeugung am Bio-Betrieb** (Quelle: FiBL, 2007)

| Zeitraum | Maßnahme | Anmerkungen |
|---|---|---|
| Langfristig (Jahre) | Geeignete Rassen und Tierzucht | Grundsätzlich soll durch die Wahl geeigneter Rassen und Linien eine stabile Herdengesundheit gesichert werden. Bei der Züchtung sollen nicht hohe Leistungen im Vordergrund stehen, sondern die Tiergesundheit und die Langlebigkeit. Tiere mit Erkrankungen sowie mit Schwächen sollten nicht weitergezüchtet werden. |
| Mittelfristig (Monate) | Prävention im Bestand | Artgerechte Haltung und Fütterung sowie optimales Management sind die wichtigsten Voraussetzungen für die Erhaltung der Tiergesundheit. Mängel sollen durch geeignete Sanierungsmaßnahmen behoben werden. |
| Kurzfristig (Tage) | Alternativmedizin | Viele akute und chronische Leiden können mit den Methoden der Alternativmedizin geheilt werden. Unter Alternativmedizin verstehen wir: Homöopathie, Pflanzenheilkunde, Akupunktur usw. |
| Im Notfall (Stunden) | Schulmedizin | Bestimmte Krankheitsfälle können nur schulmedizinisch behandelt werden. In vielen Fällen führt jedoch auch die Alternativmedizin zum Heilungserfolg. Oftmals wird mangels Erfahrung oder Ausbildung vom Tierarzt bzw. der -ärztin und vom Tierhalter bzw. der -halterin trotzdem meist schulmedizinisch behandelt. |

**INFO!** Regelmäßige Betreuung

**Eine tierärztliche Bestandesbetreuung sowie die Teilnahme an den Gesundheitsdiensten sind für die Tiergesundheit am Betrieb von hoher Bedeutung. Regelmäßige Betriebsbesuche von veterinärmedizinischem Personal zur Vorbeugung von Krankheiten sollte beim Tierarzt bzw. der Tierärztin eingefordert werden.**

### 3.7.1 Antibiotikaeinsatz in der biologischen Landwirtschaft

Der Einsatz von Antibiotika sollte am Bio-Betrieb das letzte Mittel der Wahl sein, wenn bereits alle anderen zur Verfügung stehenden Maßnahmen in Betracht gezogen wurden. Ein wichtiger Grund für den gewünschten restriktiven Einsatz von Antibiotika sind die zunehmenden Antibiotikaresistenzen, die sich in den letzten Jahren sowohl in der Human- als auch in der Veterinärmedizin gebildet haben.

**INFO!** Antibiotikaresistenz und multiresistente Keime – was versteht man darunter?

**Unter einer Antibiotikaresistenz versteht man Eigenschaften von Mikroorganismen (z. B. Bakterien, Pilze), die es ihnen ermöglichen, die Wirkung von antibiotisch aktiven Substanzen abzuschwächen oder ganz zu neutralisieren. Je öfter Mikroorganismen mit einem bestimmten Antibiotikum in Kontakt kommen, desto besser werden ihre Mechanismen, um damit umzugehen. Durch den wiederholten und breiten Einsatz von Antibiotika werden resistente Mikroorganismen daher regelrecht „gezüchtet".**
**Herrscht dann tatsächlich Bedarf eines Antibiotika-Einsatzes, wirken die Antibiotika nicht mehr. Eine wichtige Ursache für Resistenzentwicklungen ist die unkritische Verschreibung von Antibiotika (z. B. bei Bronchitis, obwohl nur etwa 5 % der Hustenerkrankungen auf Bakterien zurückzuführen sind und der Rest durch Viren verursacht wird, gegen die Antibiotika nicht wirken). Antibiotika sollten deshalb nur eingesetzt werden, wenn sie eindeutig indiziert sind (z. B. bakterielle Lungenentzündung, fieberhafte Harnwegsinfektion).**
**Als multiresistente Keime bezeichnet man in der Medizin Bakterien oder Viren, die gegen mehrere verschiedene Antibiotika beziehungsweise Virostatika (= Stoff, der die Vermehrung von Viren hemmt) unempfindlich sind.**

Als Verursacher dieser Resistenzen werden vielfach die landwirtschaftliche Tierhaltung und deren exzessiver Umgang mit Antibiotika genannt. Aber auch ein übermäßiger und unangemessener Einsatz von Antibiotika bei Behandlungen in der Veterinär- und Humanmedizin fördert Antibiotikaresistenzen. Aufgrund der stetig steigenden Resistenzen wird es zunehmend schwieriger, diverse infektiöse Krankheiten zu heilen. Multiresistente Keime werden immer häufiger festgestellt, was dazu führt, dass der Einsatz von Reserveantibiotika ebenfalls notwendig wird. Diese Entwicklung kann zukünftig zu ernsthaften Problemen führen und erhebliche wirtschaftliche Auswirkungen nach sich ziehen.

Deshalb sollte im Hinblick auf eine ganzheitliche und ressourcenschonende Betrachtung der Landwirtschaft vorrangig die so genannte Alternativmedizin in der biologischen Landwirtschaft eingesetzt werden. Jedoch erfordert die Alternativmedizin ein erhebliches Grundwissen, eine fundierte Ausbildung sowie die Bereitschaft, sich ständig weiterzubilden. Das ist nötig, da sich diese Behandlungsmethoden deutlich vom schulmedizinischen Gesundheits- und Krankheitsverständnis unterscheiden.

**Wichtig:** Behandlungen und der Einsatz von Medikamenten dürfen nie darauf abzielen, Mängel in der Fütterung, Haltung oder auch in der Hygiene auszugleichen!

### 3.7.2 Wie kann der Antibiotikaeinsatz in der Tierhaltung gesenkt werden?

Um den Antibiotikaeinsatz in der Tierhaltung zu senken, gilt die Maxime: **Vorbeugen ist besser als heilen bzw. behandeln!**

Vorbeugen hilft, Krankheiten erst gar nicht entstehen zu lassen und damit den Einsatz von Antibiotika zu reduzieren. Ein gut gehaltenes Tier hat ein besseres Immunsystem und wird weniger schnell krank. Weil die Tiergesundheit von vielen einzelnen Faktoren beeinflusst wird und somit eng mit dem allgemeinen Betriebsmanagement zusammenhängt, muss das Gesundheitsmanagement am Betrieb umfassend angelegt sein.

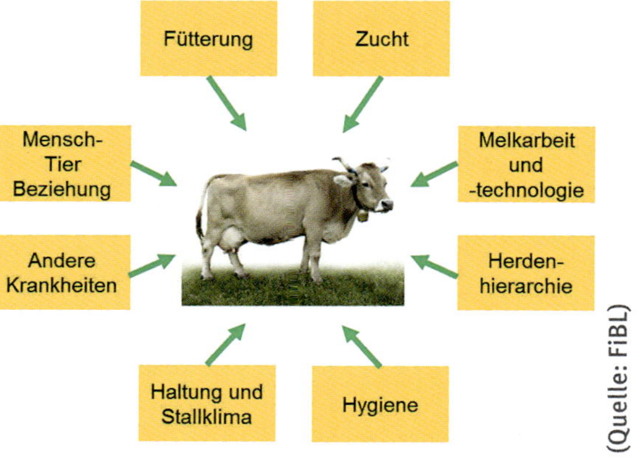


Einflüsse auf die Eutergesundheit von Milchkühen.

### 3.7.3 Alternativmedizin: Therapieformen, Vorteile und Einsatzgrenzen

Behandlungsmethoden und diagnostische Konzepte, die sich als Alternative oder Ergänzung zu wissenschaftlich begründeten Behandlungsmethoden der Medizin verstehen, werden als Alternativmedizin bzw Komplementärmedizin bezeichnet. Diese beiden Sammelbegriffe werden in Abgrenzung zum Begriff der Schulmedizin verwendet, der für eine wissenschaftlich orientierte Medizin steht. Für die Wirkung alternativmedizinischer Therapien konnte bisher kein wissenschaftlich plausibler biochemischer Wirkmechanismus nachgewiesen werden, der über den Placeboeffekt hinausgeht.

Folgende **alternativ- und komplementärmedizinische Behandlungsmethoden** (= Therapieformen) zählen zur Alternativmedizin:

- Homöopathie
- Phytotherapie oder Pflanzenheilkunde
- Osteopathie
- Akupunktur
- Anthroposophische Medizin
- Traditionell Chinesische Medizin

Die Alternativmedizin bietet beim Einsatz am Bio-Betrieb folgende **Vorteile**:

- Keine Resistenz-Verursachung
- Gute Alternative zur Schulmedizin
- Präventative, heilende Wirkung bzw. Stärkung des Tierwohls
- In Verbindung mit präventiven Maßnahmen hohe Wirksamkeit

Dabei müssen allerdings auch folgende Punkte beachtet werden:

- Alternativmedizin ist kein Ersatz für Antibiotika.
- Alternativmedizin ist kein Ersatz für Beobachtung der Tiere bzw. Weiterbildung.
- Alternativmedizin ist kein Ersatz für präventive Maßnahmen (Fütterung, Hygiene, Haltung).
- Der wissenschaftliche Nachweis der Wirksamkeit wurde bisher noch nicht erbracht.

### 3.7.3.1 Homöopathie

Gegen Ende des 18. Jahrhunderts entwickelte der Arzt Samuel Hahnemann ein innovatives System der Medizin, die so genannte Homöopathie. Homöopathische Arzneimittel wirken über **homöostatische Mechanismen** (Homöostase = Gleichstand) und **stimulieren so die Heilung**. Die Mittel werden durch exakte Verdünnung und Verschüttelung von einzelnen Substanzen hergestellt. Die Anwendung der Mittel erfolgt nach dem Ähnlichkeitsprinzip, d. h., bei der Behandlung des Tieres wird immer jene Arznei eingesetzt, die bei diesen Tieren im gesunden Zustand ähnliche Symptome hervorbrachten wie die Krankheitssymptome sind. Mit Hilfe der Homöopathie werden die Selbstheilungskräfte angeregt. Dadurch sollte auch klar sein, dass nur ein Tier, welches noch zu Selbstregulation in der Lage ist, auf diese Art der Therapie ansprechen kann.

„Das höchste Ideal der Heilung ist schnelle, sanfte, dauerhafte Wiederherstellung der Gesundheit und Heilung und Vernichtung der Krankheit in ihrem ganzen Umfange auf dem kürzesten, zuverlässigsten, unnachteiligsten Wege nach deutlich einzusehenden Gründen." (S. F. Hahnemann, Organon der Heilkunst)

### 3.7.3.2 Pflanzenheilkunde

Die Phytotherapie beschäftigt sich mit der **Heilung, Linderung und Vorbeugung von Störungen und Krankheiten mittels Arzneipflanzen**. Es werden die ganze Pflanze, deren Teile oder Bestandteile und deren Zubereitungen eingesetzt. Die Phytomedizin gehört zu den ältesten Methoden zur Behandlung von Krankheiten bei Mensch und Tier. Die Pflanzenheilkunde ist weltweit ein wichtiger Bestandteil in allen traditionellen medizinischen Systemen.

**Wie wirken die Pflanzen?**

Pflanzen bestehen aus primären und sekundären Inhaltsstoffen. Die **primären Pflanzeninhaltsstoffe** sind uns sehr gut bekannt. Dazu zählen Kohlenhydrate, Eiweiße und Fette. Sie sind die Grundbausteine einer Pflanze und dienen zur Ernährung, Photosynthese und zum Wachstum, haben aber selten pharmakologische Wirkung.

Im Gegensatz dazu leiten sich die **sekundären Pflanzeninhaltsstoffe** von den Produkten des Primärstoffwechsels ab und kommen in der Pflanze nur in sehr geringen Mengen vor. In der Pflanze erfüllen sie aber wichtige Aufgaben, z. B. Abwehr gegen Krankheiten, Schädlinge und Fraßfeinde, Anlocken von Bestäubern und Samenverbreitern, Wachstumsregulation, Farb-, Geruchs- und Geschmackstoffe, UV- oder Verdunstungsschutz. Beachtlich ist, dass es ungefähr 60.000 bekannte sekundäre Pflanzeninhaltsstoffe gibt, wobei nur 10.000 genauer erforscht sind. Diese sekundären Pflanzeninhaltsstoffe sind für die medizinische Wirkung verantwortlich und wirken meist besser in Kombination als in Reinsubstanz.

### 3.7.3.3 Akupunktur

Akupunktur (von lateinisch acus = Nadel, und punctura/pungere = das Stechen/stechen) ist ein Teilgebiet in der Traditionellen Chinesischen Medizin (TCM) und, **regt durch eine Nadel die Reizpunkte auf der Körperoberfläche** (= Meridiane) **an**. Durch die Stimulierung der Akupunkturpunkte wird versucht, Blockaden zu lösen, um wieder einen ungestörten Energiefluss herzustellen und damit die Selbstheilungskräfte zu aktivieren. Diese Methode ist den Tierärzten vorbehalten.

### 3.7.3.4 Osteopathie

Die Osteopathie ist eine ganzheitliche, **rein manuelle Heilmethode**, deren Grundlage ein anatomisches und physiologisches Wissen ist. In dieser Therapieform wird ohne Hilfsmittel oder Medikamente gearbeitet, sondern ausschließlich mit den Händen. Auch in dieser Form der Therapie ist es das Ziel, Blockaden zu lösen und damit den Energiefluss im Körper wieder herzustellen. Im osteopathischen Konzept wird die Krankheitsursache als Bewegungseinschränkung von körperlichen Strukturen (Knochen, Gelenke, Bänder, Muskeln, innere Organe, Nerven, Bindegewebe) definiert. Durch das Lösen der Blockaden soll der Körper wieder die volle Funktion erlangen. Diese Art der Heilmethode wird häufig bei Pferden und Hunden angewandt.

Generell gilt: Je mehr Leistung ein Tier bringt, desto anspruchsvoller wird es in der Betreuung und umso anfälliger wird das Tier.

## 3.8 WISSEN ANGEWANDT – TIERHALTUNG AM BIO-BETRIEB

**Aufgabe 1:** Diskutiere im Plenum:
- Welche Einflüsse spielen bei Haltungssystemen in eurer Region eine besondere Rolle?
- Was bedeutet Tiergerechtigkeit bzw. Tierwohl
  - für den Konsumenten bzw. die Konsumentin?
  - für den Landwirt bzw. die Landwirtin?
  - für dich?
- Ab wann ist ein Tierhaltungssystem tiergerecht?
- Wie weit soll es eurer Meinung nach den Konsumenten und Konsumentinnen sowie Tierschutzorganisationen möglich sein, in der Tierhaltung mitzugestalten?
- Welche Möglichkeiten habe ich als Tierhalter bzw. Tierhalterin, in die Diskussion einzugreifen oder bin ich in der Defensive?

**Aufgabe 2:** Suche zwei Möglichkeiten, dein Haltungssystem (z. B. auch Haustiere möglich) am Betrieb tiergerechter zu machen.

**Aufgabe 3:** Erkundige dich über die Rasse, die Züchtung, die Herkunft und die Leistungsdaten der Hühner eines dir bekannten Geflügelbetriebes und beschreibe sie in Form eines Handouts für die Klasse.

**Aufgabe 4:** Führe mit Hilfe des folgenden Arbeitsblattes eine Beobachtung der Kuhsignale nach Manser durch.
- Was schließt du aus deinen Beobachtungen?
- Welche Maßnahmen kannst du als Landwirt bzw. Landwirtin aus den Beobachtungen ableiten?

**Arbeitsblatt Tagestraining Kuhsignale (nach Manser 2017):**

1. Beobachten vom Futtertisch aus:
   - Ruhe und Raum
   - Liegen mindestens 85 % der Kühe, welche sich in den Liegeboxen befinden?
   - Hat sich die Herde gleichmäßig im Stall verteilt?
   - Verhält sich die Herde ruhig und aufmerksam? Ist die Herde aktiv? Sehe ich Kühe mit Absichtsverhalten? (Kuh will etwas tun, zögert aber oder wartet ab.)

   - Futter
   - Sehe ich mindestens 70 % der Kühe wiederkauen oder fressen?
   - Ist die Herde einheitlich in Bezug auf:

| Kriterium | Extreme | Anzahl Kühe | Name und Nr. der Kühe |
|---|---|---|---|
| Größe und Gewicht | Kleine Rinder/Kalbinnen | | |
| Farbe und Glanz | Träge/stumpfe Tiere | | |
| Körperhaltung | Gekrümmte Rücken | | |
| Körperkondition | BCS ‹ 2,5 | | |
| | BCS › 4 | | |
| Pansenfüllung | Gut, mittel, schlecht? | | |
| Sauberkeit | Schmutzige Kühe | | |

   - Licht:
   - Ist die Luft im Stall genauso frisch wie draußen?
   - Sehe ich „Frische-Luft"-Such-Verhalten?
   - Höre ich Kühe, die pumpen oder stöhnen?
   - Sehe ich schnell atmende Kühe oder dreckige Nasen?
   - Ist genug Licht im Stall (für dich und für die Kühe?)

2. Beobachten in der Herde
   - Ruhe und Raum
   - Kann ich leicht und sauber zu den Kühen und wieder zurück zum Futtertisch kommen?
   - Liegen die Kühe gerade/längs in den Liegeboxen?
   - Kann jede Kuh ihren Hals strecken, um Wiederkaubrocken hochzuwürgen?
   - Liegt in 10 % der Boxen Kot?
   - Können die Kühe ohne Behinderung durch bauliche Elemente aufstehen/sich hinlegen?
   - Legen sich Kühe innerhalb einer Minute hin?
   - Mach den Knietest (auf die Knie fallen lassen) im vorderen Teil der Box: Ist der Boden weich und ist die Luft frisch?
   - Haben maximal 10 % der Tiere Schwellungen, abgeschürfte oder haarlose Stellen an den Sprunggelenken? Welche Art der Verletzung weisen die Tiere auf?
   - Haben die Kühe keine Hautverletzungen/Beulen (Hals, Vorderknie, Rücken etc.)?
   - Stehen die Kühe ruhig und gleichmäßig auf allen vier Beinen?
   - Laufen die Kühe in der Mitte des Stallganges, mit hohem Kopf, langen Schritten und aufrechter Haltung?
   - Biegen die Kühe in den Wendungen ihren ganzen Körper?
   - Sehe und höre ich rutschende Kühe?
   - Gibt es Kühe, die sich an den Hinterbeinen lecken oder ihre Köpfe mit dem Fuß kratzen?

   - Futter und Wasser
   - Hat jede Kuh ohne Behinderung Zugang zu
     - frischem Wasser?
     - einem Fressplatz für Raufutter?
     - einem Fressplatz für Kraftfutter?
   - Ist der Kot mehr oder weniger gleichmäßig, in Konsistenz und Verdauungsgrad?
   - Kauen mehr als 60 % der liegenden Kühe wieder? Werden in etwa 60 Kauschläge pro Bissen getätigt?
   - Werden die Kühe beim Fressen nicht durch den oberen oder unteren Teil des Fressbereiches behindert?
   - Gibt es immer genug frisches und attraktives Futter für jede Kuh?
   - Sind die Kühe bei der Futteraufnahme wählerisch und lassen bestimmte Teile der Ration zurück?
   - Wie ist das Ausmaß der Selektion nach langen Futterteilen?
   - Sind die Tränken leicht erreichbar und sauber?
   - Wie können sie gereinigt werden?

3. Beobachten einer Kuh aus der Nähe
   - Vom Groben ins Detail
   - Wie ist der allgemeine Eindruck der Kuh?
   - Beschreibe Körperhaltung, Beine, Rücken, Bauch, Kopf und Hals.
   - Beschreibe den hygienischen Zustand der Kuh. Beschreibe Haut und Haarkleid:
     - Ist sie sauber? Euter geschoren? Schwanz? Kopf?
     - Beschreibe Schwanz, Becken, Scheide und Schenkel.
     - Beschreibe Euter und Zitzen.
     - Bewerte die Köperkondition (BCS 1 = sehr mager, BCS 5 = sehr fett).
     - Bewerte die Pansenfüllung 1 – leer, 5 – voll.
     - Bewerte den Kot:
     - Verdauungsgrad (1 = gut verdaut, 5 = viele unverdauten Futterteile)
     - Festigkeit (1 = wässrig, 5 = trocken)
     - Beschreibe den Zustand der Klauen.
     - Beschreibe den Zustand der Sprunggelenke.
     - Beschreibe den Zustand der unteren Abschnitte (Fesseln) der Beine.
     - Beschreibe die Atmung: Rhythmus, Tiefe, Geschwindigkeit.

Platz für eigene Anmerkungen:

**Aufgabe 5:** Der Verein „Land schafft Leben" portraitiert in Videoclips, wie Lebensmittel in Österreich produziert werden. Sieh dir die Videoclips „SCHWEIN (3/8) – Die Mast: vom Ferkel zum Mastschwein" (https://www.youtube.com/watch?v=Bj-qBksZV-w) und „SCHWEIN (4/8) - Bio und andere Nischen" (https://www.youtube.com/watch?v=bzkOqiCktRU) an und beantworte unter Zuhilfenahme des Kapitels 3.4 Biologische Schweinehaltung folgende Frage:
Wie unterscheidet sich die biologische von der konventionellen Schweinehaltung in den Bereichen Haltung, Fütterung und Tiergesundheit?

**Aufgabe 6:** Familie Meier betreibt einen konventionellen Schweinemastbetrieb und möchte in einen neuen Außenklimastall investieren. Dazu hat sich die Familie bereits einen Entwurfsplan zeichnen lassen.

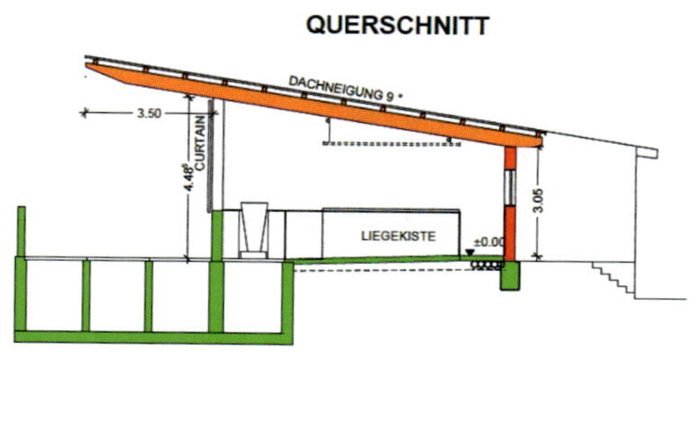


Querschnitt mit Güllelager für mindestens sechs Monate Grafik: LK NÖ/Wagner

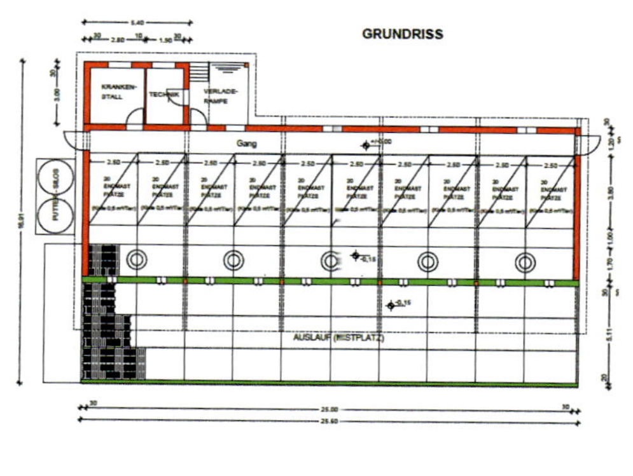


Gebäude mit nach Süden (Südosten) ausgerichtetem Auslauf. Grafik: LK NÖ/Wagner

Quelle: Wagner, E. (LK NÖ)

Da es Herrn und Frau Meier wichtig ist, dass das Haltungssystem den Bedürfnissen der Schweine Rechnung trägt und eventuell zukünftig bio-tauglich ist, bitten sie dich, ihnen folgende Fragen zu beantworten:

- Welche Funktionsbereiche sind in der Schweinehaltung von Bedeutung?
- Wie beurteilst du die Qualität der Lebensbedingungen in Bezug auf die Grundbedürfnisse der Schweine bei dieser Stallplanung?
- Welche Adaptionen wären notwendig, damit der Stall bio-tauglich ist?

**Aufgabe 7:** Du überlegst, am Betrieb zukünftig Kleinwiederkäuer zu halten. Wie kannst du das Haltungssystem gestalten, um dem Verhalten von Ziegen bzw. Schafen möglichst gerecht zu werden? Vervollständige dazu nachfolgende Tabellen:

| Nr. | Verhalten von Ziegen | Aussehen/Ausführung von Stall, Auslauf, Weide, Melkstand, Futter etc. |
|---|---|---|
| 1 | Ziege kommt aus Kleinasien. | Lebensraum ist bewaldet, gebirgig, karg. |
| 2 | Ziegen lebten über Nacht in Höhlen. | Weniger stark beleuchtete Liegeflächen sind gewünscht |
| 3 | Ziegen sind kletterfreudig. | Felsen, Steine, Kisten etc. im Stall und im Auslauf |
| 4 | Ziegen besitzen selektives Fressverhalten. | |
| 5 | Ziegen sind tagaktiv. | |
| 6 | Ziegen sind aufmerksam. | |

| Nr. | Verhalten von Ziegen | Aussehen/Ausführung von Stall, Auslauf, Weide, Melkstand, Futter etc. |
|---|---|---|
| 7 | Ziegen sind lebhaft. | |
| 8 | Ziegen sind neugierig. | |
| 9 | Ziegen leben in festen Herden. | |
| 10 | Böcke sind Einzelgänger. | |
| 11 | Böcke leben in Junggesellengruppen. | |
| 12 | Böcke sind nur während der Paarungszeit bei den weiblichen Ziegen. | |
| 13 | Ziegen haben keine Wolle wie Schafe. | |
| 14 | Ziegen bilden familienähnliche Gruppen. | |
| 15 | Ziegen reagieren empfindlich auf Zugluft und Nässe. | |
| 16 | Wohlfühltemperatur liegt bei 8 bis 15 °C. | |
| 17 | Hochleistungsrassen sind weniger wetterhart. | |
| 18 | Ziegen sind anspruchslos beim Futter. | |
| 19 | Ziegen sind wählerisch beim Futter. | |
| 20 | Ziegen sind Futterselektierer. | |
| 21 | Ziegen besitzen sehr bewegliche Oberlippen. | |
| 22 | Ziegen fressen hauptsächlich am Tag. | |
| 23 | Wiedergekaut wird häufig in der Nacht. | |
| 24 | Ziegen stellen sich beim Fressen gerne auf die Hinterbeine (fakultative Bipedie). | |
| 25 | Ziegen meiden abgestandenes Wasser. | |
| 26 | Ziegen benötigen 4 bis 12 l Wasser am Tag. | |
| 27 | Ziegen sing erkundungsfreudig. | |
| 28 | Ziegen ruhen gerne eng nebeneinander. | |
| 29 | Ziegen wählen Ruheplätze mit guter Aussicht. | |

| Nr. | Verhalten von Ziegen | Aussehen/Ausführung von Stall, Auslauf, Weide, Melkstand, Futter etc. |
|---|---|---|
| 30 | Ziegen suchen Scheuermöglichkeiten auf. | |
| 31 | Gebärende Ziegen sondern sich von der Herde ab, bleiben aber in Sichtkontakt. | |
| 32 | Nach der Geburt leckt die Mutter das Kitz ab. | |
| 33 | Ziegen gehören zum „Ablege-Typ". | |
| 34 | Ziegen sind saisonal. | |
| 35 | Böcke zeigen im Herbst einen starken Bockgeruch (Sept. – Dez.). | |
| 36 | Eine Harembildung von Böcken kann beobachtet werden. | |
| 37 | Ziegen sind sehr sauberkeitsliebend. | |
| 38 | Ziegen sind ängstlich bei der Futteraufnahme. | |
| 39 | Ziegen ziehen sich im Krankheitsfall zurück. | |
| 40 | Ziegen besitzen kleine, eher weiche Klauen. | |
| 41 | Bock kann sehr lebendig sein. | |
| 42 | Ziegen bewegen sich schnell zum und vom Melkstand. | |
| 43 | Ziegen halten die Milch beim Melken gerne zurück. | |
| 44 | Ziegen zeigen eine leichte Verwurmungsgefahr. | |
| 45 | Ziegen möchten nicht eingesperrt sein. | |
| 46 | Ziegen vertragen auf längere Zeit keine direkte Sonnenbestrahlung. | |

| Nr. | Verhalten von Schafen | Aussehen/Ausführung von Stall, Auslauf, Weide, Melkstand, Futter etc. |
|---|---|---|
| 1 | Schafe kommen aus vielen Teilen der Welt. | Je nach Rasse unterschiedliche Ansprüche |
| 2 | Schafe lebten über Nacht auch im Freien. | Freiflächen sollten 24 Stunden am Tag angeboten werden. |
| 3 | Schafe sind Bodentiere. | Erhöhte Liegeflächen müssen nicht angeboten werden. |

| Nr. | Verhalten von Schafen | Aussehen/Ausführung von Stall, Auslauf, Weide, Melkstand, Futter etc. |
|---|---|---|
| 4 | Schafe besitzen selektives Fressverhalten. | |
| 5 | Schafe sind tagaktiv. | |
| 6 | Schafe sind weniger lebhaft als Ziegen. | |
| 7 | Schafe leben in festen Herden. | |
| 8 | Böcke beschützen die Muttertiere. | |
| 9 | Schafe besitzen Wolle. | |
| 10 | Schafe bilden familienähnliche Gruppen. | |
| 11 | Schafe reagieren weniger empfindlich auf Zugluft und Nässe als Schafe. | |
| 12 | Wohlfühltemperatur liegt bei 5 bis 15 °C. | |
| 13 | Schafe sind weniger anspruchvoll beim Futter als Ziegen. | |
| 14 | Schafe sind weniger wählerisch beim Futter. | |
| 15 | Schafe fressen hauptsächlich am Tag. | |
| 16 | Wiedergekaut wird häufig in der Nacht. | |
| 17 | Schafe stellen sich beim Fressen nicht auf die Hinterbeine. | |
| 18 | Schafe trinken auch abgestandenes Wasser. | |
| 19 | Schafe benötigen 6 bis 15 l Wasser am Tag. | |
| 20 | Schafe ruhen gerne eng nebeneinander. | |
| 21 | Gebärende Schafe sondern sich von der Herde ab, bleiben aber in Sichtkontakt. | |
| 22 | Nach der Geburt leckt die Mutter das Lamm ab. | |
| 23 | Schafe sind saisonal oder asaisonal. | |

| Nr. | Verhalten von Schafen | Aussehen/Ausführung von Stall, Auslauf, Weide, Melkstand, Futter etc. |
|---|---|---|
| 24 | Schafböcke zeigen keinen so starken Bockgeruch wie Ziegenböcke. | |
| 25 | Eine Harembidung von Böcken kann beobachtet werden. | |
| 26 | Schafe sind nicht so sauberkeitsliebend wie Ziegen. | |
| 27 | Schafe ziehen sich im Krankheitsfall zurück. | |
| 28 | Schafe besitzen kleine, eher weiche Klauen. | |
| 29 | Bock kann sehr lebendig sein. | |
| 30 | Schafe bewegen sich langsamer zum und vom Melkstand als Ziegen. | |
| 31 | Schafe halten die Milch beim Melken gerne zurück. | |
| 32 | Schafe zeigen eine sehr leichte Verwurmungsgefahr. | |
| 33 | Schafe sind gerne im eingezäunten, sicheren Bereich (Koppeln). | |
| 34 | Schafe vertragen auf längere Zeit keine direkte Sonnenbestrahlung. | |

**Aufgabe 8:** Als Absolvent bzw. Absolventin des landwirtschaftlichen Schulwesens wurdest du zu einem Fach-Seminar zum Thema „Einstieg in die Imkerei" eingeladen und sollst über die Bio-Imkerei referieren. Im Vorfeld wurden die Seminarteilnehmer und -teilnehmerinnen gebeten, dir ihre Fragen zum Thema zu übermitteln, damit du sie in deinen Vortrag integrieren kannst. Beantworte den Teilnehmern und Teilnehmerinnen folgende Fragen. Erstelle eine kurze Präsentation, in der du auf nachstehende Fragen eingehst und präsentiere sie im Plenum:

- Was unterscheidet die Bio-Imkerei von der konventionellen Imkerei?
- Wodurch gelang der Bio-Imkerei der Durchbruch?
- Ab wann darf ein Bio-Imkereibetrieb seine Produkte mit „bio" in Verbindung bringen?
- Warum wurde eine verpflichtende Wachsuntersuchung bei Bio-Imkereibetrieben eingeführt?
- Woran erkennt der Imker bzw. die Imkerin, dass es den Bienen gut geht?

# 4. AGRARWIRTSCHAFT: VERMARKTUNG VON BIO-PRODUKTEN

Dieses Kapitel hilft dir dabei, folgende Kompetenzen zu erlernen:

**Ziele:** Ich kann
- ✔ die Kennzeichnung von Bio-Produkten interpretieren.
- ✔ selbst hergestellte Produkte vorschriftsmäßig kennzeichnen.
- ✔ die wichtigsten Lebensmittelkennzeichen erklären.
- ✔ relevante Marktdaten erheben und auswerten.

## 4.1 EINKAUF VON BIO-LEBENSMITTELN IN ÖSTERREICH

### 4.1.1 Struktur und Entwicklung des Bio-Marktes in Österreich

Landwirtinnen und Landwirte haben das Ziel, ein stabiles Einkommen zu erzielen und so die Existenzgrundlagen des Betriebes langfristig absichern können. Damit dies auch gelingt, ist es wichtig, Vermarktungsmöglichkeiten für die am Bio-Betrieb produzierten Produkte zu haben. In Österreich ist die Entwicklung des Bio-Marktes und damit der Erfolg der Bio-Landwirtschaft eng mit den Aktivitäten der Supermärkte verwoben. Im Gegensatz zu Deutschland, wo biologisch produzierte Produkte über Reformhäuser (= Fachgeschäfte, die auf Lebensmittel, pflanzliche Nahrungsergänzungsmittel, rezeptfreie Naturarzneimittel sowie Artikel für Körperpflege und Naturkosmetik spezialisiert sind) der breiten Bevölkerung zugänglich gemacht wurden, begannen große Supermarktketten bereits im Jahr 1994 in die Vermarktung biologischer Produkte einzusteigen. Der Lebensmitteleinzelhandel (= Supermarktketten) entwickelte eigene Bio-Marken und begann, Bio-Produkte intensiv zu bewerben. Biologisch produzierte Lebensmittel waren damit für alle Konsumentinnen und Konsumenten erhältlich. Weil diese in der Folge immer mehr Bio-Produkte wünschten, wurde parallel zur steigenden Nachfrage auch die Bio-Produktion ausgeweitet.

**INFO!** Bio-Lebensmittelumsatz – was und wo wird gekauft?

**Den Zahlen der RollAMA 2018 zufolge werden knapp 9 % der Frischeprodukte im Lebensmitteleinzelhandel in Bio-Qualität gekauft. Von 2012 bis 2018 hat sich der Umsatz dieser Waren um 50 % erhöht. Im gleichen Zeitraum ist die Nachfrage nach konventionellen Produkten um 10,4 % gestiegen. Der Markt für biologisch produzierte Produkte wächst also stärker als jener für konventionelle Produkte.**

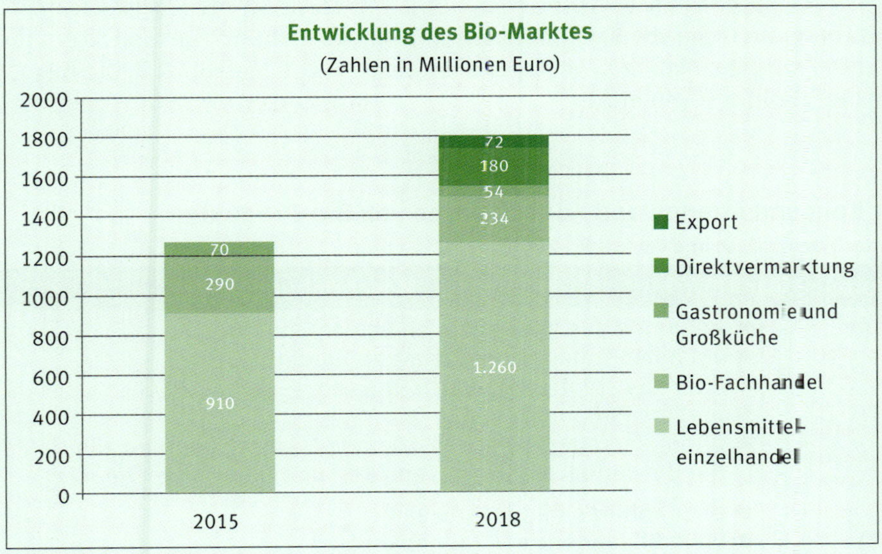


Die RollAMA (rollierende Agrarmarktanalyse) ist eine Marktforschungsanalyse, bei der 2.800 österreichische Haushalte Aufzeichnungen über ihre Lebensmitteleinkäufe führen. Erfasst werden Fleisch und Geflügel, Wurst, Milch und Milchprodukte, Käse, Obst, Gemüse, Eier, Erdäpfel, Tiefkühlprodukte, Fertiggerichte, aber nicht Brot und Gebäck. Die Einkaufsmengen und Ausgaben dieser repräsentativ ausgewählten Haushalte werden auf die Gesamtzahl der österreichischen Privathaushalte hochgerechnet und daraus diverse Kennzahlen berechnet.

### 4.1.2 Wer kauft Bio-Produkte in Österreich?

Sieben von zehn Österreicherinnen und Österreichern kaufen mittlerweile zumindest gelegentlich Bio-Lebensmittel. 15 % konsumieren sogar täglich Bio-Lebensmittel.

Eine Studie des Österreichischen Gallup Instituts (2017) kam zum Schluss, dass Herr und Frau Österreicher eine überwiegend **pragmatische Einstellung zu Bio** haben: Für 52 % verspricht die biologische Herkunft der Lebensmittel mehr Wohlbefinden und trägt somit zur höheren Lebensqualität bei (Gruppe der Bio-Pragmatiker). Während etwas mehr als ein Drittel (35 %) der Österreicherinnen und Österreicher der biologischen Landwirtschaft gleichgültig gegenübersteht (Gruppe der Gleichgültigen), ist für 12 % der Befragten Bio ihre Lebensphilosophie (Gruppe der Bio-Idealisten).

Ob und wie häufig Bio-Lebensmitteln gekauft werden, hängt vor allem mit den persönlichen Ressourcen zusammen: **Je höher das Einkommen, die Bildung und die Stellung im Beruf, umso mehr Geld** kann **für den Konsum von Bio-Lebensmitteln** ausgegeben werden und umso aufgeschlossener zeigen sich die Befragten der Bio-Thematik gegenüber. Bio-Pragmatiker und Bio-Idealisten besitzen meist ein höheres Einkommen und eine höhere Schulbildung als die Gleichgültigen.

Österreicherinnen und Österreicher kaufen Bio-Produkte bevorzugterweise im **Lebensmitteleinzelhandel** (80 % kaufen im Lebensmittel-Supermarkt, 61 % im Diskonter). Nur die Bio-Idealisten kaufen deutlich häufiger in Bio-Supermärkten und Reformhäusern als die Bevölkerung insgesamt (35 % vs. 14 % und 18 % vs. 10 %).

Ergebnisse der Studie „Einkauf von Bio-Lebensmitteln in Österreich" des Österreichischen Gallup Institutes (2017):
- 70% der Österreicherinnen und Österreicher kaufen zumindest gelegentlich Bio-Produkte.
- Bio ist eine Frage der persönlichen Ressourcen.
- Lebensmitteleinzelhandel ist der beliebteste Einkaufsort für Bio-Produkte.
- Konsummotive: Grenzen zwischen Bio und Regionalität verschwimmen.

Werden Konsumentinnen und Konsumenten gefragt, weshalb sie Bio-Produkte kaufen, so wird **Bio stark mit Regionalität verbunden:** Beinahe zwei Drittel (63 %) der Befragten nennen als Kaufmotiv die regionale und etwas mehr als die Hälfte (52 %) die österreichische Herkunft der Produkte. Außerdem sind Gesundheit (62 %) und Geschmack (47 %) für die Österreicherinnen und Österreicher als Kaufmotiv wichtiger als die klassischen selbstlosen Motive wie Umweltschutz (39 %), Fairtrade (17 %) oder ethische Gründe (16 %). Lediglich für Bio-Idealisten sind manche uneigennützigen Motive eher von Bedeutung als für die Bevölkerung insgesamt, wie z. B. eine umweltgerechte Produktion (47 % vs. 39 % total), Gentechnikfreiheit (56 % vs. 44 % total), Fairtrade (25 % vs. 17 % total) oder ethische Gründe (36 % vs. 16 % total).

Insgesamt ist die **Regionalität** der Produkte für die Österreicherinnen und Österreichern **wichtiger als** die Frage, ob das Produkt **biologisch produziert** wurde. Im direkten Vergleich entscheiden sich zwei Drittel der Befragten für die Produkte aus der Region, während sich nur 18 % ausdrücklich für Bio-Produkte aussprechen. Auch hier zeigen Bio-Idealisten ein anderes Kaufverhalten und bevorzugen auch im Vergleich zwischen regionalen und biologisch produzierten Produkten die Bio-Lebensmittel (55 % vs. 45 %).

**STECKBRIEF!** Wanted – Bio-Konsument bzw. Bio-Konsumentin

**Hauptmotive für den Kauf von Bio-Produkten sind der Wunsch, sich gesund zu ernähren, die Qualität der Produkte, ökologische Aspekte sowie ethische Motive (z. B. die Bevorzugung tiergerechter Haltungssysteme).**

#### Profil der Konsumentinnen und Konsumenten von Bio-Produkten

(verändert nach Schmid, O. und Obrist, R., 2006)

| Faktoren | Beschreibung |
|---|---|
| Demografie | ■ Personen aus allen sozialen Schichten<br>■ vor allem Familien mit kleineren Kindern<br>■ eher aus städtischen Verhältnissen<br>■ jüngere Personen<br>■ ältere Personen zwischen 40 und 60 Jahren (wurden zum Teil durch die Umweltbewegung in den 70er- und 80er-Jahren geprägt) |
| Bildung | ■ eher höheres Bildungsniveau<br>■ viele Pflegeberufe, Akademiker |

| Faktoren | Beschreibung |
|---|---|
| Einkommen | ■ je nach Käufergruppe vergleichbares oder eher leicht überdurchschnittliches Einkommen |
| Kaufmotive | ■ Gesundheit<br>■ Geschmack<br>■ regionale Herkunft<br>■ Tierwohl<br>■ Umweltschutz<br>■ Qualität |

## 4.2 KONSUMTRENDS: EINFLÜSSE AUF DIE ENTWICKLUNG DER BIO-NACHFRAGE

Verschiedene Faktoren und Fragestellungen beeinflussen, wie sich die Nachfrage nach Bio-Produkten entwickelt, z. B.:

- **Verfügbarkeit, Attraktivität und Umfang des Sortiments:** Steht den Konsumentinnen und Konsumenten an den Orten, an denen sie hauptsächlich einkaufen, ein ausreichendes Sortiment an Bio-Produkten zur Verfügung?
- **Glaubwürdigkeit:** Vertrauen die Konsumentinnen und Konsumenten auf die Kontrollen und darauf, dass die Richtlinien der biologischen Landwirtschaft eingehalten wurden?
- **Preis:** Ist der Mehrpreis für Bio-Produkte aus Sicht der Konsumentinnen und Konsumenten für den Zusatznutzen, den Bio-Produkte für sie bieten, gerechtfertigt?
- **Medienaufmerksamkeit:** Wie und in welcher Häufigkeit wird über das Thema Bio-Produkte in den Medien berichtet?
- **Kenntnisse der Konsumentinnen und Konsumenten:** Wissen die Konsumentinnen und Konsumenten, wie Bio-Produkte erzeugt werden und kennen sie die wichtigsten Unterschiede zu anderen Produktionsverfahren? Können die Konsumentinnen und Konsumenten Bio-Produkte von Nicht-Bio-Produkten unterscheiden?
- **Qualität:** Stufen Konsumentinnen und Konsumenten Bio-Produkte mindestens genauso qualitativ hochwertig wie konventionell erzeugte Produkte ein? Gelangen die Bio-Produkte in ausreichender Frische zu den Konsumentinnen und Konsumenten?

### 4.2.1 Fördernde Faktoren für den Kauf von Bio-Produkten

Folgende Schlüsselfaktoren fördern die Nachfrage nach Bio-Lebensmitteln:

- **Lebensmittelsicherheit:** Lebensmittelskandale oder die Diskussion um den Einsatz von Gentechnik bzw. Antibiotika in der Nahrungsmittelproduktion verunsichern Konsumentinnen und Konsumenten, die deshalb die Sicherheit der Lebensmittelproduktion hinterfragen.
- **Umweltbewusstsein:** Themen wie Pflanzenschutzmittelrückstände, Recycling und nachhaltige Landwirtschaft werden in der Öffentlichkeit stark diskutiert, weshalb die meisten Konsumentinnen und Konsumenten gegenüber Umweltthemen sensibilisiert sind.
- **Tierschutz:** Konsumentinnen und Konsumenten interessieren sich zunehmend dafür, wie die Nutztiere gehalten werden, deren Produkte sie konsumieren.
- **Hohe Verfügbarkeit von Bio-Produkten:** Da Bio-Produkte über verschiedenste Verkaufskanäle (z. B. Supermarkt, Reformhaus, Direktvermarktung, Online-Versand etc.) angeboten werden, wird den Konsumentinnen und Konsumenten der Kauf von Bio-Produkten erleichtert.
- **Hohe Glaubwürdigkeit:** Staatlich anerkannte Richtlinien und Zertifizierungssysteme festigen die Glaubwürdigkeit von Bio-Produkten. Konsumentinnen und Konsumenten vertrauen auf das Kontrollsystem und die so zertifizierten und klar deklarierten Lebensmittel.
- **Qualitativer Vorsprung vieler Bio-Produkte:** Viele Konsumentinnen und Konsumenten bevorzugen Bio-Produkte aufgrund ihres Geschmackes, vor allem bei unverarbeiteten Produkten.

### 4.2.2 Hemmende Faktoren für den Kauf von Bio-Produkten

Obwohl viele Faktoren die Nachfrage nach Bio-Produkten verbessern, gibt es auch Konsumtrends, die einer stärkeren Nachfrage nach Bio-Produkten entgegenwirken.

- **Hybrides Kaufverhalten:** Hybrides Kaufverhalten bedeutet, dass für Konsumentinnen und Konsumenten zwei zum Teil sehr unterschiedliche Merkmale wichtig sind. Konsumentinnen und Konsumenten wünschen sich dann z. B. eine Kombination aus Bio- und „fast food“ oder Bio- und Fertigprodukt.
- **Preisbewusstsein und Zahlungsbereitschaft:** Konventionell erzeugte Lebensmittel können deutlich günstiger hergestellt werden als Produkte aus biologischer Landwirtschaft und

Verarbeitung. Das schlägt sich auch auf die Verbraucherpreise nieder. Sechs von zehn Österreicherinnen und Österreicher halten einen Mehrpreis für Bio-Produkte für gerechtfertigt. Wie viel mehr die Konsumentinnen und Konsumenten jedoch bereit sind zu zahlen, hängt jedoch stark vom Produkt ab. Besonders biologische Fleischproduktion hat ihren Preis, und nur wenige sind willens, diesen zu bezahlen. Bei einer Konsumentenbefragung (Quelle PwC, 2017) bevorzugten bei der Wahl zwischen 1 l konventioneller Milch für 0,90 Euro und 1 l Bio-Milch für 1,20 Euro beinahe zwei Drittel (65 %) das Bio-Produkt. Bei der Wahl zwischen 250 g konventionellem Hähnchenbrustfilet um 2,00 Euro und dem Hähnchenbrustfilet in Bio-Qualität um 8,00 Euro wählten hingegen nur knapp jeder Fünfte (19 %) das Bio-Produkt.

### 4.2.3 Herausforderungen für die Vermarktung von Bio-Produkten

- **Mehr qualitätsorientierte Käufer und Käuferinnen:** Zukünftig wird damit gerechnet, dass die Österreicherinnen und Österreicher kritischer und qualitätsbewusster Lebensmittel kaufen. Herr und Frau Österreicher greifen demnach nur dann zu Bio-Produkten, wenn der Mehrpreis für sie durch eine besondere Qualität (z. B. Geschmack, Produktionsbedingungen) und durch ein glaubwürdiges Image gerechtfertigt ist.
- **Wachsendes Gesundheits- und Körperbewusstsein:** Während vor allem ältere Personen auf Gesundheitsaspekte in ihrer Ernährung achten, streben jüngere Konsumentinnen und Konsumenten nach Wellness-Idealen und berücksichtigen dies auch beim Kauf von Produkten.
- **Der Trend, im Trend liegen zu müssen:** Einer der wichtigsten Einflüsse auf das heutige Kaufverhalten geht von den Medien (z. B. Internet-Blogs, Fernsehen, Magazine etc.) und der dort gebotenen Werbung für bestimmte Produkte aus. Daher ist es für Vermarkter von Bio-Produkten wichtig, in den Medien präsent zu sein und einen Wiedererkennungswert zu haben.

## 4.3 PRODUKTKENNZEICHNUNG: SO ERKENNT MAN EIN BIO-PRODUKT

Eine kompetenzorientierte Unterrichtsvorbereitung zum Thema „Produktkennzeichnung - So erkennst du ein Bio-Produkt im Handel“ steht im E-Book als Zusatzmaterial bereit.

Damit die Konsumentinnen und Konsumenten zertifizierte Bio-Produkte erkennen können, sind diese **speziell gekennzeichnet**. Das Kennzeichnungsrecht ist durch die Verordnung (EU) Nr. 1169/2011 mit dem Titel „Information der Verbraucher über Lebensmittel“ geregelt. Zusätzlich zu den grundsätzlichen Bestimmungen zur Kennzeichnung müssen bei Bio-Produkten auch die Bio-Kennzeichnungsvorschriften beachtet werden. Diese sehen vor, dass auf verpackten Lebensmitteln, die mit „Bio“ in der Bezeichnung des Lebensmittels ausgelobt werden, die Codenummer der Kontrollstelle, das EU-Bio-Logo sowie ein Hinweis, ob das Lebensmittel in einem bestimmten EU-Mitgliedsstaat oder außerhalb der EU erzeugt wurde, angebracht sein müssen.

### 4.3.1 Bezeichnung

**Achtung:** Bezeichnungen wie „naturnah“, „umweltschonend“, „naturrein“, „vollwert“, „chemiefrei“, „aus kontrolliertem Anbau“, „aus Freilandhaltung“, „kontrolliert integriert“ oder Ähnliches weisen nicht auf Bio-Produkte hin!

Während in Österreich ein Bio-Produkt an der Bezeichnung „Bio“ zu erkennen ist, ist in Deutschland die Bezeichnung „Öko“ üblich. Statt „biologisch“ kann auch „organisch-biologisch“ oder „biologisch-dynamisch“ verwendet werden.

**Beispiel:** Bei einem Müsli, dessen Früchte und Zucker aus konventioneller Landwirtschaft stammen, könnte in der Zutatenliste stehen: Hafer – biologisch erzeugt. Auf der Vorderseite der Packung darf dann nicht „Bio“ stehen.

Ist die Bezeichnung „Bio“ als Präfix zum Namen auf Lebensmitteln angebracht, müssen die eingesetzten landwirtschaftlichen Rohstoffe aus biologischer Landwirtschaft stammen. Da aber nicht alle Rohstoffe in Bio-Qualität lieferbar sind, dürfen bestimmte im Anhang der EU-Bio-Verordnung gelistete Zutaten (z. B. getrocknete Himbeeren, Stachelbeeren, Saflorblüten) im Ausmaß von bis zu 5 % aus konventioneller Produktion stammen. Wenn weniger als 95 % des Lebensmittels aus biologisch produzierten Erzeugnissen bestehen, so darf der Hinweis „biologisch“ ausschließlich in der Zutatenliste (meistens auf der Packungsrückseite) angeführt werden. Die Bezeichnungen „aus biologischer/ökologischer Landwirtschaft“ oder „aus (kontrolliert) biologischem/ökologischem Landbau/Anbau (kbA)“ sind freiwillige, aber übliche Hinweise auf Etiketten von Bio-Produkten.

### 4.3.2 Codenummer der Kontrollstelle

Bei allen Bio-Produkten und bei Umstellungsware muss die Codenummer jener Bio-Kontrollstelle angegeben werden, die das Produkt zertifiziert hat. Diese Codenummer wurde EU-weit vereinheitlicht und basiert auf einem einfach nachvollziehbaren Schema, dass das Land, einen Verweis auf die biologische Produktion und einen dreistelligen Ziffercode angibt.

Das verrät die Codenummer der Bio-Kontrollstelle:

AT – BIO – XXX

- AT – Bedeutung: Österreich
- BIO – Bedeutung: Bio-Kontrollstelle
- XXX – Bedeutung: Dreistellige Kennziffer der Bio-Kontrollstelle

| | |
|---|---|
| **301** | Austria Bio Garantie – Landwirtschaft GmbH (ABG) |
| **302** | Austria Bio Garantie (ABG) – für gewerbliche Kunden |
| **401** | BIOS – Biokontrollservice Österreich |
| **402** | Lacon GmbH |
| **501** | Salzburger Landwirtschaftliche Kontrolle GmbH (SLK) |
| **701** | Kontrollservice BIKO Tirol |
| **902** | SGS Austria Controll-Co GesmbH |
| **903** | Zertifizierungsstelle LKV Austria |

### 4.3.3 EU-Bio-Logo und Herkunft der Ausgangsstoffe

Seit Juli 2010 besteht für alle verpackten Bio-Lebensmittel, die in der Europäischen Union gehandelt werden, eine Kennzeichnungspflicht mit dem EU-Bio-Logo. Unverpackte Bio-Produkte können auf freiwilliger Basis mit dem Bio-Logo gekennzeichnet werden. Diese Verwendung eines einheitlichen Logos erleichtert es, Bio-Produkte zu erkennen, auch wenn sie aus anderen EU-Ländern stammen.

Steht „Bio" auf der Lebensmittelverpackung, muss bei der Verwendung des Logos auch angegeben werden, woher die landwirtschaftlichen Ausgangsstoffe stammen, aus denen sich das Produkt zusammensetzt. Dabei sind folgende Angaben möglich:

- „Österreichische Landwirtschaft": Diese Herkunftskennzeichnung bedeutet, dass mindestens 98 % der im Produkt verwendeten landwirtschaftlichen Ausgangsstoffe aus Österreich stammen.
- „EU-Landwirtschaft": Mindestens 98 % der im Produkt verwendeten landwirtschaftlichen Ausgangsstoffe stammen aus der EU.
- „Nicht-EU-Landwirtschaft": Die im Produkt verwendeten landwirtschaftlichen Ausgangsstoffe wurden in Ländern außerhalb der EU (Drittländer) erzeugt.
- „EU-/Nicht-EU-Landwirtschaft": Im Produkt wurden Ausgangsstoffe aus der EU sowie aus Drittländern verwendet.

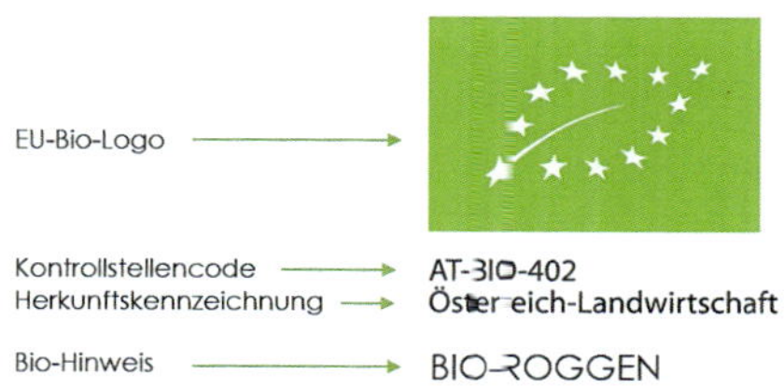

Angaben am Bio-Produkt

### 4.3.4 Weitere Logos und Gütesiegel

Bio-Betriebe, die Mitglied in einem Bio-Verband sind oder an Gütesiegel-Programmen teilnehmen (z. B. AMA-Bio-Siegel), verpflichten sich, strengere Richtlinien einzuhalten, als von den EU-Bio-Verordnungen und den nationalen Gesetzen vorgegeben werden. Im Gegenzug ist der Betrieb berechtigt, auf seinen Produkten mit dem betreffenden Verbandslogo bzw. Gütesiegel zu werben. Auch Bio-Betriebe, die als Vertragspartner Lebensmittel für die Bio-Handelsmarken des Lebensmitteleinzelhandels produzieren, müssen sich an zusätzliche Richtlinien halten, die vom Handelsmarkenprogramm vorgegeben werden. Auch in diesem Fall wird das Bio-Produkt mit dem zusätzlichen Logo der Handelsmarke beworben.

Beim AMA-Bio-Siegel mit Ursprungsangabe „Austria" müssen die Ausgangsstoffe zur Gänze aus Österreich kommen, sofern sie in Österreich erzeugt werden können

## 4.4 ABSATZWEGE FÜR BIO-PRODUKTE

In Österreich wurden im Jahr 2018 insgesamt rund 1,8 Milliarden Euro pro Jahr an Bio-Lebensmitteln verkauft. 70 % des Umsatzes werden im Lebensmitteleinzelhandel erzielt, 13 % im Bio-Fachhandel. Auf Großküchen und Gastronomie entfallen 3 %, auf die Direktvermarktung 10 % und über den Export wird der Rest des Bio-Umsatzes erwirtschaftet.

Welcher Absatzweg für den einzelnen Bio-Betrieb in Frage kommt, hängt von verschiedenen Faktoren ab, z. B.:

- Lage des Betriebes
- Neigung der Betriebsleiterfamilie
- Breite des eigenen Angebots
- Produktionsumfang der jeweiligen Produktgruppe
- Arbeitssituation auf dem Betrieb

Jeder Absatzweg hat dabei seine eigenen Vor- und Nachteile.

## Vor- und Nachteile verschiedener Absatzwege für Bio-Produkte

(verändert nach Schmid, O. und Obrist, R., 2006)

| Absatzwege | Vorteile | Nachteile |
|---|---|---|
| Direktvermarktung ab Hof; regelmäßig | ■ Kontakt zu Kunden kann gepflegt werden<br>■ Echtheit und Frische können garantiert werden<br>■ Gespräch mit Kunden und Kundinnen erzeugt Glaubwürdigkeit<br>■ Höhere Verkaufspreise realisierbar<br>■ Vertrauen lässt sich aufbauen<br>■ Verbesserte Liquidität<br>■ Weitere Produkte bzw. Dienstleistungen können vermarktet werden (z. B. Verkauf von selbstgebastelten Geschenken, Keksen etc.). | ■ Hoher Arbeitsaufwand (feste Verkaufszeiten hilfreich)<br>■ Große Zeitpräsenz nötig<br>■ Zusätzlicher Verkehr bzw. fremde Personen auf dem Hof<br>■ Breites Sortiment nötig<br>■ Lagereinrichtung nötig |
| Direktvermarktung ab Hof; wenige Verkaufstage/Jahr | ■ Keine Dauerbelastung<br>■ Kann mit besonderen Veranstaltungen am Hof kombiniert werden (z. B. Hoffest, Tag der Offenen Stalltür) | ■ Extreme Arbeitsspitze<br>■ Hoher Organisationsaufwand (eventuell zusätzliche Helfer und Helferinnen notwendig)<br>■ Großer Administrationsaufwand<br>■ Liquidität weniger günstig |
| Produkteversand | ■ Großes Gebiet kann effizient beliefert werden<br>■ Online-Bestellungen machen Bestellvorgang rund um die Uhr möglich<br>■ Kontakt zu Kunden kann mittels beigelegten Flyers gepflegt werden | ■ Aufwändige Vorbereitung (Abpackung, eventuell Kühlung)<br>■ Großer Administrationsaufwand (Bestell-/Versandbestätigung, Versand)<br>■ Regelungen für Rücknahme von Produkten (z. B. wenn Produkt beim Versand bricht) |
| Marktstand | ■ Kontakt zu Kunden kann gepflegt werden<br>■ Echtheit und Frische können garantiert werden<br>■ Gespräch mit Kunden und Kundinnen erzeugt Glaubwürdigkeit<br>■ Höhere Verkaufspreise realisierbar<br>■ Vertrauen lässt sich aufbauen<br>■ Gute Liquidität<br>■ Mengenrisiko wird abgefedert | ■ Rüstaufwand (= Aufwand für Auf-/Abbau) ist groß<br>■ Regelmäßige Zeitpräsenz<br>■ Kosten für Marktfahrzeug, Standgebühr<br>■ Großes Sortiment nötig (Ergänzung mit Produkten anderer Betriebe)<br>■ Lagereinrichtungen nötig |
| Bio-Läden (Detaillisten) | ■ Keine Anwesenheit für Verkauf notwendig<br>■ Fachgeschäft ermöglicht Kundenberatung<br>■ Stammkundschaft vorhanden<br>■ Vertrauen lässt sich aufbauen<br>■ Mengenabsprache möglich<br>■ Regionale Herkunft kann kommuniziert werden | ■ Liefermengen oft klein<br>■ Regelmäßigkeit der Bestellungen geringer<br>■ Ferienzeit mit Absatzproblemen (Frischprodukte) |
| Bio-Großhändler (beliefern Bio-Fachhandel, Gastronomie und Großverbraucher mit Bio-Produkten) | ■ Keine Anwesenheit für Verkauf notwendig<br>■ Große Mengen lieferbar<br>■ Regelmäßige Abnehmer<br>■ Breite Verteilung möglich | ■ Preisdruck größer<br>■ Abhängigkeit steigt |

| Absatzwege | Vorteile | Nachteile |
|---|---|---|
| Lebensmitteleinzelhandel | ■ Keine Anwesenheit für Verkauf notwendig<br>■ Große Mengen lieferbar<br>■ Regelmäßige Abnehmer<br>■ Breite Verteilung von Bio-Produkten<br>■ Hohe Professionalität<br>■ Gute Infrastruktur und Distribution | ■ Preisdruck größer<br>■ Abhängigkeit steigt<br>■ Weniger Verständnis für die Besonderheiten der biologischen Landwirtschaft |
| Großküchen, Restaurants | ■ Kontinuierliche Belieferung möglich<br>■ Abnehmer von größeren Mengen | ■ Preisdruck ist hoch<br>■ Oft starke Saisonschwankungen<br>■ Besondere Anforderungen an die Aufbereitung<br>■ Effizientes Liefersystem nötig<br>■ Gewünschte Abnahmemengen oft so groß, dass Zusammenarbeit mit anderen Betrieben notwendig ist |

## 4.5 MÖGLICHKEITEN UND GRENZEN DER DIREKTVERMARKTUNG

Die Direktvermarktung spielt auf vielen Bio-Betrieben eine wichtige Rolle, weil sie eine Möglichkeit bietet, die Einkommensquellen des Betriebes zu verbreitern (siehe Kapitel 5 Wertschöpfung am Bio-Betrieb: Diversifizierung in der Land- und Forstwirtschaft). Landwirtinnen und Landwirte steigen meist aus folgenden Gründen in die Direktvermarktung ein:

- Einkommenssicherung, Einkommenssteigerung
- Geringere Beeinflussung durch Preisschwankungen
- Fehlende oder ungenügende Absatzwege abseits der Direktvermarktung
- Freude am Kontakt mit Kundinnen und Kunden

Bei einem stärkeren Ausbau der Direktvermarktung ist es wichtig zu hinterfragen, ob sich die Direktvermarktung auch tatsächlich lohnt. Um nicht aus dem Bauch heraus zu entscheiden, sollte die Direktvermarktung daher betriebswirtschaftlich analysiert werden. Dazu muss der mögliche Mehrerlös berechnet werden, der gegenüber einem Verkauf zu Großhandelspreisen aufgrund des höheren Verkaufspreises in der Direktvermarktung erzielt werden kann. Werden von diesem Mehrerlös die Mehrkosten der Vermarktung (inkl. Mehrarbeit, Marketing etc.) abgezogen, können der Einkommensbeitrag und der Arbeitsverdienst berechnet werden.

Der Arbeits- und Zeitaufwand, der für die Direktvermarktung nötig ist, wird jedoch häufig unterschätzt. Sinnvoll ist ein Ausbau der Direktvermarktung nur dort, wo freie Arbeitskapazitäten vorhanden sind oder zusätzliche Arbeitskräfte zur Verfügung stehen.

## 4.6 WISSEN ANGEWANDT – VERMARKTUNG VON BIO-PRODUKTEN

**Aufgabe 1:**
Im Marketing wird unter einer „Buyer Persona“ ein typischer Vertreter bzw. eine typische Vertreterin einer Zielgruppe verstanden, der bzw. die möglichst genau beschrieben wird. Je konkreter, desto besser. Gut ausgearbeitete Buyer Personas helfen dabei,

- die Zielgruppe für ein Produkt bzw. Segment besser kennenzulernen,
- Inhalte zu erstellen, die Kundinnen und Kunden gewinnen und die Kosten für Marketing zu reduzieren (geringerer Streufaktor),
- die Produkte und Services besser an den Kundinnen und Kunden auszurichten.

Erstelle einen Persona-Steckbrief für die Zielgruppe der

- „Bio-Idealisten“, die nach Möglichkeit ausschließlich Bio-Produkte kaufen.
- „Gelegentlich-Bio-Käufer“.

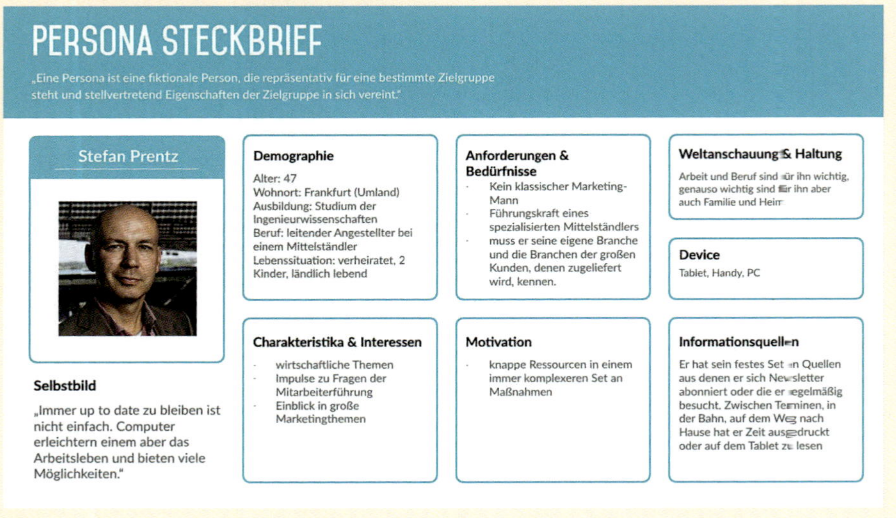

# 5. WERTSCHÖPFUNG AM BIO-BETRIEB: DIVERSIFIZIERUNG IN DER LAND- UND FORSTWIRTSCHAFT

Dieses Kapitel hilft dir dabei, folgende Kompetenzen zu erlernen:

**Ziele:** Ich kann
- ✔ die Bedeutung des Agrartourismus als eine Möglichkeit für einen bäuerlichen Nebenerwerb und unter dem Aspekt bäuerlicher Ressourcennutzung erkennen.
- ✔ Maßnahmen, die den Erfolg Urlaub am Bauernhof garantieren, nennen und praktisch durchführen.
- ✔ das Fachgebiet Green Care in der Land- und Forstwirtschaft erläutern.
- ✔ Zielgruppen für Green Care beschreiben.

## 5.1 DIVERSIFIZIERUNG

In der Land- und Forstwirtschaft gibt es unterschiedliche **Strategien**, um wirtschaftlich erfolgreich zu sein:

- Bei der Kostenführerschaft werden agrarische Standardprodukte mit möglichst geringen Kosten produziert und an Großhändler bzw. weiterverarbeitende Betriebe verkauft.
- Bei der Differenzierung wird im Gegensatz dazu darauf gesetzt, sich möglichst klar von der bestehenden Konkurrenz zu unterscheiden (z. B. durch überdurchschnittliche Qualität).
- Bei der Nischennutzung (= Fokussierung) konzentriert sich der Betrieb auf einen spezifischen Teil- oder Nischenmarkt. Weil nur eine genau definierte Zielgruppe angesprochen wird (z. B. Menschen mit Laktoseintoleranz), können Kundenbedürfnisse besser erfüllt werden (z. B. Herstellung von laktosefreiem Heumilch-Käse).

Wählen Betriebsleiter und Betriebsleiterinnen die Differenzierung oder Nischennutzung als Unternehmensstrategie, versuchen sie, durch vielfältige Produkt- oder Vermarktungsinnovationen eine höhere Wertschöpfung zu erzielen. Um den betrieblichen Gewinn weiter zu steigern, werden am Betrieb also agrarische Standardprodukte weiterveredelt, neue Vermarktungswege beschritten oder neue Dienstleistungen angeboten. Diese Strategien werden mit dem Begriff Diversifizierung zusammengefasst. Unter **Diversifizierung** versteht man daher, dass **betriebliche Ressourcen aktiv genutzt und kombiniert** werden, damit eine **höhere Wertschöpfung** im land- und forstwirtschaftlichen Betrieb geschaffen werden kann. Mit Hilfe der Diversifizierung können zusätzliche Einnahmequellen für den Betrieb geschaffen werden, weil

- die am Betrieb hergestellten Produkte direkt vermarktet werden (z. B. Betreiben eines Hofladens, Verkauf von Eiern, Schlachthälften, Milch, Dinkel, Christbäumen etc.)
- die am Betrieb hergestellten Produkte be- oder verarbeitet werden (z. B. Herstellung von Käse aus Milch, Herstellung von Nudeln aus Getreide, Herstellung von Wurstwaren, Schnäpsen etc.) oder
- mit Hilfe von Landmaschinen (z. B. Lohnarbeiten für Dritte), Hofgebäuden (z. B. Urlaub am Bauernhof) oder Nutztieren (z. B. tiergestützte Pädagogik) alternative Geschäftsmodelle betrieben werden.

**Exkurs: Kostenführerschaft, Differenzierung und Fokussierung – Wettbewerbsstrategien nach Porter**

Ziel von Unternehmen und damit auch von land- und forstwirtschaftlichen Betrieben ist es, sich einen Wettbewerbsvorteil gegenüber der Konkurrenz zu erarbeiten und dadurch eine bestmögliche Positionierung auf dem Markt zu erhalten. Dabei orientiert sich der Betrieb stark an der Konkurrenz und dem Umfeld. Michael Porter erkannte das bereits im Jahr 1992 und unterscheidet drei verschiedene Wettbewerbsstrategien:

- Kostenführerschaft
- Differenzierung
- Nischennutzung (= Fokussierung)

### 1. Strategie der Kostenführerschaft

Bei der Strategie der Kostenführerschaft versuchen Betriebsleiterinnen und Betriebsleiter, der **kostengünstigste Anbieter auf dem Markt** zu sein. Je niedriger die Herstellungskosten gehalten werden können (z. B. weil so große Mengen produziert werden), desto günstiger können Produkte und Dienstleistungen angeboten werden. Obwohl die Produkte und Dienstleistungen zu so günstigen Preisen verkauft werden, sind die Gewinne hoch, weil eine große Menge verkauft wird.

### 2. Strategie der Differenzierung

Bei der Differenzierungsstrategie versuchen Betriebsleiterinnen und Betriebsleiter, sich mit ihren Produkten und Dienstleistungen **klar vom bestehenden Angebot am Markt** zu **unterscheiden.** Die Produkte oder Dienstleistungen sollen daher unverwechselbare Eigenschaften, wie z. B. eine hervorragende Produktqualität oder ein innovatives Design, aufweisen. Aufgrund dieser Einzigartigkeit können höhere Preise verlangt werden.

### 3. Strategie der Nischennutzung

Bei der Strategie der Nischennutzung konzentrieren sich Betriebsleiterinnen und Betriebsleiter auf einen **Teilbereich des Marktes** (= Segment, z. B. laktoseintolerante Personen), **für den noch keine oder wenige Produkte bzw. Dienstleistungen erhältlich** sind. Innerhalb eines Teilmarktes können so einfacher als auf dem gesamten Markt Kosten- oder Leistungsvorteile erarbeitet werden, weil die Ressourcen des Betriebes besser auf diesen einen Teilbereich des Marktes gebündelt werden können. Außerdem können sich die Betriebsleiterinnen und Betriebsleiter als Pioniere im gewählten Nischenmarkt einen nachhaltigen Wettbewerbsvorteil erarbeiten (z. B. innovatives Image, weil erste Anbieter, oder niedrigere Preise weil aufgrund der gesammelten Erfahrungen eine kostengünstigere Herstellung möglich ist).

Versuchen Betriebe, gleichzeitig sowohl die Strategie der Kostenführerschaft (= möglichst billige Herstellung) als auch die Strategie der Differenzierung (= Alleinstellungsmerkmal durch herausragende Qualität oder innovatives Design) zu verfolgen, läuft der Betrieb zwangsläufig Gefahr, in einer Mittelkategorie (durchschnittliche Qualität zu einem durchschnittlichen Preis) zu landen. Diese bietet keinen Wettbewerbsvorteil gegenüber der Konkurrenz (= „Stuck in the middle").

Wettbewerbsstrategien nach Porter (1992) (Quelle: Heubel, M.)

## 5.2 DIVERSIFIZIERUNG MITTELS AGROTOURISMUS: URLAUB AM BAUERNHOF

Gästebeherbergung auf land- und forstwirtschaftlichen Betrieben entwickelte sich in Österreich verstärkt in den Jahren nach dem Zweiten Weltkrieg. Damals kam die „Sommerfrische“ in Mode und ländliche Regionen, die bis dahin nicht als attraktiv galten, wurden nun für den Fremdenverkehr genutzt. Weil die Nachfrage nach Zimmern in ländlichen Regionen stieg, begannen land- und forstwirtschaftliche Betriebe freie Zimmer ohne große Investitionen an Urlaubsgäste zu vergeben. Mittlerweile hat sich die Gästebeherberung auf land- und forstwirtschaftlichen Betrieben zu einem hochprofessionellen touristischen Angebot entwickelt.

In Österreich werden 11 % des gesamten touristischen Bettenangebots (ca. 114.000 Gästebetten) von land- und forstwirtschaftlichen Betrieben angeboten.

Land- und forstwirtschaftliche Ungunstlagen (z. B. Berggebiete) sind gleichzeitig oft touristische Gunstlagen in Bezug auf Gästebeherberungen auf Bauernhöfen. Mehr als die Hälfte aller Betriebe in Österreich, die Urlaub am Bauernhof anbieten, liegen in den Bergbauerngebieten Tirols, Salzburgs und Kärntens. Die Vermietung von Zimmern auf land- und forstwirtschaftlichen Betrieben ist daher vor allem in den Berg- und Grenzregionen ein bedeutender Wirtschaftszweig.

Diese Zahlen stammen aus der Agrarstrukturerhebung 2010 und werden nur alle zehn Jahre erhoben. Wie viele Gästebetten werden aktuell auf land- und forstwirtschaftlichen Betrieben angeboten? Wie viel Prozent des gesamten touristischen Bettenangebots macht das aus? Recherchiere!

In Österreich wird der Sektor des **Agrotourismus** (= Urlaubs- und Freizeitangebote in dörflich-ländlicher Umgebung) vom **Verband „Urlaub am Bauernhof“** unterstützt. Der Verband „Urlaub am Bauernhof“ hat sich zum Ziel gesetzt, den Bekanntheitsgrad und das fachgerechte Auftreten von Gästebeherberung auf land- und forstwirtschaftlichen Betrieben zu erhöhen. Mittels einer Jury werden die Bauernhöfe seit 1993 mindestens alle vier Jahre nach den Kriterien Erlebnis-, Ausstattungs- und Servicequalität bewertet und in Kategorien (2,3,4 und 5 Blumen) eingeteilt. Eine Mitgliedschaft beim Verband „Urlaub am Bauernhof“ ist freiwillig. Landläufig wird allerdings jede Gästebeherbergung und Zimmervermietung auf einem land- und forstwirtschaftlichen Betrieb als Urlaub am Bauernhof bezeichnet, egal ob der Betrieb tatsächlich Verbandsmitglied ist oder nicht.

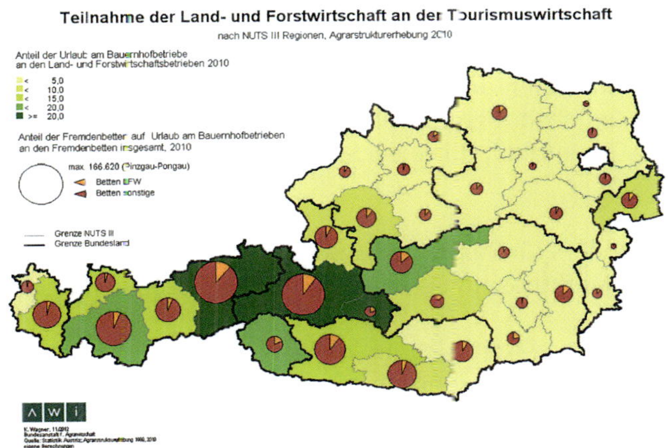


Anteil der Land- und Forstwirtschaft an der Tourismuswirtschaft (Quelle: Bundesanstalt für Agrarwirtschaft)

Betriebe, die Mitglied beim Verband „Urlaub am Bauernhof“ sind, dürfen mit dem Verbandslogo werben. (Quelle: Verband Urlaub am Bauernhof)

**Exkurs: Kategorien des Verbandes „Urlaub am Bauernhof“ als Orientierung für Wünsche der Gäste**

Der Verband Urlaub am Bauernhof teilt seine Mitgliedsbetriebe in verschiedene Kategorien ein, um den Gästen die Hof-Auswahl sowie Buchung zu erleichtern. Der Gast weiß aufgrund des einheitlichen Systems, was er erwarten kann. Für Betriebsleiter und Betriebsleiterinnen, die auf ihrem Betrieb Urlaub am Bauernhof anbieten, kann diese Kategorisierung als Orientierungshilfe und zur Unterstützung für Qualitätsverbesserungen dienen, weil sie sich an den Wünschen und Bedürfnissen der Gäste orientiert.

Der Verband „Urlaub am Bauernhof“ unterscheidet folgende **Kategorien**:

- **Bauernhof:** Ein Urlaub-am-Bauernhof-Betrieb ist ein aktiv bewirtschafteter Bauernhof in Österreich mit mindestens 2 ha Fläche, wobei regionsspezifische Unterschiede und Spezialkulturen beachten werden. Die bewirtschaftete Fläche soll jedoch mindestens 0,5 ha betragen. Die land- und forstwirtschaftlichen Betriebsabläufe sind für die Gäste erlebbar.

- **Landhof:** Landhöfe sind nicht mehr aktiv bewirtschaftete Bauernhöfe mit Wirtschaftsgebäuden (optisch erkennbar), welche als Urlaubsobjekte mit landwirtschaftlichem Bezug vermietet werden.
- **Winzerhof:** Ein Winzerhof ist ein aktiv bewirtschafteter Bauernhof mit mindestens 0,5 ha Weinanbaufläche, auf dem Wein sowie weinähnliche Erzeugnisse (z. B. Sekt und Perlwein) produziert und vermarktet werden. Wenn die Weinverarbeitung nicht am Betrieb durchgeführt wird, können mit Hilfe von Kooperationen mit Partnerbetrieben dennoch Erlebnisse zum Thema Wein (z. B. Verkostungen, Präsentationen) für die Gäste geboten werden.
- **Spezialkonzept:** Ausrichtung auf bestimmte Zielgruppen: Urlaub-am-Bauernhof-Betrieb mit Spezialkonzept sind Bauernhöfe, die ihr Angebot auf eine bestimmte Zielgruppe zugeschnitten haben (z. B. Radlerhöfe, Seniorenhöfe) oder sich durch ihre Bewirtschaftungsform (z. B. Bio-Betrieb) klar von anderen Betrieben unterscheiden. Das Konzept muss in der Kommunikation mit den Gästen klar definiert sein.
- **Almhütten:** Almhütten sind Sennhütten, Selbstversorgerhütten oder Hüttendörfer (max. 50 Betten). Das Angebot reicht von traditionellen Hütten mit Plumpsklo und ohne Strom bis zu komfortabel eingerichteten Hütten mit Strom, fließendem Wasser und Zufahrt zur Hütte. Die Almen und Hütten liegen auf mindestens 900 m Seehöhe bzw. in einem ausgewiesenen Almgebiet.
- **Raritäten und Besonderheiten:** Raritäten sind Urlaubsobjekte, die einen klaren bäuerlichen regionstypischen Bezug haben (z. B. Kellerstöckl, Troadkasten, Camping am Bauernhof, Hütte am See).

Besonders für Bio-Betriebe stellt die Gästebeherbergung als „Urlaub am Bio-Bauernhof" eine klare Marktpositionierung dar, die das Angebot von anderen Urlaub- am-Bauernhof-Betrieben abhebt.

Gäste erwarten sich im Rahmen von „Urlaub am Bio-Bauernhof" nicht nur, das Leben und die Arbeit am Bio-Betrieb miterleben zu können, sondern auch höchstmögliche Transparenz, biologische Produkte und eine nachhaltige Lebensweise geboten zu bekommen.

Erfolgreiche Bio-Bauernhöfe zeichnet aus, dass
- der Schwerpunkt „Bio" von der gesamten Gastgeber-Familie gelebt wird.
- die Grundsätze der biologischen Landwirtschaft klar kommuniziert werden. Die Gäste sind dazu eingeladen, Abläufe am Hof mitzuerleben und mehr über die biologische Landwirtschaft zu erfahren.
- den Gästen eine möglichst breite Palette an Bio-Produkten (selbst erzeugt oder zugekauft) geboten wird.
- die Zimmerausstattung die Grundsätze der biologischen Landwirtschaft (z. B. Verwendung von regionalen, nachhaltig produzierten Materialien, Achten auf den ökologischen Fußabdruck) widerspiegelt.

### Folgende Voraussetzungen erleichtern den Erfolg von „Urlaub am Bauernhof" am (Bio-) Betrieb (verändert nach Führer, 2012)

| | | |
|---|---|---|
| Persönliche Voraussetzungen |  | ■ Freude am Umgang mit Menschen<br>■ Bereitschaft zur laufenden Weiterbildung<br>■ Kaufmännische Fähigkeiten<br>■ Bereitschaft zu kreativen Problemlösungen<br>■ Bereitschaft zur Spezialisierung am Betrieb bzw. zur Kooperation mit anderen Betrieben<br>■ Freude daran, selbst Reisen zu unternehmen und von anderen Betrieben zu lernen |

| | |
|---|---|
| Betriebliche Voraussetzungen | ■ Natürliche Landschaft und ruhige Lage<br>■ Gepflegtes, äußeres Erscheinungsbild des Betriebes<br>■ Bewegungsraum rund um den Betrieb<br>■ (Nutz-)Tierhaltung am Betrieb (je nach Zielgruppe)<br>■ Nach Möglichkeit Erreichbarkeit mit öffentlichen Verkehrsmitteln<br>■ Entfernung zum nächsten Ort bzw. Gasthaus ist zumutbar<br>■ Betriebszufahrt ist gut befahrbar, Platz zum Abstellen der Autos ist vorhanden<br>■ Treffen von Maßnahmen zur Verhütung von Unfällen<br>■ Freie Arbeitskapazitäten |
| Regionale Voraussetzungen | ■ Bekanntheit der Region<br>■ Touristische Angebote in der Region<br>■ Freizeitangebote<br>■ Attraktionen, Sehenswürdigkeiten in der näheren Umgebung<br>■ Je abgelegener der Betrieb und je weniger attraktiv die Region ist, desto besser muss das Angebot des Betriebes sein. |

## 5.3 GREEN CARE AM BIO-BETRIEB

„Green Care" ist ein Sammelausdruck für Initiativen und Aktivitäten, bei denen mit Hilfe von Tieren, Pflanzen und der Natur (z. B. Steine, Wasser) die Gesundheit, das Wohlergehen und die Lebensqualität von Menschen erhalten oder sogar gesteigert werden sollen. Bei Green Care geht es also um die **Förderung der körperlichen und seelischen Gesundheit von Menschen,** einer **Verbesserung ihrer sozialen Gegebenheiten,** aber auch um eine Unterstützung für Menschen im Hinblick auf ihre persönliche Entwicklung oder pädagogische Maßnahmen. Wenn eine Verbesserung des jeweiligen Zustandes nicht mehr erreicht werden kann (z. B. in Fällen schwerer Demenz) soll mit Hilfe von Green Care zumindest der gegenwärtige Zustand möglichst lange erhalten bleiben. In Österreich gibt es inzwischen viele unterschiedliche Fachgebiete von Green Care, die an ganz unterschiedlichen Orten und für ganz unterschiedliche Menschen (= Zielgruppen) angeboten werden.

Unter Green Care versteht man Aktivitäten, welche die positive und unterstützende Wirkung der Natur, von Tieren und Pflanzen nutzen, um Menschen zu helfen und sie zu fördern.

Die bekanntesten **Fachgebiete von Green Care in Österreich** sind

- Erlebnispädagogik, Outdoor- und Umweltpädagogik
- Gartentherapie und Gartenpädagogik
- Gemeinschaftsgärten (City Farming oder Urban Gardening)
- Soziale Landwirtschaft (Lernort Bauernhof und Care Farming)
- Tiergestützte Interventionen
- Waldtherapie und Waldpädagogik

Green Care soll kein Allheilmittel oder Ersatz für andere medizinische, soziale oder pädagogische Konzepte darstellen, sondern eine wertvolle Ergänzung. Obwohl Green Care viele Möglichkeiten bietet, muss jede Maßnahme individuell gewählt und auf die Bedürfnisse der jeweiligen Person (z. B. Allergien, Abneigungen oder Ängste gegenüber Tieren etc.) abgestimmt werden.

Im Rahmen von Green Care werden **land- und forstwirtschaftliche Betriebe in Kooperation mit Sozialträgern und Institutionen zum Arbeits-, Bildungs-, Gesundheits- und Lebensort** und ermöglicht eine Vielzahl an Angeboten und Dienstleistungen für unterschiedliche Zielgruppen. Für Betriebsleiterinnen und Betriebsleiter stellt Green Care daher eine neue Möglichkeit dar, um ihr Angebot zu erweitern und ein weiteres Betriebsstandbein aufzubauen.

**INFO!** Zielgruppen: Für wen wird Green Care angeboten?

Green-Care-Angebote sprechen Menschen in sehr unterschiedlichen Lebensaltern und Lebenslagen an:

- Kinder und Jugendliche haben auf land- und forstwirtschaftlichen Betrieben die Möglichkeit, kennenzulernen, wie Lebensmittel produziert werden und natürliche Kreisläufe funktionieren. Mit Hilfe von speziell ausgebildeten Therapietieren (= tiergestützten Intervention) oder Reittherapie können z. B. auch Kinder und Jugendliche mit besonderen Bedürfnissen in ihrer Entwicklung unterstützt werden.
- Menschen im Erwerbsalter können aus unterschiedlichen Gründen Probleme haben, einem Job nachzugehen (z. B. Erkrankungen, Behinderungen). Auf Green Care-Höfen bekommen sie einen strukturierten Tagesablauf und finden einen Arbeitsort, der ihnen unterschiedliche Beschäftigungsmöglichkeiten von Arbeitstraining bis hin zur integrativen Berufsausbildung bieten kann.
- Für ältere Menschen können Green-Care-Höfe zum Lebensort werden und naturnahe Betreuungsmöglichkeiten in der Heimatregion bieten. Weil sich die Betroffenen mit Tieren und der Natur auseinandersetzen können, wird im Rahmen von Green Care auch die körperliche und geistige Aktivität der Gäste am Hof gefördert.

## Der Nutzen von Green-Care-Dienstleistungen im ländlichen Raum

(verändert nach Green Care Österreich, 2017)

| | |
|---|---|
| Für die Zielgruppe (z. B. Kinder, Jugendliche, ältere Menschen, Menschen mit Behinderung)  | ■ Förderung der körperlichen und psychischen Gesundheit durch die Interaktion mit Natur und Tieren sowie der körperlichen Aktivität<br>■ Förderung der sozialen Integration und gesellschaftlichen Teilhabe<br>■ Vermittlung von Wissen über Tiere und Pflanzen, die Arbeitsabläufe der Land- und Forstwirtschaft, über Umweltschutz und Nahrungsmittelproduktion durch den Bildungsort Bauernhof<br>■ Möglichkeit, naturnahe Betreuungsangebote in der Heimatregion zu nutzen<br>■ Entlastung pflegender Angehöriger durch entsprechende Betreuungs- und Pflegeangebote am Bauernhof<br>■ Erleichterung der Vereinbarkeit von Familie und Beruf im ländlichen Raum durch die Schaffung von Betreuungsplätzen auf Bauernhöfen |
| Für die Kooperationspartner (Sozialträger und Institutionen) 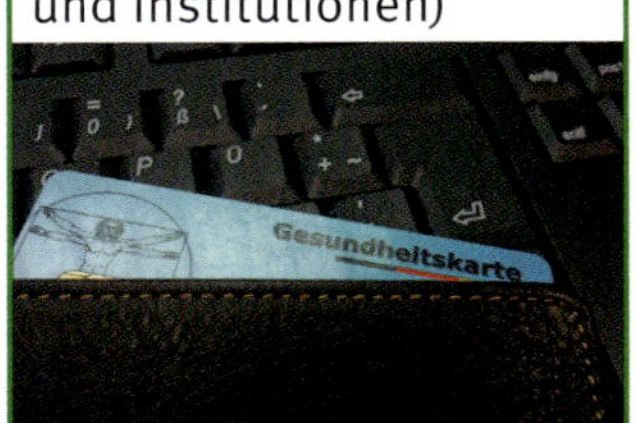 | ■ Sozialträger und Institutionen können mit Hilfe von Green Care auf land- und forstwirtschaftlichen Betrieben ihre eigene Angebotspalette erweitern<br>■ Green Care als Möglichkeit, bereits vorhandene Infrastruktur (z. B. bestehende Gebäude auf land- und forstwirtschaftlichen Betrieben) zu nutzen, selbst Gebäude errichten und erhalten zu müssen<br>■ Green Care als Möglichkeit, den individuellen Bedarf der Klientinnen und Klienten nach naturnahen Betreuungs- und Beschäftigungsmöglichkeiten zu decken |
| Für die Landwirtinnen und Landwirte  | ■ Green Care als Möglichkeit der Diversifizierung am Betrieb (Erschließung neuer Einkommensquellen)<br>■ Green Care als Chance auf eine zusätzliche wirtschaftliche Absicherung im Dienstleistungssektor (Aufbau eines weiteren Betriebsstandbeins am Betrieb)<br>■ Absicherung bestehender und Schaffung neuer Arbeitsplätze auf dem eigenen Betrieb und der Region (Einbremsen der Abwanderung)<br>■ Qualifikationen/Ausbildungen im Gesundheits-, Sozial- oder Bildungsbereich können am eigenen Betrieb eingesetzt werden<br>■ Höhere Flexibilität in der Lebens- und Berufsgestaltung z. B. durch Kinder- oder Seniorenbetreuung am Bauernhof<br>■ Stärkung des ökologischen und sozialen Gedankens sowie der Vernetzung in der Region und damit Förderung der Lebensqualität im ländlichen Raum |

## 5.4 WISSEN ANGEWANDT – DIVERSIFIZIERUNG AM BIO-BETRIEB

**Aufgabe 1:**

Deine Tante, die in derselben Ortschaft wie du wohnt, bietet Urlaub-am-Bio-Betrieb an. Sie möchte ihre Bettenauslastung weiter steigern und so den Erfolg des Betriebszweigs „Urlaub am Bauernhof“ auf ihrem Betrieb sichern. Sie hat daher mit dem Verband Urlaub am Bauernhof Kontakt aufgenommen und folgende Rechercheergebnisse bekommen:
Zielgruppen für „Urlaub am Bauernhof“

- Familien mit Kleinkindern
- Familien mit Kindern (sieben bis zwölf Jahre)
- Natur- und Umweltbewusste
- Paare (40 bis 60 Jahre) ohne Kinder
- (Berg-)Wanderer

Da deine Tante weiß, dass du das agrarische Schulwesen besuchst, bittet sie dich, ihr folgende Fragen zu beantworten:

- Welche Dinge müssen auf einem Bio-Betrieb beachtet werden, damit Urlaub am Bio-Betrieb zum Erfolg wird und die Erwartungen der Kunden bzw. Kundinnen erfüllt?
- Welches Angebot würdest du für die genannten Zielgruppen von Urlaub am Bauernhof in deiner Gemeinde bzw. Region schnüren?

# 6. BETRIEBSWIRTSCHAFT

Dieses Kapitel hilft dir dabei, folgende Kompetenzen zu erlernen:

**Ziele:** Ich kann
- ✔ die volkswirtschaftliche Bedeutung der Landwirtschaft erläutern.
- ✔ Zahlen, Daten und Fakten zur Landwirtschaft interpretieren und daraus Rückschlüsse ziehen.
- ✔ die Bedeutung verschiedener Kosten und deren Einfluss auf das Betriebsergebnis begründen.
- ✔ mit gegebenen Daten Teil- und Vollkostenrechnungen durchführen.
- ✔ statistisches Material suchen und damit arbeiten.

## 6.1 INFORMATIONSQUELLE GRÜNER BERICHT

### 6.1.1 Entstehung und Erstellung des Grünen Berichts

Die Wurzeln des Grünen Berichts reichen bis ins Jahr **1960** zurück. Damals einigten sich die beiden Regierungsparteien nach achtjährigen Verhandlungen auf ein Landwirtschaftsgesetz, dessen wesentliche Ziele die preisgünstige Ernährungssicherung der Bevölkerung sowie die Teilnahme der bäuerlichen Bevölkerung an der allgemeinen Wohlstandsentwicklung waren. Um zu überprüfen, ob diese Ziele erreicht werden, wurde dem Bundesministerium für Land- und Forstwirtschaft die Verpflichtung auferlegt, jährlich einen Bericht über die wirtschaftliche Situation der Landwirtschaft des abgelaufenen Kalenderjahres zu erstellen – der Grüne Bericht war geboren.

Der **Grüne Bericht analysiert** die **agrarwirtschaftliche Entwicklung** sowie die **soziale und wirtschaftliche Situation** der österreichischen Landwirtschaft. Außerdem kann die Entwicklung des Einkommens der landwirtschaftlichen Betriebe in Österreich im Grünen Bericht nachgelesen werden. Um Vergleiche anstellen zu können, werden die Einkommensdaten im Grünen Bericht nach folgenden Kriterien gegliedert:

- Betriebsgröße
- Betriebsformen (z. B. Marktfrucht-, Futterbau-, Dauerkultur-, Veredelungsbetriebe etc.)
- Produktionsgebiet (z. B. Alpenvorland, Wald- und Mühlviertel etc.)
- Sozioökonomischen Betriebskategorie (Haupt- bzw. Nebenerwerb)
- Bergbauernbetrieb
- Betrieb in benachteiligten förderungswürdigen Gebieten

**INFO!** Volkswirtschaftliche Bedeutung der Landwirtschaft

Wurden in Österreich im Jahr 1960 noch etwas mehr als 400.000 Betriebe bewirtschaftet – und das zu beinahe zwei Dritteln im Haupterwerb –, so wurden bei der Agrarstrukturerhebung im Jahr 2016 nur mehr rund 162.000 Betriebe gezählt, von denen mehr als die Hälfte im Nebenerwerb tätig waren. Noch Mitte des 19. Jahrhunderts lebten 75 bis 80 % der österreichischen Bevölkerung von der Landwirtschaft. Während im Jahr 1961 noch rund 16 % in der Landwirtschaft tätig waren, lag der Anteil der Erwerbstätigen in der Land- und Forstwirtschaft an allen Erwerbstätigen 2016 nur noch bei 3,9 %. Die Fläche Österreichs ist im selben Zeitraum aber nicht kleiner geworden. Das bedeutet, dass immer weniger Betriebe, die von immer weniger Personen bewirtschaftet werden, immer mehr Fläche pro Betrieb bewirtschaften. Dennoch ist die österreichische Landwirtschaft im Vergleich zum EU-Durchschnitt eher klein strukturiert: Laut Daten der Eurostat bewirtschaftet ein österreichischer Betrieb im Durchschnitt 19,5 ha, während der durchschnittliche Betrieb in Finnland mit rund 42 ha in etwa doppelt so groß und der durchschnittliche Betrieb in Tschechien mit rund 134 ha sieben Mal so groß ist.

Seit der Veröffentlichung des ersten Grünen Berichtes haben sich die Leistungen und Strukturen des Agrarsektors, die Anforderungen an die Landwirtschaft und damit auch die Rahmenbedingungen massiv geändert: Ging es in den ersten Jahren des Bestehens des Grünen Berichts noch vorrangig um Produktionssteigerung zur Versorgungssicherung und ab den 1970er-Jahren um Überschussverwertung in den Hauptsparten, so kam es in der Folge zu Einkommensunterstützung über marktpolitische Maßnahmen und Leistungsabgeltungen. Diese wurden mit dem EU-Beitritt und den Reformen der Gemeinsamen Agrarpolitik der EU noch weiter ausgebaut.

### 6.1.1.1 Beteiligte Institutionen: Wer erstellt den Grünen Bericht?

Nur Buchführungsdaten ermöglichen einen Einblick in die wirtschaftlichen Verhältnisse von land- und forstwirtschaftlichen Betrieben in Österreich. Weil aber nicht alle land- und forstwirtschaftlichen Betriebe in Österreich gesetzlich dazu verpflichtet sind, Aufzeichnungen über ihr Einkommen zu führen, kann nicht auf die per Gesetz zur Buchführung verpflichteten Betriebe zurückgegriffen werden, da diese die wirtschaftliche Lage der österreichischen Landwirtschaft nicht treffend widerspiegeln. Deshalb wurde ein **Testbetriebsnetz von freiwillig buchführenden Betrieben** gebildet, damit die Entwicklung des Einkommens der land- und forstwirtschaftlichen Betriebe in Österreich angemessen dargestellt werden kann. Aktuell schaffen rund 2.000 solcher freiwillig buchführenden Betriebe (= Testbetriebe) mit ihren Aufzeichnungen die Grundlage für die Einkommensdarstellung im Grünen Bericht.

An der Erstellung des Grünen Berichts beteiligt sind:
- Testbetriebe
- Bundesministerium für Nachhaltigkeit und Tourismus (BMNT)
- Bundesanstalt für Agrarwirtschaft
- Buchführungsstelle beauftragt vom BMNT (aktuell LBG Österreich GmbH Wirtschaftsprüfung & Steuerberatung)
- §7-Kommission (politische Parteien, Sozialpartner, Experten und Expertinnen aus Praxis und Forschung)

Die **gesammelten Aufzeichnungen der Testbetriebe** werden anschließend von einer vom Bundesministerium für Nachhaltigkeit und Tourismus (BMNT) beauftragten Buchführungsstelle (aktuell LBG Österreich GmbH Wirtschaftsprüfung & Steuerberatung) in Zusammenarbeit mit der Bundesanstalt für Agrarwirtschaft aufbereitet und die Betriebs- und Einkommensdaten **ausgewertet**. Das Landwirtschaftsgesetz sieht zur Mitwirkung bei der Erarbeitung des Grünen Berichtes eine Kommission (= §7-Kommission) vor, in der neben den im Nationalrat vertretenen politischen Parteien auch die Sozialpartner (= Wirtschaftskammer Österreich, Landwirtschaftskammer Österreich, Bundesarbeitskammer und Österreichischer Gewerkschaftsbund) sowie Expertinnen und Experten aus der Praxis und der Forschung vertreten sind. Dieses Beratungsgremium erstellt einvernehmlich den Inhalt des Grünen Berichts und arbeitet auf Basis des Grünen Berichts Empfehlungen für den jeweiligen Bundesminister bzw. die jeweilige Bundesministerin für Land- und Forstwirtschaft aus.

### 6.1.1.2 Grundgesamtheit und Auswahlrahmen: Wie werden die Betriebe für den Grünen Bericht ausgewählt?

Der Grüne Bericht soll die soziale und wirtschaftliche Situation der österreichischen Landwirtschaft möglichst aussagekräftig darstellen. Am besten würde dies gelingen, wenn alle Betriebe in Österreich Aufzeichnungen führen und für den Grünen Bericht ausgewertet würden. Weil aber in den Grünen Bericht **nur die Daten von rund 2.000 Testbetrieben** einfließen, die stellvertretend freiwillig Buch führen, müssen diese Betriebe möglichst repräsentativ ausgewählt werden. Als Basis dafür dienen die jeweils aktuelle Agrarstrukturerhebung und die Einteilung der Betriebe nach ihrem Standardoutput.

**Agrarstrukturerhebung** = statistische Erhebung von wichtigen Kennzahlen in der Land- und Forstwirtschaft (Zahl der Betriebe, bewirtschaftete Fläche, Verteilung und Höhe der Tierbestände, Arbeitskräfte am Betrieb)

Der **Standardoutput** ist der durchschnittliche Geldwert eines landwirtschaftlichen Produktes (z. B. Getreide, Milch, Fleisch) zu Ab-Hof-Preisen. Grundsätzlich wird der Standardoutput berechnet, indem man die erzeugte Menge (z. B. je Hektar Getreide oder je Milchkuh) mit dem jeweiligen Preis multipliziert. Um den Preis zu ermitteln, werden öffentliche Statistiken oder Informationen aus Expertenbefragung verwendet und der Durchschnittspreis eines fünfjährigen Betrachtungszeitraums herangezogen. Öffentliche Gelder, die Mehrwertsteuer und produktspezifische Steuern werden im Standardoutput nicht berücksichtigt.

Die Summe der Standardoutputs aller Einzelpositionen eines Betriebes entspricht seiner wirtschaftlichen Größe. Der Standardoutput kann also verwendet werden, um die landwirtschaftlichen Betriebe nach ihrer betriebswirtschaftlichen Ausrichtung und ihrer wirtschaftlichen Größe zu ordnen.

**Standardoutput** = durchschnittlicher Geldwert eines landwirtschaftlichen Produktes bewertet zu Ab-Hof-Preisen

Aus der jeweils aktuellen Agrarstrukturerhebung wird die so genannte **Grundgesamtheit** abgeleitet, aus der später mit Hilfe des Auswahlrahmens die Testbetriebe für den Grünen Bericht ausgewählt werden. Betriebe, die mehr als 500 ha Waldfläche bewirtschaften oder mehr als ein Drittel ihres Standardoutputs aus dem Gartenbau erwirtschaften, werden in der Grundgesamtheit nicht berücksichtigt und daher vom Grünen Bericht nicht abgebildet.

Im Grünen Bericht werden **Betriebe mit einer wirtschaftlichen Größe zwischen 15.000 und 750.000 Euro Gesamtstandardoutput** abgebildet (= Auswahlrahmen). Betriebe, deren Gesamtstandardoutput nicht innerhalb dieser Grenzen liegt, fallen aus dem Auswahlrahmen und werden daher nicht als Testbetriebe ausgewählt. Damit die wirtschaftliche Situation der Land- und Forstwirtschaft in Österreich möglichst aussagekräftig und repräsentativ dargestellt werden kann, werden die Testbetriebe nach den Kriterien Betriebsform, Größe des Betriebes, Region und Bergbauerngruppe des Betriebes ausgewählt.

**INFO!** Grundgesamtheit und Auswahlrahmen in der Praxis

Bei der Agrarstrukturerhebung 2016 wurden 162.018 Betriebe gezählt. Davon bewirtschafteten 153.407 Betriebe Waldflächen von höchstens 500 ha bzw. erwirtschafteten höchstens ein Drittel ihres gesamten Standardoutputs aus dem Gartenbau. Diese 153.407 Betriebe stellen also die Grundgesamtheit dar, aus der der Auswahlrahmen abgeleitet wird. Betriebe, die weniger als 15.000 Euro oder mehr als 750.000 Euro Gesamtstandardoutput erwirtschaften, fallen aus dem Auswahlrahmen und werden nicht als freiwillig für den Grünen Bericht buchführende Betriebe ausgewählt. Bei der Agrarstrukturerhebung 2016 fielen 76.877 Betriebe in den Auswahlrahmen. Davon wurden rund 2.000 Testbetriebe nach Betriebsform, Größe des Betriebes, Region und Bergbauerngruppe des Betriebes ausgewählt. Das bedeutet, dass die Auswertungen dieser Testbetriebe die 76.877 Betriebe des Auswahlrahmens repräsentieren.

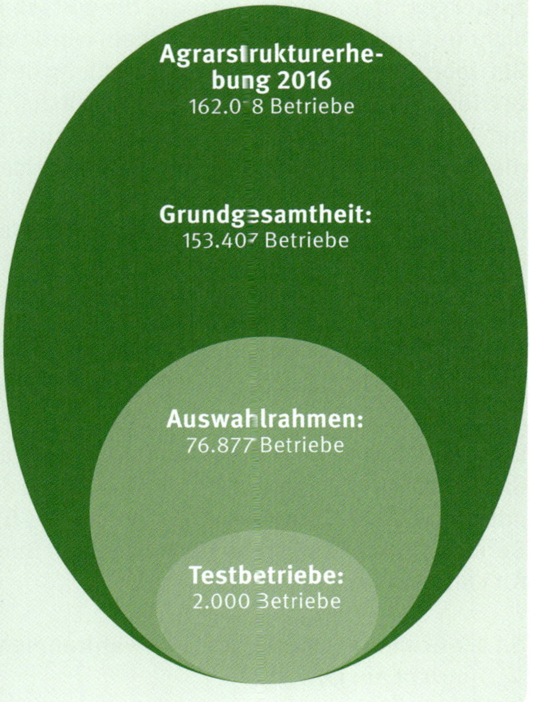


Durch den Auswahlrahmen werden etwas weniger als die Hälfte (49 %) der Betriebe der Grundgesamtheit abgedeckt. Geht man jedoch nach anderen Merkmalen, liegt die Abdeckung weit höher: Mit Hilfe des gewählten Auswahlrahmens können z. B. 88,3 % der landwirtschaftlich genutzten Fläche bzw. 92,7 % aller in Österreich gehaltenen Rinder abgedeckt werden.

### Auswahlrahmen, Grundgesamtheit und Abdeckung der Grundgesamtheit nach Agrarstrukturerhebung 2016

(Quelle: BMNT (2018) nach Statistik Austria, Bundesanstalt für Agrarwirtschaft)

| | Auswahlrahmen 15.000 bis 750.000 Euro Gesamtstandardoutput | Grundgesamtheit | Prozentuelle Abdeckung | Alle Betriebe |
|---|---|---|---|---|
| **Anzahl Betriebe** | 76.877 | 153.407 | 50,1 | 162.018 |
| **Standardoutput Gesamt (Euro)** | 5,69* Milliarden | 6,30* Milliarden | 90,3 | 7,29* Milliarden |
| **Forstfläche (ha)** | 1,18* Millionen | 1,60* Millionen | 73,9 | 3,41* Millionen |

| | Auswahlrahmen 15.000 bis 750.000 Euro Gesamtstandardoutput | Grundgesamtheit | Prozentuelle Abdeckung | Alle Betriebe |
|---|---|---|---|---|
| Landwirtschaftlich genutzte Fläche (ha) | 2,13* Millionen | 2,41* Millionen | 88,3 | 2,67* Millionen |
| Ackerland (ha) | 1,22* Millionen | 1,31* Millionen | 93,5 | 1,34* Millionen |
| Großvieheinheiten | 2,18* Millionen | 2,39* Millionen | 91,4 | 2,40* Millionen |
| Rinder (Stück) | 1,79* Millionen | 1,93* Millionen | 92,7 | 1,93* Millionen |
| Milchkühe 2 Jahre und älter (Stück) | 554.286 | 560.931 | 98,8 | 562.428 |
| Schweine (Stück) | 2,77* Millionen | 2,86* Millionen | 96,7 | 2,88* Millionen |

* gerundet

Grundgesamtheit = Betriebe, aus denen der Auswahlrahmen ausgewählt wird (bewirtschaften Waldflächen von höchstens 500 ha bzw. erwirtschafteten höchstens ein Drittel ihres gesamten Standardoutputs aus dem Gartenbau)

Auswahlrahmen = alle Betriebe die vom Grünen Bericht abgebildet werden (wirtschaftliche Größe zwischen 15 000 und 750.000 Euro Gesamtstandardoutput)

### 6.1.1.3 Prozess und Zeitplan für die Einkommensermittlung des Grünen Berichts: Welche Daten müssen bis wann erfasst werden?

Um die Einkommenssituation der land- und forstwirtschaftlichen Betriebe möglichst aussagekräftig und repräsentativ darstellen zu können, führen Testbetriebe dafür freiwillig Buch. Das Ziel bei diesen Erhebungen ist es, alle Geschäftsfälle im land- und forstwirtschaftlichen Betrieb, wenn vorhanden im Gewerbebetrieb und bei den außerbetrieblichen Tätigkeiten sowie im Unternehmerhaushalt zu erfassen.

Daher werden von den Testbetrieben folgende Aufzeichnungen geführt:

- Erfassung der Naturalbewegungen, der Tierbewegungen sowie der Personen und Arbeitstage im „Naturalbericht“
- Erfassung der Geldbewegungen im „Geldbericht“
- Erfassung der Anlagengüter im „Anlagenverzeichnis“

**Naturalaufzeichnungen**, die **Erfassung der Geldbewegungen** und das **Anlagenverzeichnis** sind die Basis der Einkommensberechnung und damit die Grundlage für den Grünen Bericht. Anders als bei der Finanzbuchhaltung, bei der steuerliche Aspekte im Vordergrund stehen, werden bei der Einkommensermittlung für den Grünen Bericht betriebswirtschaftliche Kriterien herangezogen. Die Informationen aus dem Naturalbericht, dem Geldbericht und dem Anlagenverzeichnis fließen in den betriebswirtschaftlichen Jahresabschluss ein und werden verwendet, um die Gewinn- und Verlustrechnung sowie die Bilanz zu erstellen.

Nach dem Jahresabschluss werden die Ergebnisse der Testbetriebe getrennt für den land- und forstwirtschaftlichen Betrieb (wesentliche Kennzahl sind hier die Einkünfte aus Land- und Forstwirtschaft) und für den Unternehmerhaushalt (wesentliche Kennzahlen sind hier das verfügbare Haushaltseinkommen und die Über-/Unterdeckung des Verbrauchs) ausgewiesen. Gleichzeitig werden aus den betriebswirtschaftlichen Jahresabschlüssen Daten für das EU-weite InformationsNetz Landwirtschaftlicher Buchführungen (INLE) generiert und an die EU übermittelt. Das INLB ist ein Instrument, mit dessen Hilfe das Einkommen landwirtschaftlicher Betriebe und die Auswirkungen der Gemeinsamen Agrarpolitik bewertet werden können.

### Datenerfassung für den Grünen Bericht

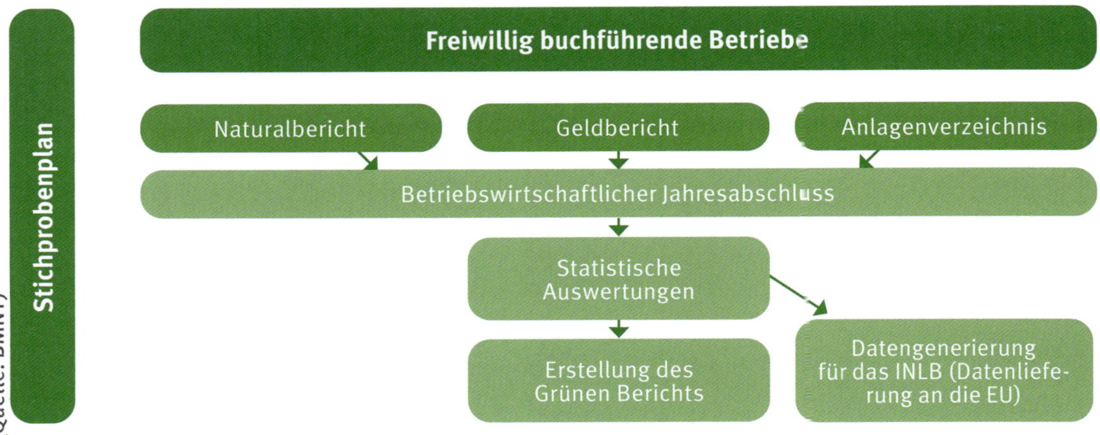


(Quelle: BMNT)

Die Erstellung des Grünen Berichts ist mit einer Reihe von Aktivitäten verbunden, die in etwa zwei Jahre in Anspruch nehmen.

### Prozess- und Zeitablauf der Einkommensermittlung für den Grünen Bericht 2018

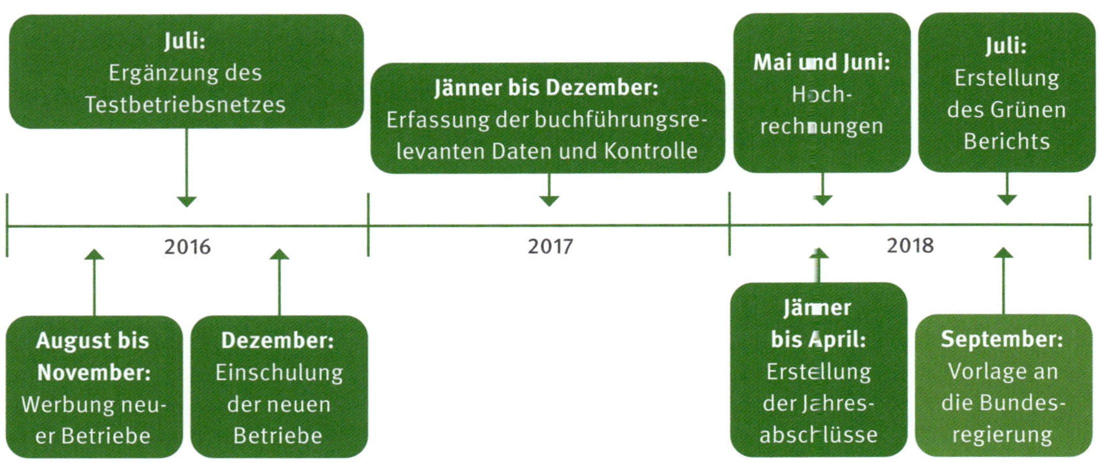


Achtung: Die Abbildungen stellen eine Momentaufnahme aus dem Jahr 2017 dar. Recherchiere das entsprechende Datenmaterial aus dem aktuellen Grünen Bericht und vergleiche!

### 6.1.2 Biologische Landwirtschaft im Grünen Bericht

Der biologischen Landwirtschaft wird im Grünen Bericht ein eigenes Kapitel gewidmet, in dem auf die aktuelle Produktions- und Marktsituation des jeweiligen Jahres eingegangen wird. Zusätzlich wird die Einkommenssituation der Bio-Betriebe in den Auswertungsergebnissen der Testbetriebe beschrieben und mit konventionellen Betrieben verglichen. Der Grüne Bericht ist daher eine reichhaltige Informationsquelle für Daten über biologisch wirtschaftende Betriebe.

### Ergebnisse der Bio-Betriebe und der konventionellen Vergleichsbetriebe 2017

| | nAK je Betrieb | RLF je Betrieb ha | Einkünfte aus Land- und Forstwirtschaft je Betrieb in Euro | Einkünfte aus Land- und Forstwirtschaft Veränderung zu 2016 in % |
|---|---|---|---|---|
| **Marktfruchtbetriebe** | | | | |
| davon konventionell | 0,89 | 49,18 | 25.361 | −18,1 |
| bio | 0,88 | 50,84 | 46.793 | −16,94 |
| **Spezialisierte Milchviehbetriebe** | | | | |
| davon konventionell | 1,67 | 26,51 | 37.041 | +52,6 |
| bio | 1,63 | 25,03 | 39.971 | -15,4 |
| **Forstbetriebe** | | | | |
| davon konventionell | 1,12 | 16,89 | 20.778 | +6,7 |
| bio | 1,20 | 20,13 | 22.935 | +4,2 |

(Quelle: Grüner Bericht 2018, BMNT)

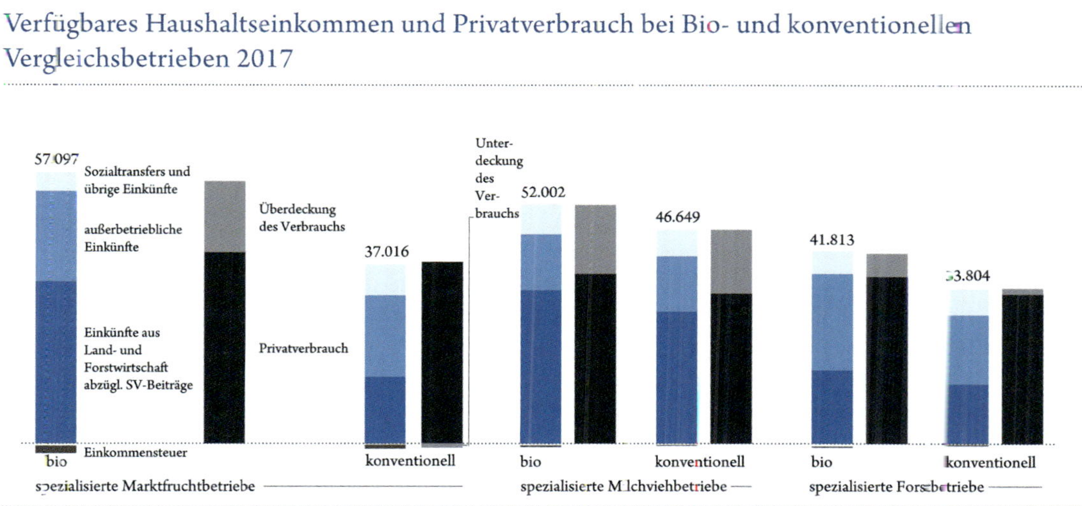


Verfügbares Haushaltseinkommen und Privateinkommen bei Bio- und konventionellen Vergleichsbetrieben 2017 (Quelle: Grüner Bericht 2018, BMNT)

## 6.2 ZAHLEN, DATEN, FAKTEN: LEISTUNGS-KOSTENRECHNUNG IN DER LANDWIRTSCHAFT

Als Betriebsleiter bzw. Betriebsleiterin eines land- und forstwirtschaftlichen Betriebes müssen laufend Alternativen abgewogen und Entscheidungen getroffen werden. Obwohl die Daten aus der Finanzbuchhaltung wertvolle Informationen liefern, können wesentliche Fragen der Unternehmensführung damit nicht beantwortet werden (z. B.: Welcher Betriebszweig ist rentabler?). Dabei hilft die Leistungs-Kostenrechnung. Die Leistungs-Kostenrechnung ist daher neben der Finanzbuchhaltung ein wesentlicher Bereich im Rechnungswesen.

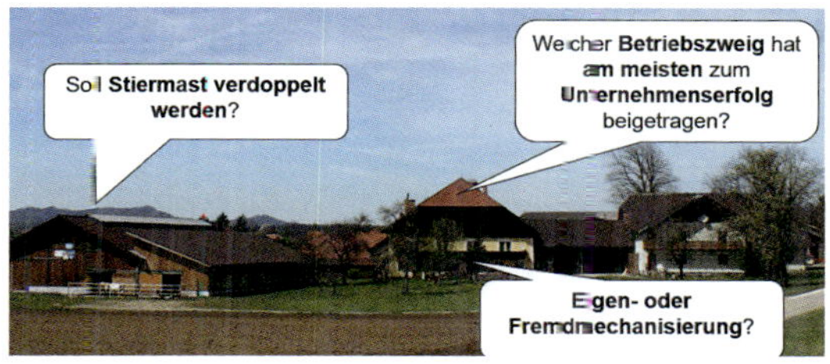


Können diese Fragen mit den Informationen aus der Finanzbuchhaltung beantwortet werden?

### 6.2.1 Leistungs-Kostenrechnung: Was ist das genau und wozu braucht man sie?

Mit Hilfe der Leistungs-Kostenrechnung werden die **Leistungen eines Betriebszweiges** (z. B. Milchviehhaltung, Ackerbau) oder **eines Produktes bzw. einer Dienstleistung** (z. B. Milch, Speiseweizen, Urlaub am Bauernhof) **den verursachten Kosten gegenübergestellt.**

Mit Hilfe der Leistungs-Kostenrechnung können Kosten „kontrolliert" werden, d. h., es kann bestimmt werden, wie hoch die Kosten einzelner Betriebszweige sind bzw. wie sich die Kosten entwickelt haben. Sie ermittelt also den **Erfolg einzelner Betriebsteile.**

Die Leistungs-Kostenrechnung wird daher angewandt, weil sie Antworten auf Fragen bietet, welche die Finanzbuchhaltung nicht beantworten kann, z. B.

- Welchen Mindestpreis muss ein Produkt (z. B. Milch, Mahlweizen) oder eine Dienstleistung (z. B. Urlaub am Bauernhof) erzielen, damit der Erlös die Kosten deckt? → Preisentscheidung
- Welche Produkte bzw. Dienstleistungen sollen überhaupt angeboten werden, um den Gewinn des land- und forstwirtschaftlichen Betriebs zu optimieren? → Sortimentsentscheidung
- Soll eine Leistung im Unternehmen selbst erstellt oder zugekauft werden (z. B. Kauf einer Siloballenpresse oder Siloballen lohnpressen lassen)? → Make-Or-Buy-Entscheidungen, Outsourcing-Entscheidungen
- Wie haben sich die Kosten für die am Betrieb erstellten Produkte bzw. Dienstleistungen entwickelt und wie sollen sich die Kosten in Zukunft entwickeln? → Kostenkontrolle, Kostenplanung

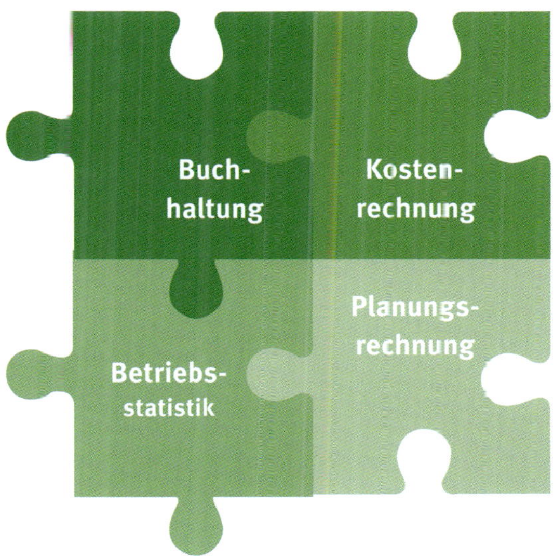


Leistungs-Kostenrechnung ist ein wichtiges Puzzleteil des betrieblichen Rechnungswesens.

Da der Jahresabschluss in der Finanzbuchhaltung normalerweise nur einmal jährlich erstellt wird, kommen die Daten aus der Bilanz um Monate zu spät, um ein Unternehmen zu steuern. Als **kurzfristige Erfolgsrechnung** ist die Leistungs-Kostenrechnung daher ein wichtiges **Hilfsmittel für die betriebliche Kontrolle, unterstützt Entscheidungen** und sollte die **Grundlage jeder operativen Planung** sein.

### 6.2.2 Wo liegen die Unterschiede zwischen Finanzbuchhaltung und Kosten- und Leistungsrechnung?

Die Leistungs-Kostenrechnung ist der **Hauptbestandteil des internen Rechnungswesens.** Anders als das externe Rechnungswesen (Finanzbuchhaltung: Gewinn und Verlustrechnung) ist das interne Rechnungswesen kaum an gesetzliche Vorschriften gebunden, sondern dient hauptsächlich **innerbetrieblichen Informationszwecken.** Die Leistungs-Kostenrechnung ist weniger umfangreich als die Finanzbuchhaltung und umfasst nicht alle Aufwendungen und Erträge des Unternehmens, sondern die Leistungen und Kosten, die im Zusammenhang mit dem betrieblichen Leistungsprozess stehen. Obwohl die Leistungs-Kostenrechnung für einen land- und forstwirtschaftlichen Betrieb nicht gesetzlich verpflichtend ist, ist sie daher dennoch sehr empfehlenswert.

#### Unterschiede zwischen Finanzbuchhaltung und Leistungs-Kostenrechnung

(Quelle: Eigene Darstellung, verändert nach Kirner et al., 2016)

| | Finanzbuchhaltung | Leistungs-Kostenrechnung |
|---|---|---|
| **Welches Ziel wird verfolgt?** | Dokumentation der betrieblichen Vorgänge | Kontrolle der Kosten,Einsatz für Planungsrechnungen, Entscheidungsgrundlage |
| **Welche Größen werden verwendet?** | Aufwände, Erträge; Vermögen, Kapital | Leistungen, Kosten |
| **An wen richten sich die gewonnenen Informationen?** | Adressaten innerhalb und außerhalb des Betriebes ➜ „externes“ Rechungswesen | Ausschließlich Adressaten innerhalb des Unternehmens ➜ „internes“ Rechnungswesen |
| **Unterliegt die Erstellung gesetzlichen Richtlinien?** | Ja, z. B. Unternehmensgesetzbuch (UGB) | Nein, wenige Ausnahmen |
| **Wie häufig wird sie durchgeführt?** | Jahresabschluss, Erstellung Gewinn- und Verlustrechnung bzw. Bilanz: überlicherweise einmal pro Jahr | Auch während des Jahres, z. B. monatlich oder quartalsweise |
| **Zu welchem Zeitpunkt wird sie durchgeführt?** | Im Nachhinein | Im Voraus (Planung) und im Nachhinein (Kontrolle) |
| **Werden kalkulatorische Kosten berücksichtigt?** | Nein | Ja, Berücksichtigung von Kosten für unternehmenseigene Faktoren (z. B. nicht entlohnte Arbeitszeit, Pachtansatz für Eigenflächen etc.) |
| **Können einzelne Betriebszweige abgerechnet und miteinander verglichen werden?** | Nein | Ja, Betriebszweige innerhalb eines Unternehmens können abgerechnet und verglichen werden ➜ Aufteilung der Leistungen und Kosten auf Teile des Unternehmens (Betriebszweige, Produktionsverfahren) ist notwendig |

### 6.2.3 Systeme der Leistungs-Kostenrechnung

Je nach Dringlichkeit einer Entscheidung können verschiedene Systeme der Leistungs-Kostenrechnung angewendet werden:

- kurzfristige Entscheidungen: Teilkostenrechnung (z. B. Deckungsbeitragsrechnung)
- mittelfristige Entscheidungen: Vollkostenrechnung

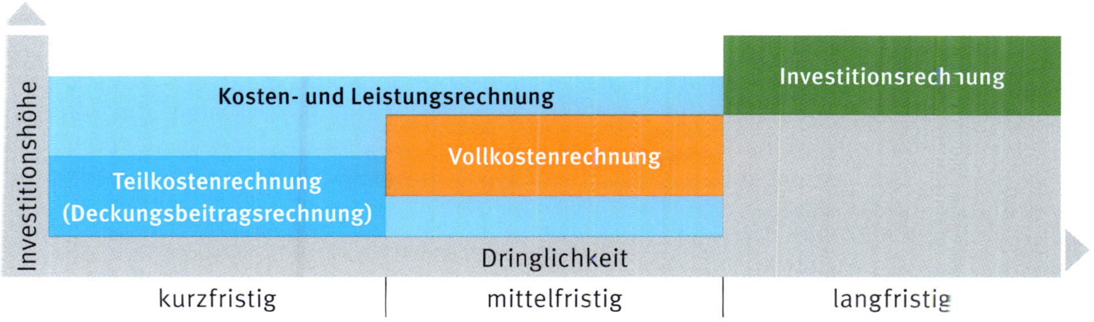


Für unternehmerische **Entscheidungen mit kurzfristigem Entscheidungshorizont** eignet sich besonders die **Deckungsbeitragsrechnung**. Der Deckungsbeitrag ist die Differenz zwischen Leistungen (z. B. verkaufte Milch pro Kuh und Jahr bewertet zum durchschnittlichen Verkaufspreis) und den variablen Kosten. Variable Kosten sind jene Kosten, die sich ändern, wenn sich der Produktionsumfang ändert (z. B. Kosten für Saatgut). Der Betrag, der aus der Differenz zwischen Leistung und den variablen Kosten entsteht, steht zur Deckung der Fixkosten zur Verfügung.

Für **mittelfristige Entscheidungen** ist die **Vollkostenrechnung** als Planungsgrundlage besser geeignet, weil sie sämtliche Kosten eines Betriebszweiges bzw. der Produktion eines Produkts berücksichtigt, also auch Gemeinkosten, wie z. B. Abschreibungen für Maschinen und Geräte. Die Vollkostenrechnung ist genauer als die Teilkostenrechnung, zieht aber auch größere Vorarbeit nach sich, weil die Gemeinkosten mit Hilfe von Verteilungsschlüsseln auf die einzelnen Betriebszweige bzw. Produkte verteilt werden müssen.

**Langfristige Entscheidungen** (z. B. Stallbau) werden auf Basis der **Investitionsrechnung** getroffen. Die Investitionsrechnung gehört allerdings nicht zur Leistungs-Kostenrechnung, sondern stellt einen eigenen Bereich im Rechnungswesen dar.

## 6.3 TEILKOSTENRECHNUNG: DECKUNGSBEITRÄGE AM BIO-BETRIEB

Welche Betriebszweige, Produkte oder Dienstleistungen sind für den Betrieb rentabel und welche sind unwirtschaftlich? Wie viel Stück Hartkäse müssen verkauft werden, um auch die Fixkosten zu decken? Wo liegt die Preisuntergrenze, d. h., wie weit kann sich der Betriebsleiter bzw. die Betriebsleiterin vom Kunden bzw. der Kundin herunterhandeln lassen? Mit Hilfe der Deckungsbeitragsrechnung lassen sich diese Fragen beantworten.

### 6.3.1 Deckungsbeitrag: Was ist das und wozu braucht man ihn?

Der Deckungsbeitrag gibt an, welchen Betrag ein Betriebszweig bzw. ein am Betrieb erzeugtes Produkt oder Dienstleistung zur Deckung der Fixkosten beiträgt, nachdem die variablen Kosten von seiner Leistung subtrahiert wurden. Da nur die variablen Kosten und nicht auch die Fixkosten abgezogen werden, gehört die Deckungsbeitragsrechnung zur Teilkosten- und nicht zur Vollkostenrechnung.

Die **Deckungsbeitragsrechnung** wird **jeweils auf ein Produktionsverfahren und auf eine Produktionseinheit bezogen**. Das Produktionsverfahren kann z. B. der vom Betrieb angebaute Winterweizen sein – die zu betrachtende Produktionseinheit wäre dann 1 ha. In der Tierhaltung ist die Produktionseinheit ein Stück. In der Milchviehhaltung wird beispielsweise der Deckungsbeitrag je Milchkuh und Jahr errechnet, während bei der Schweinemast der Deckungsbeitrag pro Mastschwein errechnet wird. Zusätzlich zum Deckungsbeitrag ist der Anspruch der Produktionsfaktoren, z. B. die notwendige Arbeitszeit je Einheit, wie Flächen, Stallplätze, Güllelager, Futterlager usw., zu berücksichtigen.

Um den Deckungsbeitrag eines Produktionsverfahrens zu berechnen, müssen variablen Kosten von den Leistungen des Produktionsverfahrens subtrahiert werden, d. h.:

Leistungen (Menge x Preis)
– variabel Kosten
= Deckungsbeitrag

Nehmen wir an, Herr Gruber produziert auf seinem Bio-Betrieb Bio-Winterweizen in Speisequalität und möchte seinen Deckungsbeitrag berechnen. Er erntet 3.500 kg pro Hektar und kann den Weizen um 0,33 Euro pro Kilo verkaufen. Die Leistung des Produktionsverfahrens Winterweizen beträgt also 1155 Euro pro Hektar. Um den Speiseweizen produzieren zu können, gibt Herr Gruber 510 Euro für Saatgut, variable Maschinenkosten (z. B. Lohndrusch), Hagelversicherung und Trocknung aus. Der Deckungsbetrag pro Hektar Bio-Speiseweizen beträgt auf dem Betrieb von Herrn Gruber also 645 Euro.

## Deckungsbeitrag Bio-Speiseweizen

| | |
|---|---|
| **Leistungen** | |
| Verkauf Korn (3.500 Kilo à 0,33 Euro pro Kilo) | 1.155 €/ha |
| **Summe Leistungen** | **1.155 €/ha** |
| **Variable Kosten** | |
| Saatgut | 126 €/ha |
| Variable Maschinenkosten | 348 €/ha |
| Trocknung | 10 €/ha |
| Hagelversicherung | 26 €/ha |
| **Summe variable Kosten** | **510 €/ha** |
| **Deckungsbeitrag** | **645 €/ha** |

**INFO!** Was sagt der Deckungsbeitrag aus?

Ist der Deckungsbeitrag (DB) größer als null (= positiver Deckungsbeitrag), übersteigen die Leistungen die variablen Kosten eines Betriebszweiges bzw. Produktes. Das bedeutet aber nicht, dass der Betrieb damit Gewinn macht. Zunächst muss der Deckungsbeitrag die fixen Kosten (z. B. Abschreibung der Traktoren und Gebäude etc.) decken. Erst wenn der DB diese Kosten übersteigt, spricht man von Gewinn.

Liegt der Deckungsbeitrag bei null, bedeutet das, dass die Leistungen eines Betriebszweiges bzw. Produktes genau den variablen Kosten entsprechen. Man nennt dies die absolute oder kurzfristige Preisuntergrenze. Um sinnvoll wirtschaften zu können, sollte der Deckungsbeitrag mindestens so hoch sein.

Mit Hilfe der Deckungsbeitragsberechnung können unterschiedliche Betriebszweige (z. B. Milchviehhaltung, Ackerbau etc.) bzw. Produktionsverfahren (z. B. Winterweizen, Triticale, Hafer etc.) miteinander betriebswirtschaftlich verglichen werden. Führt man regelmäßig Deckungsbeitragsberechnungen für den eigenen Betrieb durch, erhält man Auskunft über die Entwicklung der Wirtschaftlichkeit im Zeitvergleich. Die Deckungsbeiträge sind daher eine wichtige Stütze in der Kontrolle zur Beurteilung der Wirtschaftlichkeit und Finanzierbarkeit. Zusätzlich dienen sie als Basis für Planungsrechnungen.

**INFO!** Vom Deckungsbeitrag zu den Einkünften aus der Land- und Forstwirtschaft

Addiert man die Deckungsbeiträge aller Produktionsverfahren bzw. Betriebszweige eines Betriebes erhält man den Gesamtdeckungsbeitrag. Zu diesem Gesamtdeckungsbeitrag werden anschließend die öffentlichen Gelder wie Direktzahlungen, ÖPUL-Zahlungen und die Ausgleichszulage für benachteiligte Gebiete addiert. Der Gesamtdeckungsbeitrag inkl. öffentlicher Gelder dient der Abdeckung der Fixkosten des Betriebes. Der Betrieb erzielt nur dann positive Einkünfte aus der Land- und Forstwirtschaft, wenn der Gesamtdeckungsbei trag inkl. öffentlicher Gelder größer ist als die Fixkosten. Die Einkünfte aus der Land- und Forstwirtschaft stehen dann zur Entlohnung der eigenen Arbeitszeit, des eingesetzten

Eigenkapitals und des eigenen Grundes (= Opportunitätskosten) zur Verfügung. Die Summe, die übrig bleibt, wenn man die Opportunitätskosten von den Einkünften aus der Land- und Forstwirtschaft abzieht, nennt man kalkulatorischen Gewinn.

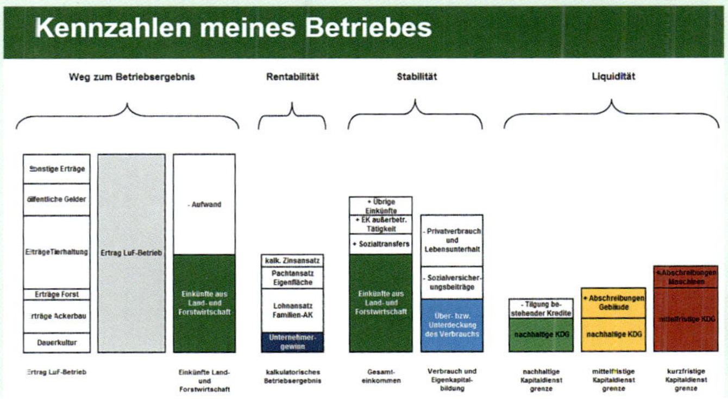


Kennzahlenübersicht (Quelle: Eigene Darstellung nach Biedermann, G.)

## 6.3.2 Unterschiede bei der Berechnung von Deckungsbeiträgen am Bio-Betrieb im Vergleich zu konventionellen Betrieben

Der Deckungsbeitrag entspricht immer der Differenz zwischen der Leistung eines Produktionsverfahrens und den dabei verursachten variablen Kosten, egal ob er für einen Bio-Betrieb oder einen konventionellen Betrieb berechnet wird. Da das Leitbild eines Bio-Betriebes aber ein möglichst geschlossener Betriebskreislauf ist, ergeben sich bei der Bewertung des Wirtschaftsdüngers und der variablen Düngerkosten je nach Bewirtschaftungsform (konventionell oder bio) unterschiedliche Vorgangsweisen.

### 6.3.2.1 Bewertung von variablen Düngerkosten und Wirtschaftsdünger auf konventionellen Betrieben

Bei konventionellen Betrieben werden variable Kosten für die Düngung der Kulturen bei den Deckungsbeiträgen der einzelnen Produktionsverfahren im Ackerbau, Grünland und Futterbau berücksichtigt. Die variablen Kosten der Düngung werden dabei nach Nährstoffentzug und nicht nach der am Feld tatsächlich ausgebrachten Düngung berechnet, weil der ausgebrachte Dünger zum Teil auch noch eine Nachwirkung für die nächste Kultur hat. Mit Hilfe der Berechnung nach Nährstoffentzug werden so spezifische Über- bzw. Unterversorgungen (z. B. Mais – Getreide) ausgeglichen. Als Kostenansatz werden die Reinnährstoffkosten gewählt.

Die variablen Düngerkosten bzw. der Wert des Wirtschaftsdüngers werden übersichtlich in den Internet-Deckungsbeiträgen der Bundesanstalt für Agrarwirtschaft (siehe Kapitel 6.3.3 Deckungsbeiträge online berechnen: Nutzung des AWI IDB als Internet-Tool) dargestellt.

Werden Nutztiere am Betrieb gehalten, fällt Wirtschaftsdünger an. Der **Wert dieses Wirtschaftsdüngers entspricht** dabei der **Einsparung für mineralische Düngemittel** (= relativer Zukaufswert). Dieser relative Zukaufswert wird ermittelt, indem die Reinnährstoffkosten mit den anfallenden Nährstoffmengen multipliziert werden. Als Datenquelle können dafür die Richtlinien der Sachgerechten Düngung genutzt werden. Bei der Berechnung von Deckungsbeiträgen für die Nutztierhaltung bei konventionellen Betrieben wird der Wirtschaftsdünger daher zur Summe der Leistung gezählt.

**Nährstoffbedarf Mahlweizen in Abhängigkeit des Ertrags ( 55 dt/ha ) und Nährstoffkosten**

| | | Einheit | Stickstoff N | Phosphat $P_2O_5$ | Kali $K_2O$ |
|---|---|---|---|---|---|
| | Nährstoffabfuhr je dt Ertrag ( Qualitätsweizen) [1)] | kg/dt | 2.12 | 0.8 | 0.6 |
| | **Nährstoffabfuhr je Hektar** | **kg/ha** | **117** | **44** | **33** |
| + | Saldo Stickstoffverluste minus Stickstoffeintrag | kg/ha | 0.0 | --- | --- |
| = | **Nährstoffbedarf gesamt** | **kg/ha** | **117** | **44** | **33** |
| X | Reinnährstoffkosten [2)] (inkl. 20.0 % MwSt.) | €/kg | 1.06 | 1.0 | 0.7 |
| = | **Nährstoffkosten (inkl. 20.0 % MwSt.)** | **€/ha** | **124** | **44** | **23.1** |
| = | **Nährstoffkosten Summe (inkl. 20.0 % MwSt.)** | **€/ha** | **191.1** | | |

[1] Quelle: LfL-Leitfaden für die Düngung von Acker- und Grünland Düngungsempfehlungen können aus den Richtlinien für Sachgerechte Düngung entnommen werden.

[2] Vorbelegung: österreichische Reinnährstoffkosten (Grafik "Reinnährstoffkosten" verbergen )

Die Reinnährstoffkosten sind auf Grundlage der Mineraldünger NAC, Diammonphosphat und Kalisalz errechnet.

**Entwicklung der Reinnährstoffkosten in Österreich**

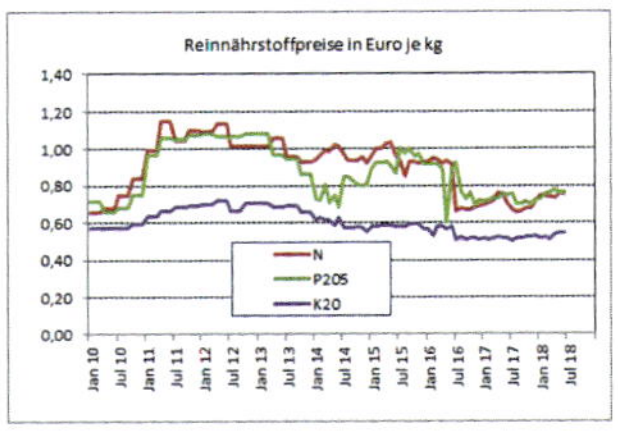


Quelle: AMA, eigene Berechnungen

Berechnung der variablen Düngerkosten für Qualitätsweizen mit einem Ertrag von 5.500 kg pro Hektar

**Kalkulation des Düngerwerts frei Feld je Kuh und Jahr (inkl. MwSt.)**

| | | N | $P_2O_5$ | $K_2O$ |
|---|---|---|---|---|
| Nährstoffgehalte Milchviehgülle bei der Ausbringung (7.5 % TS) | kg/m³ | 2.6 | 1.5 | 4.9 |
| Gülleanfall | m³/Kuh u. Jahr | | 25.0 | |
| Nährstoffmengen bei der Ausbringung | kg/Kuh u. Jahr | 65 | 37.5 | 122.5 |
| Hiervon nutzbar | % | 70.0 | 100.0 | 100.0 |
| Reinnährstoffkosten (inkl. 20.0 % MwSt.) | €/kg | 1.06 | 1.0 | 0.7 |
| **Düngerwert je Kuh und Jahr (inkl. 20.0 % MwSt.)** | **€/Kuh u. Jahr** | | **171.48** | |
| | | | | |
| Transport-/Ausbringkosten Wirtschaftsdünger flüssig (inkl. 20.0 % MwSt.) | €/m³ | | 1.1 | |
| **Transport-/Ausbringkosten je Kuh und Jahr (inkl. 20.0 % MwSt.)** | **€/Kuh u. Jahr** | | **27.50** | |
| | | | | |
| **Wert des Wirtschaftsdüngers frei Feld je Kuh und Jahr (inkl. MwSt.)** | **€/Kuh u. Jahr** | | **143.98** | |
| | | | | |
| Für diese Art des Wirtschaftsdüngers notwendige Einstreumenge | kg/Kuh u. Jahr | | 1.0 | |

Berechnung des Wirtschaftsdüngerwertes für die Milchkuhhaltung (Annahmen: 8.000 kg Milchleistung, Stallsystem: Laufstall, Berechnung inkl. Kalb)

### 6.3.2.2 Bewertung von variablen Düngerkosten und Wirtschaftsdünger am Bio-Betrieb

Das Leitbild eines Bio-Betriebes ist ein möglichst geschlossener Betriebskreislauf. Daher werden bei der Berechnung von Deckungsbeiträgen am Bio-Betrieb weder die Düngerkosten als variable Kosten in der Bodennutzung noch der Wert des Wirtschaftsdüngers in der Tierhaltung berücksichtigt.

Möchte man die berechneten Deckungsbeiträge aber für Planungsrechnungen nutzen, sollte man auf eine ausgeglichene Fruchtfolge unter Berücksichtigung der Nährstoffe bei Wirtschaftsdünger achten.

### 6.3.3 Deckungsbeiträge online berechnen: Nutzung des AWI IDB als Internet-Tool

Möchte man zu Planungszwecken Deckungsbeiträge für Produktionsverfahren berechnen, die aktuell noch nicht am Betrieb vorhanden sind und zu denen man als Betriebsleiter bzw. Betriebsleiterin daher noch keine Daten hat, ist es hilfreich, auf **Durchschnittswerte** zurückgreifen zu können. Die Bundesanstalt für Agrarwirtschaft bietet schon seit vielen Jahren Daten für die Beratung und Betriebsplanung an. Seit 2011 stellt sie das Programm „IDB – Deckungsbeiträge und Kalkulationsdaten“ kostenlos zur Verfügung.

Mit Hilfe dieser Internetanwendung können so auf Basis von österreichischen Durchschnittswerten Deckungsbeiträge berechnet werden, auch wenn keine eigenen Aufzeichnungsdaten vorliegen. Die Daten, die für die Berechnung der Deckungsbeiträge verwendet werden, stammen zum Teil aus Ernte- und Preisstatistiken bzw. wurden in Zusammenarbeit der Bundesanstalt für Agrarwirtschaft, der BLT Wieselburg, dem LFZ Raumberg-Gumpenstein und der Landwirtschaftskammer erarbeitet. Diese vorgeschlagenen Werte können bei Bedarf aber auch überschrieben und somit an betriebseigene Leistungen und Kosten angepasst werden.

Zur Anwendung gelangt man unter: https://idb.awi.bmlfuw.gv.at/

In den Sparten Marktfruchtbau, Tierhaltung und Futterbau sind derzeit sowohl für die konventionelle als auch für die biologische Produktion schon Deckungsbeitragsrechnungen vorhanden. Zusätzlich wird das Programm laufend um weitere Produktionsverfahren ergänzt.

**Betriebseigene Deckungsbeiträge mit dem Onlinerechner selbst ermitteln – Beispiel Bio-Winterweizen**

Möchte man Deckungsbeiträge für den eigenen Betrieb mit Hilfe des Internet-Deckungsbeitrags berechnen, ist es wichtig, bei einem Bio-Betrieb darauf zu achten, auch das jeweilige Produktionsverfahren in biologischer Wirtschaftsweise auszuwählen, damit passende Werte voreingestellt werden.

Möchte z. B. Herr Gruber den Deckungsbeitrag für seinen Bio-Speiseweizen mit Hilfe des Internet-Deckungsbeitrags berechnen, muss er folgendes Produktionsverfahren auswählen:

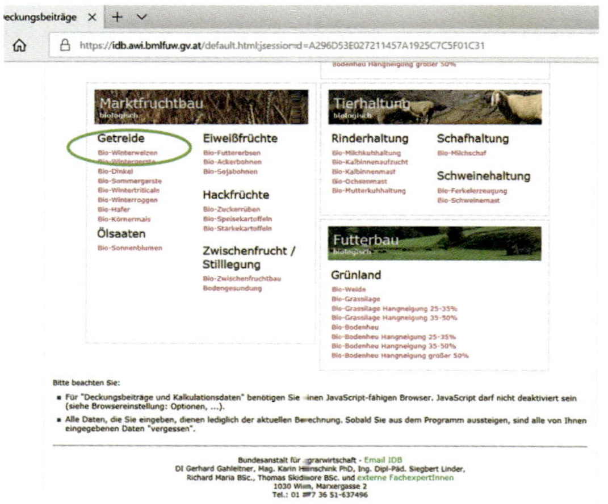


Eigene Darstellung mit Hilfe des AWI IDB]

Zuerst werden grundlegende **Angaben zum Produktionsverfahren** eingegeben. Bei der Qualitätsstufe von Bio-Winterweizen kann zwischen Bio-Futterweizen, Bio-Speiseweizen ab 11 % Rohprotein (RP), Bio-Speiseweizen ab 12 % RP und Bio-Speiseweizen ab 13 % RP gewählt werden, was Auswirkungen auf den vorgeschlagenen Erzeugerpreis hat. Die Auswahl der Schlaggröße hat einen Einfluss auf die veranschlagte Arbeitszeit und die variablen Maschinenkosten. Weiters kann der Deckungsbeitrag für Bio-Winterweizen mit oder ohne Strohbergung sowie inklusive Mehrwertsteuer (MwSt) oder exklusive MwSt kalkuliert werden. Unter dem Punkt Betrachtungszeitpunkt kann ausgewählt werden, ob die voreingestellten Werte den Durchschnittswerten im Betrachtungszeitraum von drei bzw. fünf Jahren entsprechen oder ob es sich um die Daten aus einem der letzten beiden Erntejahre handeln soll.

Wurden diese ersten Angaben getroffen, können die betriebsspezifischen Erträge und Preise erfasst werden. Das dazu notwendige Drop-Down-Menü kann mittels Klick auf die Schaltflächen + oder – ein- bzw. ausgeblendet werden.

Im dritten Schritt der Dateneingabe werden die **Voreinstellungen für die variablen Kosten** kontrolliert und falls notwendig an die Gegebenheiten am Betrieb angepasst. Beim Saatgut ist eine Mischung aus zugekauftem und eigenem Saatgut voreingestellt. Das Verhältnis von zugekauftem zu eigenem Saatgut kann jedoch an die betriebseigenen Daten angepasst werden. Bei den Düngekosten ist sowohl bei biologischer als auch bei konventioneller Wirtschaftsweise eine Nährstoffbewertung nach dem Nährstoffentzug der Pflanze voreingestellt. Bei Deckungsbeitragsberechnungen für die biologische Landwirtschaft sollten Düngerkosten und Wirtschaftsdüngerwert jedoch nicht im Deckungsbeitrag berücksichtigt werden. Daher wird als Berechnungsmethode „Tatsächlich ausgebrachte Düngemittel" ausgewählt und die Düngerkosten so auf Null gestellt. Die voreingestellten variablen Maschinenkosten werden von der eingegebenen Schlaggröße und den damit unterstellten Maschinen bestimmt. Zusätzlich kann bei den variablen Maschinenkosten zwischen konventioneller oder konservierender/pflugloser Bodenbearbeitung ausgewählt werden. Des Weiteren wird bei den variablen Maschinenkosten zwischen Eigen- und Fremdmechanisierung unterschieden. Diese Aufteilung kann genauso wie die Art und Anzahl der Arbeitsgänge oder die unterstellten Maschinenkosten an die Gegebenheiten am Betrieb angepasst werden. Um ein möglichst exaktes Berechnungsergebnis zu erhalten, können auch die Kosten für die Reinigung, Trocknung und Hagelversicherung verändert werden. Der Deckungsbeitrag für das Produktionsverfahren wird mit jeder Veränderung in der Dateneingabe aktualisiert.

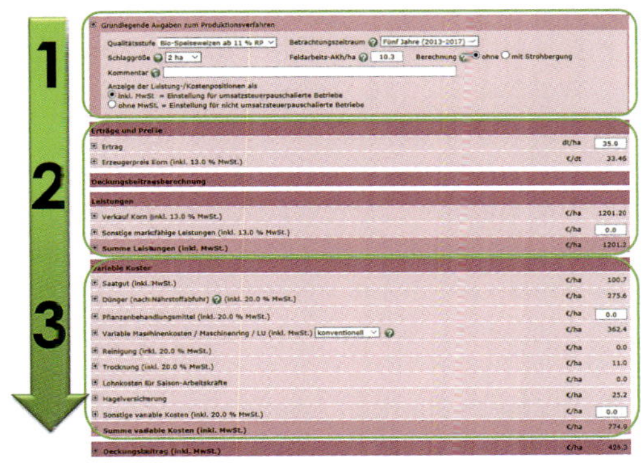


So wird der Internet-Deckungsbeitrag angepasst.

(Quelle: Eigene Darstellung mithilfe des AWI IDB)

**Achtung:** Alle geänderten Daten werden nur für die aktuelle Berechnung verwendet. Wird der Internet-Deckungsbeitrag verlassen, sind all diese Änderungen „vergessen". Möchte man die errechneten Daten speichern, können die Buttons am rechten Rand der Eingabemaske verwendet werden. Mit dem Button „PDF: Übersicht" wird eine Zusammenfassung der errechneten Daten als PDF Dokument erstellt, während durch Klicken auf den Button „PDF: Alles" auch alle gewählten Kalkulationsgrundlagen im PDF Dokument dargestellt und anschließend am eigenen PC abgespeichert werden können.

## 6.4 WISSEN ANGEWANDT – BETRIEBSWIRTSCHAFT UND BIO

**Aufgabe 1:** Folgende Abbildungen stellen die Agrarstruktur und ihre Entwicklung in Österreich dar:

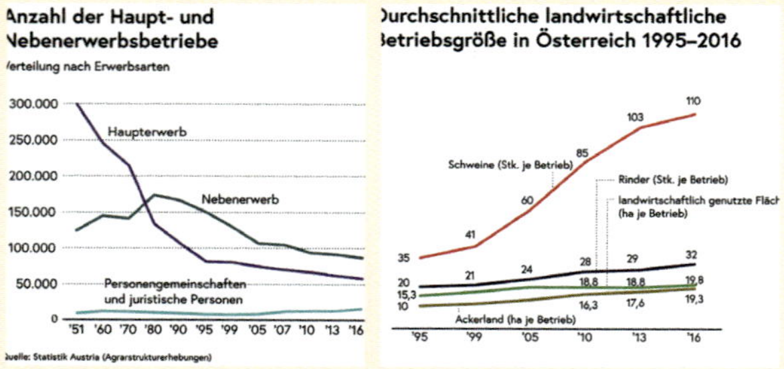


Agrarstruktur in Österreich (Quelle: Grüner Bericht, 2019)

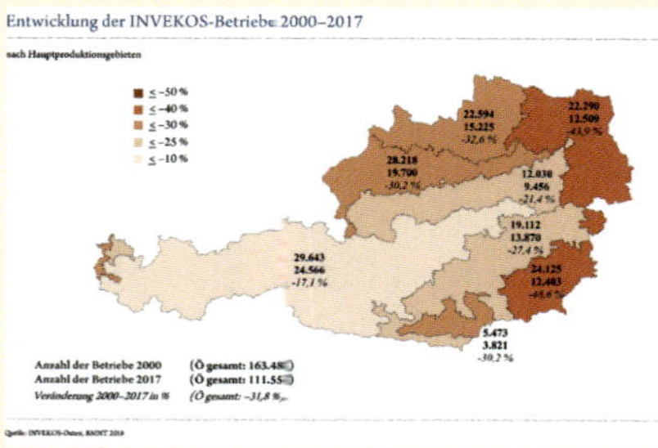


Entwicklung der INVEKOS-Betriebe 2000 bis 2017 (Quelle: Grüner Bericht, 2019)

- In welchen Bundesländern ist die Anzahl der Betriebe besonders stark zurückgegangen? Welche Gründe könnte es dafür geben?
- Wann gab es erstmals mehr Neben- als Hauptbetriebe?
- Recherchiere aktuelle Daten aus dem aktuellen Grünen Bericht:
- Wie viele landwirtschaftliche Betriebe gibt es?
- Wie hoch ist die durchschnittliche Betriebsgröße?
- Wie viele Personen sind in der Landwirtschaft tätig?
- Wie haben sich diese Kennzahlen im Vergleich zu obiger Grafik verändert?

**Aufgabe 2:** Für die Erstellung des Grünen Berichts wird ein Auswahlrahmen gebildet, aus dem Testbetriebe ausgewählt werden. Nicht alle Betriebe werden von der ausgewählten Stichprobe abgedeckt. Für den Grünen Bericht 2018 wurden 49 % aller Betriebe, aber z. B. mehr als 90 % aller Rinder vom Grünen Bericht abgedeckt. Diskutiere: Gibt der Grüne Bericht die Situation in der Landwirtschaft wieder?

**Aufgabe 3:** Das InformationsNetz Landwirtschaftlicher Buchführungen (INLB) ist ein Instrument, mit dessen Hilfe das Einkommen landwirtschaftlicher Betriebe und die Auswirkungen der Gemeinsamen Agrarpolitik bewertet werden können. Recherchiere, wie das durchschnittliche Einkommen österreichischer Betriebe im EU-weiten Vergleich liegt.

**Aufgabe 4:** Deine Nachbarin, Frau Müller, bittet dich um Hilfe. Sie möchte ihre Ackerflächen optimal nutzen und hat gelesen, dass die Deckungsbeitragsrechnung ein geeignetes Instrument dafür wäre. Frau Müller hat schon einige Daten für ihren Bio-Dinkel-Anbau gesammelt und bittet dich nun, den Deckungsbeitrag für diese Kultur zu berechnen, damit sie anhand dieser Vorlage die restlichen Ackerkulturen selbst berechnen kann. Hilf Frau Müller, indem du den Deckungsbeitrag für 1 ha Bio-Dinkel berechnest!

*Bio-Dinkel*
*Ertrag je ha: 25 dt*
*Verkaufserlös je dt: 40 €/dt*

*Saatgut (Menge: 2,25 dt/ha; davon 30 % eigenes Saatgut, Rest Zukauf)*
*Zukauf Saatgut: 105 €/dt*
*Eigenes Saatgut: Erzeugerpreis 51 €/dt*
*Beizung, Aufbereitung 2 €/dt*

*Sonstiges:*
*Hagelversicherung: 25 €/ha*
*Variable Maschinenkosten: 210 €/ha*
*Lohndrusch: 120 €/ha*
*Trocknung: 8 €/ha*

# 7. KONVENTIONELL ZU BIO: SO FUNKTIONIERT EINE GELUNGENE UMSTELLUNG

Dieses Kapitel hilft dir dabei, folgende Kompetenzen zu erlernen:

**Ziele:** Ich kann
- ✔ die Umstellung eines land- und forstwirtschaftlichen Betriebes auf biologische Wirtschaftsweise planen und durchführen.
- ✔ einen landwirtschaftlichen Betrieb unter Berücksichtigung der Bio-Richtlinien führen.

Landwirtinnen und Landwirte erwarten sich von der Umstellung auf biologische Landwirtschaft, dass sie neben einer Schonung der natürlichen Ressourcen ihres Betriebes auch ein stabiles Einkommen erzielen und so die Existenzgrundlagen des Betriebes langfristig absichern können. Damit dies auch gelingt, ist es wichtig, vorher die Chancen und Risiken der biologischen Bewirtschaftung, die erforderlichen Anpassungen in der betrieblichen Infrastruktur (z. B. Stallumbau, Anschaffung mechanischer Bodenbearbeitungsgeräte) und die Vermarktungsmöglichkeiten (z. B. Milchlieferverträge) abzuklären.

Ob eine Umstellung auch tatsächlich erfolgreich und wirtschaftlich rentabel abläuft, hängt von vielen Faktoren ab, die vor allem von den persönlichen und betrieblichen Voraussetzungen beeinflusst werden. Weil jeder Betrieb individuell ist, bringt jeder Betrieb andere Voraussetzungen für die Umstellung mit. Generell gilt aber, dass der Umstieg auf biologische Wirtschaftsweise umso leichter fällt, je mehr persönliche und betriebliche Voraussetzungen für die Umstellung erfüllt werden.

## 7.1 PLANUNG DER UMSTELLUNG: SCHRITT FÜR SCHRITT ZUM BIO-BETRIEB

### 7.1.1 Schritt 1: persönliche Voraussetzungen abklären

Weil die persönlichen Voraussetzungen stark darüber entscheiden, ob die Umstellung erfolgreich ist oder nicht, muss jeder Betriebsleiter und jede Betriebsleiterin selbst die Entscheidung zur Umstellung auf biologische Landwirtschaft treffen. Obwohl es keine absolute Erfolgsgarantie gibt, verläuft die Umstellung umso reibungsloser, je höher die Motivation und die Identifikation aller am Betrieb beteiligten Personen mit der biologischen Wirtschaftsweise sind.

Neuausrichtungen des Betriebes wie etwa die Umstellung auf biologische Landwirtschaft sollten im Interesse der gesamten Familie erfolgen.

Außerdem sind folgende Fähigkeiten von Vorteil:
- Bereitschaft, Neues zu lernen und alte Gewohnheiten aufzugeben
- Interesse an den Wechselwirkungen in der Natur
- Flexibilität und Innovationsbereitschaft
- Beobachtungsfähigkeit und Organisationstalent
- Kontaktfreude (Erfahrungsaustausch mit Bio-Betrieben, Direktvermarktung)
- Risikobereitschaft
- Bereitschaft, mit Rückschlägen umzugehen
- Hohe fachliche Qualifikation und Kompetenz

**INFO!** Die Umstellung auf Bio als Entwicklungsmöglichkeiten in der Familie diskutieren

Neuausrichtungen des Betriebes wie etwa die Umstellung auf biologische Landwirtschaft verändern einen Betrieb und seine Arbeitsabläufe grundlegend. Sie müssen daher von allen am Betrieb beteiligen Personen mitgetragen werden. Deshalb sollten möglichst frühzeitig die gesamte Familie und angestellte Arbeitskräfte mit einbezogen werden und ihre Ziele, Wünsche oder auch Bedenken einbringen können. Alle Beteiligten sollten sich mit den Grundsätzen der biologischen Landwirtschaft auseinandersetzen und bereit sein, umzudenken und Neues zu lernen.

Betriebsleiter und Betriebsleiterinnen können z. B. folgende Maßnahmen setzen:

- Beurteilen, welche betrieblichen Änderungen den Interessen der Beteiligten entsprechen: Wo liegen besondere Fähigkeiten? Welche Art der Vermarktung entspricht den Neigungen? Sind genügend Arbeitskräfte für eine Idee vorhanden?
- Familie in die Aus- und Weiterbildung zum Thema biologische Landwirtschaft einbeziehen

### 7.1.2 Schritt 2: betriebliche Voraussetzungen prüfen

Abgesehen von den persönlichen Voraussetzungen bestimmen auch die betrieblichen Gegebenheiten entscheidend mit, ob die Umstellung auf biologische Landwirtschaft erfolgreich und wirtschaftlich rentabel ist. Bei aller Motivation und Offenheit für die biologische Landwirtschaft sollte die Entscheidung für eine Umstellung daher immer auf Basis einer soliden Entscheidungsgrundlage gefällt werden. Dazu gehört vor allem eine **realistische Einschätzung des eigenen Betriebs und seiner Eignung für die biologische Erzeugung**. Für jede der folgenden betrieblichen Voraussetzungen sollte daher überdacht werden, wie sich die Gegebenheiten am Betrieb auf eine Umstellung auswirken:

- **Standort:** Einfluss auf Möglichkeiten zur Direktvermarktung, Abnahmeverträge mit Molkereien, Metzgereien usw.
- **Flächenausstattung:** Einfluss auf Arbeitsbedarf, Futterfläche, Marktfruchtfläche usw.
- **Viehbesatz:** Einfluss auf Düngeanfall
- **Gebäude:** Einfluss auf Lagerraum, einfache Umsetzbarkeit einer artgerechten Tierhaltung, Möglichkeiten zur Freilandhaltung usw.
- **Fremdkapital und Liquidität:** Einfluss auf Investitionmöglichkeiten, Abfederung von Durststrecken

Eine Umstellung auf biologische Landwirtschaft bringt Chancen und Risiken, die je nach Betrieb unterschiedlich sind.

Folgende betriebliche Voraussetzungen erleichtern die Umstellung:

- Wirtschaftlich gesunder Betrieb (niedriger Verschuldungsgrad, Zahlungen können fristgerecht geleistet und Kredite getilgt werden).
- Freie Arbeitskapazitäten vorhanden
- Haltungssysteme der Tiere entsprechen bereits den Anforderungen oder können kostengünstig adaptiert werden
- Tierbesatz je Fläche ist nicht wesentlich höher als in den Richtlinien für den Biologischen Landbau vorgeschrieben
- Genügend eigene Flächen vorhanden bzw. bei Bedarf Pacht weiterer Flächen möglich
- Mögliche Vermarktungspartner sind bereits vorhanden
- Vielfältige Fruchtfolge mit Leguminosen als Fruchtfolgeglied
- Kein verstärktes Auftreten von Problemunkräutern (z. B. Stumpfblättriger Ampfer, Ackerkratzdistel)
- Auf leichtlösliche Handelsdünger und chemisch synthetischen Pflanzenschutzmittel wird bereits verzichtet

### 7.1.3 Schritt 3: Wissen über die biologische Landwirtschaft sammeln

**INFO!** Vorbereitung ist alles

Je besser man sich als Betriebsleiter bzw. Betriebsleiterin auf eine mögliche Umstellung vorbereitet und je mehr Informationen bereits im Vorfeld über eine mögliche Umstellung recherchiert werden, desto besser ist die Entscheidungsgrundlage, die man zur Verfügung hat. Eine gründliche Recherche zum Thema biologische Landwirtschaft und eine Umstellungsplanung helfen, Risiken zu minimieren, Probleme rechtzeitig zu erkennen und Fehlinvestitionen zu vermeiden.

Wer überlegt, auf biologische Wirtschaftsweise umzustellen, sollte die wichtigsten Anforderungen an die Produktion, Verarbeitung und den Handel mit Bio-Produkten kennen. Als Betriebsleiter bzw. Betriebsleiterin kann man unter anderem folgende Dinge tun, um sich Wissen zum Thema Bio-Landbau anzueignen:

- Einführungskurse besuchen: Einführungskurse für Neueinsteigende in die biologische Landwirtschaft werden vom Ländlichen Fortbildungsinstitut (LFI) und zum Teil auch von Bio-Verbänden (z. B. Bio Austria) angeboten. In diesen Kursen erhält man umfassende Informationen über die rechtlichen und biologischen Grundlagen. Zusätzlich lernt man bei Betriebsbesuchen den Bio-Landbau auch praktisch näher kennen.
- Direkten Kontakt zu aktiven Bio-Betrieben suchen: Im Gespräch mit Betriebsleitern und Betriebsleiterinnen, die den Weg zum Bio-Betrieb bereits erfolgreich abgeschlossen haben, können wertvolle Informationen, Erfahrung und Tipps eingeholt werden.
- Richtlinien zu Produktion und Verarbeitung aufmerksam durchlesen
- Informationen und Mitteilungen der Bio-Organisationen lesen (z. B. Website der einzelnen Bio-Verbände, Mitgliedszeitschriften)
- Erst-Informationspaket bei Bio-Verbänden (z. B. Bio Austria) anfordern
- Beratungsgespräche bei der Landwirtschaftskammer vereinbaren

**Biologische Landwirtschaft schon vor der Umstellung „ausprobieren"**

Das Leitbild der biologischen Landwirtschaft ist ein möglichst geschlossener Betriebskreislauf, in dem Erntereste und Wirtschaftsdünger wiederverwendet werden, während Betriebsmittelzukäufe so gering wie möglich gehalten werden. Je geschlossener die Stoffkreisläufe auf einem Betrieb bereits vor der Umstellung sind, desto geringer fallen die umstellungsbedingten Ertragseinbußen aus. In der Regel kommen auf Landwirte und Landwirtinnen mit der Umstellung eine Reihe von produktionstechnischen Herausforderungen zu. Konnte man bereits im Vorfeld eigene Erfahrungen im Umgang mit neuen Techniken und Methoden sammeln, schafft das gute Voraussetzungen für die Umstellung.

Im Pflanzenbau lassen sich Bewirtschaftungsfehler wie Bodenverdichtungen oder eine starke Verunkrautung nach der Umstellung nur schwer korrigieren. Daher sollten sie schon vor der Umstellung behoben werden. In der Tierhaltung müssen im Zuge der Umstellung oft die Fütterung und die Haltungsbedingungen angepasst werden. Damit die Richtlinien des Bio-Landbaus an die Tierhaltung sicher erfüllt werden können, sollten größere Umbauten nur unter fachkundiger Beratung geplant werden.

Um den Betriebskreislauf schon vor der Umstellung weitgehend zu schließen und die notwendigen Anpassungen zu minimieren, können folgende Maßnahmen am Betrieb umgesetzt werden:

- Anpassung des Tierbestands an die betriebseigene Futtergrundlage (Ackerbaubetrieb: Futterfläche gegebenenfalls auf Kosten der Marktfruchtfläche vergrößern)
- Reduktion von Maisanbau zugunsten von mehrjährigem Kleegrasanbau
- Optimierung der Futterqualität der Grünlandbestände (Hofdünger standort und bedarfsgerecht einsetzen, Grünlandparzellen so weit wie möglich von Ampfer befreien, Weidefrequenz in geeigneten Lagen erhöhen, gegebenenfalls futterbauliche Beratung anfordern)
- Minimierung des Futterzukaufs, Reduktion eines hohen Kraftfuttereinsatzes
- Verzicht auf mineralische Stickstoffdünger, Einsatz von P und KHandelsdünger nur bei deutlichem Nährstoffdefizit aufgrund von Bodenanalysen

Im Ackerbau wird die Umstellung erleichtert, wenn bereits vorab weite Fruchtfolgen mit zweijährigem Kleegras eingerichtet und vermehrt Zwischenfrüchte angebaut werden (siehe Kapitel 2.5.2 Fruchtfolgeplanung am Bio-Betrieb). Zusätzlich kann bereits die mechanische Unkrautregulierung (Striegeleinsatz im Getreide, Hackgerät im Mais) ausprobiert werden. Bei Tierhaltung am Betrieb ist es hilfreich, schon vor der Umstellung Erfahrungen mit regelmäßigem Auslauf ins Freie und Weidegang zu sammeln.

### 7.1.4 Schritt 4: Beratung einbeziehen

Bleibt die Umstellung auf biologische Wirtschaftsweise nach der Besprechung innerhalb der Familie und dem Einholen von Informationen weiterhin eine Option, beginnt die konkrete Umstellungsplanung.

Entscheidend für den späteren Betriebserfolg sind vor allem auch die Planung und Vorbereitung der Vermarktung. Hier lohnt es sich, frühzeitig Kontakt zu möglichen Abnehmern der am Betrieb erzeugten Produkte aufzunehmen.

Damit die Planung realistisch und umsetzbar wird, sollte man in dieser Planungsphase eine professionelle Umstellungsberatung in Anspruch nehmen. **Umstellungsberatungen** werden von der Landwirtschaftskammer, den Kontrollstellen und den Bio-Verbänden (z. B. Bio Austria) angeboten. Dabei kann man sich als Landwirt bzw. Landwirtin vergewissern, dass der eigene Betrieb die Anforderungen erfüllt, grundlegende Fragen zur Umstellung klären und zusammen mit dem Berater bzw. der Beraterin das weitere Vorgehen besprechen. Je früher der Beratungsbesuch erfolgt, desto mehr Zeit bleibt in der Folge für Anpassungen und weitere Abklärungen. Je besser man außerdem vor einer Beratung über Chancen und Risiken einer Umstellung und die Anforderungen informiert ist, desto konkreter kann gefragt werden und desto genauer fallen die Antworten aus.

### 7.1.5 Schritt 5: Mitgliedschaft bei einem Verband, ja oder nein?

Als Mitglied bei einem der Bio-Verbände (z. B. Bio Austria, Demeter etc.) müssen am Betrieb auch die Verbandsregeln eingehalten werden, die zum Teil strenger als die nationalen und EU-Rechtsvorschriften für die biologische Landwirtschaft sind. Andererseits kann eine Mitgliedschaft bei einem Verband Vorteile bei der Vermarktung und Preisgestaltung bieten. Außerdem ermöglicht sie einen intensiveren Informationsaustausch mit Kolleginnen und Kollegen.

Vor der Umstellung ist daher zu klären, ob es sinnvoll ist, sich einem Bio-Verband anzuschließen. Ob sich die Vorteile einer Mitgliedschaft bei einem Bio-Verband für den Betrieb lohnen, hängt zum Beispiel vom geplanten Vermarktungsweg ab: Soll der Großhandel beliefert werden oder ist eher eine Direktvermarktung ab Hof geplant? Im Jahr 2017 waren etwa zwei Drittel der rund 23.000 österreichischen Bio-Betriebe Mitglied bei einem der Bio-Verbände.

### 7.1.6 Schritt 6: Über Förderung informieren und rechtzeitig beantragen

In Österreich wird die Bio-Landwirtschaft seit den 1990er-Jahren über Förderungen finanziell unterstützt. Die Maßnahme „Biologische Wirtschaftsweise“ gilt als die höchstwertige Maßnahme des Österreichischen Programms für eine umweltgerechte Landwirtschaft (ÖPUL). Unter bestimmten Voraussetzungen kann auch ein Kontrollkostenzuschuss beantragt werden. Die Zuschüsse müssen rechtzeitig vor der Umstellung beantragt werden, wobei die Fristen je nach Förderung variieren. Gleichzeitig verpflichtet man sich zur Einhaltung der Förderbestimmungen (z. B. Rückzahlung von Fördermitteln, wenn Betrieb vor Ablauf der Förderperiode wieder rückumgestellt wird). Deshalb gilt: So früh wie möglich informieren!

Die Umstellungszeit beginnt mit dem Abschluss des Kontrollvertrages mit einer staatlich autorisierten Bio-Kontrollstelle. Grundsätzlich kann der Bio Kontrollvertrag an jedem Tag im Jahr unterzeichnet werden. Der günstigste Zeitpunkt im Jahresverlauf für den Abschluss des Kontrollvertrages und damit den Beginn der Umstellungszeit ist abhängig von der Betriebsform.

Abschluss Kontrollvertrag = Beginn der Umstellungszeit Ab dem Tag der Unterzeichnung des Kontrollvertrages sind alle rechtlichen Bestimmungen für die biologische Landwirtschaft verpflichtend und am Betrieb umzusetzen!

### 7.1.7 Schritt 7: Kontrollvertrag abschließen

Um einen Kontrollvertrag abzuschließen, wird mit einer der staatlich autorisierten Bio-Kontrollstellen Kontakt aufgenommen, die administrativen Angelegenheiten abgeklärt und der Vertrag schließlich unterzeichnet. **Mit dem Tag der Unterzeichnung eines Kontrollvertrages startet die Umstellungszeit** auf dem Betrieb. Ab diesem Zeitpunkt müssen alle geltenden rechtlichen Bestimmungen zum biologischen Landbau am Betrieb eingehalten werden. Während des Umstellungszeitraums dürfen alle erzeugten Produkte nur als Umstellungsware verkauft werden und damit zu deutlich schlechteren Preisen als die spätere Bio-Ware.

Obwohl der Kontrollvertrag grundsätzlich an jedem Tag im Jahr unterzeichnet werden kann, ergeben sich daher je nach Produktionsschwerpunkt günstige und weniger günstige Umstellungszeitpunkte. Grünlandbetriebe mit Rinder-, Pferde-, Schaf- oder Ziegenhaltung schließen ihren Kontrollvertrag idealerweise in der vegetationslosen Zeit ab. Damit wird verhindert, dass z. B. die ersten beiden Schnitte noch als Umstellerware vermarktet werden müssen und erst der dritte Schnitt als Bio-Ware vermarktet werden kann. Im Gegensatz dazu schließen Ackerbau- bzw. Marktfruchtbetriebe ihren Kontrollvertrag am besten kurz vor der Ernte der Ackerkulturen ab, um ihre Erzeugnisse möglichst frühzeitig als Umsteller- bzw. Bio-Ware verkaufen zu können (siehe Kapitel 6.2 Die Umstellung: Zeitplan für den Weg zum Bio-Betrieb).

**INFO!** Warum eine Umstellungszeit?

**Bevor ein Betrieb seine Produkte als Bio-Produkte vermarkten kann, muss er eine Umstellungszeit durchlaufen. Die Umstellungszeit dient vor allem dazu, dass eventuell noch vorhandene Rückstände konventioneller Betriebsmittel in den Böden abgebaut werden können, bevor Pflanzen für die Bio-Vermarktung angebaut werden.**

### 7.1.8 Schritt 8: Kontrollen

Während des Umstellungszeitraums führt die Kontrollstelle, mit der der Kontrollvertrag abgeschlossen wurde, eine so genannte Erstkontrolle durch. Dabei wird geprüft, ob etwa die Futtermittelzukäufe und Stallanlagen den Vorgaben der biologischen Landwirtschaft entsprechen, keine nicht erlaubten Betriebsmittel mehr am Betrieb gelagert und die notwendigen Aufzeichnungen geführt werden. Festgestellte Mängel müssen innerhalb einer von der Kontrollstelle festgelegten Frist spätestens bis zum Ende des Umstellungszeitraums behoben werden. Nach der Umstellung führt die Kontrollstelle auf jedem Bio-Betrieb einmal im Jahr eine Kontrolle durch (siehe Kapitel 1.6 Bio-Kontrolle).

## 7.2 DIE UMSTELLUNG: AB WANN SIND MEINE PRODUKTE BIOLOGISCH?

Der Weg vom konventionellen Betrieb zum Bio-Betrieb umfasst zahlreiche Stationen: Während das Einholen von Informationen und Beratungstipps sowie das Beantragen von Fördermitteln auf freiwilliger Basis erfolgen, ist der Abschluss eines Kontrollvertrages mit einer staatlich anerkannten Kontrollstelle, die Einhaltung der gesetzlichen Richtlinien sowie das Führen der notwendigen Aufzeichnungen und die Durchführung von jährlichen Kontrollen für den Landwirt bzw. die Landwirtin verpflichtend. Bevor die am Betrieb hergestellten Produkte aber als Bio-Produkte vermarktet werden dürfen, muss jeder Betrieb eine Umstellungszeit durchlaufen. Die Dauer dieser Umstellungszeit hängt dabei von der Betriebsart und den am Betrieb gegebenen Voraussetzungen ab.

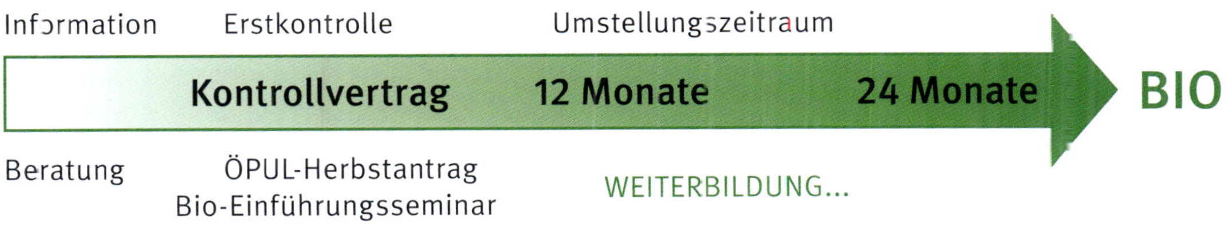


Der Weg zum Bio-Betrieb

### 7.2.1 Überblick Umstellungsfristen in der pflanzlichen Produktion

Die Umstellungszeit für Acker- und Grünlandflächen beträgt zwei Jahre, bei Dauerkulturen drei Jahre.

**Ackerkulturen: Umstellungsfristen und optimaler Umstellungszeitpunkt**

Für Ackerkulturen sind im Wesentlichen zwei Fristen zu beachten:

- Erntegut, das zwölf Monate nach Abschluss des Kontrollvertrags (= Umstellungsbeginn) geerntet wurde, gilt als Umstellungsware und kann mit dem Hinweis „hergestellt im Rahmen der Umstellung auf den biologischen Landbau" vermarktet werden.
- Erntegut von Kulturen, die 24 Monate nach Abschluss des Kontrollvertrags ausgesät wurden, gelten als biologisch anerkannte Ware und können als Bio-Produkte vermarktet werden.

Für Ackerbaubetriebe ist der günstigste Zeitpunkt für den Abschluss des Kontrollvertrages daher vor der Getreideernte (Mitte bis Ende Juni). Wenn dieser Termin nicht eingehalten werden kann, dann sollte der Kontrollvertrag zumindest vor dem Herbstanbau (Anfang bis Mitte September) abgeschlossen werden.

**INFO!** Umstellungsfristen

Das Datum des Kontrollvertragsabschlusses (= Beginn der Umstellung) entscheidet, wie die Produkte vermarktet werden können!

Frau Huber schließt den Kontrollvertrag am 01.06.2021 ab:

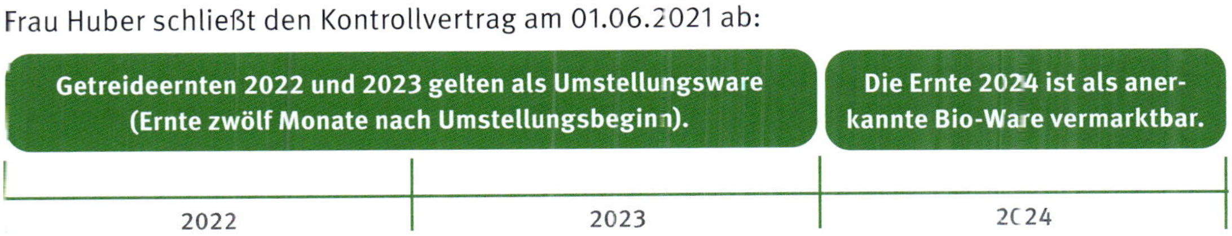

Herr Bauer schließt den Kontrollvertrag am 14.09.2021 ab:

**Grünland: Umstellungsfristen und optimaler Umstellungszeitpunkt**
Die Grünlandernten im ersten Umstellungsjahr haben noch konventionellen Status. Im zweiten Umstellungsjahr (= mindestens zwölf Monate nach Kontrollvertragsunterzeichnung) gelten die Grünlandernten bereits als Umstellungsware. Das aktuelle Bio-Zertifikat gibt dabei über den Vermarktungs-Status der Flächen, Ernteprodukte, Tiere etc. Auskunft. Die erste Grünlandnutzung 24 Monate nach Kontrollvertragsabschluss gilt als anerkannte Bio-Ware und kann auch als solche vermarktet werden.

Für den Grünlandbetrieb ist der günstigste Zeitpunkt daher die vegetationslose Zeit, um zu verhindern, dass sich zwischen den einzelnen Grünlandernten in einer Vegetationsperiode der Vermarktungsstatus von Umstellerware auf Bio-Ware ändert.

**Dauerkulturen: Umstellungsfristen und optimaler Umstellungszeitpunkt**
Abgesehen von Grünland und mehrjährigem Feldfutter beträgt die Umstellungszeit für Dauerkulturen (z. B. Obstkulturen, Wein, Kräuter, Beeren) 36 Monate. Ernten, die mindestens zwölf Monate nach Abschluss des Kontrollvertrages geerntet werden, sind Umstellungsware. Erst die erste Nutzung 36 Monate nach Umstellungsbeginn gilt als anerkannte Bio-Ware.

Bei Dauerkulturen ist der günstigste Umstellungszeitpunkt nach dem letzten Einsatz von chemischen Pflanzenschutzmitteln oder spätestens vor Beginn der Ernte, d. h. im Weinbau z. B. Ende August.

**INFO!** Verkürzung der Umstellungszeit

**Wurden die Flächen des Betriebes bereits vor der Umstellung auf biologische Landwirtschaft naturnah bewirtschaftet (z. B. mehrjährige Einschränkung ertragssteigernder Betriebsmittel), ist unter bestimmten Voraussetzungen eine Verkürzung der Umstellungszeit möglich. Die Umstellungszeit kann dann nach Antrag bei der Kontrollstelle verkürzt werden.**

### 7.2.2 Überblick Umstellungsfristen in der Tierhaltung

Bevor Erzeugnisse von Tieren als Bio-Produkte vermarktet werden dürfen, durchlaufen auch die Tiere am Betrieb eine Umstellungszeit und müssen bereits eine gewisse Zeit nach biologischen Regeln gehalten worden sein. Zusätzlich kann der Betrieb erst dann als Bio-Betrieb anerkannt werden, wenn alle Bio-Richtlinien (z. B. Haltung, Fütterung, Tierzukauf, Tiergesundheit) erfüllt werden und z. B. alle notwendigen Umbaumaßnahmen für die Tierhaltung abgeschlossen sind.

Unterstützung dabei liefert der Betriebsmittelkatalog, der nach Abschluss eines Kontrollvertragesüblicherweise von der Kontrollstelle übermittelt wird. Eine Online-Version ist abrufbar unter: www.infoxgen.com

Prinzipiell gibt es **zwei verschiedene Möglichkeiten**, den Betrieb und seine Produktionszweige **umzustellen:**

- Gleichzeitige Umstellung aller Produktionszweige
- Nicht-gleichzeitige Umstellung (zuerst pflanzliche Produktion und dann tierische Produktion oder umgekehrt)

**Variante 1: Gleichzeitige Umstellung**
Der gesamte Betrieb, das heißt alle vorhandenen Tiere, Futterflächen und Weiden werden gleichzeitig über einen Zeitraum von 24 Monaten ab Abschluss des Kontrollvertrages umgestellt. Diese Variante wird am häufigsten angewandt und ist besonders empfehlenswert für Betriebe mit Mutterkuhhaltung oder für Milchviehbetriebe, bei denen größere Stallumbaumaßnahmen notwendig sind. Futter, das vor bzw. innerhalb des ersten Umstellungsjahres geerntet wird, darf zu dieser Zeit noch an die Tiere verfüttert werden. Zugekauftes Futter muss jedoch ab jenem

Zeitpunkt, ab dem der Kontrollvertrag unterzeichnet wurde, biologischer Herkunft sein. Alle zugekauften Futtermittel, die auf Lager liegen und nicht bio-tauglich sind, dürfen noch verfüttert werden, sofern es sich um Restmengen handelt (maximal der Bedarf von zwei Monaten). Auch die Tierzukäufe müssen ab dem Abschluss des Kontrollvertrages den Bio-Richtlinien entsprechen. Nach Ablauf der 24 Monate ist der komplette Betrieb umgestellt. Das heißt, dass dann sowohl die Flächen als auch die Tiere biologisch anerkannt sind und der Betrieb nach Ablauf der Umstellungszeit nun Tiere und ihre Erzeugnisse (z. B. Milch, Fleisch) sowie Grundfutter und Feldfrüchte als biologisch produziert vermarkten darf.

Im Bereich der Tierhaltung besteht die Möglichkeit der vorzeitigen Teilanerkennung eines bestimmten Betriebszweiges (z. B. Schweinehaltung, Geflügelhaltung). Voraussetzung ist dabei die Haltung der Tiere nach den Bio-Richtlinien sowie die Fütterung mit Umstellungs- bzw. Bio-Futtermittel. Zudem sind Fristen für eine Teilanerkennung einzuhalten.

**Variante 2: Nicht-gleichzeitige Umstellung (Produktspezifisch verkürzte Umstellung)**
Tierhaltung und Futterflächen bzw. Weiden werden bei diesem Verfahren getrennt voneinander umgestellt. Die Umstellungsfristen für Tiere auf Betrieben, die produktspezifisch verkürzte Umstellung beanspruchen, beginnen frühestens ab Kontrollvertragsabschluss, wenn sowohl die Fütterung als auch alle anderen Richtlinien (z. B. Haltungsbestimmungen, Tierzukauf, Tiergesundheit) vollständig eingehalten werden. Sobald alle Bio-Richtlinien erfüllt werden, erfolgt eine Meldung bei der Kontrollstelle und die Umstellungsfrist beginnt zu laufen. Zusätzlich erfolgt nach der Meldung eine Kontrolle der am Betrieb getätigten Angaben durch die Kontrollstelle. Je nach Tierart und Nutzungsrichtung gelten dabei folgende Umstellungsfristen:

| Tierart und Nutzungsrichtung | Umstellungsfrist |
|---|---|
| Rinder zur Fleischerzeugung | Mindestens zwölf Monate **und** in jedem Fall ¾ der Lebensdauer |
| Milchproduzierende Tiere | Sechs Monate |
| Schafe, Ziegen zur Fleischerzeugung | Sechs Monate |
| Schweine | Sechs Monate |
| Geflügel (Mastgeflügel, Puten, Gänse, Enten) | Zehn Wochen bei Zukauf bis zum dritten Lebenstag |
| Legegeflügel | Sechs Wochen bei Zukauf bis zum dritten Lebenstag |

Die Variante der aufeinander folgenden Umstellung wird meist angewendet, wenn eine möglicht schnelle Umstellung angestrebt wird, z. B.

- in der Schweine- oder Geflügelhaltung (die Umstellungsfristen dieser Tierarten sind kurz),
- in der Milchviehhaltung nur wenn keine oder nur geringe Stallumbauten nötig sind und der Fokus des Betriebes auf der Milchproduktion und weniger auf der Rinder- und Fleischvermarktung liegt.

Weil es aufgrund der gesetzlich vorgegebenen Umstellungsfristen (siehe Tabelle) bei Rindern zum Teil sehr lange dauern kann, bis diese Tiere als biologische Schlachttiere vermarktet werden dürfen, ist diese Umstellungsvariante für die Mutterkuhhaltung nicht empfehlenswert.

**Exkurs: Was bedeuten die Umstellungsfristen in der Praxis?**

Beispiel 1: Herr Gruber bewirtschaftet einen Milchviehbetrieb und wählt die Variante der produktspezifisch verkürzten Umstellung.
Herr Gruber darf bei Erfüllung der Voraussetzungen für die Flächenumstellung sechs Monate nach dem Abschluss des Kontrollvertrages die am Betrieb produzierte Milch als Bio-Milch vermarkten. Kuh Milli ist am Tag, als der Kontrollvertrag abgeschlossen wurde, exakt drei Jahre alt. Nun muss sie mindestens drei Viertel ihres Lebens, also neun Jahre, am Bio-Betrieb bleiben, bis sie als biologisch verkauft bzw. vermarktet werden darf. Für die Berechnung kann der Statusrechner benutzt werden, der von den Websites der Kontrollstellen heruntergeladen werden kann.

Beispiel 2: Frau Huber hält Zuchtsauen am Betrieb und erfüllt bereits alle relevanten Bio-Richtlinien. Sechs Monate nach der Meldung an die Kontrollstelle darf Frau Huber Zuchtsauen und Ferkel als Bio-Schweine vermarkten. Jene Ferkel, die ab dem Umstellungsbeginn geboren werden, sind zwar noch konventionell zu deklarieren, können aber am Viehverkehrsschein mit dem Hinweis „Ferkel vom Umstellungsbetrieb. Umstellung der Ferkel beginnt mit: (Geburtsdatum der jeweiligen Ferkel)“ versehen werden. Die Kontrollstelle stellt auf Anfrage eine Bestätigung der Richtigkeit dieser Daten aus. Verkauft Frau Huber die Ferkel an einen zertifizierten Bio-Mastbetrieb, vollendet dieser Betrieb die Umstellungszeit der Ferkel zu Bio-Mastschweinen, indem sie sie erst mindestens sechs Monate nach dem Geburtstermin verkauft. Mästet Frau Huber die Ferkel am eigenen Betrieb aus, sind alle Mastschweine, die sechs Monate nach Meldung an die Kontrollstelle verkauft werden, anerkannte Bio-Mastschweine.

Beispiel: Betrieb schließt Anfang Juni 2025 einen Kontrollvertrag ab, d.h. vor der Ernte von Sommer- und Wintergetreide. Betrieb nimmt mit 1.1.2026 am ÖPUL-Programm „ Biologische Wirtschaftsweise“ teil und stellt Gesamtbetrieb um:

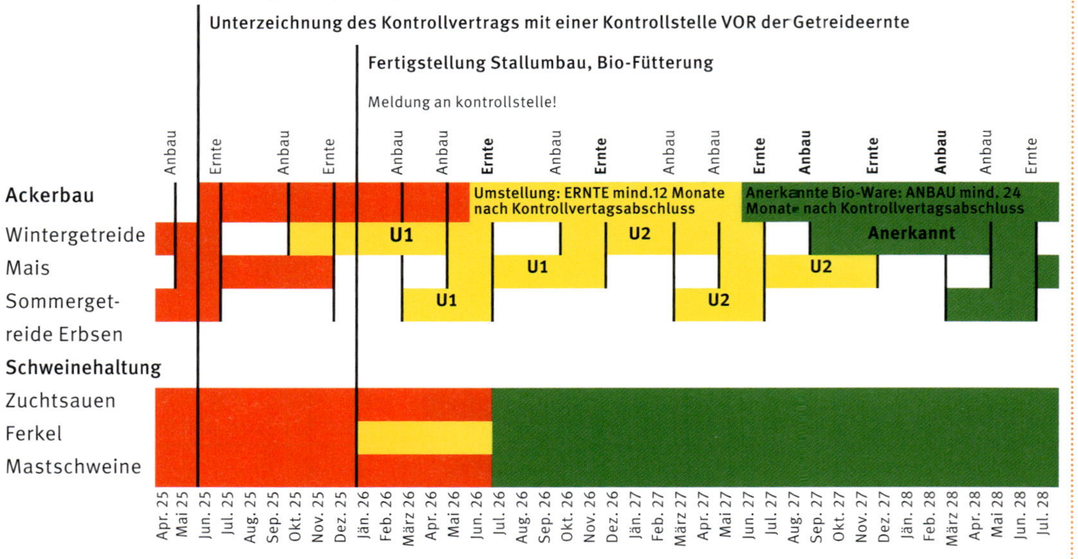


Beispiel: Betrieb schließt mitte September 2025 einen Kontrollvertrag ab, d.h. vor dem Herbstanbau. Teilnahme am ÖPUL-Programm „ Biologische Wirtschaftsweise“ im Jahr 2026 ist möglich, Stallumbau muss innerhalb absehbarer Frist erfolgen. Betriebseigene, konventionelle Futtermittel können eingesetzt werden, sofern keine vorzeitige Umstellung der Schweine gewünscht ist:

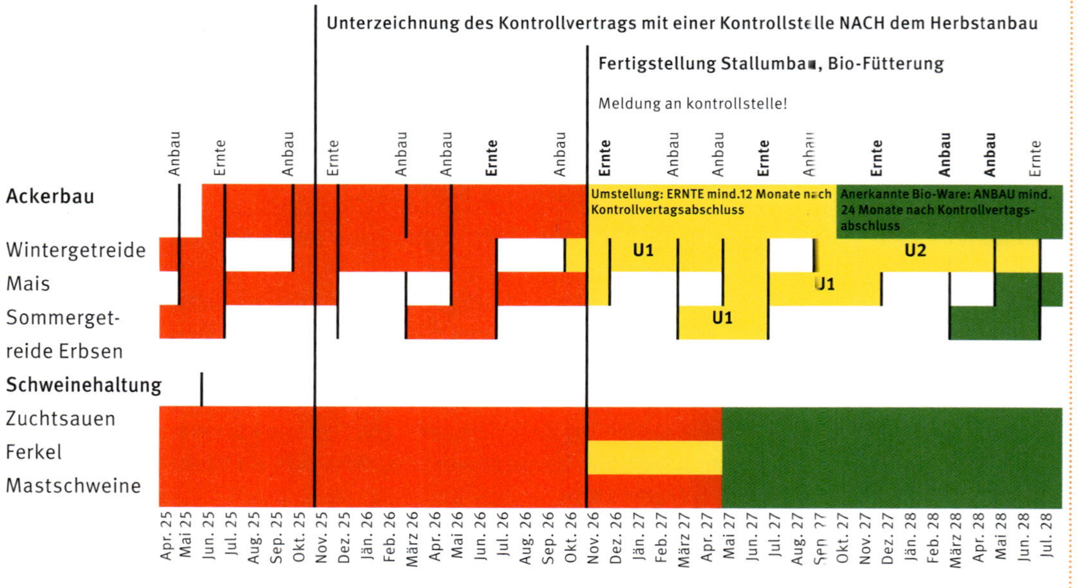

### 7.2.3 Umstellungsfahrplan für verschiedene Betriebsformen

Je nach Betriebsform und Abschluss des Kontrollvertrages ergeben sich unterschiedliche Zeitpläne für die Umstellung. Nachfolgend sind grobe Zeitpläne für Betriebe mit den Produktionsschwerpunkten Grünlandbewirtschaftung inkl. Tierhaltung, Ackerbau und Dauerkulturen angeführt.

| | Umstellungsfahrplan für Betriebe mit | | |
|---|---|---|---|
| | Produktionsschwerpunkt Grünland inkl. Tierhaltung (Gleichzeitige Umstellung) | Produktionsschwerpunkt Ackerbau | Produktionsschwerpunkt Dauerkulturen |
| Abschluss Kontrollvertrag | Mit Abschluss des Kontrollvertrages muss die Bewirtschaftung der Acker- und Grünlandflächen nach den biologischen Richtlinien erfolgen. Das bedeutet unter anderem, dass alle Betriebsmittelzukäufe (z. B. Dünge- und Pflanzenschutzmittel, Saatgut) verordnungskonform sein und die notwendigen Aufzeichnungen geführt werden müssen. | | |
| Erstes Umstellungsjahr | Die Grünland- bzw. Feldfutterernten sind als konventionelle Ware zu vermarkten. Futter, das vor bzw. innerhalb des ersten Umstellungsjahres geerntet wird, darf noch an die Tiere verfüttert werden. Zugekauftes Futter muss jedoch ab der Unterzeichnung des Kontrollvertrages biologischer Herkunft sein. Alle zugekauften Futtermittel, die noch auf Lager liegen und nicht bio-tauglich sind, dürfen verfüttert werden, sofern es sich nur um Restmengen (= maximal Bedarf für zwei Monate) handelt. | Ackerkulturen (z. B. Getreide, Hackfrüchte), die innerhalb des ersten Umstellungsjahres geerntet werden, haben noch konventionellen Status. | Bei Dauerkulturen (z. B. Obst, Wein, Kräuter, Beeren) gelten Ernten, die innerhalb des ersten Umstellungsjahres geerntet werden, als konventionelle Ware. |
| Zweites Umstellungsjahr | Die Grünland- bzw. Feldfutterernten im zweiten Umstellungsjahr gelten als Umstellungsfutter. Am eigenen Betrieb darf Umstellerfutter zur Gänze verfüttert werden, ein anderer Bio-Betrieb darf dies zu 30 % in seiner Gesamtfutterration einsetzen. | Erntegut, das mindestens zwölf Monate nach Umstellungsbeginn geerntet wurde, gilt als Umstellungsware. | Ernten, die mindestens zwölf Monate nach Umstellungsbeginn geerntet werden, sind Umstellungsware. |
| Anerkennung als Bio-Betrieb | Die erste Grünland- bzw. Feldfutternutzung 24 Monate nach Kontrollvertragsabschluss gilt als anerkannte Bio-Ware und kann auch als solche vermarktet werden. Sind Umbaumaßnahmen für die Tierhaltung abgeschlossen, können tierische Produkte ebenfalls nach 24 Monaten biologisch vermarktet werden. | Erntegut von Kulturen, die 24 Monate nach Abschluss des Kontrollvertrags angebaut wurden, gilt als biologisch anerkannte Ware und kann als Bio-Produkte vermarktet werden. | Die erste Nutzung 36 Monate nach Umstellungsbeginn gilt als anerkannte Bio-Ware. |

## 7.3 MÖGLICHE SCHWIERIGKEITEN UND LÖSUNGSANSÄTZE

Möchte man den eigenen Betrieb auf biologische Landwirtschaft umstellen, müssen für Probleme, die am Betrieb auftreten (z. B. Unkrautdruck), andere Lösungen gefunden werden, als in der konventionellen Landwirtschaft eingesetzt werden. Auch das am Betrieb bestehende Tierhaltungssystem kann Schwierigkeiten für die Umstellung auf biologische Landwirtschaft aufwerfen.

Damit diese möglichen Schwierigkeiten Landwirtinnen und Landwirte nicht davon abschrecken, ihren Betrieb auf biologische Wirtschaftsweise umzustellen, ist es wichtig, kosten- und arbeitssparende Lösungsansätze zu finden. Gerade vorbeugende Maßnahmen bieten hier ausgezeichnete Möglichkeiten, günstige Voraussetzungen für eine gute Entwicklung von Tier und Pflanze zu schaffen.

### Was kann Schwierigkeiten bereiten – wo sind Lösungsansätze zu finden?

(verändert nach FiBL, 2014)

| Mögliche Schwierigkeiten | | | Lösungsansätze |
|---|---|---|---|
| Grünland | Starke Verunkrautung mit Ampfer |  | ■ Als Grundsatz gilt: Konkurrenz durch Gräser im Bestand fördern<br>■ Aussamen der Ampferpflanzen verhindern<br>■ Bekämpfung der Ampferpflanzen durch Ausstechen, Fräsen etc.<br>■ Förderung eines dichten Gräserbestands (z. B. durch Übersaat, Frühlingsweide)<br>■ Verwendung von ampferfreiem Saatgut (ÖAG-Mischungen) für Nach- oder Ansaaten<br>■ Verbreitung der Ampfersamen im Betriebskreislauf verhindern: Mistkompostierung, mindestens dreimonatige Lagerung von Gülle<br>■ Ursachen für vermehrtes Auftreten von Ampfer verhindern: Bodenverdichtungen vermeiden, standortgerechte Nutzung der einzelnen Parzellen |
| Tierhaltung | Auslauf im Winter schwierig |  | ■ Möglichkeiten für günstige Umbaulösungen prüfen<br>■ Weidehaltung während der Vegetationsperiode: Verpflichtung zum Winterauslauf entfällt für jene Tiere, die während der Vegetationsperiode an mindestens 120 Tagen (180 Tage für Betriebe, die Mitglied bei Bio Austria sind) Zugang zur Weide haben |
| | Keine Weide in Hofnähe möglich |  | ■ Flächenabtausch für Weideflächen in Betriebsnähe abklären<br>■ Enge Zusammenarbeit mit benachbarten Bio-Betrieben (Gemeinschaftsstall) prüfen |
| | Kalbinnenaufzucht für konventionelle Betriebe |  | ■ Aufzuchtverträge mit einem Bio-Betrieb abschließen<br>■ Partnerbetrieb ebenfalls umstellen<br>■ nur noch Rinder aus Bio-Betrieben zukaufen |
| | Nicht genügend betriebseigenes Raufutter vorhanden |  | ■ Reduktion Tierbesatz<br>■ Futterbaukonzept generell hinterfragen (Nutzung, Düngung, Pflanzenbestände)<br>■ Klärung Ertragsleistung und Qualität der Pflanzenbestände<br>■ Abgestufter Wiesenbau: Schlecht düngbare Flächen zur extensiven Nutzung ausscheiden und Hofdünger auf Flächen mit hohem Ertragspotenzial ausbringen |

| | Mögliche Schwierigkeiten | | Lösungsansätze |
|---|---|---|---|
| **Tierhaltung** | Problematische Eutergesundheit, hoher Antibiotikaeinsatz in der Milchviehhaltung | 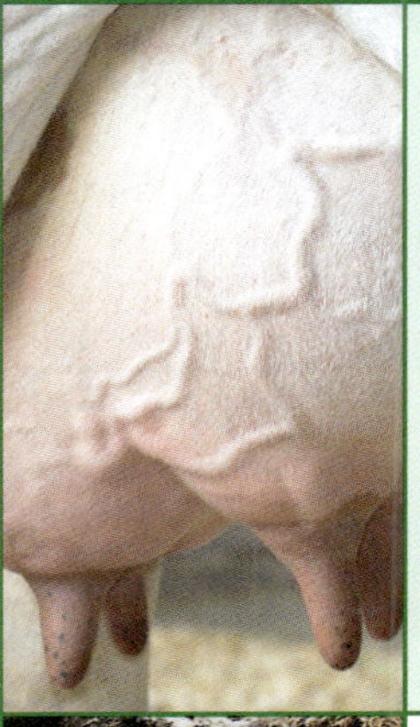 | ■ Rahmenbedingungen in der Tierhaltung überprüfen (Milchleistung, Fütterungsarbeit, Grundfutterqualität, Ergänzungsfütterung, Stallhygiene)<br>■ Melktechnik regelmäßig kontrollieren lassen und Melkarbeit generell hinterfragen (Hygiene, Personal etc.)<br>■ Als Grundsatz gilt: Ursachen beheben, statt Symptome bekämpfen. Medikamenteneinsatz und Einsatz von alternativen Heilmethoden machen erst Sinn, wenn das Umfeld analysiert und saniert ist.<br>■ Zuchtziele anpassen<br>■ Komplementärmedizin einsetzen |
| **Ackerbau** | Zu wenig Hofdünger |  | ■ Bestehende Tierhaltung intensivieren (Aufstockung) oder neuen, wirtschaftlich interessanten Betriebszweig prüfen (Weidemast, Legehennen)<br>■ Gründüngungen und Feldfutter mit Luzerne- oder Mattenkleemischungen in Fruchtfolge einbauen.<br>■ Ackerbohnen, Erbsen oder andere Leguminosen in die Fruchtfolge integrieren<br>■ Hofdüngermanagement überprüfen (Lagerung, Ausbringung, Verdünnung und Verteilung)<br>■ Zukauf von Wirtschaftsdünger oder Kompost von Bio-Betrieben |
| | Hoher Unkrautdruck |  | ■ Fruchtfolge überprüfen (mindestens 20 % Feldfutter und Gründüngungen, Getreideanteil nicht über 50 %, verschiedene Kulturen anbauen)<br>■ Spät und schlecht schließende Kulturen wie Mais, Zuckerrüben etc. nicht auf stark verunkrauteten Parzellen anbauen<br>■ Gute Nährstoffversorgung für rasche Jugendentwicklung sicherstellen<br>■ frühzeitiges Hacken oder Striegeln<br>■ Bodenbearbeitung der Witterung anpassen |
| | Krankheiten im Getreide |  | ■ Anbaupausen einhalten<br>■ Feldfutter in der Fruchtfolge in zwei Abschnitte aufteilen, damit Anbaupausen verlängert werden<br>■ Standortgerechten Ackerbau praktizieren<br>■ Anstelle von Weizen andere Getreidearten anbauen (z. B. Triticale)<br>■ Robuste Sorten und Sortenmischungen anbauen (gegen Mehltau, Spelzenbräune und Rostkrankheiten) |
| | Zu wenig Arbeitskräfte | 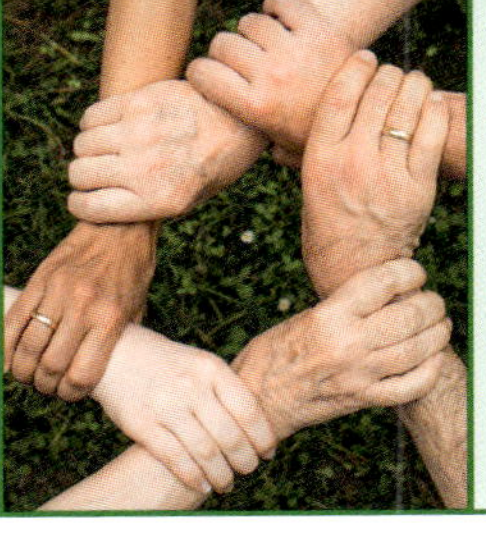 | ■ Betriebsabläufe auf Rationalisierungsmöglichkeiten durchleuchten<br>■ Überbetriebliche Möglichkeiten der Zusammenarbeit nutzen (insbesondere mit Bio-Betrieben)<br>■ Auf arbeitsintensive Kulturen verzichten<br>■ Wenig rentable Betriebszweige aufgeben, bestehende Betriebszweige rationalisieren |

| | Mögliche Schwierigkeiten | | Lösungsansätze |
|---|---|---|---|
| Ackerbau | Zuckerrüben und Raps in der Fruchtfolge |  | ■ Kulturen während der Umstellung nur in der Fruchtfolge belassen, wenn die Früchte zu einem höheren Preis als Umstellungsprodukte verkauft werden können<br>■ Nach der Umstellung je nach Absatzmöglichkeit und Stand der Anbautechnik Kulturen wieder in die Fruchtfolge einfügen |
| | Pflanzenschutz generell |  | ■ Vorbeugende Maßnahmen ausschöpfen (Fruchtfolgeintervalle berücksichtigen, krankheitstolerante Sorten wählen, ausgewogene Nährstoffversorgung)<br>■ Nützlinge fördern |

**Tiergerechtheitsindex (TGI):** Bewertung von Haltungssystemen hinsichtlich Gesundheit und Wohlbefinden der Tiere
Der Tiergerechtheitsindex ist ein ganzheitliches Bewertungsverfahren, das beurteilt, wie sehr das Haltungssystem die Ansprüche von Tieren erfüllt. Dazu wird das Haltungssystem hinsichtlich Bewegungsmöglichkeit, Sozialkontakt, Bodenbeschaffenheit, Licht und Luft sowie der Betreuungsintensität bewertet und eine Gesamtpunktezahl ermittelt. Um ausreichend TGI-Punkte zu erreichen, spielen möglichst viele Weidetage und Auslauf eine wichtige Rolle.

**INFO!** Häufig gestellte Fragen

Muss ein Stallumbau vor der Umstellung abgeschlossen werden?
Steht ein Stallum- bzw. -neubau an, nehmen dies einige Betriebsleiterinnen und Betriebsleiter zum Anlass, um ihren Betrieb in Zukunft nach biologischen Richtlinien zu führen. In diesem Fall können sämtliche bauliche Maßnahmen und deren Fertigstellung in die Umstellungszeit gelegt werden. Weil Stallbaumaßnahmen und Umstellungszeit zeitlich zusammengelegt werden, kann ein längeres Hinauszögern der Anerkennung als Bio-Betrieb vermieden werden.

Auf meinem Betrieb werden Rinder in Anbindehaltung gehalten. Derzeit kommt kein Umbau in Frage. Bleibt mir mit Anbindehaltung ein Einstieg in Bio verwehrt?

Generell besteht auf Bio-Betrieben eine Laufstallverpflichtung. Für kleine Betriebe besteht aber die Möglichkeit, auch als Bio-Betrieb zeitweise Anbindehaltung zu betreiben (= Kleinbetriebsregelung). Voraussetzung dafür ist, dass

- die Betriebsgröße maximal 35 Rinder-GVE (Milch- oder Mutterkuhbetrieb) oder 20 Rinder-GVE (wenn nur eine Tierkategorie vorhanden ist, z. B. Kalbinnenaufzucht) beträgt,
- die Rinder mindestens zwei Mal in der Woche Zugang zu Freigelände-, Auslauf- oder Weideflächen haben (auch wenn im Sommer Weide angeboten wird, muss im Winter mindestens zwei Mal in der Woche Auslauf vorhanden sein),
- mindestens 24 Tiergerechtheitsindex-Punkte (TGI) erreicht werden.

Um den Ansprüchen der Tiere gerecht zu werden, sollte die Laufstallhaltung klar bevorzugt werden. Für die biologische Tierhaltung ist es aber nicht entscheidend, welches Stallsystem vorliegt, sondern ob die Tiere ihr angeborenes und erlerntes Verhalten ausleben können und ihre Würde erhalten bleibt.

## 7.4 WISSEN ANGEWANDT – UMSTELLUNG VON KONVENTIONELL ZU BIO

Eine kompetenzorientierte Unterrichtsvorbereitung zum Thema Umstellung auf Biologische Landwirtschaft steht im E-Book als Zusatzmaterial bereit.

**Aufgabe 1:**
Familie Huber möchte ihren Betrieb auf biologische Wirtschaftsweise umstellen und bittet dich um Hilfe bei der Umstellungsplanung. Herr und Frau Huber haben die wesentlichen Eckdaten ihres Betriebes für dich notiert:

**Kulturarten und Besitzverhältnisse (alle Angaben in Hektar)**

| | Eigentum | Nutzungsrechte (ideelle Anteile) | Zupachtung | Verpachtung | Selbstbewirt. Fläche |
|---|---|---|---|---|---|
| Ackerfläche | 12,81 | - | - | - | 12,81 |
| Dauergrünland | 36,68 | - | 3,27 | - | 39,95 |
| Forstwirtschaft | 30,32 | - | - | - | 30,32 |
| Sonstige Flächen | 0,60 | - | - | - | 0,60 |
| **Summe** | **80,41** | **-** | **3,27** | **-** | **83,68** |

**Ackerbau und Grünland**

| Kultur bzw. Nutzung | Fläche in ha |
|---|---|
| DAUERWEIDE | 3,51 |
| KLEEGRAS 4 Schnitte (50% Belüftungsheu, 50% Silage) | 7,62 |
| MÄHWIESE/-WEIDE 2 Schnitte (100% naturgetrocknetes Heu) | 25,60 |
| MÄHWIESE/-WEIDE 3 Schnitte (30% Belüftungsheu, 40% naturgetrocknetes Heu, 30% Silage) | 10,89 |
| WINTERDINKEL (SPELZ) | 1,32 |
| WINTERTRITICALE | 2,12 |
| WINTERWEICHWEIZEN | 1,75 |
| **Summe** | **52,81** |

**Pferde**

| | | Tiefstallmist | Mist/Jauche | Gülle | Anz. der Tiere |
|---|---|---|---|---|---|
| Rassen mit Widerristhöhe bis 1,48 m und Endgewicht über 300 kg | ab 3 Jahre | 5 | - | - | 5 |
| Rassen mit Widerristhöhe über 1,48 m und Engewicht über 500 kg | ab 3 Jahre | 1 | - | - | 1 |

**Rinder**

| | Tiefstallmist | Mist/Jauche | Gülle | Anz. der Tiere |
|---|---|---|---|---|
| Kälber und Jungrinder unter 1/2 Jahr | 6 | - | - | 6 |
| Jungvieh 1/2 bis 1 Jahr | 6 | - | - | 6 |
| Jungvieh 1 bis 2 Jahr | 6 | - | 2 | 8 |
| Rinder ab 2 Jahre - Stiere und Ochsen | 1 | - | - | 1 |
| Rinder ab 2 Jahre - Kalbinnen | 1 | - | 1 | 2 |
| Milchkühe 7000 kg Milch | 10 | - | 10 | 20 |
| Mutter-/Ammenkühe | 5 | - | - | 5 |

**Schafe und Ziegen**

| | Tiefstallmist | Mist/Jauche | Gülle | Anz. der Tiere |
|---|---|---|---|---|
| Milch-/Mutterziegen | 2 | - | - | 2 |

**Geflügel**

| | Tiefstallmist | Mist/Jauche | Gülle | Anz. der Tiere |
|---|---|---|---|---|
| Legehennen ab 1/2 Jahr | 10 | - | - | 10 |
| Enten | 3 | - | - | 3 |

Stelle für Familie Huber einen Umstellungsplan auf, indem du
- eine nachhaltige Fruchtfolge für den Betrieb erstellst.
- Angaben zum optimalen Zeitpunkt für den Abschluss des Kontrollvertrages gibst.
- einen Zeitplan aufstellst, der angibt, ab wann die am Betrieb produzierten Produkte als Bio-Produkte vermarket werden können und wann sie noch als „konventionell“ bzw. Umstellerware deklariert werden müssen.

# 8. BETRIEBSENTWICKLUNG

Dieses Kapitel hilft dir dabei, folgende Kompetenzen zu erlernen:

**Ziele:** Ich kann
- ✔ Resilienz und Lebenssinn entwickeln und analysieren.
- ✔ mein wirtschaftliches Handeln nicht nur am persönlichen Vorteil, sondern auch am ethischen Bewusstsein der Verantwortung im umfassenden Horizont meines Weltbildes einer wesensgerechten und standortangepassten Land- und Forstwirtschaft orientieren.

Die Zielvorstellung für einen funktionsfähigen ländlichen Raum ist eine **möglichst nachhaltige Landwirtschaft.**

Niedrige Lebensmittelpreise treiben aber die Größenstrukturen in immer höhere Sphären. Nicht selten antwortet die Betriebswirtschaftslehre mit den Gesetzen der Fixkostendegression. Es wird mit höheren Milchleistungen, größerem Düngemitteleinsatz, höherem Kraftfuttereinsatz und größeren Maschinen sowie mehr Fläche geantwortet, um Einkommen zu erzielen. Eine Spirale dreht sich nach oben.

Einer nachhaltigen Landwirtschaft ist dies meist nicht zuträglich.

Nachhaltige Landwirtschaft gelingt durch **persönliche Entwicklung und Standortanpassung.** Dafür müssen die persönlichen Stärken und die Stärken des Betriebes entdeckt und bearbeitet werden. Durch Einbeziehen des jeweiligen Umfeldes werden standortbezogene Strategien entwickelt. Was kann ich gut, was passt an meinem Ort, welche Ressourcen und Chancen stecken in meiner Umgebung?

Das Ansinnen des Bio-Landbaus ist es, einen Weg aus dem Spirale des ständigen „Wachstums" zu finden. Durch die höhere Qualität der Produktion sollen höhere Lebensmittelpreise erzielt werden. Die Instrumente des Marketings werden hinsichtlich Marktführerschaft eingesetzt. Dadurch steigen die Wertschätzung und der Blick auf das „Ganze".

Kreisläufe können durch höhere Wertschöpfung geschlossen werden. Der Bestand an standortangepassten Sorten und Zuchtmaterial wird dadurch gefördert und erhalten.

## 8.1 RESILIENZ AM BIO-BETRIEB

Die Rahmenbedingungen für die Landwirtschaft bleiben nicht starr. Während manche Veränderungen absehbar sind (z. B. Auslaufen von Übergangsregelungen), sind die Betriebsleiterinnen und Betriebsleiter gleichzeitig auch mit einer Vielzahl von unvorhersehbaren Schocks (z. B. Lebensmittelskandale, Unwetterereignisse) oder plötzlichen Wendungen (z. B. Konkurs eines Abnehmers) konfrontiert.

Unter Resilienz versteht man in diesem Zusammenhang die **Fähigkeit eines Betriebs, mit Störungen erfolgreich umzugehen, sich anzupassen und weiterzuentwickeln.** Hat ein Betrieb Resilienz entwickelt, kann er sich erfolgreich auf veränderte Rahmenbedingungen umstellen und Wandel sogar aktiv mitgestalten.

Um als Betriebsleiter bzw. Betriebsleiterin im Hinblick auf diese zum Teil stark wandelbaren Rahmenbedingungen anpassungsfähig zu bleiben, spielen vier Faktoren eine wichtige Rolle:
- Lernen, mit Veränderung und Unsicherheit zu leben
- Diversität in vielfältiger Ausprägung ausbauen
- Verschiedene Typen von Wissen und Lernen kombinieren
- Möglichkeiten zur Selbstorganisation (= Fähigkeit zur Vernetzung mit anderen, um Ideen auszutauschen, aber auch die Selbstständigkeit zu stärken)

Die biologische Wirtschaftsweise basiert auf einem **(Werte-)Gerüst, das die betriebliche Resilienz begünstigt**, z. B.:
- Verständnis von Zyklen natürlicher und unvorhersehbarer Ereignisse
- Streben nach Diversität und Unabhängigkeit (eigene Projekte zur Erhöhung der Wertschöpfung, Produktvielfalt)
- Offener Austausch in der Gemeinschaft (Arbeitskreise, Netzwerke)
- Wertschätzung durch Konsumentinnen und Konsumenten

Aber auch die Strukturen innerhalb des Bio-Landbaus bleiben nicht starr. Damit die biologische Landwirtschaft einen Beitrag zur Resilienz leistet, müssen ihre Werte auch gelebt werden. Persönliche Entwicklung und ein Betriebskonzept, das sich am Ziel Standortanpassung orientiert, tragen zum Erhalt der Resilienz am Betrieb bei.

## 8.2 VISION

Eine Vision beschreibt **in motivierender und positiv formulierter Form die Vorstellung, was** mit dem Betrieb **erreicht werden soll.** Mit einer Vision geben Betriebsführerinnen und Betriebsführer die Richtung an, in die sich ihr Betrieb entwickeln soll und stecken damit langfristige Ziele ab, die zeitlich und mengenmäßig über das Tagesgeschäft hinausgehen. Vereinfacht gesagt drückt die betriebliche Vision aus, wofür man in Zukunft mit dem eigenen Betrieb stehen möchte.

Eine kompetenzorientierte Unterrichtsvorbereitung zum Thema „Gesunder Mensch, gesunder Betrieb" steht im E-Book als Zusatzmaterial bereit.

Wenn das Leben keine Vision hat, nach der man sich sehnt, dann gibt es auch kein Motiv, sich anzustrengen.
Erich Fromm

**Exkurs: Beispiele für Vision Statements**

- Google: „Das Ziel von Google ist es, die Informationen der Welt zu organisieren und für alle zu jeder Zeit zugänglich und nutzbar zu machen." (Quelle: https://www.google.com/about/)
- Eisl Eis: „Wir produzieren qualitativ hochwertiges Schafmilcheis in extravaganten Sorten. Dabei setzen wir, wo möglich, auf die österreichische Herkunft der Zutaten, keinerlei Aromen, Farbstoffe oder andere Zusatzstoffe. Der bewusste Umgang mit Lebensmitteln sowie die Berücksichtigung ökologischer Aspekte in allen Phasen der Produktion ist für uns selbstverständlich." (Quelle: https://shop.eisl-eis.at/ueber-uns/)

Der Zeithorizont, für den eine Vision gelten soll, ist meistens ein strategischer Zeitraum. Das umfasst alle Dinge, die in den nächsten fünf bis zehn Jahren passieren. Wir unterscheiden folgende Begriffe:
- Operativ: heute bis ein Jahr
- Taktisch: ein Jahr bis fünf Jahre
- Strategisch: fünf bis zehn Jahre

## 8.3 DIE VISION KONKRETISIEREN: STRATEGIE UND ZIELE ABLEITEN

### 8.3.1 Strategie

Eine Unternehmensvision zu haben, stellt den Beginn der Betriebsentwicklung dar. Anschließend muss geklärt werden, **wie die Vision erreicht werden soll**. Welche Eigenschaften sind notwendig? Auf welche Aufgaben müssen sich die Betriebsleiterin bzw. der Betriebsleiter konzentrieren?

Hat man die Vision für den eigenen Betrieb erstellt, werden daher anschließend die Strategie sowie konkrete Ziele daraus abgeleitet. Die Ziele werden ihrerseits wiederum mit Hilfe des Maßnahmenplans strukturiert.

Nur wer sein Ziel kennt, findet den Weg. Laotse, Chinesischer Philosoph

### 8.3.2 Ziele

Ziele sind **Wünsche und Forderungen**, welche der Betriebsleiter bzw. die Betriebsleiterin für den Betrieb für die Zukunft formulieren. Betriebsleiterinnen und Betriebsleiter können nur dann erfolgreich arbeiten, wenn sie sich genau abgesteckte, sorgfältig erarbeitete und sinnvolle Ziele für ihren Betrieb setzen. Als **Leitfrage** gilt dabei immer: **Was wollen wir bis wann erreichen?**

Damit Klarheit darüber herrscht, wie das gesetzte Ziel genau lautet und auch überprüft werden kann, ob es erreicht wurde, sollten **Ziele SMART formuliert** werden:

- **S – Spezifisch:** Ein Ziel sollte so genau und konkret wie möglich sein.
  Beispiel: „Bau eines Einfamilienhauses in Massivbauweise mit maximal 125 m² Wohnfläche auf einem Grundstück in Hanglage mit Fertigstellung bis 30.11.2025“ statt „Bau eines Einfamilienhauses“.
- **M – Messbar:** Wichtig ist hier die Nennung eines Mengengerüstes, einer Zeitangabe oder eines sonstigen messbaren Kriteriums. Ungünstige Formulierungen sind beispielsweise „möglichst niedrige Kosten“, „Erhöhung der Qualität“, „Ausbau des Marktanteiles“ usw. All diesen Formulierungen fehlt ein konkretes messbares Kriterium.
  Beispiel: „Einhaltung des Projektbudgets von 300.000 Euro“ statt „geringe Projektkosten“.
- **A – Akzeptiert:** Ziele, die von den am Betrieb involvierten Personen als unakzeptabel angesehen werden, haben wenig Aussicht auf Erfolg.
  Beispiel: „Verputzung des Einfamilienhauses mit rosafarbenem Putz und Anbringung eines Blümchenmusters“ könnte möglicherweise innerhalb der Familie nicht akzeptiert werden im Gegensatz zu „Verputzung des Hauses im gleichen Farbschema wie das der Nachbarschaft“.
- **R – Realistisch:** Dieses Kriterium hängt eng mit dem vorigen Punkt zusammen: Realistische Ziele werden leichter akzeptiert und motivieren deutlich stärker, als solche, die bereits im Vorfeld als unrealistisch angesehen werden.
  Beispiel: „Fertigstellung des Hauses bis 30.11.2025“ statt „Fertigstellung des Hauses bis Ende des kommenden Monats“.
- **T – Terminierbar:** Ziele sollten eine Zeitangabe beinhalten, bis zu dem das Ziel erreicht wird.
  Beispiel: „Einzugsfertiges Erdgeschoss bis 20.11.2023“ statt „Erdgeschoss früh bezugsfertig“.

**Folgende sechs Tipps helfen bei der Zielformulierung:**

- Einen Zustand beschreiben: Häufig ist es hilfreich, keine Aktivitäten zu beschreiben, sondern den Zielzustand bzw. die erarbeiteten Ergebnisse: „Eine Internet-Recherche wurde durchgeführt“ oder „Die Ergebnisse einer Internetrecherche wurden in einem Dokument zusammengefasst“.
- In die Zukunft versetzen: Wenn man einen Zustand beschreiben möchte, funktioniert das häufig sehr gut, wenn man sich in die Zukunft versetzt. Was soll erreicht worden sein, wenn das Ziel umgesetzt ist? Ein Hineinversetzen in die Zukunft hilft dabei, sich von Aktivitäten zu lösen und sich auf den Zielzustand zu konzentrieren.
- In der Gegenwartsform beschreiben: Hat man sich in die Zukunft versetzt, fällt es meist einfacher, den gewünschten Zielzustand in der Gegenwartsform zu beschreiben. So kommt man weg von „Es soll xyz erreicht werden“ hin zu „xyz liegt vor“.
- Eigenverantwortlich und positiv formulieren: Eine eigenverantwortliche und positive Formulierung von Zielen hat einen psychologischen Effekt: Sie fühlen sich besser an und können vom Gehirn besser verarbeitet werden. Floskeln wie „soll nicht mehr“ und „man macht“ sollten daher vermeiden werden. Eine hilfreiche Fragestellung kann sein: Was ist der positive Endzustand, den ich erreichen möchte? (Beispiel: „Ich lebe nikotinfrei“ vs. „Ich rauche nicht mehr“).
- Vergleiche ausformulieren: Wenn ein Ziel eine „höhere Kundenzufriedenheit“ oder eine „niedrigere Ausschussquote“ oder ähnliche Kriterien vorsieht, stellt sich immer sofort die Frage: Höher als was? Niedriger im Vergleich womit? Solche Vergleichsformulierungen sollten sofort hellhörig werden lassen. Lösung: Ganz einfach konkreter werden.
- Hilfreiche Fragen stellen: Wenn wir davon ausgehen, dass ein Ziel einen Zustand beschreibt, liegt der Fokus häufig nicht auf Aktivitäten. Um das formulierte Ziel noch einmal zu überprüfen, bieten sich folgende Fragen an: „Was ist mein Ergebnis?“ statt Fragen wie „Was wurde getan?“

**Wissen angewandt – Formulieren von SMARTen Zielen**

Formuliere folgende Ziele so um, dass sie den Kriterien der SMARTen Zielformulierung entsprechen:

| Nr. | Schlecht formuliert | SMART formuliert |
|---|---|---|
| 1 | Ich werde öfters mal Sport treiben. | Ab Dienstag, 20.11., gehe ich jeden Dienstag ab 17.30 Uhr ins Fitnessstudio um die Ecke und trainiere für 30 Minuten auf dem Cross-Trainer. Innerhalb von vier Monaten steigere ich mich auf 60 Minuten. |
| 2 | Ich will ein Haus bauen. | Bau eines Einfamilienhauses mit mindestens 130 m² am Stadtrand von Linz mit einem Budget von 300.000 Euro bis zum 30.11.2017. |
| 3 | Das Produkt soll gesund sein. | Bei der Produktion des Brotaufstriches wird ab dem nächsten Quartal ausschließlich auf Bio-Qualität gesetzt und auf Geschmacksverstärker und Stabilisatoren verzichtet. |
| 4 | Zellzahl senken | |
| 5 | Zubau: Schaffung von Platz für Trockensteher | |
| 6 | Sanierung Fahrsilo: Schaffen von Lagerplatz | |
| 7 | Arbeitserleichterung: Ankauf Mähwerk | |
| 8 | Mastleistung der Stiere verbessern | |
| 9 | Auslastung Urlaub-am-Bauernhof-Betten verbessern | |
| 10 | Mehr Joghurts verkaufen | |

## 8.4 MASSNAHMENPLAN

Wurden die Unternehmensvision formuliert und daraus Strategie und Ziele abgeleitet, kann daraus ein Maßnahmenplan abgeleitet werden.

**1. Maßnahmen formulieren**

Aus den SMARTen Zielen werden Maßnahmen abgeleitet, die Schritt für Schritt dazu beitragen, das gesetzte Ziel zu erreichen. Zentrale Maßnahmen werden als Meilensteine bezeichnet, ein Begriff, der aus dem Projektmanagement kommt. Meilensteine teilen im Projektmanagement den Projektverlauf in überprüfbare Etappen mit Zwischenzielen und erleichtern damit sowohl die Projektplanung als auch die Kontrolle des Projektfortschritts.

**2. Zuständigkeiten für Maßnahmen festlegen**

Damit der Maßnahmenplan zu tatsächlichen Fortschritten im Hinblick auf das Erreichen der Unternehmensvision beiträgt, muss unbedingt festgelegt werden, wer für welche Maßnahme zuständig ist.

**3. Endtermin festlegen**

Maßnahmen ohne festgesetzten Endtermin laufen erfahrungsgemäß häufig ins Leere. Da Maßnahmen auch oft aufeinander aufbauen, ist der Erledigungstermin für die Planung von hoher Bedeutung.

**Wissen angewandt – Maßnahmenplan und SMARTe Ziele**

Vervollständige den Maßnahmenplan von Familie Maier:

### Beispiel eines Maßnahmenplans

| Nr. | Maßnahmen bzw. Meilensteine | Ziele der Maßnahme (Nutzen) | Wer (Verantwortung) | Bis wann? (Termin) |
|---|---|---|---|---|
| 1 | Ankauf Hoftrac inkl. Anbaugerät | | Anna Maier | 15.11.2024 |
| 2 | Fertigstellung des Umbaus des bestehenden Wirtschaftsgebäudes zu Schafstall | | Franz Maier | 01.12.2024 |
| 3 | Abschluss Mitgliedschaft beim TGD | | Anna Maier | 01.01.2025 |
| 4 | Abschluss Mitgliedschaft beim Landeszuchtverband für Schafe und Ziegen | | Anna Maier | 01.01.2025 |

# 9. LITERATUR

## 1. EINFÜHRUNG: WAS IST BIOLOGISCHE LANDWIRTSCHAFT?

Bundesministerium für Gesundheit und Frauen (2017): Biologische Landwirtschaft. 35 Jahre Bio-Regelungen in Österreich, Wien, Eigenverlag.

Bundesministerium für Nachhaltigkeit und Tourismus (2018): Biologische Landwirtschaft in Österreich. 9. Auflage, Wien, Eigenverlag.

IFOAM-Organics International (2017): The IFOAM NORMS for Organic Production and Processing Version 2014, Edited version of the IFOAM Norms 2014, veröffentlicht unter: https://www.ifoam.bio/sites/default/files/ifoam_norms_july_2014_t.pdf [04.04.2019]

Schmid, O. und Obrist, R. (2006): Biologischer Landbau. Lehr- und Fachbuch für landwirtschaftliche Schulen und die Praxis. FiBL, svial asiat (Hrsg.), 3. Auflage, Zollikofen, edition-lmz.

VERORDNUNG (EU) 2018/848 DES EUROPÄISCHEN PARLAMENTS UND DES RATES vom 30. Mai 2018 über die ökologische/biologische Produktion und die Kennzeichnung von ökologischen/biologischen Erzeugnissen sowie zur Aufhebung der Verordnung (EG) Nr. 834/2007 des Rates.

Willer, Helga und Lernoud, Julia (Hrsg.) (2018): The World of Organic Agriculture. Statistics and Emerging Trends 2018. Research Institute of Organic Agriculture (FiBL), frick, and IFOAM – Organics International, Bonn.

## 2. PFLANZENBAU

Bayerische Landesanstalt für Landwirtschaft (LfL) (Hrsg. ) (2003): Leitfaden zur Düngung von Acker- und Grünland. – Broschüre, 82 S., Freising (www.lfl.bayern.de).

Bayerische Landesanstalt für Landwirtschaft (LfL) (Hrsg. ) (2014): Bodenstruktur erkennen und beurteilen. Anleitung zur Bodenuntersuchung mit dem Spaten – Broschüre, 20 S., Freising (www.lfl.bayern.de).

Bayerische Landesanstalt für Landwirtschaft (LfL) (Hrsg.) (2002): Ackerböden vor Erosion schützen. Bodenfruchtbarkeit erhalten.– Merkblatt, 12 S., Freising (www.lfl.bayern.de).

Bayerische Landesanstalt für Landwirtschaft (LfL) (Hrsg.) (2004): Ackerböden vor Schadverdichtung schützen – Maßnahmen zur Verbesserung des Bodengefüges. – Merkblatt, 12 S., Freising (www.lfl.bayern.de).

Bayerische Landesanstalt für Landwirtschaft (LfL) (Hrsg.) (2004): Das Bodenleben schonen. – Merkblatt, 12 S., Freising (www.lfl.bayern.de).

Bayerische Landesanstalt für Landwirtschaft (LfL) (Hrsg.) (2004): Bodenerosion – Wie stark ist die Bodenerosion auf meinen Feldern. – Merkblatt, 9 S., Freising (www.lfl.bayern.de).

Bayerisches Staatsministerium für Umwelt, Gesundheit und Verbraucherschutz (StMUGV) (2006): Lernort Boden. Boden – Was ist das eigentlich? SchülerInnenaktivitäten

Bayerisches Staatsministerium für Umwelt, Gesundheit und Verbraucherschutz (StMUGV) (2006): Lernort Boden. Modul A Was ist Boden?

Bayerisches Staatsministerium für Umwelt, Gesundheit und Verbraucherschutz (StMUGV) (2006): Lernort Boden. Modul B Produzenten und Konsumenten, Zersetzer und Aasfresser, Räuber und Parasiten – Der Boden als Lebensraum.

Bayerisches Staatsministerium für Umwelt, Gesundheit und Verbraucherschutz (StMUGV) (2006): Lernort Boden. Modul D Reservoir und Filter – Die Rolle des Bodens im Wasserkreislauf.

Bayerisches Staatsministerium für Umwelt, Gesundheit und Verbraucherschutz (StMUGV) (2006): Lernort Boden. Modul E Die Erde, die uns ernährt – Der Boden als Agrarstandort.

Beste, A. (2009): Gefügeuntersuchungen. Bodenbearbeitungsvergleich 2009. Büro für Bodenschutz & Ökologische Agrarkultur

Bio Austria (2008): Bodenhandbuch für den Acker, Bio Austria, Linz.

Buchgraber, Karl (2018): Zeitgemäße Grünlandbewirtschaftung. Graz, Stocker Verlag.

Bundesministerium für Finanzen (BMF) (2013): Allgemeine Information über die Bodenschätzung. Bodenschätzungsergebnisse = Informationen über Boden, Standort und Ertragsfähigkeit von landwirtschaftlich genutzten Böden. Veröffentlicht auf: http://www.bev.gv.at/pls/portal/docs/PAGE/BEV_PORTAL_CONTENT_ALLGEMEIN/0200_PRODUKTE/PDF/ALLGEMEINE_INFORMATION_UEBER_DIE_FINANZBODENSCHAETZUNG_STAND_20150908.PDF

Diepolder und Raschbacher. (2007): Kleine Gräserkunde. Lfl-Bayern. Online: https://www.lfl.bayern.de/mam/cms07/iab/dateien/graeserkunde_2.pdf

Dietl, Walter und Jorquera, Manuel. (2013): Wiesen und Alpenpflanzen. Österreichischer Agrarverlag. S. 610 ff.
Dietl, Walter und Lehmann, Josef (2006): Ökologischer Wiesenbau. AV Verlag.
Freyer, Bernhard und Hacket, Mary (2001): Grünlandbewirtschaftung im biologischen Landbau. ÖAG Schriftenreihe Info 5/2001.
Hulsen, Jan, Scheepens, Kees (2007): Schweinesignale. Praxisleitfaden für die tiergerechte Schweinehaltung. Roodbont Publishers B.V.
Humer LK NÖ(2013): Grünlandführerschein, online: http://de.slideshare.net/JohannHumer/humerjohann-grserfhrerschein-fr-bessere-futterwiesen-2013apr18b [01/2016]
Mückenhausen, E. (1993): Die Bodenkunde und ihre geologischen, geomorphologischen, mineralogischen und petrologischen Grundlagen. Frankfurt. S. 195.
Pötsch, Erich und Lüscher, Andreas (2014): Leguminosen als Schlüssel für eine nachhaltige Proteinversorgung im Grünland. Beitrag zur 19. Wintertagung für Grünland- und Viehwirtschaft Aigen im Ennstal, Jänner 2014.
Pötsch, Erich (2009): Einflussfaktoren auf Ertrag und Qualität von Grünlandfutter. Online: https://www.researchgate.net/publication/322526330_Einflussfaktoren_auf_Ertrag_und_Qualitat_von_Grunlandfutter [19.04.2019]
Scheffer, F. und Schachtschabel, P. (Hrsg.) (2002): Lehrbuch der Bodenkunde. – 15. Aufl., 528 S., Heidelberg, Spektrum Akademischer Verlag.
Schroeder, D. (1992): Bodenkunde in Stichworten. – 5. Aufl., bearb. von W. E. H. Blum, Berlin, 175 S., Stuttgart (Ferdinand Hirt).
Starz, Walter (2007): „Gräser, das Gerüst der Wiese“, in: Die Landwirtschaft, Die Zeitung der NÖ Landes-Landwirtschaftskammer, Nr. 12, S. 10–11.

## 3. BIOLOGISCHE TIERHALTUNG

Aichberger, Leopold; Bizaj, Martina; Fritsch, Florian; Gansinger, Doris; Hagmüller, Werner; Hahn, Isabella; Hozzank, Alexandra; Kolar, Veronika; Stöger, Elisabeth (2006): Kräuter für Nutz- und Heimtiere – Ratgeber für die Anwendung ausgeählter Heil- und Gewürzpflanzen. Arbeitsgruppe Kräuter und Gewürze für Nutz- und Heimtiere, Eigenverlag.
Bayerische Landesanstalt für Landwirtschaft: Beurteilung der Körperkondition mit dem Body Condition Score (BCS)-Fütterung. Online: https://www.lfl.bayern.de/ite/rind/085441/index.php [20.05.2019]
Bayerische Landesanstalt für Landwirtschaft: LfL-Information; Der Ökologische Zuchtwert für Fleckvieh, April 2019. Online: https://www.lfl.bayern.de/mam/cms07/itz/dateien/zws-rind_oekfv1904.pdf [15.05.2019]
Buchgraber, K. und Gindl, G. (2004): Zeitgemäße Grünlandbewirtschaftung. Graz, Stuttgart, Leopold Stocker Verlag.
Deutsche Welthungerhilfe e. V.: Hunger: Verbreitung, Ursachen & Folgen. Online: https://www.welthungerhilfe.de/hunger/ [20.05.2019]
Dietl, W.; Lehmann, J.; Jorquera, M. (1998): Wiesengräser. Zollikofen: Landwirtschaftliche Lehrmittelzentrale.
Entwicklung der Landwirtschaft und des ländlichen Raumes – agridea (2018): Antibiotikaeinsatz in der Tierhaltung reduzieren. Lausanne.
Eurosat 2018: Anzahl der Milchkühe in der EU. Online: https://ec.europa.eu/eurostat/tgm/graph.do?tab=graph&plugin=1&language=en&pcode=tag00014 [20.05.2019]
Forschungsinstitut für biologischen Landbau (FiBL ) (2007): Merkblatt: Tierbehandlung im Biobetrieb. Wien.
Forschungsinstitut für biologischen Landbau (FiBL): Foliensammlung Biolandbau, 2.Auflage 2016
Haiger Alfred (2019): Arbeitsgemeinschaft österreichischer Lebensleistungszüchter – AöLZ Stierkatalog 2019.
HBLFA Raumberg-Gumpenstein: Institut für Biolandwirtschaft und Biodiversität der Nutztiere, Biomilchviehzucht. Online: https://www.raumberg-gumpenstein.at/cm4/de/forschung/forschungsbereiche/bio-landwirtschaft-und-biodiversitder-nutztiere/tier/rind/bio-milchviehzucht/271-fors-bio-landwirtschaft-und-biodiversit/tier/rind/bio-milchviehzucht/5371-oe-zw-oekologischer-gesamtzuchtwert.html [13.05.2019]
HBLFA Raumberg-Gumpenstein: Institut für Biolandwirtschaft und Biodiversität der Nutztiere, Biomilchviehzucht. Online: https://www.raumberg-gumpenstein.at/cm4/de/forschung/for-

schungsbereiche/bio-landwirtschaft-und-biodiversitder-nutztiere/pflanze/biogruenland/weideinfos-gruenland.html?id=2102 [20.05.2019]
Hulsen, Jan (2009): Kuhsignale, Krankheiten und Störungen früher erkennen. Roodbont, Zutphen
Ineichen, Sebastian und Steinwidder, Andreas (2018): Fortschrittlicher Landwirt. Tipps zur Grünfütterung im Stall. Online: https://www.landwirt.com/Tipps-zur-Gruenfuetterung-im-Stall,,19559,,Bericht.html [20.05.2018]
International Association for Veterinary Homeopathy – IAVH (2019): Homöopathie online: https://www.iavh.org/ [22.05.2019]
LFI, LK OÖ und Bio Austria (2011): Fachbroschüre Bio-Schweinefütterung. Eigenverlag
Manser, Christian (2017): Handout, Schlägler Biogespräch: Gesundes Tier – Kuhsignale, Aigen-Schlägl.
Österreichisches Kuratorium für Landtechnik und Landentwicklung (ÖKL) (2017): Landtechnische Schriftenreihe Nr. 229: Stallbau für die Biotierhaltung. Schweine. , 4. Auflage
Rahmann, G. (2010): Ökologische Schaf- und Ziegenhaltung. 100 Fragen und Antworten für die Praxis. Veröffentlicht unter: www.orgprints.org
Steinwidder, A.; Starz, W. (2015): Gras dich fit! Graz: Leopold Stocker Verlag.

## 4. AGRARWIRTSCHAFT: VERMARKTUNG VON BIO-PRODUKTEN

BMNT (2018): Bio-Lebensmittel – Nachfrage wächst weiter. Veröffentlicht auf: https://www.bmnt.gv.at/land/bio-lw/zahlen-fakten/Bio_Markt.html
Gallup Institut (2017): Einkauf von Bio-Lebensmitteln in Österreich. Eine quantitative Untersuchung. Veröffentlicht auf: https://www.gallup.at/fileadmin/documents/PDF/Bio-Lebensmittel_in_Oesterreich.pdf [29.05.19]
KeyQUEST (2016): Landwirte-Befragung zu Direktvermarktung — exklusiv für Agrar.Projekt. Verein/LK Österreich Telefonumfrage Februar/März 2016. Veröffentlicht auf: https://www.gutesvombauernhof.at/uploads/pics/Oesterreich/ChanceDV/PB_Chance_DV-Studie_Berichtsband-Charts_20160606.pdf
Schmid, O. und Obrist, R. (2006): Biologischer Landbau. Lehr- und Fachbuch für landwirtschaftliche Schulen und die Praxis. FiBL, svial asiat (Hrsg.), 3. Auflage, Zollikofen, edition-lmz.
WKO (2017): Bio/Organic Food: Struktur, Zukunft und Trends der Branche. Veröffentlicht auf: https://www.wko.at/service/aussenwirtschaft/bio-organic-food-branche-struktur-zukunft-trends.html

## 5. WERTSCHÖPFUNG AM BIO-BETRIEB: DIVERSIFIZIERUNG IN DER LAND- UND FORSTWIRTSCHAFT

Green Care Österreich (2017): Green Care – Wo Menschen aufblühen. Tätigkeitsbericht 2017. Green Care Österreich in Kooperation mit dem Ländlichen Fortbildungsinstitut Wien (Hrsg.).
Haubenhofer, D.; Demattio, L.; Geber, S. (2012a): Wirkung und Nutzen von Green Care: Eine Recherche und Analyse fachbezogener Artikel. Ein Bericht für das Ländliche Fortbildungsinstitut und die Landwirtschaftskammer Wien. Wien: Landwirtschaftskammer Wien.
Strelli, Ch. (2013): Warum bieten Landwirte/innen Urlaub am Bio-Bauernhof an? Masterarbeit zur Erlangung des akademischen Grades Diplomingeneurin, Universität für Bodenkultur, Wien.
Urlaub am Bauernhof (2018): Qualitätsrichtlinien Urlaub am Biobauernhof. Veröffentlicht auf: http://kategorisierung.urlaubambauernhof.at/Content/ErlaeuterungenSpez001.pdf
Urlaub am Bauernhof (2018): Wozu eine Kategorisierung der Höfe? Veröffentlicht auf: http://kategorisierung.urlaubambauernhof.at/Content/Erlaeuterungen.pdf
Wiesinger, G.; Quendler, E.; Hoffmann, Ch.; Martino Di, A.; Egartner, S.; Weber, N.; Hambrusch (2013): Soziale Landwirtschaft: Situation und Potenziale einer Form der Diversifizierung land- und forstwirtschaftlicher Betriebe in Österreich, Südtirol und Trentino. Wien: Bundesanstalt für Bergbauernfragen. http://www.berggebiete.eu/cm3/de/home/22-themen/soziale-verhaeltnisse/710-fb66-soziale-landwirtschaft.html

## 6. BETRIEBSWIRTSCHAFT

BMNT (2018): Einkommensermittlung für den Grünen Bericht. Methodenbeschreibung Version 2018. Veröffentlicht unter: https://gruenerbericht.at/cm4/jdownload/category/19-einkommensermittlung

BMNT (2018): Grüner Bericht 2018 gemäß §9 des Landwirtschaftsgesetzes. Bericht über die Situation der österreichischen Land- und Forstwirtschaft im Jahr 2017. 59. Auflage, Wien 2018

Ebendorfer, D.; Kirner, L.; Vogler, R.; Wiesinger, F. (2015): Unternehmensführung in der Landwirtschaft. Band 2: Planen und Steuern. Graz, Leopold Stocker Verlag.

Kirner, L.; Ebendorfer, D.; Wiesinger, F.; Vogler, R. (2015): Unternehmensführung in der Landwirtschaft. Band 1: Analysieren, Leopold Stocker Verlag.

Schneeberger, W., Peyerl, H (Hg.) (2011): Betriebswirtschaftslehre für Agrarökonomen. Wien, facultas.wuv Universitätsverlag.

## 7. KONVENTIONELL ZU BIO: SO FUNKTIONIERT EINE GELUNGENE UMSTELLUNG

Bio-Austria (2016): Umstellung auf Biologische Schweinehaltung. Beratungsblatt Umstellung Schwein. Veröffentlicht auf: https://www.bio-austria.at/download/umstellung-auf-biologische-schweinehaltung/

Bio-Austria (s. a) Umstellungszeitplan. Veröffentlicht auf: https://www.bio-austria.at/bio-bauern/umstellung/umsetzungszeitplan/

Forschungsinstitut für Biologischen Landbau (FiBL) (Hrsg.) (2014): Umstellung auf Bio. Erfolgreich in den Biolandbau starten. – Merkblatt, Frick (www.fibl.org).

Größ, Ch. (2018): Wegweiser zur Umstellung auf den biologischen Ackerbau. Beratungsblatt Umstellung Ackerbau. Bio-Austria (Hrsg.).

Schmid, O. und Obrist, R. (2006): Biologischer Landbau. Lehr- und Fachbuch für landwirtschaftliche Schulen und die Praxis. FiBL, svial asiat (Hrsg.), 3. Auflage, Zollikofen, edition-lmz.

## 8. BETRIEBSENTWICKLUNG

Darnhofer, I. (2005): Resilienz und die Attraktivität des Biolandbaus für Landwirte. In: Groier, M. und Schermer, M. (Hrsg.) Bio-Landbau in Österreich im internationalen Kontext. Band 2: Zwischen Professionalisieung und Konventionalisierung. Bundesanstalt für Bergbauernfragen

Milestad, R. und Darnhofer, I. (2003): Building farm resilience: The prospects and challenges of organic farming. Journal of Sustainable Agriculture 22 (3).

Strauss, A. und Darnhofer, I. (2015): Leistet die biologische Landwirtschaft einen Beitrag zur Resilienz landwirtschaftlicher Familienbetriebe? 13. Wissenschaftstagung Ökologischer Landbau.s Beitrag archiviert unter http://orgprints.org/view/projects/int-conf-wita-2015.html

Persönliche Notizen

Persönliche Notizen

## Landwirtschaft bio(logisch)!

Biologische Landwirtschaft ist im kompetenzorientierten Lehrplan der land- und forstwirtschaftlichen Fachschulen verankert. „Bio" ist aber mehr als nur der Verzicht auf Chemie: Ganzheitlich vernetztes Denken und ein möglichst geschlossener Betriebskreislauf mit einer vielfältigen Struktur bilden die Grundlage des Bio-Landbaus.

„Landwirtschaft bio(logisch)!" spannt daher einen Bogen von der Geschichte des Bio-Landbaus über Pflanzenbau, Tierhaltung, Wertschöpfung mittels Be- und Verarbeitung bis hin zu betriebswirtschaftlichen Deckungsbeitragsrechnungen und einer gelungenen Umstellungsplanung und beleuchtet diese Themen erstmals in Schulbuchform.

Das vielfältige und spannende Feld der Landwirtschaft wird im Schulbuch „Landwirtschaft bio(logisch)!" zeitgemäß, logisch aufeinander aufbauend, interessant und mit wertvollen Online-Inhalten aufbereitet präsentiert.

Buch-Nr. 46-200376 E-Book-Plus-Nr. 46-200425

Aschauer / Böhm / Gaisberger / Hagmüller
Hofmann / Reindl / Stöbich / Trautendorfer

**Landwirtschaft bio(logisch)**


ISBN 978-3-7020-1881-8
ISBN 978-3-7020-1974-7 (Buch mit E-Book Plus)

DIGI 4 SCHOOL

9 783702 018818
ISBN 978-3-7020-1881-8

9 783702 019747
ISBN 978-3-7020-1974-7
(Buch mit E-Book Plus)

Leopold Stocker Verlag
www.stocker-verlag.com